Het zaad van gisteren

D0717153

2482

Virginia Andrews

Het zaad van gisteren

Zwarte Beertjes

Oorspronkelijke titel
Seeds of yesterday
© 1984 Vanda Productions, Ltd.
Vertaling
Parma van Loon
© 1993 A.W. Bruna Uitgevers B.V., Utrecht
Eerder verschenen bij De Kern, Baarn

ISBN 90 449 2482 6
NUGI 331

Zesde druk, juli 1997

Boek een

FOXWORTH HALL

En zo gebeurde het dat in de zomer waarin ik, tweeënvijftig, de belofte van onze moeder dat we rijk zouden worden, die ze zo lang geleden had gedaan, toen ik twaalf was en Chris veertien, eindelijk werd ingelost.

We stonden allebei te staren naar dat enorme, indrukwekkende huis dat ik nooit had verwacht te zullen terugzien. Ook al was het niet een exact duplicaat van Foxworth Hall, toch huiverde ik onwillekeurig. Wat een hoge prijs hadden Chris en ik betaald om zo ver te komen; tijdelijke heersers over dit reusachtige huis dat een verkoolde ruïne had moeten blijven. Eens, lang geleden, had ik geloofd dat hij en ik in dit huis zouden leven als een prins en prinses, en we samen de gouden aanraking zouden hebben van koning Midas, alleen met meer beheersing.

Ik geloofde niet meer in sprookjes.

Zo levendig of het gisteren pas gebeurd was, herinnerde ik me die kille zomeravond vol mystiek maanlicht en magische sterren aan een zwart fluwelen hemel, toen we hier voor het eerst kwamen en alleen het beste verwachtten. We hadden er alleen het slechtste gevonden.

Chris en ik waren toen zo jong, zo onschuldig en vol vertrouwen geweest, we geloofden in onze moeder, hielden van haar, geloofden, toen ze ons en ons broertje en zusje, de vijfjarige tweeling, door de donkere, huiveringwekkende nacht leidde naar dat grote huis dat Foxworth Hall heette, dat al onze toekomstige dagen rijk en gelukkig zouden zijn.

In wat voor geloof waren we achter haar aan gelopen.

Opgesloten in die donkere, trieste kamer, spelend op die stoffige, bedompte zolder, hadden we ons vastgeklampt aan de beloften van onze moeder, dat op een goede dag Foxworth Hall en al die fantastische rijkdommen van ons zouden zijn. Maar ondanks al haar beloften weigerde het zieke, maar taaie hart van een wrede en harteloze grootvader op te houden met kloppen, om vier jonge, hoopvolle harten te laten leven. En dus wachtten we en wachtten we, tot er meer dan drie lange-lange jaren verstreken waren zonder dat mamma haar belofte had gehouden.

En pas op de dag waarop *zij* stierf en haar testament werd voorgelezen – was Foxworth Hall van ons. Ze had het huis nagelaten aan Bart, haar lievelings-kleinzoon, mijn kind van haar tweede man, maar tot Bart vijfentwintig was, was Chris beheerder van de nalatenschap.

De opdracht voor de wederopbouw van Foxworth Hall was al gegeven voordat ze naar Californië verhuisde om ons te vinden, maar pas na haar dood werd de laatste hand gelegd aan het nieuwe Foxworth Hall.

Vijftien jaar lang stond het huis leeg, onder de hoede van huisbewaarders en onder wettig toezicht van een staf advocaten die Chris hadden geschreven of gebeld om de problemen die zich voordeden met hem te bespreken. Een wachtend huis, treurend misschien, wachtend op de dag dat Bart zou besluiten erin te trekken, zoals we altijd hadden verondersteld dat hij op een dag zou doen. Nu bood hij ons het huis voor een tijdje aan, tot hij het zelf zou overnemen.

Bij elk verlokkelijk aanbod schuilt een addertje onder het gras, dacht ik, achterdochtig als altijd. Ik kon de valstrik bijna voelen. Hadden Chris en ik werkelijk zo'n lange weg afgelegd alleen om de cirkel vol te maken, terug te komen bij het begin?

Wat zou het deze keer zijn?

Nee, nee, dacht ik steeds weer, het is gewoon die eeuwige achterdocht van me. De nacht was voorbij, onze dag was eindelijk aangebroken, en we stonden nu in het volle zonlicht van onze dromen die waarheid waren geworden.

Het hier staan en plannen maken om in dat weer opgebouwde huis te gaan wonen, bracht plotseling een bekende bittere smaak in mijn mond. Al mijn plezier verdween. Het was meer de verwezenlijking van een nachtmerrie, die niet wilde verdwijnen als ik mijn ogen opendeed.

Ik zette het gevoel van me af, glimlachte naar Chris, kneep hem in zijn vingers en staarde naar Foxworth Hall, herrezen uit de as van het oude huis, dat ons weer in verwarring bracht met zijn reusachtige, majestueuze omvang, dat gevoel van een loerend kwaad, de talloze ramen met de zwarte luiken, als oogleden over hardvochtige, donkere ogen. Het doemde hoog voor ons op, over duizenden vierkante meters, groots en indrukwekkend, en angstaanjagend. Het was groter dan de meeste hotels, in de vorm van een gigantische T – een enorm middenstuk met vleugels naar het noorden en zuiden, het oosten en westen.

Het was gebouwd van lichtrode stenen. De vele zwarte luiken pasten bij het leien dak. Vier indrukwekkende witte Korinthische pilaren steunden een sierlijk portiek aan de voorkant. Boven de zwarte dubbele voordeur was gebrandschilderd glas. Grote koperen wapenschilden versierden de deuren en gaven ze een elegant, minder somber uiterlijk.

Het zou me wat opgevrolijkt hebben, als de zon niet plotseling schuil was gegaan achter een wolk. Ik keek omhoog naar een lucht die stormachtig en onheilspellend was geworden, en regen en wind beloofde. De bomen in het omringende bos begonnen heen en weer te zwaaien, zodat de vogels geschrokken opvlogen en krijsend beschutting zochten. De groene, keurig onderhouden gazons waren al snel bezaaid met gebroken takjes en gevallen bladeren, en de bloemen in de geometrisch aangelegde bloemperken werden genadeloos tegen de grond geknakt.

Ik rilde en dacht: *Vertel me nog eens, Christopher Doll, dat alles goed gaat. Vertel het me nog eens, want ik geloof het niet echt, nu de zon weg is en er storm op komst is.*

Hij keek ook omhoog, voelde mijn angst, mijn tegenzin om door te zetten, ondanks mijn belofte aan Bart, mijn tweede zoon. Zeven jaar geleden hadden zijn psychiaters ons verteld dat hun behandeling succes had en dat Bart volkomen normaal was en zijn leven kon leven zonder geregelde therapie.

Chris legde zijn arm om mijn schouders om mie te troosten. Zijn lippen beroerden mijn wang. 'Alles komt goed, voor ons allemaal. Ik weet het zeker. We zijn niet langer de porseleinen poppetjes die in een bovenkamer gevangen zitten en die van anderen afhankelijk zijn om te weten wat ze moeten doen. We zijn nu volwassenen, we hebben ons leven in eigen hand. Tot Bart vijfentwintig is, zijn jij en ik de eigenaars. Dr. en Mevrouw Sheffield uit Marin County, Californië, en niemand zal weten dat we broer en zuster zijn. Niemand vermoedt dat we afstammelingen zijn van de Foxworths. We hebben alle moeilijkheden achter ons gelaten. Cathy, dit is onze kans. Hier, in dit huis, kunnen we al het kwaad ongedaan maken dat ons en onze kinderen, speciaal Bart, is aangedaan. We zullen heersen, niet ongenaakbaar en met ijzeren vuist, zoals Malcolm, maar met liefde, medelijden en begrip.'

Omdat Chris zijn arm om me heen had geslagen en me dicht tegen zich aan drukte, was ik in staat het huis te zien in een nieuw licht. Het was mooi. Terwille van Bart zouden we hier blijven tot zijn vijfentwintigste verjaardag, en dan zouden Chris en ik Cindy meenemen en naar Hawaii vliegen, waar we altijd al de rest van ons leven hadden willen doorbrengen, vlak bij de zee en de witte stranden. Ja, dat was de bedoeling. Zo zou het moeten gaan. Glimlachend keek ik naar Chris. 'Je hebt gelijk. Ik ben niet bang voor dit huis, of voor welk huis dan ook.' Hij grinnikte, liet zijn armen zakken tot mijn middel en duwde me naar voren.

Toen hij van de middelbare school kwam, was mijn eerste zoon Jory naar New York gevlogen, naar zijn grootmoeder, Madame Marisha. In haar balletgezelschap viel hij al spoedig op bij de critici, en hij kreeg belangrijke rollen. Zijn jeugdvriendinnetje, Melodie, was naar de oostkust gevlogen om met Jory samen te zijn.

Op zijn twintigste was mijn Jory met Melodie getrouwd, die maar een jaar jonger was. Samen hadden ze geworsteld en gewerkt om de top te bereiken. Ze waren nu het opvallendste balletpaar in het land, een paar dat volmaakt harmonieerde, alsof ze met één oogopslag elkaars gedachten konden lezen. Vijf jaar hadden ze nu al enorm succes. Elke voorstelling kreeg enthousiaste kritieken en luide bijval van het publiek. Dank zij de televisie-uitzendingen hadden ze een groter publiek kunnen bereiken, dan alleen met persoonlijke optredens mogelijk was geweest.

Madame Marisha was twee jaar geleden in haar slaap overleden, maar we konden ons troosten met de gedachte dat ze zevenentachtig was geworden en tot haar dood toe had gewerkt.

Op zijn zeventiende was mijn tweede zoon Bart als bij toverslag veranderd, van een haast achterlijke leerling in de briljantste leerling van zijn school. In die tijd was Jory naar New York gevlogen, en ik dacht toen dat Jory's afwezigheid de oorzaak was dat Bart uit zijn schulp was gekropen en zijn belangstelling voor de studie had gewekt. Twee dagen geleden was hij summa cum laude geslaagd voor zijn rechtenstudie in Harvard.

Chris en ik waren met Melodie en Jory naar Boston gegaan, en in het reusachtige auditorium van de Harvard Law School hadden we gezien hoe Bart zijn bul ontving. Alleen Cindy, onze geadopteerde dochter, was er niet bij. Ze logeerde bij haar beste vriendin in Zuid-Carolina. Het had me opnieuw verdriet gedaan, dat Bart zijn afgunst niet kon vergeten op een meisje dat haar best had gedaan zijn gunst te winnen, vooral omdat hij niets had gedaan om de hare te verdienen. En het deed me nog meer verdriet dat Cindy haar afkeer van Bart niet lang genoeg van zich af kon zetten om bij de viering aanwezig te zijn.

'Nee!' had ze door de telefoon geschreeuwd, 'het kan me niet schelen of hij me een uitnodiging heeft gestuurd! Het is alleen maar zijn manier om op te scheppen. Hij kan tien titels behalen en dan zal ik hem nog niet bewonderen of aardig vinden, niet na alles wat hij heeft gedaan. Je kunt het Jory en Melodie uitleggen, zodat ze zich niet beledigd voelen. Maar Bart hoef je het niet uit te leggen. Die begrijpt het wel.'

Ik zat tussen Chris en Jory in en staarde voor me uit, verbaasd dat een zoon die thuis zo zwijgzaam was, zo humeurig en gesloten, de beste van zijn klas kon worden en de afscheidsrede mocht houden. Zijn hartstochtelijke woorden maakten indruk. Ik keek even naar Chris, die zo trots als een aap zat te kijken, voor hij grijnzend zei:

'Had je dat ooit kunnen denken? Hij is geweldig, Cathy. Ben je niet trots? Ik wel.'

Ja, ja, natuurlijk. Ik was erg trots Bart daar te zien. Maar ik wist dat de Bart achter het podium, niet de Bart was die we thuis kenden. Misschien *was* hij nu veilig. Volkomen normaal – zijn artsen hadden het gezegd.

Maar volgens mij waren er veel kleine aanwijzingen dat Bart niet zo ingrijpend veranderd was als zijn artsen dachten. Vlak voordat we uit elkaar gingen had hij gezegd: 'Je moet erbij zijn, moeder.' Geen woord dat Chris mee moest komen. 'Ik vind het belangrijk dat *jij* er bent.'

Hij moest zichzelf altijd dwingen om Chris' naam te noemen. 'We zullen Jory en zijn vrouw ook uitnodigen, en Cindy natuurlijk ook.' Hij had een lelijk gezicht getrokken toen hij alleen maar haar naam uitsprak. Het was me een raadsel hoe iemand een hekel kon hebben aan een meisje dat zo lief en aantrekkelijk was als onze geadopteerde dochter. Ik had niet méér van Cindy kunnen houden als ze van mijzelf was geweest, en van het bloed van mijn Christopher Doll. In zekere zin, omdat ze op tweejarige leeftijd bij ons was gekomen, *was* ze ons kind, het enige waarvan we met recht konden zeggen dat ze van ons allebei was.

Cindy was nu zestien, en veel sensueler dan ik op haar leeftijd. Maar Cindy was niet zo misdeeld als ik. Zij had haar vitaminen gekregen van de frisse lucht en de zon, die vier gevangen kinderen vroeger ontzegd waren. Goed eten en lichaamsbeweging. Zij had het beste gekregen. Wij het slechtste.

Chris vroeg of we hier de hele dag bleven staan wachten tot we doorweekt waren voor we naar binnen gingen. Hij trok me mee, moedigde me aan met zijn opgewekte zelfvertrouwen.

Langzaam, stap voor stap, terwijl de donderslagen begonnen te ratelen en snel dichterbij kwamen, en angstwekkende bliksemstralen zigzaggend door de grauwe lucht kliefden, naderden we het grote portiek van Foxworth Hall.

Ik begon details op te merken die me vroeger ontgaan waren. De vloer van het portiek was gemaakt van mozaïek-steentjes, in drie tinten rood, die in een ingewikkeld patroon van een stralende zon waren gelegd, een afspiegeling van de glazen zon boven de dubbele voordeur. Ik keek naar die zonneramen en voelde me plotseling blij. Die waren er vroeger niet. Misschien was het toch zoals Chris had voorspeld. Het zou niet meer hetzelfde zijn, evenmin als twee sneeuwvlokken ooit hetzelfde waren.

Toen fronste ik plotseling mijn wenkbrauwen, want als je zo redeneerde: wie zag ooit het verschil in vallende sneeuwvlokken?

'Hou op met naar iets te zoeken dat het plezier van deze dag kan bederven, Catherine. Ik zie het in je gezicht, in je ogen. Ik beloof je op mijn woord van eer dat we hier weggaan zodra Bart zijn feest heeft, en naar Hawaii vliegen. Als er een orkaan opsteekt en een vloedgolf over ons huis spoelt als wij er zijn, komt dat omdat jij verwacht dat het zal gebeuren.'

Ik moest onwillekeurig lachen. 'Vergeet de vulkaan niet,' zei ik giechelend. 'Hij kan hete lava uitspuwen.' Hij grinnikte en gaf me speels een klapje op mijn achterste.

'Hou op! Alsjeblieft, alsjeblieft. Tien augustus zitten we in het vliegtuig, maar honderd tegen één dat jij zit te piekeren over Jory en over Bart, en dat je je afvraagt wat hij in z'n eentje in dit huis moet beginnen.'

Op dat moment herinnerde ik me iets dat ik helemaal vergeten was. In Foxworth Hall wachtte de verrassing op me die Bart me beloofd had. Hij had zo vreemd gekeken toen hij dat zei.

'Moeder, je zult niet weten wat je ziet.' Hij had even gezwegen, glimlachte toen en keek onrustig. 'Ik ben er elke zomer naar toe gevlogen om te zorgen dat het huis niet verwaarloosd werd en ten prooi viel aan schimmel en verrotting. Ik heb binnenhuisarchitecten opdracht gegeven alles precies zo in te richten als vroeger, behalve mijn kantoor, dat moet modern zijn, met alle elektronische grapjes die ik nodig heb. Maar als je wilt, kun jij er wat aan doen om het gezellig te maken.'

Gezellig? Hoe kon een huis als dit ooit gezellig zijn? Ik wist hoe het was om daar binnen opgesloten te zijn, opgeslokt, voor eeuwig in de val. Ik huiverde, toen ik mijn hoge hakken hoorde klikken naast Chris' doffe voetstappen, terwijl we de zwarte deuren met de decoratieve wapenschilden naderden. Ik vroeg me af of Bart de stamboom van de Foxworths had opgevraagd en de aristocratische titels en familiewapens had gevonden, waar hij zoveel prijs op scheen te stellen. Op elke zwarte deur waren koperen kloppers bevestigd en tussen de deuren in was een kleine, bijna onzichtbare knop die ergens binnen een bel deed luiden.

'Ik weet zeker dat het huis vol moderne foefjes zit die de echte historische huizen in Virginia zouden shockeren,' fluisterde Chris.

Hij had ongetwijfeld gelijk.

Bart was verliefd op het verleden, maar nòg verliefder op de toekomst.

Er kwam geen elektronisch apparaat op de markt dat hij niet kocht.

Chris zocht in zijn zak naar de sleutel, die Bart me had gegeven vlak voordat we uit Boston vertrokken. Chris glimlachte naar me en stak de grote koperen sleutel in het slot. Nog voordat hij de sleutel had omgedraaid zwaaide de deur zachtjes open.

Geschrokken deed ik een stap naar achteren.

Chris trok me weer naar voren, sprak beleefd tegen de oude man die een uitnodigend gebaar naar binnen maakte.

'Komt u binnen,' zei hij met een zwakke, maar krassende stem, terwijl hij ons snel opnam. 'Uw zoon heeft gebeld en gezegd dat ik u kon verwachten. Ik ben de hulp, om het zo maar uit te drukken.'

Ik staarde naar de magere oude man, die gebogen stond, zodat zijn hoofd onflatteus naar voren stak en de indruk wekte dat hij een heuvel beklom ook als hij op de begane grond stond. Zijn haar was vaal, niet grijs en niet blond. Zijn ogen waren waterig, fletsblauw, zijn wangen ingevallen, zijn ogen hol, alsof hij vele, vele jaren intens had geleden. Hij had iets... iets bekends.

Mijn loodzware benen weigerden dienst. De harde wind deed mijn witte, wijde zomerjurk zo hoog opwaaien dat mijn dijen te zien kwamen toen ik de grote hal van de Phoenix, Foxworth Hall genaamd, binnenstapte.

Chris bleef vlak naast me. Hij liet mijn hand los en legde zijn arm om mijn schouders. 'Dr. en mevrouw Christopher Sheffield,' stelde hij ons op zijn vriendelijke manier voor. 'En u?'

De verschrompelde oude man stak met schijnbare tegenzin zijn rechterhand uit en schudde Chris' sterke bruine hand. Om zijn magere oude lippen speelde een cynische glimlach, en één borstelige wenkbrauw was opgetrokken. 'Het doet me genoegen u te leren kennen, Dr. Sheffield.'

Ik kon mijn blik niet afwenden van die gebogen oude man met zijn waterige blauwe ogen. Iets in zijn glimlach, zijn dun wordende haar met de brede zilveren strepen, die ogen met de verrassend donkere wimpers... Papa!

Hij zag eruit zoals onze vader eruit had kunnen zien, als hij zo oud was geworden als deze man en alle ellende van de wereld had meegemaakt.

Mijn papa, mijn geliefde knappe vader, die de vreugde en de spil van onze jeugd was geweest. Hoe vaak had ik niet gebeden hem nog één keer terug te zien.

De pezige oude hand werd stevig omklemd door Chris, en toen pas vertelde de oude man ons wie hij was. 'Jullie lang geleden vermiste oom, die zevenenvijftig jaar geleden zogenaamd in de Zwitserse Alpen is omgekomen.'

JOEL FOXWORTH

Snel zei Chris iets om de schok te maskeren die duidelijk op ons gezicht te zien was. 'U hebt mijn vrouw laten schrikken,' zei hij beleefd. 'Ziet u, haar mooiejonaam is Foxworth, en ze verkeerde in de overtuiging dat al haar familie van moederszijde dood was.'

Een sluwe glimlach vloog als een schaduw over het gezicht van 'oom Joel' voordat hij de welwillend-vrome uitdrukking erop plakte van de reine van hart. 'Ik begrijp het,' zei de oude man met zijn fluisterende stem, die klonk als een zachte wind die door dorre gevallen bladeren ritselt.

Diep in Joels waterige hemelsblauwe ogen hingen schaduwen, donkere troebele schaduwen. Ik wist dat Chris me zou vertellen dat mijn verbeelding me weer parten speelde.

Geen schaduwen, geen schaduwen, geen schaduwen, behalve die ikzelf schiep.

Om mijn argwaan van me af te zetten jegens deze oude man, die beweerde een van de twee oudere, overleden broers van mijn moeder te zijn, keek ik belangstellend om me heen in de hal, die vroeger vaak gebruikt werd als balzaal. Ik hoorde de wind gieren, terwijl de donderslagen elkaar steeds sneller opvolgden, een bewijs dat het onweer bijna vlak boven ons was.

Zuchtend dacht ik aan de dag toen ik twaalf was en naar buiten staarde, naar de regen, en ernaar hunkerde in deze balzaal te dansen met de man die de tweede echtgenoot was van mijn moeder en later de vader zou worden van mijn tweede zoon, Bart.

Met een zucht dacht ik aan het meisje dat ik toen was, jong en vol vertrouwen, vol hoop dat de wereld een mooi en gezegend oord was.

Wat als kind zo'n indruk op me had gemaakt, had moeten verschrompelen naast alles wat ik later had gezien, toen Chris en ik door heel Europa hadden gereisd en Azië, Egypte en India hadden bezocht. En toch leek deze hal me twee keer zo elegant en indrukwekkend als toen ik twaalf was.

O, hoe triest, om nog steeds onder de indruk te zijn! Ik staarde om me heen. Ik voelde een steek door mijn hart gaan, dat sneller begon te kloppen; mijn bloed stroomde feller door me heen. Ik staarde naar de drie kroonluchters van kristal en goud waarin echte kaarsen brandden. Elke luchter was viereneenhalve meter in doorsnee, met zeven rijen kaarsen. Hoeveel rijen waren er vroeger geweest? Vijf? Drie? Ik kon het me niet herinneren. Ik staarde naar de enorme spiegels met de vergulde lijsten die in de hal hingen, en waarin de sierlijke Lodewijk XIV meubels werden weerkaatst, waar degenen die niet dansten konden zitten en kijken en converseren.

Zo hoorde het niet! Dingen die je je herinnert beantwoorden nooit aan de verwachting. Waarom moest deze tweede Foxworth Hall nog meer indruk op me maken dan de oorspronkelijke?

Toen zag ik iets anders, iets dat ik niet verwacht had.

Die dubbele halfronde trap, één rechts, één links van de reusachtige rood-wit-geruite marmeren vloer. Waren dat niet dezelfde trappen? Gerestaureerd, maar dezelfde? Had ik niet zelf de brand gezien die Foxworth Hall verwoest had tot het niet meer was dan gloeiende as en rook? Alle acht schoorstenen stonden nog overeind; en ook de marmeren trappen. De druk bewerkte spijlen en palissanderhouten leuningen moesten verbrand zijn en vervangen. Ik slikte het brok in mijn keel weg. Ik had gewild dat het huis nieuw was, helemaal nieuw, geen spoor meer van het oude.

Joel staarde me aan; mijn gezicht onthulde meer dan dat van Chris. Toen onze blikken elkaar kruisten, wendde hij snel zijn ogen af en maakte een gebaar dat we hem moesten volgen. Joel liet ons alle mooie kamers zien op de eerste verdieping. Ik was als verdoofd en zei niets. Chris stelde alle vragen, tot we eindelijk in een van de salons gingen zitten en Joel zijn eigen verhaal vertelde.

Tijdens de rondleiding was hij even in de reusachtige keuken gebleven om iets klaar te maken voor de lunch. Hij weigerde Chris' aanbod om te helpen en bracht een blad binnen met thee en sandwiches. Ik had niet veel trek, maar zoals te verwachten viel, was Chris uitgehongerd en had binnen een paar minuten zes van de kleine sandwiches naar binnen gewerkt en pakte alweer een volgende, terwijl Joel een tweede kop thee voor ons inschonk. Ik at maar één van de smakeloze kleine sandwiches en nam twee slokjes thee, die gloeiend heet en niet sterk was, en wachtte vol belangstelling op het verhaal dat Joel zou vertellen.

Zijn stem was zwak, met die krassende ondertoon, die de indruk wekte dat hij verkouden was en moeilijk kon praten. Maar ik vergat al gauw het onaangename geluid van zijn stem toen hij begon te vertellen over alles wat ik altijd al had willen weten over onze grootouders en over onze moeder toen ze nog kind was. Het werd meteen duidelijk dat hij zijn vader gehaat had, en toen pas begon ik hem aardig te vinden.

'Noemde u uw vader bij zijn voornaam?' Mijn eerste vraag sinds hij met zijn verhaal was begonnen. Mijn stem was een verlegen gefluister, alsof Malcolm zelf ergens binnen gehoorsafstand was.

Zijn magere lippen bewogen in een groteske nabootsing van een glimlach. 'Natuurlijk. Mijn broer Mel was vier jaar ouder dan ik, en we noemden onze vader altijd bij zijn voornaam, alleen nooit als hij erbij was. Zo dapper waren we niet. Hem Pappie noemen was belachelijk. Vader ging ook niet, want hij was geen echte vader. "Paps" zou op een hartelijke relatie hebben gewezen, die niet bestond en die we ook niet wensten. Als het niet anders kon noemden we hem Vader. Maar eerlijk gezegd probeerden we allebei niet door hem te worden gezien of gehoord. We verdwenen tegen de tijd dat hij thuiskwam. Hij had een kantoor in de stad, waar hij de meeste van zijn zaken deed, en een kantoor hier. Hij was altijd aan het werk, achter een groot, massief bureau, dat voor ons een barrière betekende. Zelfs als hij thuis was, bleef hij op een afstand, ongenaakbaar. Hij luierde nooit, sprong om de haverklap overeind om interlokaal te gaan bellen in zijn kantoor, zodat we zijn zakengesprekken niet konden afluisteren. Hij praatte zelden tegen onze moeder. Zij scheen het niet erg te vinden. Een enkele keer zagen we hem wel eens met ons zusje op schoot, en dan verborgen we ons en keken toe, met een vreemd verlangen.

Later praatten we erover, vroegen ons af waarom we jaloers waren op Corrine, terwijl Corrine toch vaak genoeg net zo streng gestraft werd als wij. Maar als hij *haar* strafte had hij er altijd spijt van. Als hij een of andere vernedering wilde goedmaken, of een pak slaag, of als hij haar had opgesloten op zolder, wat een van zijn geliefkoosde straffen was, bracht hij een kostbaar sieraad mee voor Corrine, of een dure pop of speelgoed. Ze kreeg alles wat een klein meisje maar kon verlangen, maar als ze één ding verkeerd deed, nam hij van haar af waar ze het meest van hield en gaf dat aan de kerk waar hij lid van was. Dan huilde ze en probeerde zijn liefde terug te winnen, maar hij kon zich met evenveel gemak van haar afkeren als hij zich naar haar toekeerde.

Als Mel en ik probeerden iets van hem te krijgen als troost, draaide hij ons de rug toe en zei dat we ons moesten gedragen als mannen, niet als kinderen. Mel en ik vonden altijd dat je moeder erg goed wist, hoe ze vader moest bewerken om haar zin te krijgen. *Wij* wisten niet hoe we lief of verleidelijk, of bescheiden moesten doen.'

In gedachten zag ik mijn moeder als kind door dit mooie maar sinistere huis hollen, gewend aan overvloed en dure dingen, zodat ze later, toen ze met papa getrouwd was, die maar een bescheiden inkomen had, nog steeds geen idee had hoeveel ze uitgaf.

Ik zat met wijd opengesperde ogen te luisteren terwijl Joel verderging. 'Corrine en moeder konden niet met elkaar opschieten. Toen we opgroeiden beseften we dat ze jaloers was op de schoonheid en charme van haar eigen dochter, die elke man om haar vinger kon winden. Corrine was uitzonderlijk mooi. Zelfs als broers beseften we wat een macht ze later zou kunnen uitoefenen.' Joel spreidde zijn magere, bleke handen op zijn benen. Zijn handen waren knokig en krom, maar toch hadden ze nog een spoor van elegance, misschien omdat hij sierlijke gebaren maakte, of misschien omdat ze bleek waren. 'Kijk eens om je heen naar al die rijkdom en schoonheid, en stel je een gezin voor van gekwelde mensen, worstelend om zich te bevrijden van Malcolms ketenen. Zelfs onze moeder, die een vermogen had geërfd van haar eigen ouders, werd streng onder de duim gehouden.

Mel ontsnapte aan het bankbedrijf, dat hij haatte en waartoe Malcolm hem gedwongen had, door op zijn motorfiets te springen en de bergen in te rijden, waar hij sliep in een houten hut die hij en ik samen hadden gebouwd. We nodigden daar onze vriendinnen uit en deden alles waarvan we wisten, dat onze vader het zou afkeuren – opzettelijk, als een uitdaging van zijn absolute gezag.

Op een afschuwelijke zomerdag reed Mel in een afgrond; ze moesten zijn lichaam uit het ravijn graven. Hij was pas eenentwintig. Ik was zeventien. Ik voelde me zelf halfdood, verloren en eenzaam, nu mijn broer er niet meer was. Na Mels begrafenis kwam mijn vader naar me toe en zei dat ik de plaats moest innemen van mijn oudere broer en in een van zijn banken moest gaan werken om de financiële wereld te leren kennen. Hij had me evengoed kunnen vertellen dat ik mijn handen en voeten moest afhakken. Diezelfde avond liep ik weg.'

Om ons heen leek het reusachtige huis te wachten, heel stil, tè stil. Ook het onweer buiten leek zijn adem in te houden, al werd de loodgrijze lucht steeds donkerder en dreigender. Ik schoof dichter naar Chris toe op de sofa. Tegenover ons in een waaierstoel zat Joel, zwijgend, alsof hij verdiept was in melancholieke herinneringen en Chris en ik niet langer voor hem bestonden.

'Waar ging u naar toe?' vroeg Chris, die zijn theekopje neerzette, achterover leunde en zijn benen over elkaar sloeg. Zijn hand pakte de mijne. 'Het moet niet gemakkelijk zijn geweest voor een jongen van zeventien, zo in z'n eentje...'

Joel kwam met een schok terug in de werkelijkheid, schijnbaar verbaasd dat hij zich weer in het gehate huis van zijn jeugd bevond. 'Nee, het was niet gemakkelijk. Ik had geen enkele praktische kennis, maar ik had aanleg voor muziek. Ik monsterde aan als dekknecht op een vrachtboot om mijn overtocht naar Frankrijk te betalen. Voor het eerst van mijn leven had ik eelt op mijn handen. Toen ik eenmaal in Frankrijk was, kreeg ik werk in een nachtclub, waar ik een paar francs per week verdiende. Ik kreeg al gauw genoeg van de lange werktijden en reisde door naar Zwitserland; ik wilde de hele wereld zien en nooit meer terug naar huis. Ik kreeg weer een baan als musicus in de nachtclub van een klein Zwitsers hotel bij de Italiaanse grens, en ging met anderen skiën in de Alpen. Het grootste deel van mijn vrije tijd bracht ik door met skiën, en in de zomer met wandelen of fietsen. Op een dag vroegen een paar goede vrienden van me om met hen mee te gaan op een nogal riskante tocht, omlaag skiën van een heel hoge top. Ik was toen negentien, en de vier anderen vóór me waren aan het lachen en schreeuwen tegen elkaar en merkten niet dat ik de controle over mijn ski's verloor en in een diepe ijskloof viel. Ik brak mijn been bij de val. Anderhalve dag lag ik daar, deels in shock, en toen hoorden twee monniken, die op ezels langs reden, mijn zwakke hulpkreten. Ze haalden me uit de kloof, maar veel herinner ik me daar niet van, want ik was verzwakt door de honger en half gek van de pijn. Toen ik bij bewustzijn kwam lag ik in het klooster, en ze lachten naar me met hun gladgeschoren, vriendelijke gezichten. Hun klooster lag aan de Italiaanse kant van de Alpen, en ik kende geen woord Italiaans. Ze leerden me Latijn, terwijl mijn gebroken been genas. Daarna gebruikten ze mijn geringe artistieke talenten om hen te helpen bij het maken van muurschilderingen en het versieren van handgeschreven boeken, met religieuze illustraties. Soms speelde ik op hun orgel. Toen mijn been zover was genezen dat ik weer kon lopen, was ik gaan houden van hun rustige leven, van het schilderwerk dat ze me te doen gaven, de muziek die ik speelde aan het begin en het eind van de dag, de zwijgende routine van hun dagen van gebed en werk en zelfverloochening. Ik bleef en werd tenslotte een van hen. In dat klooster, hoog in de bergen, vond ik eindelijk vrede.'

Zijn verhaal was uit. Hij keek naar Chris en richtte toen zijn lichte, maar felle ogen op mij.

Ik schrok van zijn doordringende blik en probeerde de afkeer te verbergen die ik onwillekeurig voelde. Ik mocht hem niet, ook al leek hij vaag op de vader van wie ik zoveel had gehouden, en had ik geen enkele reden om een hekel aan hem te hebben. Ik vermoedde dat het mijn eigen angst was dat hij zou weten dat Chris in werkelijkheid mijn broer was en niet mijn man. Had Bart hem ons verhaal verteld? Zag hij hoeveel Chris op de Foxworths leek? Ik kon het niet met zekerheid zeggen. Hij glimlachte naar me, gebruikte zijn eigen gebrekkige charme om me voor zich te winnen. Hij wist al dat hij Chris niet hoefde te overtuigen.

'Waarom bent u teruggekomen?' vroeg Chris.

Weer probeerde Joel te glimlachen. 'Op een dag kwam een Amerikaanse journalist in het klooster om een verhaal te schrijven over het leven van een monnik in de wereld van vandaag. Omdat ik de enige was die Engels sprak interviewde hij mij. Terloops informeerde ik of hij wel eens gehoord had van de Foxworths uit Virginia. Dat had hij, want Malcolm had intussen een enorm fortuin vergaard en bemoeide zich vaak met de politiek. Toen pas hoorde ik dat hij en mijn moeder dood waren. Toen de journalist weg was moest ik steeds weer aan dit huis en aan mijn zuster denken. De jaren vloeien gemakkelijk in elkaar over als alle dagen hetzelfde zijn, en kalenders hadden we niet. Tenslotte besloot ik terug te gaan naar huis, om mijn zuster weer te ontmoeten en te leren kennen. De journalist had niet verteld of ze getrouwd was. Pas toen ik bijna een jaar geleden terugkwam in het dorp en mijn intrek nam in een motel, hoorde ik dat het oorspronkelijke huis op een kerstavond was afgebrand en mijn zuster naar een inrichting voor geesteszieken was gebracht, en dat ze een enorm vermogen had geërfd. En toen Bart die zomer kwam hoorde ik de rest, dat mijn zuster was gestorven en hij haar erfgenaam was.'

Hij sloeg bescheiden zijn ogen neer. 'Bart is een uitzonderlijke jongeman; ik hou van zijn gezelschap. Voordat hij kwam bracht ik hier een groot deel van mijn tijd door. Ik praatte met de huismeester. Hij vertelde me over Bart, dat hij hier vaak kwam om met de bouwers en architecten te spreken, en dat hij de wens had geuit dat het nieuwe huis precies zo zou worden als het oude. Ik zorgde ervoor dat ik hier was toen Bart de volgende keer kwam. We ontmoetten elkaar, ik vertelde hem wie ik was, en hij leek erg blij, en dat is alles.'

Heus? Ik staarde hem strak aan. Was hij teruggekomen met de gedachte zijn aandeel op te eisen van het fortuin dat Malcolm had nagelaten? Kon hij het testament van mijn moeder aanvechten en een deel van het vermogen in de wacht slepen? Als dat kon, begreep ik niet dat Bart niet ongerust was geweest toen hij hoorde dat Joel nog leefde.

Ik bracht mijn gedachten niet onder woorden en bleef stil zitten, terwijl Joel in een lang, somber zwijgen verviel. Chris stond op. 'Het is een lange dag geweest voor ons, Joel, en mijn vrouw is erg moe. Kun je ons de kamers wijzen waar we slapen, zodat we ons wat kunnen opknappen en rusten?'

Joel sprong onmiddellijk overeind, verontschuldigde zich dat hij zo'n slechte gastheer was en ging ons toen vóór, de trap op.

'Ik zal blij zijn Bart weer terug te zien. Hij was zo vriendelijk mij een kamer in dit huis aan te bieden. Maar al die kamers doen me teveel denken aan mijn ouders. Mijn kamer is boven de garage, bij het personeelsverblijf.'

Op dat moment ging de telefoon. Joel overhandigde mij de hoorn. 'Uw oudste zoon, hij belt vanuit New York,' zei hij met zijn stroeve, krassende stem. 'U kunt de telefoon nemen in de eerste salon, als u allebei met hem wilt spreken.'

Chris liep haastig weg om de andere telefoon op te nemen, terwijl ik Jory begroette. Zijn vrolijke stem verjoeg iets van mijn sombere stemming en de depressie die ik nu al voelde opkomen. 'Mams, paps, ik heb een paar dingen kunnen afzeggen, en Mel en ik komen met het vliegtuig naar jullie toe om bij je te zijn. We zijn allebei moe en zijn hard aan vakantie toe. Bovendien willen we dat huis wel eens zien waar we zoveel over gehoord hebben. Lijkt het echt op het oorspronkelijke?'

O ja, alleen veel te veel. Ik was dolblij dat Jory en Melodie zouden komen, en als Cindy en Bart ook kwamen, zouden we weer een volledig gezin zijn, en allemaal onder hetzelfde dak wonen, iets wat ik in lang niet meer had meegemaakt.

'Nee, natuurlijk vind ik het niet erg om een tijdje niet op te treden,' zei hij opgewekt in antwoord op mijn vraag. 'Ik ben moe. Zelfs mijn botten zijn zwak van vermoeidheid. We hebben allebei rust nodig. En we hebben nieuws voor je.'

Meer zei hij niet.

We hingen op, en Chris en ik glimlachten naar elkaar. Joel had zich teruggetrokken terwijl we telefoneerden, en kwam nu weer te voorschijn. Hij liep wankelend en onzeker om een tafel heen, waarop een enorme marmeren urn met een boeket gedroogde bloemen stond, en sprak over de suite die Bart voor ons had uitgekozen. Hij keek even van mij naar Chris en ging toen verder: 'En voor u, Dr. Sheffield.'

Joel keek met zijn waterige ogen naar mij, en scheen iets in mijn gezicht te zien dat hem plezier deed.

Ik gaf Chris een arm en trotseerde dapper de trap die ons omhoog zou brengen, omhoog, terug naar die tweede verdieping waar het allemaal was begonnen, die wonderbaarlijke, zondige liefde, die Chris en ik hadden gevonden op de stoffige, sombere, schimmelende zolder, op een donkere plaats vol rommel en oude meubels, met papieren bloemen aan de muur en gebroken beloften aan onze voeten.

HERINNERINGEN

Halverwege de trap bleef ik even staan om naar beneden te kijken; ik wilde alles zien wat eventueel aan mijn aandacht ontsnapt was. Zelfs terwijl Joel zijn verhaal vertelde en we onze schamele lunch aten had ik naar alles gestaard wat ik maar twee keer eerder had gezien, en nooit lang genoeg. Vanuit de kamer waar we zaten kon ik in de hal kijken met de talloze spiegels en fraaie Franse meubels, die stijf in kleine groepjes waren geplaatst, in een vergeefse poging een intieme sfeer te scheppen. De marmeren vloer glom door het vele wrijven. Ik voelde een allesoverheersend verlangen om te dansen, te dansen, pirouettes te maken tot ik erbij neerviel.

Chris werd ongeduldig toen ik bleef talmen en trok me mee naar boven tot we eindelijk in de grote rotonde stonden, en ik weer naar beneden staarde naar de balzaal-hal.

'Cathy, ben je verdiept in herinneringen?' fluisterde Chris een beetje geërgerd. 'Wordt het geen tijd dat we allebei het verleden vergeten? Kom, ik weet dat je moe bent.'

Herinneringen, ze kwamen snel en wild op me af. Cory, Carrie, Bartholomew Winslow – ik voelde ze allemaal om me heen, fluisterend, fluisterend. Ik keek weer naar Joel, die gezegd had dat hij niet wilde dat we hem Oom Joel noemden. Die gedistingeerde titel bewaarde hij voor mijn kinderen.

Hij moest op Malcolm lijken, alleen waren zijn ogen zachter, minder priemend dan de ogen die we hadden gezien op dat enorme levensgrote portret van hem in de 'trofeeënkamer'. Ik hield mezelf voor dat niet alle blauwe ogen wreed en harteloos waren. Dat hoorde ik toch beter te weten dan wie ook.

Openlijk bestudeerde ik het oude gezicht voor me, waarin ik nog de overblijfselen kon zien van de jongeman die hij vroeger geweest was. Een man met vlasblond haar en een gezicht dat veel leek op dat van mijn vader en zijn zoon. Daarom ontspande ik me en dwong mezelf naar voren te stappen en hem te omhelzen. 'Welkom thuis, Joel.'

Zijn tengere oude lichaam voelde bros en koud in mijn armen. Zijn wang was droog toen mijn lippen er met moeite een vluchtige kus op drukten. Hij deinsde achteruit alsof hij besmet werd door mijn aanraking, of misschien was hij bang voor vrouwen. Ik rukte me los, betreurde al dat ik een poging had gedaan hartelijk en vriendelijk te zijn. Aanraken was iets dat geen Foxworth verondersteld werd te doen, tenzij er een huwelijksakte op tafel lag. Nerveus ging mijn blik naar Chris. Rustig, zeiden zijn ogen, alles komt goed.

'Mijn vrouw is erg moe,' bracht Chris hem zachtjes in herinnering. 'We hebben een overladen programma gehad, met de promotie van onze jongste zoon en alle feestelijkheden en toen deze reis.'

Joel verbrak tenslotte de lange pijnlijke stilte en merkte op dat Bart personeel zou aannemen. Hij had al een arbeidsbureau ingeschakeld en had gevraagd of wij de mensen voor hem wilden interviewen. Hij mompelde zo onverstaanbaar dat de helft van wat hij zei niet tot me doordrong, vooral niet omdat mijn gedachten bij de noordelijke vleugel waren en bij de geïsoleerde kamer waar we opgesloten waren geweest. Zou die nog steeds hetzelfde zijn? Had Bart soms opdracht gegeven twee tweepersoonsbedden te plaatsen in die kamer die propvol stond met donkere, zware, antieke meubelen? Ik hoopte en bad van niet.

Plotseling zei Joel iets waarop ik niet voorbereid was. 'Je lijkt op je moeder, Catherine.'

Ik staarde hem wezenloos aan, gebelgd over wat hij moest hebben beschouwd als een compliment.

Hij bleef staan, alsof hij wachtte op een zwijgende sommatie. Hij keek van mij naar Chris en weer terug naar mij, toen hij zich omdraaide knikte hij, en ging ons voor naar onze kamer. De zon die zo helder had geschenen bij onze aankomst was een vergeten herinnering, toen de regen begon neer te stromen met een harde, stage hagel van kogels op het leien dak. De donderslagen ratelden en dreunden boven ons hoofd en de bliksemstralen kliefden om de paar seconden door de lucht, ik vluchtte in Chris' armen, ineenkrimpend voor Gods toorn.

Riviertjes stroomden omlaag langs de ruiten, en vanaf het dak in de goten die weldra zouden overstromen in de tuin en alles wat leefde en mooi was vernietigen. Ik zuchtte en voelde me ellendig, omdat ik net als vroeger weer zo kwetsbaar leek.

'Ja, ja,' mompelde Joel bij zichzelf. 'Net Corrine.' Zijn ogen namen me nog eens onderzoekend op, en toen boog hij zijn hoofd en bleef heel lang nadenken, tot er zeker vijf minuten voorbij waren gegaan. Of vijf seconden.

'We moeten uitpakken,' zei Chris krachtdadiger. 'Mijn vrouw is uitgeput. Ze heeft behoefte aan een bad, en dan moet ze wat gaan slapen, want ze voelt zich altijd moe en vuil na een reis.' Ik vroeg me af waarom hij de moeite nam het uit te leggen.

Ogenblikkelijk kwam Joel weer terug in de werkelijkheid. Misschien stonden monniken vaak met gebogen hoofd te bidden, in zwijgende aanbidding. Ik wist helemaal niets van kloosters af en van het soort leven dat monniken leidden.

Langzame schuifelende voeten leidden ons eindelijk door een lange gang. Hij sloeg weer een hoek om, en tot mijn ontsteltenis en angst liep hij naar de zuidelijke vleugel, waar vroeger mijn moeder had gewoond in prachtig ingerichte kamers. Ik had zo vaak gewenst in haar prachtige zwanebed te slapen, aan haar lange, lange toilettafel te zitten, een bad te nemen in haar zwart marmeren verzonken bad met de spiegels erboven en er omheen.

Joel bleef staan voor de dubbele deur boven twee brede, met dik tapijt beklede trappen die in een halve maan uiteen liepen. Hij glimlachte traag en merkwaardig. 'De vleugel van uw moeder,' zei hij kortaf.

Ik bleef staan en huiverde voor die al te bekende dubbele deur. Hulpeloos keek ik achterom naar Chris. De regen was geminderd tot een kalm staccato gerommel. Joel deed één helft van de deur open en liep naar binnen, wat Chris de kans gaf tegen me te fluisteren: 'Voor hem zijn we alleen maar man en vrouw, Cathy, dat is alles wat hij weet.'

Tranen sprongen in mijn ogen toen ik de slaapkamer binnenliep. En toen staarde ik met grote ogen naar iets wat ik dacht dat in het vuur verbrand was. Het bed! Het zwanebed met de luxueuze roze bedgordijnen, sierlijk bijeengehouden door de punten van de vleugels die tot krullende vingers waren gevormd. De sierlijke zwanehals had dezelfde draai van de nek, hetzelfde waakzame, maar slaperige rood robijnen oog dat half geopend was en degenen die in het bed lagen bewaakte.

Ik staarde er ongelovig naar. In dat bed slapen? Het bed waarin mijn moeder in de armen had gelegen van Bartholomew Winslow, haar tweede man? Dezelfde man die ik haar had ontstolen om mijn zoon Bart te verwekken? De man die me nog steeds achtervolgde in mijn dromen en me een schuldig gevoel gaf? Nee! Ik kon niet in dat bed slapen! Nooit.

Eens had ik verlangd met Bartholomew Winslow in dat zwanebed te slapen. Wat was ik toen jong en dwaas geweest, denkend dat materiële dingen werkelijk geluk brachten, en dat materieel bezit het enige was wat ik ooit zou verlangen.

'Is dat bed niet schitterend?' vroeg Joel achter me. 'Bart heeft ontzettend veel moeite gedaan om handwerkslieden te vinden die het hoofdeinde van het bed in de vorm van een zwaan konden snijden. Ze keken hem aan of hij gek was, vertelde hij. Maar hij had een paar oude mannen gevonden die het prachtig vonden iets te doen dat ze uniek en creatief vonden, en financieel lonend. Het schijnt dat Bart een uitvoerige beschrijving heeft van de manier waarop de kop van de zwaan gedraaid was. Eén slaperig oog ingelegd met een robijn. Vleugels die de doorzichtige gordijnen bijeenhouden. O, wat was hij kwaad toen ze het de eerste keer niet goed hadden gedaan. En dan het kleine zwanebed aan het voeteneind, dat wilde hij ook hebben. Voor jou, Catherine, voor jou.'

Chris sprak, en zijn stem klonk hard. 'Joel, wat heeft Bart je precies verteld?' Hij kwam naast me staan en sloeg zijn arm om mijn schouders, me beschermend tegen Joel, tegen alles. Met hem zou ik in een plaggenhut willen wonen, een tent, een grot. Hij gaf me kracht.

De glimlach van de oude man was vaag en sarcastisch toen hij Chris' beschermende houding zag. 'Bart heeft me zijn hele familiegeschiedenis toevertrouwd. Hij heeft altijd behoefte gehad aan een oudere man om mee te praten, weet je.'

Hij zweeg veelbetekenend, keek naar Chris, wie de insinuatie onmogelijk kon ontgaan. Ondanks zijn zelfbeheersing zag ik hem even ineenkrimpen. Joel keek voldaan en ging verder. 'Bart vertelde me dat zijn moeder en haar broers en zusje meer dan drie jaar zijn opgesloten. Hij vertelde me dat zijn moeder met haar zusje, Carrie, de enige van de tweeling die nog in leven was, naar Zuid-Carolina is gevlucht, en dat jij, Catherine, na jaren en jaren de juiste man hebt gevonden, die al je behoeften kan bevredigen, en dat je daarom getrouwd bent met Dr. Christopher Sheffield.'

Zijn woorden bevatten zoveel insinuaties, en er bleef zoveel ongezegd. Genoeg om een koude rilling langs mijn rug te laten gaan.

Eindelijk ging Joel de kamer uit en deed de deur zachtjes achter zich dicht. Toen pas kon Chris me de geruststelling geven die ik nodig had om hier zelfs maar één nacht te blijven. Hij kuste me, omarmde me, streelde mijn rug, mijn haar, suste me, tot ik me kon omdraaien en kijken naar alles wat Bart had gedaan om deze suite even luxueus te maken als vroeger. 'Het is maar een bed, een reproduktie van het origineel,' zei Chris zachtjes. Zijn ogen waren warm en begrijpend. 'Onze moeder heeft niet in dit bed gelegen, schat. Bart heeft jouw aantekeningen gelezen, vergeet dat niet. Hij heeft dit alleen kunnen doen omdat jij hem de beschrijving hebt gegeven. Jij hebt dat zwanebed zo gedetailleerd beschreven, dat hij waarschijnlijk dacht dat jij een kamer wilde die precies zo was als die van je moeder. Onbewust doe je dat misschien ook wel, en hij weet dat. Vergeef ons beiden voor het misverstand, als ik me vergis. Denk er alleen aan dat hij je een plezier wilde doen en dat hij een hoop moeite heeft gedaan en er veel geld voor heeft uitgegeven om deze kamer precies zo te laten inrichten als vroeger.'

Versuft schudde ik het hoofd, ontkende dat ik ooit had willen hebben wat zij had. Hij geloofde me niet. 'Je wensen, Catherine! Je verlangen om alles van haar te bezitten. Ik weet het. Je zoons weten het. Je mag het ons dus niet kwalijk nemen als we die verlangens kunnen interpreteren, zelfs al verschuil jij je achter uitvluchten.'

Ik wilde hem haten omdat hij me zo goed kende. Maar ik sloeg mijn armen om hem heen. Mijn gezicht was tegen zijn hemd gedrukt, terwijl ik huiverde en probeerde de waarheid te verbergen, zelfs voor mijzelf.

'Chris, wees niet streng tegen me,' snikte ik. 'Ik was zo verbaasd toen ik deze kamers zag, bijna precies zoals toen we hier kwamen om haar en haar man te bestelen.'

Hij hield me dicht tegen zich aan. 'Wat vind je echt van Joel?' vroeg ik.

Hij dacht zorgvuldig na voor hij antwoord gaf. 'Ik vind hem aardig, Cathy. Hij lijkt me eerlijk, en erg blij dat hij hier mag blijven.'

'Heb je gezegd dat hij kon blijven?' fluisterde ik.

'Natuurlijk. Waarom niet? We gaan weg zodra Bart zijn vijfentwintigste verjaardag heeft gevierd en hij alles zelf in handen krijgt. En vergeet niet dat we nu een prachtige kans hebben om wat meer te weten te komen over de Foxworths. Joel kan ons alles vertellen over moeder toen ze nog jong was. Hoe hun leven was, en misschien, als we alle bijzonderheden weten, zullen we kunnen begrijpen hoe ze ons heeft kunnen verraden en waarom grootvader ons dood wilde hebben. Er moet iets afschuwelijks verborgen zijn in het verleden, om Malcolms geest zo te verzieken dat hij sterker was dan het natuurlijke instinct van een moeder om haar eigen kinderen in leven te houden en te beschermen.'

Volgens mij had Joel beneden al genoeg gezegd. Ik wilde niet meer weten. Malcolm Foxworth was een van die vreemde mensen geweest die zonder geweten ter wereld kwamen, en die niet in staat waren berouw te hebben over iets dat ze verkeerd deden. Er bestond geen verklaring voor hem en geen enkele manier om hem te begrijpen.

Smekend keek Chris me aan; hij was kwetsbaar en gevoelig voor mijn hoon. 'Ik wil graag meer horen over moeders jeugd, Cathy, zodat ik kan begrijpen waarom ze zo is geworden. Ze heeft ons zo diep gewond, dat ik geloof dat geen van ons er ooit overheen zal komen vóór we het begrijpen. Ik heb haar vergeven, maar ik kan het niet vergeten. Ik wil het begrijpen, zodat ik *jou* kan helpen haar te vergeven.'

'Denk je dat dat helpt?' vroeg ik sarcastisch. 'Het is te laat om onze moeder te begrijpen of te vergeven, en, om eerlijk te zijn, wil ik het ook niet begrijpen – want dan zou ik haar misschien moeten vergeven.'

Hij liet zijn armen stram langs zijn zij vallen. Hij draaide zich om en liep weg. 'Ik ga onze bagage halen. Neem jij een bad, als je klaar bent heb ik de koffers uitgepakt.' Op de drempel bleef hij staan, zonder zich naar mij om te draaien. 'Probeer – probeer echt van deze gelegenheid gebruik te maken om vrede te sluiten met Bart. Hij is niet ongeneeslijk, Cathy. Je hebt hem gehoord op het podium. Hij heeft een opvallend redenaarstalent. Hij sprak ook verstandig. Hij is nu een leider, Cathy, terwijl hij vroeger zo verlegen en introvert was. We kunnen het als een zegen beschouwen dat Bart eindelijk uit zijn schulp is gekropen.'

Nederig boog ik mijn hoofd. 'Ja, ik zal doen wat ik kan. Vergeef me, Chris, dat ik weer zo onredelijk koppig ben.'

Hij glimlachte en liep de kamer uit.

In 'haar' badkamer, die grensde aan een schitterende kleedkamer, kleedde ik me langzaam uit, terwijl het zwart marmeren bad vollliep. Overal om me heen waren spiegels in vergulde lijsten die mijn naakte lichaam weerkaatsten. Ik was trots op mijn figuur, dat nog steeds slank en stevig was, en op mijn borsten die nog niet uitgezakt waren. Toen ik naakt voor de spiegel stond tilde ik mijn armen op om de haarspeldjes uit mijn haar te halen. Als *déjà-vu* zag ik mijn moeder, zoals zij hier moest hebben gestaan, terwijl ze hetzelfde deed en dacht aan haar tweede en jongere echtgenoot. Had ze zich afgevraagd waar hij was op de avonden die hij bij mij doorbracht? Had ze geweten wie Barts vriendin was vóór mijn onthullingen op het Kerstfeest? O, ik hoopte het maar!

Een onopmerkelijk diner begon en eindigde.

Twee uur later lag ik in hetzelfde zwanebed waarover ik zo vaak had gedroomd, en keek naar Chris die zich uitkleedde. Getrouw aan zijn woord had hij alles uitgepakt, onze kleren opgehangen en ons ondergoed in de laden geborgen. Nu zag hij er moe en een beetje ongelukkig uit. 'Joel vertelde me dat er morgen huishoudpersoneel komt solliciteren. Ik hoop dat je er tegen opgewassen bent.'

Verbaasd ging ik overeind zitten. 'Maar ik dacht dat Bart ze zelf zou aannemen.'

'Nee, dat laat hij aan jou over.'

'O.'

Chris hing zijn pak op de koperen kostuumhanger, die als twee druppels water leek op die van Barts vader. Ik werd bezocht door geesten. Spiernaakt liep Chris naar de badkamer. 'Ik neem even een douche, dan kom ik bij je. Val niet in slaap vóór ik klaar ben.' Ik lag in het halfdonker en keek om me heen. Ik voelde me vreemd buiten mezelf. Ik zweefde in en uit mijn moeder, voelde vier kinderen in de afgesloten kamer op zolder. Ik voelde haar paniek en wroeging, terwijl haar wrede oude vader maar bleef leven, en haar zelfs na zijn dood nog bedreigde. Slecht, wreed en in-gemeen. Een fluisterende stem leek dat telkens weer te herhalen. Ik sloot mijn ogen en probeerde die waanzin te stoppen. Ik hoorde geen stemmen. Ik hoorde geen balletmuziek, ik hoorde het niet. Ik kon de droge, muffe atmosfeer van de zolder niet ruiken. Ik kon het niet. Ik was tweeënvijftig, niet twaalf, dertien, veertien of vijftien.

Alle oude geuren waren verdwenen. Ik rook alleen nieuwe verf, nieuw hout, nieuw geplakt behang en nieuw materiaal. Nieuwe kleedjes, nieuw tapijt, nieuwe meubels. Alles nieuw, behalve de antieke voorwerpen op de eerste verdieping. Niet het echte Foxworth Hall, alleen maar een imitatie.

Maar waarom was Joel teruggekomen als hij het zo fijn vond om monnik te zijn? Hij wilde toch zeker al dat geld niet hebben, gewend als hij was aan het sobere kloosterleven? Er moest een goede reden zijn voor zijn aanwezigheid hier, een andere dan alleen maar het verlangen om de rest van zijn familie te ontmoeten. Toen de dorpelingen hem hadden verteld dat onze moeder was gestorven, was hij toch gebleven. Omdat hij Bart wilde leren kennen? Wat had hij in Bart gevonden dat hem deed blijven? Hij had Bart zelfs toegestaan hem als butler te gebruiken tot we een echte hadden. Toen zuchtte ik. Waarom maakte ik er zo'n mysterie van als er een fortuin op het spel stond. Geld scheen altijd de reden te zijn voor alles.

Mijn ogen vielen dicht van vermoeidheid. Ik vocht tegen de slaap. Ik had de tijd nodig om aan morgen te denken, aan die oom, die uit het niets was komen opdagen. Hadden we eindelijk alles gekregen wat Mama had beloofd, alleen om het weer te verliezen aan Joel? En als hij niet probeerde Mama's testament aan te vechten en we konden houden wat we hadden, zou daar dan een prijs voor moeten worden betaald?

De volgende ochtend liepen Chris en ik de rechtertrap af, met het optimistische gevoel dat we eindelijk hadden wat ons toekwam en we eindelijk ons leven in eigen hand hadden. Chris pakte mijn hand vast, hij zag aan mijn gezicht dat het huis me niet langer intimideerde.

We vonden Joel in de keuken, druk bezig met het ontbijt. Hij droeg een lang wit schort, en schuin op zijn hoofd stond een hoge koksmuts, een beetje belachelijk op zo'n magere, lange oude man. Alleen dikke mannen hoorden kok te zijn, dacht ik, ook al was ik hem dankbaar dat hij een taak op zich had genomen die ik zelf nooit erg plezierig had gevonden.

'Ik hoop dat jullie van Eieren Benedict houden,' zei Joel, zonder naar ons te kijken. Tot mijn verbazing waren de eieren heerlijk. Chris nam twee porties. Daarna liet Joel ons de kamers zien die nog niet waren ingericht. Hij keek naar me met een scheve glimlach. 'Bart vertelde me dat je houdt van informele kamers met gemakkelijke meubels, en hij zou graag willen dat jij deze lege kamers gezellig maakt.'

Dreef hij de spot met me? Hij wist dat Chris en ik hier alleen maar op bezoek waren. Toen bedacht ik dat Bart misschien wilde dat ik hem hielp met het inrichten ervan, en het zelf niet wilde vragen.

Toen ik Chris vroeg of Joel het testament van moeder kon aanvechten en Bart het geld afnemen dat hij zo nodig had voor zijn gevoel van eigenwaarde, schudde Chris het hoofd en gaf toe dat hij niet zo goed op de hoogte was van alle juridische consequenties, als een 'dode' erfgenaam weer tot leven kwam.

'Bart kan Joel geld genoeg geven om hem door de paar jaar heen te helpen die hij nog te leven heeft,' zei ik, mijn hersens afpijnigend om me precies te herinneren wat er in moeders testament stond. Geen woord over haar oudere broer, die officieel dood was verklaard.

Toen ik weer terugkwam in de werkelijkheid stond Joel weer in de keuken; hij had alles gevonden wat hij zocht in de bijkeuken die voldoende voorraad bevatte om een heel hotel te voeden. Hij gaf antwoord op een vraag die Chris had gesteld en die ik niet had gehoord. Zijn stem klonk somber. 'Natuurlijk is het huis niet exact hetzelfde, want niemand gebruikt meer houten nagels in plaats van spijkers. Ik heb alle oude meubels in mijn kamers gezet. Ik hoor hier niet *echt* thuis, dus blijf ik in het personeelsverblijf boven de garage.'

'Ik heb je al gezegd dat je dat niet moet doen,' zei Chris fronsend. 'Het is niet juist om een familielid zo sober te laten leven.' We hadden de enorme garage al gezien, en het personeelsverblijf erboven kon nauwelijks 'sober' worden genoemd, alleen klein.

Laat hem maar! wilde ik schreeuwen, maar ik zei niets.

Voor ik wist wat er gebeurde had Chris Joel op de tweede verdieping geïnstalleerd in de westelijke vleugel. Ik zuchtte, ik vond het onplezierig dat Joel onder hetzelfde dak verkeerde als wij. Maar alles kwam in orde; zodra onze nieuwsgierigheid was bevredigd en Bart zijn verjaardag had gevierd, zouden we met Cindy naar Hawaii gaan.

In de bibliotheek hadden Chris en ik om twee uur 's middags een onderhoud met een man en vrouw die uitstekende getuigschriften hadden. Ik kon niets op hen aanmerken, behalve iets schichtigs in hun ogen. Onrustig schoof ik heen en weer onder de insinuerende blikken waarmee ze naar ons keken. 'Sorry,' zei Chris, die mijn onopvallende negatieve gebaar zag. 'Maar we hebben al een ander echtpaar aangenomen.'

Man en vrouw stonden op om weg te gaan. De vrouw draaide zich op de drempel om en keek me lang en veelbetekenend aan. 'Ik woon in het dorp, *mevrouw Sheffield*,' zei ze koel. 'Maar we hebben *heel* wat gehoord over de Foxworths op de Heuvel.'

Ik wendde mijn hoofd af.

'Ja, dat geloof ik graag,' zei Chris droog.

De vrouw snoof en smeet de deur achter zich dicht.

Vervolgens kwam er een lange, aristocratische man met een kaarsrechte militaire houding, onberispelijk en tot in de puntjes gekleed. Hij kwam met lange passen binnen en bleef beleefd staan tot Chris hem vroeg te gaan zitten.

'Mijn naam is Mainstream Trevor Majors,' zei hij met een afgemeten Brits accent. 'Ik ben negenenvijftig jaar geleden in Liverpool geboren. Ik ben op mijn zesentwintigste in Londen getrouwd en mijn vrouw is drie jaar geleden gestorven; mijn beide zoons wonen in Noord-Carolina, dus ben ik hier naar toe gekomen, in de hoop werk te vinden in Virginia en mijn zoons op mijn vrije dagen te kunnen bezoeken.'

'Waar hebt u gewerkt toen u bij de Johnstons bent weggegaan?' vroeg Chris, het curriculum vitae van de man doorkijkend. 'U hebt uitstekende getuigschriften, tot een jaar geleden.'

Chris had de Engelsman intussen gevraagd te gaan zitten. Trevor Majors verplaatste zijn lange benen en trok zijn das recht, vóór hij beleefd antwoordde: 'Ik heb bij de Millersons gewerkt op de Heuvel, die ongeveer zes maanden geleden zijn verhuisd.'

Stilte. Ik had mijn moeder vaak de naam Millerson horen noemen. Mijn hart begon sneller te kloppen. 'Hoe lang hebt u voor de Millersons gewerkt?' vroeg Chris vriendelijk, alsof hij geen angst kende, zelfs niet toen hij mijn ongeruste blik had opgevangen.

'Niet zo lang, meneer. Ze woonden er met vijf van hun eigen kinderen, en er kwamen altijd neven en nichten, en vrienden die bleven logeren. Ik was het enige personeel. Ik kookte, deed het huishouden, de was, reed de auto, en het is de trots en vreugde van een Engelsman om te tuinieren. Met het halen en brengen van de vijf kinderen naar school, dansles, sportevenementen, bioscoop enzovoort, bracht ik zoveel tijd op de weg door, dat ik zelden de kans had een fatsoenlijke maaltijd te bereiden. Op een dag klaagde meneer Millerson dat ik het gras niet had gemaaid en het onkruid niet gewied, en dat hij in twee weken niet behoorlijk gegeten had thuis. Hij snauwde tegen me omdat het eten te laat was opgediend. Meneer, dat ging me te ver. Zijn vrouw had me opdracht gegeven haar te rijden, had me laten wachten terwijl zij boodschappen deed, stuurde me weg om de kinderen uit de bioscoop te halen, en bij dat alles moest ik er ook nog voor zorgen dat het eten op tijd op tafel stond. Ik zei tegen meneer Millerson dat ik geen robot was die alles tegelijk kon, en ik nam ontslag. Hij was zo kwaad dat hij dreigde me nooit een goed getuigschrift te geven. Maar als u een paar dagen wilt wachten, zal hij misschien weer voldoende gekalmeerd zijn om te beseffen dat ik mijn best heb gedaan onder moeilijke omstandigheden.'

Ik zuchtte, keek naar Chris en gaf hem heimelijk een teken. De man was perfect, Chris keek zelfs niet naar me. 'Ik denk dat het best zal gaan, meneer Majors. We zullen u aannemen voor een proeftijd van een maand; mocht u niet voldoen, dan beschouwen we de overeenkomst daarna als geëindigd.'

Chris keek naar mij. 'Dat wil zeggen, als mijn vrouw het ermee eens is.'

Zwijgend stond ik op en knikte. We hadden personeel nodig. Ik was niet van plan mijn vakantie door te brengen met afstoffen en schoonmaken van een enorm huis.

'Meneer, mevrouw, als u zo goed wilt zijn, noemt u me dan Trevor. Het zal me een eer en een genoegen zijn in dit mooie huis te mogen dienen.' Hij was overeind gesprongen zodra ik opstond, en toen Chris zich verhief gaven ze elkaar een hand. 'Het is me een groot genoegen,' zei hij en keek naar ons met een goedkeurende glimlach.

Binnen drie dagen namen we drie bedienden aan. Het was gemakkelijk genoeg, want Bart betaalde veel te veel.

Op de avond van onze vijfde dag in Foxworth Hall stond ik naast Chris op het balkon en staarde naar de bergen om ons heen, en naar diezelfde oude maan die op ons neerkeek als we op het dak van het oude Foxworth Hall lagen. Het enige grote oog van God, geloofde ik toen ik vijftien was. Op andere plaatsen had ik een romantische maan gezien met prachtig maanlicht, dat mijn angst en schuldbesef wegnam. Hier vond ik de maan een streng inquisiteur, bereid ons opnieuw te veroordelen, en dan nog eens en nog eens en nog eens.

'Wat een mooie avond, hè?' vroeg Chris met zijn arm om mijn middel. 'Ik hou van dit balkon dat Bart aan onze kamer heeft laten bouwen. Het bederft het uiterlijk niet omdat het aan de zijkant ligt, en het biedt een prachtig uitzicht op de bergen.'

De in blauwe nevelen gehulde bergen hadden me altijd een barrière geleken waarachter we eeuwig gevangen zaten. Zelfs nu nog zag ik hun afgeronde toppen als een slagboom tussen mij en de vrijheid. *God, als u daarboven bent, help me dan de komende weken door.*

Tegen twaalf uur de volgende middag stonden Chris en ik met Joel in het portiek bij de voordeur en keken naar de lage rode Jaguar die snel over de scherp kronkelende weg naar Foxworth Hall reed.

Bart reed met roekeloze snelheid, alsof hij de dood uitdaagde hem in te halen. Mijn knieën knikten toen ik zag hoe hij de gevaarlijke bochten nam.

'Hij hoorde verstandiger te zijn,' mopperde Chris. 'Hij heeft altijd aanleg gehad voor ongelukken, en moet je zien hoe hij rijdt, alsof hij de onsterfelijkheid in pacht heeft.'

'Sommigen hebben dat,' zei Joel raadselachtig.

Ik keek hem even verbaasd aan en richtte mijn blik toen weer op die kleine rode auto die een fortuin had gekost. Elk jaar kocht Bart een nieuwe, nooit een andere kleur dan rood; hij had alle auto's geprobeerd om te zien welke hem het best beviel. Deze was tot dusver zijn favoriet, had hij ons in een kort briefje verteld.

Hij kwam piepend en met stinkend rubber tot stilstand en bedierf de volmaakte oprijlaan met lange zwarte strepen. Bart zwaaide, zette zijn zonnebril af, schudde zijn hoofd om zijn donkere verwarde haren te fatsoeneren, negeerde het portier en sprong uit de open wagen, trok zijn rijhandschoenen uit en gooide ze achteloos op de bank. Hij holde de trap op en tilde me op in zijn sterke armen en gaf me een paar zoenen op mijn wangen. Ik was verbijsterd over de hartelijkheid van zijn begroeting. Gretig reageerde ik. Maar zodra mijn lippen zijn wang aanraakten, zette hij me neer en duwde me weg, of hij heel snel genoeg van me had.

Hij stond in het volle zonlicht; één meter achtentachtig, een briljante intelligentie en stralende kracht in zijn donkere bruine ogen, brede schouders en een goedgespierd lichaam met slanke heupen en lange benen. Hij was erg knap in zijn achteloze witte sportkleding. 'Je ziet er fantastisch uit, Moeder, werkelijk fantastisch.' Zijn donkere ogen namen me van top tot teen op. 'Dank je dat je die rode jurk hebt aangetrokken. Rood is mijn lievelingskleur.'

Ik pakte Chris' hand. 'Dank je, Bart, ik heb die jurk speciaal voor jou aangetrokken.' Nu zou hij iets aardigs zeggen tegen Chris, hoopte ik. Ik wachtte erop. Maar Bart negeerde Chris en wendde zich tot Joel.

'Hallo, Oom Joel. Is mijn moeder niet net zo mooi als ik zei?'

Chris' hand kneep zo hard in de mijne dat het pijn deed. Altijd vond Bart een manier om de enige vader te beledigen die hij zich kon herinneren.

'Ja, Bart, je moeder is erg mooi,' zei Joel, met zijn fluisterende, krassende stem. 'Ik denk dat mijn zuster Corrine er zo moet hebben uitgezien op haar leeftijd.'

'Bart, zeg goedendag tegen je –' en toen haperde ik. Ik wilde zeggen *'Vader'* maar ik wist dat Bart dat ruw zou ontkennen. Dus zei ik *Chris.* Bart keek even naar Chris met zijn donkere en soms wrede ogen en zei toen nors hallo. *'Jij* wordt ook nooit ouder, hè?' zei hij op beschuldigende toon.

'Het spijt me dat te horen, Bart,' antwoordde Chris kalm. 'Maar de tijd zal uiteindelijk wel zijn werk doen.'

'Laten we het hopen.'

Ik had Bart kunnen slaan.

Bart draaide zich om en negeerde zowel Chris als mij. Hij keek naar de gazons, het huis, de weelderige bloemperken, het struikgewas, de tuinpaden, de vogelbadjes, de beelden, en glimlachte met de trots van de eigenaar. 'Het is prachtig, werkelijk prachtig. Precies zoals ik had gehoopt dat het zou zijn. Ik heb in de hele wereld rondgekeken, en geen huis is te vergelijken met Foxworth Hall.'

Zijn donkere ogen keken in de mijne. 'Ik weet wat je denkt, Moeder, ik weet dat het nog niet het mooiste huis is, maar eens zal het dat zijn. Ik ben van plan het uit te breiden, er nieuwe vleugels aan toe te voegen, zodat op een goede dag dit huis elk paleis in Europa zal overtreffen. Ik zal al mijn energie eraan besteden van Foxworth Hall een historisch monument te maken.'

'En op wie wil je indruk maken als je dat hebt bereikt?' vroeg Chris. 'De wereld tolereert grote huizen en grote rijkdom niet langer, en heeft geen respect voor mensen die hun bezit verkregen hebben door een erfenis.'

O, verdomme! Chris zei zelden iets tactloos of onhebbelijks. Waarom had hij dat gezegd? Barts gezicht werd vuurrood onder zijn gebronsde huid. 'Ik ben van plan mijn vermogen te vergroten door mijn eigen werk en inspanning!' stoof hij op, terwijl hij een stap naar Chris toe deed. Omdat hij zo mager was en Chris zwaarder was geworden, vooral rond de borst, leek hij hoog boven Chris uit te torenen. De man, die ik als mijn echtgenoot beschouwde, staarde uitdagend in de ogen van mijn zoon.

'Dat heb *ik* al voor je gedaan,' zei Chris.

Tot mijn verbazing leek Bart daar blij om te zijn. 'Bedoel je dat je als beheerder mijn deel van de erfenis hebt vergroot?'

'Ja, dat was gemakkelijk genoeg,' zei Chris laconiek. 'Geld kweekt geld en de investeringen die ik voor je heb gedaan hebben goed geld opgeleverd.'

'Tien tegen één dat ik het beter had gedaan!'

Chris glimlachte ironisch. 'Ik had kunnen weten dat je me zo zou bedanken.'

Ik keek van de een naar de ander, had medelijden met allebei. Chris was een rijp man, die wist wie en wat hij was, en hij kon gemakkelijk voort met dat zelfvertrouwen, terwijl Bart nog steeds vocht om zichzelf en zijn plaats in de wereld te ontdekken.

Mijn zoon, mijn zoon, wanneer zul je nederigheid en dankbaarheid leren? Heel wat avonden had ik Chris gebogen gezien over zijn cijfers, als hij trachtte de beste investeringen te vinden; het leek of hij wist dat Bart hem vroeg of laat zou beschuldigen van een slecht financieel beleid.

'Je krijgt gauw genoeg de kans om jezelf te bewijzen,' antwoordde Chris. Hij wendde zich tot mij. 'Laten we een eindje gaan lopen, Cathy, naar het meer.'

'Wacht even,' riep Bart, schijnbaar woedend dat we weg wilden nu hij net thuiskwam. Ik werd heen en weer geslingerd tussen mijn verlangen met Chris weg te gaan en het verlangen mijn zoon tevreden te stellen. 'Waar is Cindy?'

'Ze komt gauw,' riep ik terug. 'Op het ogenblik logeert Cindy bij een vriendin. Misschien interesseert het je dat Jory Melodie meeneemt voor een vakantie.'

Bart bleef staan en staarde me aan. Even leek hij ontsteld bij dat vooruitzicht – toen kwam er een vreemde opwinding in de plaats van alle andere emoties op zijn knappe gebruinde gezicht. 'Bart,' zei ik. 'Het huis is echt heel mooi. Alles wat je eraan gedaan hebt om het te veranderen is een enorme verbetering.'

Hij keek verbaasd op. 'Moeder, bedoel je dat het niet exact hetzelfde is? Ik dacht van wel.'

'O, nee, Bart. Het balkon voor onze kamer was er vroeger niet.'

Bart keerde zich met een ruk naar zijn oudoom. 'U zei van wel!' schreeuwde hij.

Met een cynische glimlach deed Joel een stap naar voren. 'Bart, jongen, ik heb niet gelogen. Ik lieg nooit. Dat balkon *was* er in het oorspronkelijke huis. De moeder van mijn vader heeft het laten maken. Via dat balkon kon ze wegsluipen naar haar minnaar zonder dat de bedienden het merkten. Later is ze er met haar minnaar vandoor gegaan zonder haar man wakker te maken, die de deur van hun slaapkamer altijd afsloot en de sleutel verstopte. Malcolm liet het balkon afbreken toen hij eigenaar van het huis werd, maar het geeft iets charmants aan die kant van het huis.'

Tevreden wendde Bart zich weer naar Chris en mij. 'Zie je, Moeder, je weet helemaal niets over dit huis. Oom Joel is de expert. Hij heeft in alle details de meubels en schilderijen beschreven, en uiteindelijk heb ik niet alleen hetzelfde huis, maar een nog mooier huis dan het origineel.'

Bart was niet veranderd. Hij was nog steeds bezeten, hij wilde nog steeds een nauwkeurige kopie zijn van Malcolm Foxworth, zo niet in uiterlijk, dan toch in karakter en in zijn vaste voornemen om de rijkste man ter wereld te worden, wat het hem ook zou mogen kosten om die titel te veroveren.

MIJN TWEEDE ZOON

Kort nadat Bart thuis was gekomen, begon hij uitvoerige plannen te maken voor zijn verjaardagsfeest. Tot mijn verbazing en verrukking had hij blijkbaar heel wat vrienden gemaakt in Virginia, tijdens de zomervakanties die hij daar had doorgebracht. Ik had het me altijd erg aangetrokken dat hij maar zo weinig dagen van zijn vakantie bij ons doorbracht in Californië, waar ik vond dat hij thuishoorde. Maar nu scheen hij hier mensen te kennen van wie wij nog nooit gehoord hadden, en hij had vrienden en vriendinnen gemaakt op de universiteit, die hij van plan was hier uit te nodigen om zijn verjaardag te vieren.

Ik was nog maar een paar dagen in Foxworth Hall, en nu al begonnen de eentonige dagen, waarin ik niets anders te doen had dan te eten, slapen, lezen, TV kijken en in de tuin en het bos wandelen, me nerveus te maken en ik verlangde ernaar zo spoedig mogelijk te ontsnappen. De diepe stilte van het berglandschap hield me in een ban van geïsoleerdheid en wanhoop. De stilte werkte op mijn zenuwen. Ik wilde stemmen horen, veel stemmen, ik wilde de telefoon horen, wilde dat er mensen langs kwamen, maar er kwam niemand. Er was een groepje plaatselijke society, mensen die de Foxworths goed hadden gekend, maar dat waren juist de mensen die Chris en ik moesten vermijden. We hadden onze vrienden in New York en Californië die ik wilde bellen en uitnodigen voor Barts feest, maar ik durfde het niet zonder Barts toestemming. Rusteloos dwaalde ik door de prachtige kamers, soms alleen, soms met Chris. Samen slenterden we door de tuin, wandelden door het bos, soms zwijgend, soms heel spraakzaam.

Hij had zijn oude hobby van het aquarelleren weer opgevat, en dat hield hem bezig, maar ik mocht niet meer dansen. Toch deed ik elke dag mijn balletoefeningen, alleen om slank en soepel te blijven, en ik poseerde bereidwillig voor hem als hij het vroeg. Joel verraste me een keer toen ik me vasthield aan een stoel in onze zitkamer en mijn oefeningen deed in een rode tricot. Hij staarde naar me of ik naakt was. 'Wat is er?' vroeg ik bezorgd. 'Is er iets ergs gebeurd?'

Hij breidde zijn lange, magere, bleke handen uit en liet zijn blik vol minachting over me heen gaan.

'Ben je niet een beetje te oud om te proberen verleidelijk te zijn?'

'Heb je wel eens gehoord van lichaamsoefeningen, Joel?' vroeg ik ongeduldig. 'Je hoeft niet in deze vleugel te komen. Blijf weg uit onze kamer, dan hoef je je niet geshockeerd te voelen.'

'Je bent oneerbiedig tegen iemand die ouder en wijzer is dan jij,' zei hij scherp.

'In dat geval bied ik je mijn verontschuldigingen aan. Maar je woorden en de manier waarop je naar me kijkt zijn beledigend. Als je wilt dat er tijdens ons bezoek vrede heerst in dit huis, blijf dan uit mijn buurt, Joel, als ik in mijn eigen vleugel ben. Er is ruimte genoeg in dit grote huis om iedereen zijn privacy te geven zonder de deuren te hoeven sluiten.'

Hij draaide zich stram om, maar niet voordat ik de verontwaardigde blik in zijn ogen had gezien. Ik staarde hem na en vroeg me af of ik me misschien vergiste, of hij slechts een onschuldige oude man was die het niet kon laten zich met andermans zaken te bemoeien. Maar ik riep hem niet achterna om me te verontschuldigen.

Ik trok mijn tricot uit, deed een short met een top aan en, met de troostvolle gedachte dat Jory en zijn vrouw binnenkort zouden komen, ging ik op zoek naar Chris. Ik aarzelde even bij de deur van Barts kantoor en bleef staan luisteren terwijl hij praatte met de caterer en plannen maakte voor minimaal tweehonderd gasten. Alleen al naar hem luisteren gaf me een hulpeloos gevoel. *O, Bart, besef je dan niet dat sommigen niet zullen komen? En als ze wel komen, moge God ons bijstaan.*

Terwijl ik daar stond, hoorde ik hem de namen noemen van verschillende gasten. Ze kwamen niet allemaal uit het eigen land. Er waren kopstukken bij uit Europa, die hij tijdens zijn reizen had leren kennen. In zijn hele studietijd was hij onvermoeibaar in de weer geweest om zoveel mogelijk van de wereld te zien, belangrijke mensen te ontmoeten, mensen die regeerden en heersten, met hun politieke macht, hun hersens of hun financiële talenten. Ik dacht dat zijn rusteloosheid het gevolg was van zijn onvermogen om op één plaats gelukkig te zijn en dat hij altijd verlangde naar een andere plek waar het gras groener was.

'Ze komen allemaal,' zei hij tegen degene aan het andere eind van de lijn. 'Als ze mijn uitnodiging lezen kunnen ze niet weigeren.'

Hij hing op, draaide zijn stoel rond en staarde me aan. 'Moeder! Sta je me af te luisteren?'

'Dat is een gewoonte die ik van jou heb geleerd, liever d.'

Hij keek kwaad.

'Bart, waarom geef je niet gewoon een familiefeest? Of vraag alleen je beste vrienden. De mensen uit het dorp hier willen vast niet komen. Te oordelen naar de verhalen die mijn moeder ons altijd vertelde, hebben ze altijd een hekel gehad aan de Foxworths, die te veel hadden toen zij te weinig hadden. De Foxworths kwamen en gingen, terwijl de dorpelingen moesten blijven. En nodig alsjeblieft niet de plaatselijke society uit, zelfs al heeft Joel je verteld dat ze zijn vrienden zijn, en daarom die van jou en van ons.'

'Bang dat je zonden zullen worden ontdekt, Moeder?' vroeg hij genadeloos. Ik was eraan gewend, maar toch kromp ik inwendig ineen. Was het dan zo verschrikkelijk dat Chris en ik samenleefden als man en vrouw? Stonden de kranten niet vol met veel afschuwelijkere misdaden dan de onze?

'O, kom, Moeder, trek niet zo'n gezicht. Laten we voor de verandering eens gelukkig zijn.' Er verscheen een vrolijke, opgewonden uitdrukking op zijn gebronsde gezicht, alsof niets wat ik zei zijn goede stemming kon verstoren. 'Moeder, wees blij voor me, alsjeblieft. Ik bestel het beste van het beste. Als het bekend wordt, en dat zal het omdat mijn caterer de beste is in heel Virginia en hij het heerlijk vindt om op te scheppen, zal niemand de verleiding kunnen weerstaan op mijn feest te komen. Vooral niet als ze horen dat ik artiesten laat komen uit New York en Hollywood. En bovendien zal iedereen Jory en Melodie willen zien dansen.'

Ik keek verbaasd en blij op. 'Heb je het ze gevraagd?'

'Nee, maar hoe kunnen mijn eigen broer en schoonzuster me dat weigeren? Weet je, Moeder, ik ben van plan het feest buiten te geven, in de tuin, in het maanlicht. Alle gazons worden verlicht met gouden bollen. Ik laat overal fonteinen aanbrengen, en gekleurde lichten die over het water spelen. Er komen kratten vol geïmporteerde champagne en alle dranken die je maar op kan noemen. En het beste voedsel dat ik kan krijgen. Ik laat een theater bouwen midden in een wonderbaarlijke fantasiewereld, waar de tafels gedekt zijn met schitterende kleden in alle kleuren. Kleur op kleur. En overal bloemen. Ik zal de wereld laten zien wat een Foxworth allemaal kan.'

Enthousiast borduurde hij erop verder.

Toen ik zijn kantoor uitliep en Chris zag, die met een van de tuinlieden stond te praten, voelde ik me blij en gerustgesteld. Misschien zou dit de zomer worden waarin Bart zichzelf eindelijk zou vinden.

Het zou worden zoals Chris altijd had voorspeld: Bart zou niet alleen een vermogen erven, maar ook trots en eigenwaarde, en zichzelf vinden. En God geve dat hij zijn juiste ik vond.

Twee dagen later was ik weer terug in zijn kantoor. Ik zat in een van de diepe leren fauteuils, verbaasd hoeveel hij had bereikt in de korte tijd dat hij thuis was. Blijkbaar had al deze speciale kantoor-apparatuur klaar gestaan om te worden geïnstalleerd, zodra hij er was om te zeggen waar alles moest staan. De kleine slaapkamer achter de bibliotheek die Bart als kantoor gebruikte, waar onze verafschuwde grootvader tot zijn dood had geleefd, was verbouwd tot archiefkamer en stond vol kasten. De kamer waar grootvaders verpleegsters hadden geslapen, werd het kantoor voor Barts secretaresse, wanneer of als hij er ooit één vond die aan zijn hoge eisen beantwoordde. Een computer nam het grootste deel in beslag van een lang rond bureau, met twee printers die verschillende teksten uittypten terwijl Bart en ik zaten te praten. Ik was al verbaasd geweest dat hij sneller kon typen dan ik. Het gedreun van de printers werd gedempt door zware deksels van plexiglas.

Trots liet hij me zien hoe hij thuis in contact kon blijven met de wereld, door een paar knoppen in te drukken en een programma op te roepen dat 'De Bron' heette. Toen pas hoorde ik dat hij in een zomer twee maanden lang een cursus voor computerprogrammeur had gevolgd. 'En, Moeder, ik kan hier mijn opdrachten geven om te kopen, te verkopen en technische en fundamentele gegevens gebruiken via deze computer. Ik ben van plan me op deze manier bezig te houden tot ik mijn eigen advocatenkantoor open.' Even keek hij peinzend, zelfs weifelend. Ik geloofde nog steeds dat hij alleen naar Harvard was gegaan omdat zijn vader daar gestudeerd had. Hij had geen echte belangstelling voor de advocatuur; hij interesseerde zich alleen maar voor geld maken, steeds meer geld.

'Heb je nog niet genoeg geld, Bart? Wat is er nog dat jij niet kunt kopen?'

Iets jongensachtig weemoedigs en teders verscheen even in zijn donkere ogen. 'Respect, Moeder. Ik heb geen enkel talent, zoals jij, zoals Jory. Ik kan niet dansen. Ik kan nog geen fatsoenlijke bloem tekenen, laat staan een menselijk lichaam.' Hij zinspeelde op Chris en zijn schilderhobby. 'Als ik in een museum kom, sta ik verbaasd over de eerbied die iedereen toont. Ik zie niets bijzonders aan de Mona Lisa, ik zie alleen maar een vriendelijke, allesbehalve mooie vrouw, die niet erg opwindend kan zijn geweest. Ik hou niet van klassieke muziek, van wat voor muziek dan ook, en ze hebben me verteld dat ik een vrij goede zangstem heb. Ik probeerde als kind altijd te zingen. Een mal kind moet ik geweest zijn, hè? Je zult wel hartelijk om me gelachen hebben.' Hij grinnikte en spreidde toen zijn armen uit. 'Ik heb geen artistieke talenten, dus val ik terug op de cijfers, die ik kan begrijpen, die dollars en centen vertegenwoordigen. Ik kijk om me heen in musea, maar het enige wat ik daar kan bewonderen zijn de juwelen.'

Een glinstering kwam in zijn donkere ogen. 'De schittering van diamanten, robijnen, smaragden, parels – die kan ik waarderen. Goud, bergen goud – dat kan ik begrijpen. Ik zie de schoonheid in goud, zilver, koper en olie. Weet je dat ik een bezoek heb gebracht aan Washington, alleen om goud tot munten te zien slaan? Ik voelde een soort verrukking, alsof op een goede dag al dat goud van mij zou zijn.'

Mijn bewondering verdween en medelijden kwam er voor in de plaats. 'En vrouwen, Bart? Liefde? Een gezin? Goede vrienden? Kinderen? Hoop je niet dat je van iemand zal gaan houden en gaan trouwen?'

Hij staarde me even wezenloos aan, trommelde met zijn sterke vingertoppen met de vierkante nagels op het blad van zijn bureau, voor hij opstond en voor een brede muur van ramen ging staan. Hij staarde naar de tuin en daarachter naar de in blauwe nevels gehulde bergen. 'Ik heb ervaring met sex, Moeder. Ik had niet verwacht dat ik het prettig zou vinden, maar dat deed ik wel. Ik had het gevoel dat mijn lichaam me verraadde. Maar ik ben nooit verliefd geweest. Ik kan me niet voorstellen hoe het is je aan één vrouw te wijden, terwijl er zoveel mooie vrouwen rondlopen die maar al te gewillig zijn. Als ik een mooi meisje voorbij zie lopen, draai ik me om en staar haar na, en dan zie ik dat zij zich ook heeft omgedraaid en naar mij staart. Het is zo gemakkelijk ze in mijn bed te krijgen. Geen enkele uitdaging.' Hij zweeg even, draaide zijn hoofd om en keek me aan. 'Ik gebruik vrouwen, Moeder, en soms schaam ik me. Ik neem ze, zet ze aan de kant en doe zelfs net of ik ze niet ken als ik ze weer ontmoet. Ze eindigen allemaal met me te haten.'

Hij keek me uitdagend aan. 'Heb ik je geshockeerd?' vroeg hij vriendelijk. 'Of ben ik precies zo lomp als je altijd gedacht hebt?'

Ik slikte en hoopte dat ik deze keer de juiste woorden zou kunnen vinden. Vroeger was me dat nooit gelukt. Ik twijfelde eraan of iemand de woorden kon vinden om Bart anders te maken dan hij was en wilde zijn, als hij dat tenminste zelf wist. 'Ik denk dat je een produkt bent van je tijd,' begon ik zacht, zonder enig verwijt. 'Ik kan bijna medelijden hebben met jouw generatie, omdat jullie het mooiste aspect van het verliefd zijn missen. Waar blijft de romantiek in jouw levenswijze? Wat geef je de vrouwen waarmee je naar bed gaat? Weet je dan niet dat er tijd voor nodig is om een liefdevolle, blijvende relatie op te bouwen? Zoiets komt niet van de ene dag op de andere. Avontuurtjes van één nacht scheppen geen hechte band. Je kunt naar een mooi lichaam kijken en naar dat lichaam verlangen, maar dat is geen liefde.'

Zijn brandende ogen waren zo intens en vol belangstelling dat ik aangemoedigd werd om verder te gaan, vooral toen hij vroeg: 'Hoe verklaar je liefde?'

Het was een valstrik, want hij wist dat de liefdes in mijn leven allemaal even rampspoedig waren geweest. Toch antwoordde ik, in de hoop hem te behoeden voor alle fouten die hij ongetwijfeld zou maken. 'Ik heb geen verklaring nodig voor liefde, Bart. Ik geloof niet dat iemand die heeft. Die groeit van dag tot dag, door contact met een ander die jouw behoeften begrijpt, zoals jij die van de ander begrijpt. Het begint met een nerveuze trilling die je hart beroert en je gevoelig maakt voor alles wat mooi is. Je ziet schoonheid waar je vroeger alleen maar lelijke dingen zag. Je voelt je gloeien van binnen, je voelt je gelukkig, zonder dat je weet waarom. Je waardeert wat je vroeger genegeerd hebt. Je blik kruist de blik van de degene van wie je houdt, en je voelt je gelukkig omdat je bij elkaar bent. Zelfs al raak je elkaar niet aan, dan voel je toch de warmte van het samenzijn met degene die al je gedachten vervult. Dan, op een goeie dag, raak je elkaar aan. Misschien alleen de hand, en het is een goed gevoel. Het hoeft geen intieme aanraking te zijn. Je opwinding wordt groter, je wilt bij de ander zijn, niet om te vrijen, maar alleen om bij hem of haar te zijn, en langzamerhand groei je naar elkaar toe. Je deelt je leven in woorden voordat je je lichaam deelt. En dan pas ga je er serieus over denken met elkaar naar bed te gaan. Je droomt ervan. Maar je stelt het nog uit, je wacht op het juiste moment. Je wilt dat deze liefde blijft, nooit eindigt.

Dus ga je langzaam, heel langzaam af op de mooiste belevenis. Van dag tot dag, minuut tot minuut, seconde tot seconde, en van ogenblik tot ogenblik wacht je daarop, wetend dat je niet teleurgesteld zult worden, wetend dat de ander je trouw zal zijn, ook al is ze niet bij je. Bij echte liefde horen vertrouwen, tevredenheid, rust, geluk. Van iemand houden is of je het licht aandoet in een donkere kamer. Plotseling wordt alles helder en zichtbaar. Je bent nooit alleen, omdat zij van je houdt, en jij van haar.'

Ik zweeg even om adem te halen en zag zijn belangstelling, wat me de moed gaf om door te gaan. 'Dat zou ik voor jou willen, Bart. Meer dan alle miljarden tonnen goud ter wereld, meer dan alle juwelen in brandkasten, gun ik je een fantastisch meisje waarvan je kunt houden. Vergeet het geld. Je hebt genoeg. Kijk om je heen, doe je ogen open, ontdek de vreugde van het leven, en vergeet je jacht op geld.'

Peinzend zei hij: 'Dus zo denken vrouwen over liefde en sex. Ik heb het me altijd afgevraagd. Zo denkt een man er niet over, dat weet ik, maar wat je zei is interessant.'

Hij wendde zich af en ging verder. 'Eerlijk gezegd zou ik niet weten wat ik van het leven verlang behalve meer geld. Ze vertellen me dat ik een uitstekende advocaat zal zijn omdat ik goed kan debatteren. Maar ik kan nog steeds niet tot een besluit komen welke kant van de advocatuur ik zal opgaan. Ik wil geen strafpleiter worden zoals mijn vader, want dan zou ik vaak mensen moeten verdedigen van wie ik weet dat ze schuldig zijn. Dat zou ik niet kunnen. En civiel recht lijkt me stomvervelend. Ik heb gedacht over de politiek, dat vind ik nog het opwindendst, maar die verdomde psychologische achtergrond van me steekt een spaak in het wiel. Hoe kan *ik* in vredesnaam in de politiek gaan?'

Hij stond op van zijn bureau, liep naar me toe en pakte mijn hand. 'Ik luister graag naar wat je me vertelt. Vertel me meer over je liefdes, over de man van wie je het meest gehouden hebt. Was het Julian, je eerste man? Of was het de arts, Paul? Ik denk dat ik van hem gehouden zou hebben als ik me hem kon herinneren. Hij is met je getrouwd om mij zijn naam te geven. Ik wou dat ik me hem voor de geest kon halen, zoals Jory, maar dat kan ik niet. Jory kan zich hem nog heel goed herinneren. Hij herinnert zich zelfs mijn vader nog.' Zijn lichaam spande zich toen hij zich omdraaide en me recht in de ogen keek. 'Zeg dat je het meest van mijn vader hebt gehouden. Zeg dat *hij* de enige man is aan wie je je hart hebt geschonken. Vertel me niet dat je hem alleen maar hebt gebruikt om wraak te nemen op je moeder! Vertel me niet dat je zijn liefde hebt gebruikt om te ontsnappen aan de liefde van je eigen broer!'

Ik kon geen woord uitbrengen.

Zijn sombere, piekerende ogen namen me aandachtig op. 'Besef je nu nog niet dat jij en je broer met jullie incestueuze verhouding altijd mijn leven hebben verpest en vergald? Vroeger hoopte en bad ik dat je hem op een dag zou verlaten, maar dat gebeurt nooit. Ik heb me neergelegd bij het feit dat jullie tweeën geobsedeerd zijn van elkaar en misschien nog meer van jullie verhouding genieten omdat die tegen de wil van God is.'

Ik was er weer in getrapt! Ik stond op, in het besef dat hij me met zijn tedere stem in de val had gelokt.

'Ja, ik heb van je vader gehouden, Bart, daar hoef je nooit aan te twijfelen. Ik geef toe dat ik wraak wilde nemen voor alles wat moeder ons had aangedaan, daarom probeerde ik mijn stiefvader te verleiden. En toen ik hem eenmaal had, en ik wist dat ik van hem hield, en hij van mij, voelde ik dat ik zelf net zo in de val zat als hij. Hij kon niet met me trouwen. Hij hield van mij op één manier, en van mijn moeder op een andere manier. Hij werd tussen ons heen en weer geslingerd. Ik besloot een eind te maken aan zijn onzekerheid door zwanger te worden. Zelfs toen bleef hij aarzelen. Pas op de avond toen hij mijn verhaal geloofde, dat zijn eigen vrouw me had opgesloten, keerde hij zich tegen haar en zei dat hij met mij zou trouwen. Ik dacht dat haar geld hem voor eeuwig aan haar zou binden, maar hij zou met mij getrouwd zijn.'

Ik stond op om weg te gaan. Bart zei geen woord, en ik had geen idee wat hij dacht. Bij de deur draaide ik me om en keek naar hem. Hij zat weer in zijn bureaustoel, zijn ellebogen op het vloeiblad, zijn gebogen hoofd in zijn handen. 'Denk je dat iemand ooit van me zal houden om mijzelf en niet om mijn geld, Moeder?'

Mijn hart stond even stil.

'Ja, Bart. Maar hier zul je geen meisje vinden dat niet weet hoe rijk je bent. Waarom ga je niet weg? Vestig je in het Noordoosten of in het Westen. Als je dan een meisje vindt, weet ze niet dat je rijk bent, vooral niet als je een praktijk hebt als een gewoon advocaat.'

Hij keek op. 'Ik heb mijn achternaam al officieel laten veranderen, Moeder.'

Ik schrok, en ik hoefde eigenlijk niet te vragen: 'Hoe is je achternaam nu dan?'

'Foxworth,' zei hij, mijn angstige vermoeden bevestigend. 'Per slot kan ik geen Winslow zijn als mijn vader niet je echtgenoot was. En Sheffield is misleidend. Paul was mijn vader niet, en je broer ook niet, God zij dank.'

Ik huiverde en voelde me verkillen van angst. Dit was de eerste stap, hij zou een tweede Malcolm worden, en dat was wat ik het meest gevreesd had. 'Ik wou dat je Winslow als achternaam had gekozen, Bart. Dat zou je vader plezier hebben gedaan.'

'Ja, dat geloof ik graag,' zei hij droog. 'En ik heb dat in alle ernst overwogen. Maar door Winslow te kiezen, zou ik mijn legitieme recht op de naam Foxworth verbeuren. Het is een goede naam, Moeder, een naam die door iedereen wordt gerespecteerd, behalve door de dorpelingen, die toch niet meetellen. Ik voel dat Foxworth Hall werkelijk van mij is, zonder enig schuldbesef.' Er verscheen een stralende, blijde glans in zijn ogen. 'Weet je, en Oom Joel is het met me eens, niet iedereen haat me en acht me minder dan Jory.' Hij zweeg even om mijn reactie te zien. Ik probeerde mijn gevoelens te onderdrukken. Hij keek teleurgesteld. 'Ga weg, Moeder. Ik heb een lange werkdag voor me.'

Ik riskeerde zijn woede door nog even te blijven, lang genoeg om te zeggen: 'Terwijl je je opsluit in je kantoor, Bart, mag je niet vergeten dat het hele gezin erg veel van je houdt, en dat we allemaal het beste met je voor hebben. Als je je gelukkiger voelt met meer geld, zorg dan dat je de rijkste man ter wereld wordt. Vind het geluk, dat is het enige wat we je toewensen. Vind je eigen plekje, waar je past en thuishoort, dat is het allerbelangrijkste.'

Ik deed de deur van zijn kantoor achter me dicht en liep naar de trap, waar ik bijna tegen Joel opbotste. Een schuldige uitdrukking flitste even op in het blauw van zijn waterige ogen. Ik vermoedde dat hij het gesprek tussen Bart en mij had afgeluisterd. Maar had ik niet onopzettelijk hetzelfde gedaan? 'Het spijt me dat ik je niet zag in het donker, Joel.'

'Het was niet mijn bedoeling jullie af te luisteren,' zei hij met een merkwaardige blik.

'Degenen die verwachten kwaad te horen, zullen niet teleurgesteld worden,' en hij schoot haastig weg, als een oude kerkmuis. Hij maakte dat ik me schuldig voelde, me schaamde. Achterdochtig, altijd zo verdomd achterdochtig jegens iedereen die Foxworth heette.

Niet dat ik er geen reden toe had.

MIJN EERSTE ZOON

Zes dagen vóór het feest kwamen Jory en Melodie op het plaatselijke vliegveld aan. Chris en ik gingen hen afhalen met het soort enthousiasme dat je opspaart voor degenen die je in jaren niet hebt gezien, en we hadden nog geen tien dagen geleden afscheid genomen. Jory voelde zich teleurgesteld omdat Bart niet was meegekomen om hen welkom te heten in zijn fantastische nieuwe huis.

'Hij is bezig in de tuin, Jory, Melodie, en hij heeft gevraagd hem te verontschuldigen' (wat hij niet had gedaan.) Ze keken me aan met een blik die zeggen wilde dat ze wel beter wisten. Snel vertelde ik in bijzonderheden hoe Bart toezicht hield op de legers werklieden die de grasvelden veranderden in een paradijs, of iets dat daar zo dicht mogelijk bij kwam.

Jory glimlachte toen hij hoorde over het enorme, dure feest; Hij gaf de voorkeur aan kleine, intieme parties waar iedereen elkaar kende. Hij zei vriendelijk: 'Niets nieuws onder de zon. Bart heeft het altijd te druk om zich met mij en mijn vrouw te bemoeien.'

Ik staarde naar zijn gezicht dat zoveel leek op dat van mijn jeugdige eerste man, Julian, die tevens mijn danspartner was. De man die nog steeds pijnlijke herinneringen bij me opwekte en me datzelfde oude, martelende schuldgevoel gaf. Een schuldgevoel dat ik probeerde uit te wissen door het meest van zijn zoon te houden. 'Telkens als ik je zie lijk je meer op je vader.'

We zaten naast elkaar, Melodie naast Chris; nu en dan zei ze een paar woorden tegen hem. Jory lachte en sloeg zijn armen om me heen, boog zijn donkere knappe hoofd en raakte vluchtig mijn wang aan met zijn warme lippen. 'Mams, dat zeg je elke keer als je me ziet. Wanneer bereik ik de top en word ik mijn vader?'

Ik lachte mee, liet hem los, sloeg mijn benen over elkaar en staarde naar het mooie landschap. De golvende heuvels, de nevelige bergen, waarvan de toppen verborgen waren in de wolken. Vlak bij de Hemel, dacht ik steeds weer. Ik moest me dwingen mijn aandacht weer op Jory te richten, die alle goede eigenschappen had die Julian nooit had bezeten, nooit had kunnen bezitten. Jory leek in karakter meer op Chris dan op Julian, al gaf ook dat me weer een schuldgevoel, want het had ook anders kunnen gaan tussen Julian en mij, als Chris er niet geweest was.

Op zijn negenentwintigste was Jory een wonderlijk knappe man, met lange, sterke, mooie benen en stevige ronde billen, waar alle vrouwen naar staarden als hij in een tricot op het toneel danste. Zijn dikke haar was blauwzwart en krullend, maar niet kroezend; zijn lippen waren uitzonderlijk rood en sensueel van vorm, zijn neus perfect, met neusgaten die hij wijd kon opensperren in woede of hartstocht. Hij had een driftig karakter, dat hij lang geleden al had leren beheersen, voornamelijk omdat hij al zijn zelfbeheersing nodig had om Bart te kunnen verdragen. Jory's innerlijke schoonheid en *joie de vivre* straalden van hem uit. Zijn schoonheid bestond uit meer dan alleen een knap gezicht; hij had ook geestelijke kracht en leek op Chris in zijn vrolijke optimisme, zijn vertrouwen dat alles wat in het leven gebeurde goed was.

Jory droeg zijn succes met een roerende nederigheid, en waardigheid, zonder iets van de arrogantie die Julian altijd toonde, zelfs als hij een slechte voorstelling had gegeven.

Tot nu toe had Melodie heel weinig gezegd, alsof ze talloze geheimen had die ze dolgraag wilde spuien, maar om de een of andere reden voor zich hield, wachtend op haar kans om in het middelpunt van de belangstelling te staan. Mijn schoondochter en ik waren goed bevriend. Talloze keren draaide ze zich om op de voorbank en glimlachte vrolijk naar me. 'Hou op met plagen,' berispte ik haar. 'Wat is dat goede nieuws dat jullie ons wilden vertellen?'

Weer kwam die gespannen trek op haar gezicht toen ze naar Jory keek. Ze leek een gouden zakje dat elk moment open kon barsten als ze het niet gauw vertelde. 'Is Cindy er al?' vroeg ze.

Toen ik nee zei, draaide Melodie zich weer om, en keek door de voorruit naar buiten. Jory knipoogde. 'We laten je nog even langer in spanning, zodat iedereen van onze verrassing kan meegenieten. Bovendien heeft paps al zijn aandacht nodig bij de weg, zodat hij niet voldoende waardering kan opbrengen voor ons geheim.'

Na een rit van een uur reden we de privé-weg op, die zich omhoog slingerde langs de berg, met aan beide zijden diepe ravijnen en steile rotswanden, zodat Chris gedwongen was nog voorzichtiger te rijden.

Toen we thuis waren en ik hun onder hun bewonderende kreten de benedenverdieping had laten zien, kroop Melodie in mijn armen en legde verlegen haar hoofd op mijn schouder, want ze was een stuk langer dan ik.

'Toe maar, schat,' zei Jory bemoedigend.

Snel liet ze me los, keek met een trotse glimlach naar Jory, die geruststellend teruglachte.

'Cathy, ik had willen wachten tot Cindy er was, om het jullie allemaal tegelijk te vertellen, maar ik ben zo gelukkig dat ik het niet langer voor me kan houden! Ik verwacht een baby! Je weet niet hoe gelukkig ik ben! Ik heb die baby al willen hebben vanaf het eerste jaar dat Jory en ik getrouwd zijn. Ik ben al twee maanden zwanger. De baby wordt begin januari verwacht.'

Verbijsterd staarde ik haar aan en keek toen naar Jory, die me zo vaak had verteld dat hij geen gezin wilde stichten voordat hij tien jaar aan de top had gestaan. Maar hij stond met een trots gezicht te lachen, zoals alle mannen op zo'n moment doen, alsof hij dolblij was met dit onverwachte en ongeplande kind.

Het was genoeg om ook mij gelukkig te maken. 'O, Melodie, Jory, wat heerlijk voor jullie! Een baby! Ik word grootmoeder!' Toen ontnuchterde ik. Wilde ik wel grootmoeder worden? Chris mepte Jory op zijn rug of hij de eerste man was die ooit zijn vrouw zwanger had gemaakt; toen omhelsde hij Melodie en vroeg hoe ze zich voelde en of ze 's morgens misselijk was. Hij was nu eenmaal arts.

Omdat hij iets zag wat ik niet zag, nam ik haar wat aandachtiger op. Ze had schaduwen onder haar ogen, en ze was veel te mager om zwanger te lijken. Maar niets kon Melodie beroven van haar klassieke koele blonde schoonheid. Ze bewoog zich sierlijk, had een vorstelijke houding, al pakte ze alleen maar een tijdschrift op, zoals nu. Ik was verbijsterd. 'Wat is er, Melodie?'

'Niets,' zei ze. Ze verstarde zonder aanwijsbare reden, wat me onmiddellijk zei dat er inderdaad iets mis was.

Mijn blik ging even naar Jory. Hij knikte, ten teken dat hij me later zou vertellen wat Melodie dwars zat.

De hele weg naar Foxworth Hall was ik bang geweest voor de ontmoeting tussen Bart en zijn oudste broer, bang voor een afschuwelijke scène, waardoor we op een volkomen verkeerde voet zouden beginnen. Ik liep naar een raam dat uitkeek op een gazon aan de zijkant en zag dat Bart op de racketballbaan was: hij speelde tegen zichzelf met hetzelfde intense verlangen om te winnen, of hij een partner had die hij moest verslaan.

'Bart!' riep ik, terwijl ik de terrasdeuren opende. 'Je broer en zijn vrouw zijn er.'

'Ik kom zo,' riep hij terug, en speelde verder.

'Waar zijn alle tuinlieden?' vroeg Jory, om zich heen kijkend in de grote tuin waar nu alleen Bart nog te zien was. Ik legde uit dat de meesten om vier uur weggingen, omdat ze naar huis wilden rijden vóór de drukte van het spitsuur.

Eindelijk gooide Bart zijn racket weg en kwam naar ons toegeslenterd, met een brede, hartelijke glimlach. We liepen naar buiten, een terras op aan de zijkant, met een vloer van bontgekleurde tegels en veel groene planten en mooie patio-meubels en kleurige parasols om ons tegen de zon te beschermen. Melodie hield haar adem in en strekte haar rug toen ze dichter naar Jory toe schoof. Bart versnelde zijn pas, tot hij eindelijk bijna holde, en Jory liep haastig naar hem toe om hem te begroeten. Mijn hart zwol. Eindelijk, broers! Zoals ze waren toen ze nog heel klein waren. Ze sloegen elkaar op de rug, woelden door elkaars haar, en toen pompte Bart Jory's hand op en neer, sloeg hem op de schouder, zoals mannen graag doen. Daarna draaide hij zich om en nam Melodie onderzoekend op.

Al zijn enthousiasme verdween. 'Hallo, Melodie,' zei hij kort. Toen feliciteerde hij Jory weer met hun succes op het toneel en hun populariteit.

'Ik ben trots op jullie,' zei hij met een vreemde glimlach.

'We hebben nieuws voor je, broertje,' zei Jory. 'Je kijkt naar de gelukkigste man en vrouw ter wereld, want begin januari worden we vader en moeder.'

Bart staarde naar Melodie, die zijn blik vermeed. Ze keerde zich half naar Jory. De zon achter haar kleurde haar honingblonde haar felrood bij de schedel en vormde een goudkleurig waas rond de buitenste lokken, zodat het leek of ze een gouden aureool had. Als een reine Madonna stond ze met haar profiel naar ons toe, alsof ze op het punt stond te vluchten. Haar sierlijke lange hals, haar fraai gevormde kleine neus en haar volle roze lippen gaven haar de etherische schoonheid die haar tot een van de mooiste en meest bewonderde ballerina's in Amerika had gemaakt.

'Zwangerschap staat je goed, Melodie,' zei Bart zachtjes. Hij negeerde Jory's verhaal dat hij een jaar lang al zijn optredens wilde annuleren, zodat hij tijdens de hele zwangerschap bij Melodie kon blijven, en daarna op alle mogelijke manieren met de baby kon helpen.

Bart liep naar de terrasdeur, waar Joel zwijgend stond te staren naar onze familiereünie. Het ergerde me dat hij daar stond; toen schaamde ik me en maakte een gebaar dat hij dichterbij moest komen, terwijl Bart riep: 'Kom, dan zal ik je voorstellen aan mijn broer en zijn vrouw.'

Joel schuifelde langzaam dichterbij, met zachte fluisterende stappen. Ernstig begroette hij Jory en Melodie toen Bart hen had voorgesteld, maar hij stak zijn hand niet uit. 'Ik hoor dat je balletdanser bent,' zei hij tegen Jory.

'Ja, ik heb mijn leven lang ervoor gewerkt om zo genoemd te worden.'

Joel keerde zich om en liep zonder een woord te zeggen weg.

'Wie is die vreemde oude man?' vroeg Jory. 'Mams, ik dacht dat je ons verteld had dat allebei je ooms van moederszijde zijn verongelukt toen ze nog heel jong waren.'

Ik haalde mijn schouders op en liet het aan Bart over om het uit te leggen.

In een mum van tijd hadden we Jory en zijn vrouw geïnstalleerd in een kostbaar ingerichte suite, met zware rood fluwelen gordijnen, een rood kleed en muren met donkere panelen die de suite een mannelijke sfeer gaven. Melodie keek om zich heen, rimpelde vol afkeur haar neusje. 'Duur en mooi, heus,' zei ze met moeite. Jory lachte. 'Schat, we kunnen niet altijd witte muren en blauwe kleden verwachten, wel? De kamer bevalt me, Bart. Het is jouw soort sjieke slaapkamer.'

Bart luisterde niet naar Jory. Zijn blik was nog steeds strak gevestigd op Melodie, die met zwevende tred door de kamer liep, haar lange, sierlijke vingers over de glimmend gewreven meubels liet glijden, naar de aangrenzende zitkamer keek, en toen de schitterende badkamer inliep met een ouderwets notehouten bad dat was afgezet met tin. Ze lachte toen ze het bad zag. 'O, wat mooi! Kijk eens hoe diep het is, het water komt tot aan je kin, als je dat wilt.'

'Blonde vrouwen zien er zo dramatisch uit in een donkere omgeving,' zei Bart, bijna zonder te beseffen dat hij had gesproken. Niemand zei iets, zelfs Jory niet, die hem doordringend aankeek.

Er was een douchecel in de badkamer en een beeldige toilettafel van het zelfde notehout, met een driedelige spiegel in vergulde lijst, zodat degene die op het fluwelen krukje zat zich van alle kanten kon bekijken.

We aten vroeg en zaten in de schemering op een van de terrassen. Joel kwam niet bij ons zitten, waar ik blij om was. Bart zei weinig, maar kon zijn ogen niet afhouden van Melodie in haar tere blauwe jurk, die zich soepel spande om elke welving van dij, heup, taille en borst. Mijn hart zonk in mijn schoenen toen ik hem zo strak naar haar zag kijken, met het verlangen zo duidelijk zichtbaar in zijn donkere, vurige ogen.

Op de ontbijttafel op het terras bij de eetkamer stonden gele madeliefjes. We hadden nu weer hoop. We konden geel zien zonder bang te zijn dat we de zon nooit meer zouden zien.

Chris lachte om iets grappigs dat Jory had gezegd, terwijl Bart alleen maar glimlachte. Zijn blik was nog steeds gericht op Melodie, die geen honger had en lusteloos een hapje nam. 'Alles wat ik eet komt er vroeg of laat weer uit,' legde ze een beetje verlegen uit. 'Het ligt niet aan het voedsel, maar aan mij. Ik hoor langzaam te eten en niet eraan te denken dat ik de maaltijd weer kwijtraak, maar dat is nou juist het enige waar ik aan denk.' Vlak achter haar schouder, in de schaduw van een reusachtige palm in een grote aardewerk pot, keek ook Joel onafgebroken naar Melodie. Hij bestudeerde haar profiel, keek toen naar Jory en kneep zijn ogen halfdicht.

'Joel,' riep ik, 'kom mee ontbijten.'

Hij kwam met tegenzin, voorzichtig dichterbij, fluisterend met zijn zachtgeschoeide voeten over de tegels, zijn armen over zijn borst gekruist, alsof hij een onzichtbare grove bruine monnikspij droeg en hij zijn handen verborgen hield in de wijde mouwen. Hij leek een rechter die naar ons toe gestuurd was om ons te wegen voor de Hemelse Poort. Zijn stem klonk effen en beleefd toen hij Jory en Melodie begroette, knikte in antwoord op hun vraag hoe het was om als monnik te leven. 'Ik zou niet zonder vrouwen kunnen leven,' zei Jory, 'zonder muziek en een hoop mensen om me heen. Van de één steek je dit op, van de ander dat. Ik heb honderden vrienden nodig om me gelukkig te maken. Ik mis nu onze vrienden van het balletgezelschap al.'

'Er zijn allerlei soorten mensen nodig om de wereld draaiende te houden,' zei Joel. 'De Here geeft en de Here neemt.' Toen schuifelde hij weg, met gebogen hoofd, alsof hij liep te bidden met een rozenkrans in zijn vingers. 'De Here wist wat Hij deed toen hij ons allemaal verschillend maakte,' hoorde ik hem fluisteren.

Jory draaide zich met een ruk om op zijn stoel en keek Joel na. 'Dus dat is onze oudoom, van wie we dachten dat hij bij een ski-ongeluk om het leven was gekomen. Mams, zou het niet gek zijn als de andere broer ook kwam opdagen?'

Barts gezicht vlamde van woede en hij sprong overeind. 'Doe niet zo belachelijk! Malcolms oudste zoon is gestorven toen zijn motorfiets in de afgrond stortte en ze hebben zijn lichaam gevonden en begraven. Het ligt in het familiegraf dat ik vaak heb bezocht. Volgens Oom Joel heeft zijn vader detectives erop uitgestuurd om zijn verloren tweede zoon te zoeken, en dat is een van de redenen waarom mijn oom zich moest verstoppen in dat klooster, tot hij er tenslotte aan gewend raakte en het leven in de buitenwereld begon te vrezen.' Hij keek even naar mij, alsof hij besefte dat wij als kind ook gewend waren geraakt aan een leven in gevangenschap en bang waren voor de buitenwereld.

'Hij zegt dat als je lange tijd geïsoleerd leeft, je de mensen begint te zien zoals ze werkelijk zijn, alsof afstand een beter perspectief geeft.'

Chris en ik keken elkaar aan. Ja, we wisten alles af van een geïsoleerd leven. Chris stond op, wenkte Jory en bood aan hem rond te leiden. 'Bart is van plan paardestallen te laten bouwen, zodat hij vossejachten kan organiseren, net als Malcolm vroeger. Misschien kunnen we nog eens aan die sport deelnemen.'

'Sport?' vroeg Melodie, die met een sierlijk gebaar opstond en haastig wegliep, achter Jory aan. 'Noem je een troep hongerige honden die achter een lief onschuldig vosje aan zit sport? Het is barbaars, dat is het!'

'Dat is de moeilijkheid met mensen van het ballet. Ze zijn te gevoelig en verliezen de werkelijkheid uit het oog,' antwoordde Bart voor hij een andere richting insloeg.

Later in de middag vond ik Chris in de hal, kijkend naar Jory die bezig was met zijn oefeningen. Hij gebruikte een stoel als barre. De twee mannen hadden het soort verhouding dat ik hoopte dat nog eens zou ontstaan tussen Chris en Bart. Vader en zoon en beiden hadden bewondering en respect voor de ander. Ik kruiste mijn armen over mijn borst en voelde me gelukkig omdat ik mijn hele gezin weer bij elkaar had, tenminste, zodra Cindy er was. En de verwachte baby zou ons nog meer aan elkaar binden.

Jory was klaar met zijn warming-up en begon te dansen op de muziek van *De Vuurvogel*. Hij draaide zo snel rond dat hij nog slechts een vage vlek was, sprong hoog in de lucht en kwam zo zacht als een veertje weer neer, zodat je niet hoorde dat zijn voeten de vloer raakten. Zijn spieren spanden zich bij elke jeté, hij spreidde zijn benen zover dat hij met de vingertoppen van zijn uitgespreide armen zijn tenen kon aanraken. Opgewonden keek ik naar zijn dans; ik wist dat hij speciaal voor ons een demonstratie gaf.

'Zag je die jeté's?' vroeg Chris toen hij mij zag. 'Hij maakt sprongen van wel drieëneenhalve meter. Ik kan mijn ogen niet geloven!'

'Drie meter, niet drieënhalf,' verbeterde Jory hem toen hij langs wervelde, draaiend, draaiend, de immense ruimte van de hal in een paar seconden afleggend. Toen liet hij zich ademloos op een gecapitonneerde mat vallen, die hij daar had neergelegd om te kunnen uitrusten zonder dat zijn lichaamszweet de tere, mooie stoelovertrekken zou bederven.

'Verdomd harde grond als ik val!' hijgde hij, terwijl hij achterover ging liggen, leunend op zijn ellebogen.

'En de spreiding van zijn benen als hij springt, ongelooflijk dat hij nog zo lenig en soepel is op zijn leeftijd.'

'Paps, ik ben pas negenentwintig, geen negenendertig!' protesteerde Jory, die bang was om ouder te worden en zijn roem te moeten afstaan aan een jongere danser. 'Ik heb nog minstens elf goede jaren voor me, voordat ik begin af te takelen.'

Ik wist precies wat hij dacht, languit op de mat, en zo op en top Julian. Het was of ik weer twintig was. De spieren van alle mannelijke balletdansers die de veertig naderen beginnen te verharden en bros te worden, zodat hun vroeger zo schitterende lichaam niet meer zo aantrekkelijk is voor het publiek. Weg met de ouden, op met de nieuwen, de angst van alle artiesten. Al konden ballerina's met hun laag vet onder de huid het langer volhouden. Ik plofte naast Jory op de mat en ging zitten met gekruiste benen in mijn roze jeans.

'Jory, je zult het langer uithouden dan de meeste dansers, maak je dus geen zorgen. Je hebt nog een lange, roemrijke weg voor je, voordat je veertig bent, en wie weet, misschien hou je er pas op je vijftigste mee op.'

'O, zeker,' zei hij. Hij vouwde zijn handen achter zijn hoofd en staarde naar het hoge plafond. 'Veertiende in de lange rij van dansers moet een geluksnummer zijn, nietwaar?'

Hoe vaak had ik hem niet horen zeggen dat hij niet kon leven zonder dansen? Sinds zijn tweede jaar had ik zijn voeten gezet op de weg waarop hij zich nu bevond.

Melodie zweefde de trap af. Ze zag er mooi en fris uit; ze had een bad genomen en haar haar gewassen. Ze leek een tere voorjaarsbloem in haar blauwe tricot. 'Jory, de dokter heeft gezegd dat ik lichte oefeningen kan blijven doen, en ik wil zo lang mogelijk blijven dansen om mijn spieren soepel te houden. Dans dus met me, liefste. Dans en dans, en dans nog meer.'

Ogenblikkelijk sprong Jory overeind en liep naar de voet van de trap, waar hij zich op één knie liet vallen, in de romantische positie van een prins die de prinses van zijn dromen ziet. 'Met genoegen, dame!' Hij tilde haar met een zwaai op en wervelde met haar rond voor hij haar met een sierlijk gebaar neerzette, zodat ze niet meer dan een veertje leek te wegen. Ze draaiden rond, uitsluitend dansend voor elkaar, zoals Julian en ik eens hadden gedanst uit pure verrukking, omdat we jong en sterk waren en leefden. De tranen sprongen in mijn ogen toen ik naast Chris stond en naar hen keek.

Chris voelde mijn gedachten; hij sloeg zijn arm om mijn schouder en trok me dichter naar zich toe. 'Ze zijn mooi, hè? Voor elkaar geschapen, kun je wel zeggen. Als ik mijn ogen half dichtknijp en ze heel vaag zie, zie ik jou dansen met Julian. Alleen was hij veel mooier, Catherine, veel mooier.'

Achter ons snoof Bart minachtend.

Met een ruk draaide ik me om. Ik zag dat Joel als een goedgetrainde hond en met gebogen hoofd achter Bart bleef staan, zijn handen nog steeds gestoken in die onzichtbare bruine monniksmouwen. 'De Here geeft en de Here neemt,' mompelde Joel weer.

Waarom zei hij dat toch voortdurend?

Onrustig keek ik van Joel naar Bart en zag diens bewonderende blik weer strak gericht op Melodie, die nu in arabesk-positie stond, wachtend tot Jory haar zou optillen. Het beviel me niet wat ik in Barts donkere jaloerse ogen zag, het verlangen dat steeds intenser begon te worden. De wereld was vol ongetrouwde vrouwen; hij had Melodie niet nodig, de vrouw van zijn broer!

Bart applaudisseerde wild toen de dans eindigde en beiden volledig in elkaar opgingen, vergetend dat wij er waren. 'Zo moeten jullie dansen op mijn verjaardagsfeest! Jory, zeg dat jij en Melodie zullen dansen!'

Met tegenzin draaide Jory zijn hoofd om en glimlachte naar Bart. 'Als je wilt dat ik dans, natuurlijk, graag, maar Mel niet. Haar dokter staat alleen wat lichte oefeningen toe en wat luchtig dansen, zoals dit, maar niet de inspanning die nodig is voor een professioneel optreden. En ik weet dat jij alleen het allerbeste verlangt.'

'Maar ik wil Melodie ook erbij,' protesteerde Bart. Hij glimlachte charmant naar de vrouw van zijn broer. 'Alsjeblieft, omdat het mijn verjaardig is, Melodie, voor deze ene keer. Je bent nog niet zover dat iemand je conditie zal merken.'

Onzeker staarde Melodie naar Bart. 'Ik geloof dat het beter is als ik niet niet doe,' zei ze zwakjes. 'Ik wil dat onze baby gezond wordt. Ik wil niet het risico lopen het kind te verliezen.'

Bart probeerde haar over te halen, en het zou hem misschien nog gelukt zijn ook, als Jory niet kortaf een eind had gemaakt aan de discussie. 'Nu moet je goed naar me luisteren, Bart. Ik heb onze agent gezegd dat Mels dokter niet wil dat ze optreedt, en als ze het wel doet, zou het hem ter ore kunnen komen en kan hij ons een proces aandoen. Bovendien is ze erg moe. Dat dansen voor de grap dat je net hebt gezien is niet het soort ballet dat we doen als we serieus optreden. Een professionele voorstelling eist uren en uren van warming-up en oefenen en repeteren. Dring nou niet aan, want dan wordt het pijnlijk. Als Cindy komt, kan zij met me dansen.'

'Nee!' snauwde Bart. Hij fronste zijn wenkbrauwen en al zijn charme was verdwenen. 'Zij kan niet dansen zoals Melodie.'

Nee, dat kon ze niet. Cindy was geen beroeps, maar ze danste heel aardig als ze haar best deed. Jory en ik hadden haar getraind sinds ze twee was.

Een meter achter Bart, als een magere donkere schaduw, kwamen Joels handen uit zijn wijde mouwen en vouwden zich onder zijn gebogen hoofd. Hij had zijn ogen gesloten, alsof hij bad. Het irriteerde me mateloos dat hij voortdurend om ons heen was.

Opzettelijk richtte ik mijn gedachten op Cindy. Ik brandde van verlangen haar weer te zien, haar ademloze meisjesachtige gebabbel te horen over feesten en afspraakjes en de jongens die ze kende. Alle dingen die me deden denken aan mijn eigen jeugd, en mijn eigen verlangen naar alles wat Cindy nu meemaakte.

In de roze gloed van de ondergaande zon stond ik onopgemerkt in de schaduw van een grote boog en keek naar Jory, die weer danste met Melodie in de reusachtige hal. Weer in tricots, deze keer paarse, met een wazige tuniek die verleidelijk wapperde. Melodie had paarse satijnen linten onder haar stevige kleine borsten gebonden. Ze leek een prinses die danste met haar minnaar. De hartstocht tussen Jory en Melodie deed een weemoedig verlangen opkomen in mijn eigen lichaam. Weer jong te zijn, zoals zij, de kans te hebben alles over te doen, en de tweede keer goed.

Plotseling werd ik me ervan bewust dat Bart in een andere alkoof stond, alsof hij stond te spioneren, of, vriendelijker gezegd, toe te kijken zoals ik toekeek. En hij was degene die niet om ballet en muziek gaf. Hij leunde achteloos tegen een deur, zijn armen over zijn borst gevouwen. Maar de intense donkere ogen die Melodie volgden waren niet achteloos. Ze waren vol van het verlangen dat ik er eerder in had gezien. Mijn hart stond stil.

Wanneer had Bart ooit niet verlangd naar iets dat van Jory was?

De muziek zwol aan. Jory en Melodie waren vergeten dat er iemand naar hen kon kijken en werden zo meegesleept door hetgeen ze deden dat ze door bleven dansen, wild, hartstochtelijk, verrukt van elkaar, tot Melodie naar Jory toe rende en in zijn uitgestrekte armen sprong. Nog tijdens de sprong drukte ze haar lippen op de zijne. Lippen die elkaar loslieten en weer raakten. Handen die tastend alle geheime plekjes zochten. Ik werd evenzeer meegesleept door hun liefdesspel als Bart, niet in staat mijn blik van hen af te wenden. Ze leken elkaar te verslinden met hun kussen. In de hitte van hun begeerte vielen ze op de grond en lieten zich op de mat rollen. Terwijl ik naar Bart toeliep hoorde ik hun hijgende ademhaling, die steeds luider werd.

'Kom, Bart, het is niet netjes om te blijven staan kijken als het dansen is afgelopen.'

Hij sprong op of hij door een adder werd gebeten. De begeerte in zijn ogen deed me pijn en maakte me bang.

'Ze moeten leren zich te beheersen als ze gasten zijn in mijn huis,' zei hij ruw, zonder zijn blik af te wenden van het paar, dat heen en weer rolde op de mat, armen en benen in elkaar gestrengeld, het bezwete haar nat en plakkerig, elkaar hartstochtelijk kussend.

Ik sleurde Bart mee naar de muziekkamer en deed zachtjes de deur achter ons dicht. Het was niet mijn lievelingskamer. Hij was ingericht volgens Barts heel mannelijke smaak. Er stond een vleugel waar niemand ooit op speelde, al had ik Joel één of twee keer met zijn vingers over de toetsen zien glijden, en dan haastig zijn hand terugtrekken, alsof hij zich brandde aan de ivoren toetsen. Maar de vleugel lokte hem en hij stond er vaak naar te staren, zijn vingers spannend en ontspannend.

Bart liep naar een kast, waarachter zich een verlichte bar bevond toen hij de deur open deed. Hij pakte een kristallen karaf en schonk een flink glas whisky in. Geen water, geen ijs. In één teug dronk hij het glas leeg. Toen keek hij me schuldbewust aan. 'Negen jaar huwelijk. En ze hebben nog steeds niet genoeg van elkaar. Wat is het dat jij en Chris hebben, en dat Jory heeft meegekregen en ik niet?'

Ik bloosde en boog mijn hoofd. 'Ik wist niet dat je in je eentje dronk.'

'Er is een hele hoop wat je niet van me weet, Moeder.' Hij schonk een tweede glas in, ik hoorde het langzame geklok van de whisky zonder op te kijken. 'Zelfs Malcolm dronk nu en dan.'

Nieuwsgierig keek ik op. 'Denk je nog steeds aan Malcolm?'

Hij liet zich in een stoel vallen, legde één enkel op de andere knie. Ik wendde mijn blik af, en bedacht dat mijn jongste zoon vroeger de irriterende gewoonte had om zijn voeten te leggen op alles wat binnen zijn bereik was. Hij had heel wat mooie stoelen bedorven met zijn modderige laarzen, en de fraaiste bedspreien waren vaak een vroegtijdige dood gestorven. Toen ging mijn blik weer naar zijn schoenen. Hoe hield hij die zolen zo schoon, zodat het leek of hij alleen maar op fluweel liep?

Eén voor één was Bart op weg naar de volwassenheid al zijn slordige gewoontes kwijt geraakt. 'Waarom staar je naar mijn schoenen, Moeder?'

'Ze zijn mooi.'

'Vind je?' Hij staarde er onverschillig naar. 'Ze hebben me zeshonderd dollar gekost, en nog eens honderd om de zolen te laten behandelen, zodat er geen spoor van vuil of krassen op te zien is. Dat is erg "in" op het ogenblik, zie je. Schoenen dragen met schone zolen.'

Ik fronste mijn wenkbrauwen. Wat voor psychologische boodschap hield dat in? 'De bovenkant verslijt eerder dan de zool.'

'En wat dan nog?'

Ik moest hem gelijk geven. Wat betekende geld nu nog voor ons? We hadden meer dan we ooit konden uitgeven. 'Als de bovenkant gaat slijten gooi ik ze weg en koop een paar nieuwe.'

'Waarom neem je dan de moeite de zolen te laten behandelen?'

'Moeder toch!' zei hij geërgerd. 'Ik hou ervan dat alles er nieuw blijft uitzien tot ik het weggooi. Ik zal het vreselijk vinden om Melodie te zien als een dikke zeug.'

'Ik zal blij zijn als het te zien is, misschien dat je dan je ogen van haar kunt afhouden.'

Hij stak een sigaret op en keek me kalm aan. 'Ik wed dat ik haar gemakkelijk van Jory kan afpakken.'

'Hoe durf je zoiets te zeggen?' riep ik kwaad uit.

'Ze kijkt me nooit aan, is je dat wel eens opgevallen? Ik geloof niet dat ze wil zien dat ik nu knapper ben dan Jory, en langer, en slimmer, en honderd keer rijker.'

We keken elkaar strak aan. Ik slikte zenuwachtig, plukte een onzichtbaar pluisje van mijn kleren. 'Morgen komt Cindy.'

Hij deed zijn ogen even dicht, greep de armleuningen van zijn stoel steviger vast, maar liet verder niets blijken. 'Ik heb grote bezwaren tegen dat kind,' bracht hij er tenslotte uit.

'Ik hoop dat je niet onaardig tegen haar bent als ze hier is. Herinner je je niet meer dat ze altijd achter je aan liep, je bewonderde? Ze hield van je, voordat jij daar zelf een eind aan maakte. Ze zou je nog steeds adoreren als je ophield haar zo ongenadig te treiteren. Bart, heb je geen spijt van alle lelijke dingen die je tegen je zusje hebt gezegd en alles wat je haar hebt aangedaan?'

'Ze is mijn zuster niet.'

'Dat is ze wel, Bart, dat is ze wel!'

'O, God, Moeder, ik zal Cindy nooit als mijn zuster beschouwen. Ze is geadopteerd, ze hoort niet echt bij ons. Ik heb een paar van die brieven gelezen die ze jou schrijft. Zie je dan niet hoe ze is? Of lees je alleen wat ze zegt, en niet wat ze bedoelt? Hoe kan één meisje zo populair zijn zonder de jongens hun zin te geven?'

Ik sprong overeind. 'Wat mankeert je, Bart?' gilde ik. 'Je weigert Chris te erkennen als je vader, Cindy als je zuster, Jory als je broer. Heb je dan niemand anders nodig dan jezelf – en die afschuwelijke oude man die altijd achter je aandraaft?'

'Ik lijk een beetje op jou, hè, Moeder?' zei hij, zijn ogen dichtknijpend tot sinistere spleetjes. 'En ik heb mijn Oom Joel, die een heel interessante man is, en voor ons aller zieleheil bidt.'

Een rode vlag wapperde voor mijn gezicht. Woedend stoof ik op. 'Je bent gek als je liever die ouwe griezel hebt dan de enige vader die je ooit hebt gehad!' Ik probeerde mijn emoties in bedwang te houden, maar het lukte me niet; Bart en zelfbeheersing gingen nooit samen. 'Ben je alle lieve dingen vergeten die Chris voor je heeft gedaan? Nog steeds voor je doet?'

Bart leunde naar voren en keek me doordringend aan met zijn steenharde ogen. 'Zonder Chris zou ik een gelukkiger leven hebben gehad. Als jij getrouwd was geweest met mijn echte vader, had ik de volmaakte zoon kunnen zijn! Veel volmaakter dan Jory. Misschien lijk ik op *jou*, Moeder. Misschien is *mijn* wraak belangrijker voor me dan al het andere.'

'Waarom *moet* jij wraak nemen?' vroeg ik verbaasd en hulpeloos. 'Niemand heeft jou aangedaan wat ze mij hebben aangedaan.'

Hij boog zich naar voren en snauwde: 'Omdat je me alle noodzakelijke dingen hebt gegeven, alle kleren die ik nodig had, al het voedsel dat ik kon eten, en een dak boven mijn hoofd, heb je jezelf wijsgemaakt dat dat voldoende was, maar dat was het niet. Ik wist dat je je grootste liefde bewaarde voor Jory. En toen Cindy kwam gaf je je op één na grootste liefde aan haar. Voor mij had je alleen maar medelijden – *en ik haat je om je medelijden!'*

Een plotselinge misselijkheid deed me bijna kokhalzen. Ik was blij dat ik op een stoel zat. 'Bart,' begon ik, trachtend niet te huilen en het soort zwakheid te tonen dat hij zo verachtte. 'Misschien heb ik vroeger medelijden met je gehad, omdat je onhandig was en geen zelfvertrouwen had. En vooral omdat je jezelf zo vaak pijn deed. Maar hoe kan ik *nu* medelijden met je hebben? Je bent knap, intelligent, en als je wilt erg charmant. Wat voor reden heb ik om medelijden met je te hebben?'

'Dat hindert me nou juist,' zei hij zachtjes. 'Jij maakt dat ik in de spiegel kijk en me afvraag wat jij ziet. Ik ben tot de conclusie gekomen dat je me gewoon niet aardig vindt. Je vertrouwt me niet, je gelooft niet in me. Ik kan nu in je ogen zien dat je niet gelooft dat ik helemaal bij mijn volle verstand ben.' Plotseling sperde hij zijn ogen, die half dichtgeknepen waren, wijd open. Hij staarde doordringend in de mijne die altijd een open boek waren geweest. Hij lachte kort en hard. 'Hij is er nog, Moeder, die argwaan, die angst. Ik kan je gedachten lezen, denk maar niet dat ik dat niet kan. Je denkt dat ik op een dag jou en je broer zal verraden, terwijl ik gelegenheid te over heb gehad om dat te doen, en toch nooit iets heb gedaan. Ik heb jouw zonden voor mezelf gehouden.

Wees eerlijk en beken dat je niet hebt gehouden van de tweede man van je moeder. Zeg eerlijk dat je hem alleen hebt gebruikt als instrument van je wraak. Je hebt hem verleid, je hebt hem gekregen, hij heeft mij verwekt, en toen is hij gestorven. En omdat je nu eenmaal het soort vrouw bent dat je bent, ben je regelrecht teruggegaan naar die arme dokter in Zuid-Carolina, die ongetwijfeld in je geloofde en krankzinnig veel van je hield. Wist hij dat je alleen maar met hem getrouwd bent om je bastaardkind een naam te geven? Wist hij dat je hem gebruikt om aan Chris te ontsnappen? Zie je hoe ik al je motivaties heb nagegaan? En nu ben ik tot nog een conclusie gekomen: je ziet Chris terug in Jory, en daar hou je van! Je kijkt naar mij en je ziet Malcolm, en al lijk ik uiterlijk misschien op mijn echte vader, dat negeer je; je ziet alleen wat je *wilt* zien. In mijn ogen zie je de ziel van Malcolm. En zeg nu maar dat ik het bij het verkeerde eind heb! Toe dan, zeg dan dat het niet waar is!'

Ik deed mijn mond open om alles te ontkennen, maar ik kon geen geluid uitbrengen.

Ik raakte in paniek en wilde naar hem toe lopen en zijn hoofd tegen mijn borst drukken, zoals ik Jory zo vaak had getroost, maar ik kon mijn voeten niet bewegen. Ik was bang voor hem. Zoals hij nu was, fel, intens en koud en hard, was ik bang voor hem, en angst deed mijn liefde omslaan in afkeer.

Hij wachtte tot ik iets zou zeggen, tot ik zijn beschuldigingen zou ontkennen, en tenslotte deed ik het ergste wat ik maar kon doen: ik holde de kamer uit.

Ik liet me op bed vallen en huilde. Elk woord dat hij gezegd had was waar! Ik had niet geweten dat ik een open boek was voor Bart. En nu was ik doodsbang voor wat hij op een dag zou kunnen doen om niet alleen Chris en mij te vernietigen, maar ook Cindy, Jory en Melodie.

CINDY

Omstreeks elf uur 's morgens de volgende dag arriveerde Cindy in een taxi. Ze holde het huis binnen als een frisse opwekkende voorjaarsbries. Ze holde naar me toe en omarmde me; ze rook naar een exotisch parfum dat me te zwoel leek voor een meisje van zestien, een mening die ik, zoals ik wist, beter vóór me kon houden.

'O, mamma!' riep ze uit, terwijl ze me herhaaldelijk zoende en omhelsde, 'wat heerlijk je weer te zien!' Haar enthousiasme maakte me een beetje ademloos; ik beantwoordde haar begroeting vol genegenheid. Terwijl ze me nog omhelsde, keek ze al om zich heen naar de prachtige kamers met de elegante meubels. Ze pakte mijn hand en trok me van de ene kamer naar de andere, jubelend over alle mooie en kostbare dingen.

'Waar is paps?' vroeg ze. Ik legde uit dat Chris naar Charlottesville was gereden om zijn gehuurde auto in te ruilen voor een luxueuzer model.

'Lieverd, hij had gehoopt terug te zijn voordat jij kwam. Hij moet zijn opgehouden. Heb nog even geduld, hij komt zó om je te begroeten.'

Tevreden riep ze weer uit 'Mamma, wauw! Wat een huis! Je hebt me niet verteld dat het zo mooi zou zijn. Je had me in de waan gebracht dat het nieuwe Foxworth Hall net zo lelijk en angstaanjagend was als het eerste.'

Voor mij zou Foxworth Hall altijd lelijk en angstaanjagend zijn, maar ik genoot van Cindy's opwinding. Ze was langer dan ik, en haar jonge borsten waren rijp en vol, haar middel heel slank, zodat de zachte ronding van haar fraai gevormde heupen goed uitkwam naast de platte buik, terwijl haar billen de achterkant van haar jeans op een verrukkelijke manier vulden. Als ik haar van opzij bekeek, vergeleek ik haar met een ontluikende bloem, zo teer van uiterlijk, maar met een uitzonderlijk weerstandsvermogen.

Haar lange, dikke goudblonde haar was achteloos gekapt. Het woei in de wind toen we naar buiten liepen om naar Jory en Bart te kijken die op de nieuwe tennisbaan speelden. 'Goh, mamma, je hebt twee mooie zoons,' fluisterde ze, naar hun gebruinde sterke lichamen kijkend. 'Ik had nooit gedacht dat Bart net zo knap zou worden als Jory, niet toen hij nog zo'n lelijk klein monster was.'

Verbijsterd staarde ik haar aan. Bart was te mager geweest, en had altijd korstjes en littekens op zijn benen, en zijn donkere haar zat altijd in de war, maar hij was een knap jongetje geweest, zeker niet lelijk van uiterlijk, alleen maar lelijk in zijn gedragingen. En eens had Cindy Bart aanbeden. Er ging een steek door me heen toen ik besefte dat veel van wat Bart gisteravond had gezegd waar was. Ik *had* Cindy voorgetrokken. Ik vond haar volmaakt en niet in staat iets verkeerds te doen, en dat vond ik nog steeds.

'Probeer aardig en voorkomend te zijn tegen Bart,' fluisterde ik, toen ik Joel naar ons toe zag komen.

'Wie is die rare oude man?' vroeg Cindy, zich omdraaiend om naar Joel te kijken die zich stijf bukte om onderweg wat onkruid uit te trekken. 'Vertel me niet dat Bart hem heeft aangenomen als tuinman. Hij kan zich nauwelijks oprichten als hij gebukt staat.'

Voor ik antwoord kon geven stond Joel naast ons. Hij glimlachte zo stralend als zijn valse tanden hem toestonden. 'Aha, jij moet Cindy zijn, over wie Bart het zo vaak heeft,' zei hij met een vaag restantje van zijn oude charme. Hij nam Cindy's onwillig uitgestoken hand en bracht die aan zijn dunne, dorre lippen.

Ik kon zien dat ze haar hand wilde terugtrekken, maar ze duldde de aanraking van zijn lippen. De zon die op Joels bijna witte haar scheen, waardoor nog steeds strepen liepen van het goudblond van de Foxworths, deed het angstwekkend dun lijken. Plotseling besefte ik dat ik Cindy niet had verteld wie Joel was, en haastig stelde ik hen aan elkaar voor. Ze leek gefascineerd toen ze eenmaal wist wie hij was. 'Meent u echt dat u die afschuwelijke oude grootvader Malcolm hebt gekend? Bent u echt *zijn* zoon? Dan moet u wel stokoud zijn!'

'Cindy, dat is niet erg tactvol!'

'Het spijt me, Oom Joel. Dat komt alleen omdat als ik paps en mams over hun jeugd hoor praten, het wel een miljoen jaar geleden lijkt.' Ze lachte allercharmantst, glimlachte verontschuldigend naar Joel. 'Weet u, u lijkt op mijn vader. Als hij oud is, zal hij er waarschijnlijk net zo uitzien als u.'

Joel richtte zijn blik op Chris, die net aangereden kwam en op dat moment uit een mooie nieuwe blauwe Cadillac stapte met zijn armen vol pakjes. Hij had geschenken opgehaald die ik had laten graveren voor Barts verjaardag. Voor zijn verjaardag had ik mijn uiterste best gedaan, alleen het allerbeste voor hem gekocht; hij zou niet anders verwachten: een aktenkoffer van het mooiste leer, met combinatiesloten, een geschenk van Chris. Achttienkaraats gouden manchetknopen met zijn initialen in diamanten en een bijpassende gouden sigarettenkoker, eveneens met een monogram in diamanten – de edelsteen waar Bart het meest van hield – van mij. Zijn vader had zo'n sigarettenkoker gehad, die hij van mijn moeder had gekregen.

Chris liet de pakjes op een ligstoel vallen en breidde zijn armen uit. Cindy stormde op hem af. Ze bedekte zijn gezicht met kusjes en haar lippenstift liet overal sporen na op zijn gezicht. Ze staarde hem aan en vroeg toen smekend: 'Dit wordt de mooiste zomer van mijn leven. Paps, kunnen we niet hier blijven tot de school in de herfst begint, zodat ik weet wat het is om in een echt herenhuis te wonen, met al die mooie kamers en fantastische badkamers? Ik weet al welke ik wil hebben, die met al die roze en witte en gouden meisjesachtige dingen. Hij weet dat ik dol ben op roze, ik hou van roze, en ik hou nu al ontzettend veel van dit huis! Ik vind het schitterend, ik ben er gek op!'

Een schaduw flikkerde even in Chris' ogen toen hij haar losliet en naar mij keek. 'Daar hebben we het later nog wel over, Cindy. Zoals je weet, zijn je moeder en ik hier alleen maar om Barts vijfentwintigste verjaardag te vieren.'

Ik keek naar Bart, die met zoveel kracht tegen de tennisbal sloeg dat het een wonder was dat hij niet uit elkaar spatte. Jory schoot als een witte lichtstraal over de baan en sloeg de gele bal terug naar Bart, die even hard liep en hem met evenveel kracht terugsloeg. Beiden waren heet en bezweet, hun gezichten zagen rood van inspanning en van de zon. 'Jory, Bart,' riep ik. 'Cindy is er. Kom goeiedag zeggen.'

Onmiddellijk keerde Jory zijn hoofd om en glimlachte, waardoor hij de gele bal niet zag die op hem af kwam. Hij miste hem en Bart gaf een schreeuw van blijdschap. Hij sprong op en neer, smeet zijn dure tennisracket neer en schreeuwde: 'Ik win!'

'Je wint bij verstek,' zei Jory, die eveneens zijn racket neergooide. Hij rende met een stralende glimlach naar ons toe. Hij schreeuwde achterom naar Bart: 'En dat telt niet!'

'Het telt wel!' brulde Bart. 'Wat kan het ons schelen of Cindy er is. Dat gebruik je als smoesje om het op te geven voor ik je kon verslaan.'

'Jij je zin,' antwoordde Jory. Het volgende ogenblik tilde hij Cindy omhoog, draaide haar rond, deed haar blauwe rok opwaaien en onthulde een miniatuur slipje. Ik moest lachen toen ik zag dat Cindy zich vanaf de huid nog steeds in één kleur kleedde.

Melodie stond op van een marmeren bank in de tuin waarop ze naar het tennissen had zitten kijken, half verborgen door het hoge struikgewas. Ik zag haar mond verstrakken toen ze Cindy's al te hartelijke begroeting zag.

'Zo moeder, zo dochter,' mompelde Bart achter me.

Cindy kwam behoedzaam op Bart af, met zoveel decorum dat ze niet hetzelfde meisje leek dat Jory om zijn hals was gevallen. 'Hallo, broer Bart. Je ziet er opvallend fit uit.'

Bart staarde haar aan of hij haar nooit eerder had gezien. Het was twee jaar geleden, en op haar veertiende had Cindy nog vlechten gedragen, of een paardestaart, en had ze beugels om haar tanden. Nu waren haar glanzende witte tanden volmaakt. Haar haar was een loshangende massa gesmolten goud. Geen model in een modetijdschrift had een beter figuur of een perfectere huid, en tot mijn ergernis leek Cindy maar al te goed te weten dat ze er sensationeel uitzag in haar strakke blauw met witte tennisjurk.

Barts donkere ogen bleven rusten op haar rijpe borsten, die niet werden

51

gehinderd door een beha, en op en neer wipten als ze liep; de tepels staken duidelijk naar voren. Zijn blik ging naar haar wespetaille, gleed omlaag naar haar bekken, en haar mooie lange benen, die eindigden in witte sandalen. Haar teennagels waren vuurrood gelakt en pasten bij haar vingernagels en lippenstift.

Ze was adembenemend mooi op een zuivere, frisse, onschuldige manier, die vergeefs probeerde mondain te lijken. Ik geloofde geen moment dat die lange, intense blik die ze Bart toewierp betekende wat hij blijkbaar scheen te denken dat hij betekende.

'Je bent mijn type niet,' zei hij minachtend, en draaide zich om. Daarbij staarde hij lang en veelbetekenend naar Melodie. Toen wendde hij zich weer tot Cindy. 'Je hebt iets goedkoops, ondanks al je dure kleren. Je hebt geen noblesse.'

Het deed me verdriet dat hij Cindy zo opzettelijk vernederde. Haar stralende uitdrukking verdween. Als een tere bloem die zonder de bewondering van de regen verwelkt, zag ik Cindy voor mijn ogen verschrompelen, terwijl ze zich in Chris' wachtende armen nestelde.

'Bied je excuses aan, Bart,' beval Chris. Ik kromp ineen, want ik wist dat Bart zich nooit zou verontschuldigen.

Bart krulde zijn lippen. Zijn minachting was overduidelijk, ook al gedroeg hij zich verontwaardigd en kwaad. Hij deed zijn mond open om Chris te beledigen, zoals hij zo vaak had gedaan, maar toen keek hij naar Melodie, die zich had omgedraaid en op een onverschillige, nieuwsgierige manier naar hem keek. Een diepe blos verscheen op Barts gezicht. 'Ik zal mijn excuses aanbieden als ze leert hoe ze zich moet kleden en zich gedragen als een dame.'

'Je biedt *nu* je excuses aan, Bart,' beval Chris.

'Stel geen eisen, *Christopher*,' zei Bart, Chris veelbetekenend aankijkend. 'Je verkeert in een heel kwetsbare positie. Jij en mijn moeder. Je bent geen Sheffield, en je bent geen Foxworth – je kunt althans niet er voor uitkomen dat je een Foxworth bent. Dus wat ben je dan wel dat de moeite waard is? De wereld is vol artsen, te veel artsen – artsen die jonger en kundiger zijn dan jij.'

Chris richtte zich in zijn volle lengte op. 'Mijn onwetendheid op medisch gebied heeft je meer dan eens het leven gered, Bart. En het leven van veel anderen. Misschien zul je op een goeie dag dat feit erkennen. Je hebt me nog nooit bedankt voor iets dat ik voor je gedaan heb. Ik wacht op dat ogenblik.'

Bart verbleekte, maar ik vermoedde dat het niet Chris' woorden waren, maar het feit dat Melodie toekeek en luisterde. 'Dank je, *Oom* Chris,' zei hij sarcastisch.

Zijn woorden waren spottend en onoprecht, evenals de toon van zijn stem. Ik zag dat beide mannen elkaar uitdagend aanstaarden, zag dat Chris even ineenkromp bij de nadruk op het *Oom*. Toen keek ik zonder enige reden naar Joel.

Hij was dichterbij gekomen en stond vlak achter Melodie, en op zijn gezicht lag een allervriendelijkste, welwillende glimlach. Maar in zijn ogen lag iets duisterders. Ik ging naast Chris staan, op hetzelfde moment dat Jory aan de andere kant naast hem ging staan.

Ik deed mijn mond al open om een lange lijst te spuien van alle dingen waar Bart Chris dankbaar voor hoorde te zijn, toen Bart plotseling naar Melodie toe liep, Cindy negerend. 'Heb ik je het thema van mijn party al verteld? De dans die ik voor jou en Jory heb gekozen? Het zal een sensatie worden.'

Melodie stond op. Ze staarde Bart recht in de ogen, met openlijke minachting. 'Ik dans niet op jouw verjaardag. Ik geloof dat Jory je al meer dan eens heeft uitgelegd dat ik alles zal doen om een gezonde baby te krijgen, en daar hoort dansen voor jouw amusement en voor mij onbekende mensen niet bij.'

Haar stem klonk kil. Haar afkeer van Bart straalde uit haar donkere blauwe ogen.

Ze gingen weg, samen met Jory, en de rest van ons volgde haar. Joel kwam achteraan als een staart die niet weet hoe hij moet kwispelen.

Zich snel herstellend van haar wonden, zoals ze altijd weer was opgeveerd na Barts hatelijkheden, babbelde Cindy vrolijk over de verwachte baby, die haar tot tante zou maken. 'Wat enig! Ik popel van ongeduld. Het wordt een heel mooie baby, dat weet ik zeker, met ouders als Jory en Melodie en grootouders als jij en paps.'

Cindy's aanwezigheid maakte veel goed van Barts afschuwelijke houding. Ik knuffelde haar even en ze kwam dicht bij me zitten op de loveseat in mijn zitkamer en begon me alle bijzonderheden van haar leven te vertellen. Ik luisterde gretig, gefascineerd door een dochter die alles goedmaakte wat Carrie en ik hadden gemist.

Elke ochtend waren Chris en ik vroeg op om te genieten van de schoonheid van een koele ochtend in de bergen, omringd door de geur van rozen en andere bloemen. Vlammendrode kardinaalvogels vlogen in het rond, de blauwe gaaien krijsten en paarse zwaluwen zochten in het gras naar insekten. Het verbaasde me dat ik tientallen vogelhuisjes zag, die winterkoninkjes, zwaluwen en andere vogelsoorten herbergden, en schitterende vogelbadjes en vijvers in de rotstuin, waar de vogels vrolijk spetterend een bad namen. We aten nu eens op het ene, dan weer op het andere terras, om te genieten van de verschillende panorama's, en praatten vaak over alles wat we gemist hadden toen we jong waren, en dat we toen nog meer gewaardeerd zouden hebben dan nu. Het was triest om te denken aan onze kleine tweeling, die zo gehuild had omdat ze naar buiten wilden, in de vrije lucht, terwijl hun enige speelplaats de zoldertuin was die wij met papier en karton hadden gemaakt. En dit alles was zo vlakbij geweest, ongebruikt, nutteloos. Twee kleine vijfjarige kinderen zouden in de zevende hemel zijn geweest als ze maar een heel klein deel hadden gehad van wat wij nu konden genieten.

Cindy sliep graag lang uit, evenals Jory en vooral Melodie, die klaagde over misselijkheid en moeheid. Om half acht 's morgens zagen Chris en ik de werklieden arriveren. De caterers kwamen om het feest voor te bereiden, en binnenhuisarchitecten kwamen om de laatste hand te leggen aan enkele onafgemaakte kamers. Maar niet één van de buren kwam langs om ons te verwelkomen. Barts privé-telefoon rinkelde vaak, maar de andere telefoons zwegen. We zaten op de top van de wereld – alleen – en in sommige opzichten was dat plezierig, in andere opzichten een beetje beangstigend.

In de verte, vaag en wazig, konden we twee kerktorens zien. Als de nachten windstil waren konden we in de verte de klokken de uren horen slaan. Ik wist dat Malcolm tijdens zijn leven naar één van die kerken ging, en ongeveer anderhalve kilometer verderop lag het kerkhof waar hij en grootmoeder naast elkaar begraven lagen, en waar onze moeder druk bewerkte grafstenen en beschermengelen had laten neerzetten.

Overdag speelde ik tennis met Chris, met Jory, soms met Bart, en dat was het moment waarop hij het meest om me leek te geven. 'Je verbaast me, Moeder!' gilde hij over het net, terwijl hij zo'n harde smash gaf dat de gele bal bijna door mijn racket ging. Op een of andere manier wist ik door hard te hollen de bal terug te slaan, maar toen kreeg ik last van mijn knie en moest ik het opgeven. Bart klaagde dat ik die knie gebruikte als excuus om het spel af te breken.

'Je zoekt allerlei excuses om bij mij uit de buurt te blijven,' gilde hij. 'Je knie doet geen pijn, anders zou je wel hinken.'

Ik hinkte ook toen ik de trap opklom, maar toen was Bart er niet om het te zien. Ik ging in een warm bad liggen om de pijn te laten verdwijnen. Chris kwam binnen om me te vertellen dat ik het weer verkeerd deed.

'IJs, Catherina, ijs! Als je in heet water zit, ontsteekt je knie nog meer. Kom uit je bad, dan zal ik een zak vullen met fijngemaakt ijs en die twintig minuten op je knie leggen.' Hij kuste me om het scherpe aan zijn woorden te ontnemen. 'Tot straks,' zei hij, en liep haastig terug naar de tennisbaan om verder te spelen met Jory, terwijl Bart wegging, met Joel achter zich aan. Ik kon alles zien vanaf het balkon van mijn slaapkamer, waar ik zat met die zak ijs op mijn knie. En het duurde niet lang of de kou hielp, en de kloppende pijn verdween.

Ik was begonnen aan een uitzet voor Jory's baby. Daarvoor moest ik garen, wol, naalden en haakpennen kopen, en de meest verrukkelijke babyzaken bezoeken. Vaak reden we met Cindy en Chris naar Charlottesville om te winkelen, en twee keer legden we de langere afstand af naar Richmond, waar we boodschappen deden en naar de bioscoop gingen en de nacht doorbrachten. Soms gingen Jory en Melodie met ons mee, maar niet zo vaak als ik had gewild. Foxworth Hall begon zijn charme reeds te verliezen.

Ja, het verloor zijn charme voor mij, voor Jory en Melodie, maar niet voor Cindy, die dol was op haar kamer, haar mooie Franse meubeltjes, haar ultra-vrouwelijke badkamer met het roze en goud en mosgroen. Ze sloeg haar armen om zich heen en danste in het rond. 'Goed, hij vindt me niet aardig,' zei ze lachend, ronddraaiend voor de vele spiegels, 'maar toch richt hij mijn kamer precies zo in als ik het zou willen. O, mama, wie krijgt ooit hoogte van Bart?'

VOORBEREIDINGEN

Toen Barts vijfentwintigste verjaardag naderde daalde er een soort koortsachtige waanzin neer over de Hall. Diverse binnenhuisarchitecten kwamen onze gazons, onze patio's, onze terrassen opmeten. In groepjes stonden ze met elkaar te fluisteren, maakten lijsten, schetsen, probeerden verschillende kleuren uit voor de tafelkleedjes, praatten met Bart, discussieerden over het thema van de dans en maakten hun geheime plannen. Bart weigerde nog steeds het thema te onthullen – althans voor zijn familieleden. Niemand kon zo goed een geheim bewaren als Bart. En wij sloten ons aaneen tot een hecht gezinnetje, waar Bart zich buiten hield.

Werklieden met hout en verf en andere bouwmaterialen begonnen iets te bouwen dat op een toneel leek en een podium voor het orkest. Ik hoorde Bart opscheppen tegen iemand uit zijn omgeving dat hij een paar heel beroemde operasterren geëngageerd had.

Altijd als ik buiten was, en ik bleef zoveel mogelijk buiten, staarde ik naar de nevelige bergen om ons heen en vroeg me af of ze zich de twee zoldermuizen herinnerden, die bijna vier jaar boven opgesloten hadden gezeten. Ik vroeg me af of ze ooit nog een gewoon klein meisje zouden omtoveren in iemand vol fantasierijke dromen die ze waar moest maken. En ik had er een paar waargemaakt, zelfs al was ik er meestal niet in geslaagd mijn echtgenoot in leven te houden. Ik veegde twee tranen weg en ving Chris' nog steeds even liefdevolle blik op, en voelde die oude vertrouwde droefheid weer door me heen gaan. Bart had gezond van geest kunnen zijn, als Chris maar niet van me gehouden had, en ik niet van hem.

Je kon het de wind of de sterren van het noodlot kwalijk nemen, maar ik nam het nog steeds mijn moeder kwalijk.

Ondanks een akelig voorgevoel was ik gelukkiger dan een tijdlang het geval was geweest, alleen al door naar alle drukte te kijken in de tuin, die langzamerhand veranderde in iets dat regelrecht van een filmset kon komen. Ik snakte naar adem toen ik zag wat Bart gedaan wilde hebben. Het was een bijbels tafereel!

'Simson en Delila,' zei Bart kortaf toen ik het hem vroeg. Al zijn enthousiasme was verdwenen omdat Melodie bleef weigeren de rol te dansen. 'Ik heb Jory zo vaak horen zeggen dat hij niets liever wilde dan de kans te hebben zijn eigen voorstellingen te produceren, en hij houdt het meest van die rol.'

Melodie draaide zich met een ruk om en liep zonder te antwoorden naar huis, haar gezicht bleek van woede.

Ik had het moeten weten. Het was een thema dat Bart aansprak.

Cindy sloeg haar armen om Jory heen. 'Jory, laat mij de rol van Delila dansen. Ik kan het! Ik weet dat ik het kan.'

'Ik moet jouw amateuristische gedoe niet,' schreeuwde Bart.

Cindy negeerde hem en trok smekend aan Jory's handen. 'Alsjeblieft, alsjeblieft, Jory. Ik wil het zo dolgraag doen! Ik ben mijn balletlessen blijven volgen, dus ik zal niet stijf en onhandig zijn en jou hinderen. En je hebt de tijd nog om me een betere timing te leren. Ik zal 's morgens, 's middags en 's avonds oefenen!'

'We hebben niet genoeg tijd om te repeteren, de voorstelling is al over twee dagen,' klaagde Jory, terwijl hij Bart een harde, kwade blik toewierp. 'Goeie God, Bart, waarom heb je me dat niet eerder verteld? Dacht je dat ik, alleen omdat ik dat ballet heb gechoreografeerd, me alle moeilijke passen kan herinneren? Een dergelijke rol eist weken van voorbereiding en repetities, en jij wacht tot het laatste moment! Waarom?'

'Cindy liegt,' zei Bart, die verlangend naar de deur keek waardoor Melodie was verdwenen. 'Vroeger was ze ook te lui om haar lessen te volgen, dus waarom zou ze het doen nu Moeder er niet meer is om haar te dwingen?'

'Ik heb het wèl gedaan! Ik heb het wèl gedaan!' riep Cindy opgewonden en trots, en ik wist wat een hekel ze had aan inspannende oefeningen Voordat ze zes was hield ze van de mooie tutu's, de leuke satijnen slippers, de kleine fonkelende tiara's van namaakjuwelen, en de fantasievolle produkties hadden haar in de ban van hun schoonheid gebracht. Toen geloofde ik dat ze die nooit zou opgeven. Maar Bart had haar prestaties één keer te veel belachelijk gemaakt, en ze was ervan overtuigd geraakt dat ze het nooit zou leren. Ze was ongeveer twaalf geweest toen hij haar alle plezier in het dansen had ontnomen. Vanaf dat moment had ze haar lessen verwaarloosd. Daarom was ik dubbel verbaasd te horen dat ze het dansen nooit helemaal had opgegeven.

Ze wendde zich tot mij, alsof ze smeekte om haar leven. 'Heus, het is waar! Toen ik op die meisjesschool was en Bart er niet meer was om me belachelijk te maken, ben ik opnieuw begonnen en sinds die tijd heb ik mijn balletlessen bijgehouden. En ik kan ook tapdansen.'

'Wel,' zei Jory, die blijkbaar onder de indruk was en Bart weer doordringend aankeek, 'we kunnen de tijd die ons nog rest besteden aan repetities. Maar het was erg onbedachtzaam van je om aan te nemen dat we geen weken van oefening en repetities nodig hadden, Bart. Ik verwacht niet dat ik zelf veel moeite ermee zal hebben, omdat ik de rol ken, maar Cindy heeft dat ballet zelfs niet eens gezien.'

Bart viel hem ruw in de rede en vroeg opgewonden: 'Heb je de lenzen? De witte lenzen? Kun je er echt door zien? Ik heb jou en Melodie ongeveer een jaar geleden in New York gezien, en vanuit de zaal leek je echt blind.'

Jory fronste zijn wenkbrauwen bij die onverwachte vraag en nam Bart ernstig op. 'Ja, ik heb de contactlenzen bij me,' zei hij langzaam. 'Overal waar ik kom vraagt iemand me de rol van Simson te dansen, dus neem ik de lenzen mee. Ik wist niet dat jij zo van ballet hield.'

Lachend sloeg Bart Jory op de rug alsof ze nooit onenigheid hadden gehad. Jory wankelde onder de kracht van die slag. 'De meeste balletten zijn stomvervelend, maar dit speciale ballet doet me wat. Simson was een grote held en ik bewonder hem. En jij, broertje, levert een uitstekende prestatie als Simson. Je ziet er zelfs net zo sterk uit. Ik geloof dat het het enige ballet is dat me ooit heeft ontroerd.'

Ik luisterde niet naar Bart. Ik staarde naar Joel, die zich naar voren boog. De spieren bij zijn dunne lippen werkten bijna spastisch, aan de rand van een grijns of een glimlach, ik wist niet wat. Plotseling wilde ik niet dat Jory en Cindy dat ballet zouden dansen, waarin zulke wrede scènes voorkwamen. Het was jaren en jaren geleden Barts idee geweest.

Hij was degene geweest die geopperd had dat je de muziek van de opera zou kunnen gebruiken voor het meest sensationele ballet dat ooit zou worden geschreven.

De hele nacht dacht ik na en piekerde erover hoe ik Bart zou kunnen beletten die voorstelling te geven.

Hij was als jongen al moeilijk te stoppen geweest.

Als man... ik wist niet of ik een kans had. Maar ik zou het proberen.

De volgende ochtend was ik vroeg op en rende naar buiten, de tuin in, om Bart te pakken te krijgen voordat hij wegreed. Hij luisterde ongeduldig naar me en weigerde het thema van zijn party te veranderen. 'Ik kan het nu niet meer, zelfs al zou ik het willen. Ik heb de kostuums laten ontwerpen en ze zijn bijna klaar; de decors ook! Als ik het nu annuleer is het te laat om een ander ballet te plannen. Bovendien, Jory vindt het niet erg, dus waarom zou jij het wel erg vinden?'

Hoe kon ik hem vertellen dat een zacht intuïtief stemmetje me waarschuwde dit speciale ballet niet te laten uitvoeren vlak bij de plaats van onze gevangenschap, met Malcolm en zijn vrouw onder de grond, maar niet zo ver weg dat de muziek niet tot hun dode oren zou doordringen.

Jory en Cindy oefenden en repeteerden dag en nacht; ze waren allebei opgewonden als ze samen werkten, Jory had ontdekt dat Cindy goed danste. Niet zo goed als Melodie, maar ze zou een meer dan redelijke opvoering ten beste kunnen geven, en ze zag er schattig uit met haar opgebonden haar in de klassieke ballerinastijl.

De ochtend van Barts verjaardag was helder en zonnig en voorspelde een perfecte zomerdag zonder regen of wolken.

Ik was al vroeg op met Chris en wandelde vóór het ontbijt door de tuin, genietend van de geur van de rozen; het leek een mooie, perfecte verjaardag voor Bart te zullen worden. Hij had altijd verjaardagsfeestjes willen hebben, zoals we voor Jory en Cindy gaven, maar als het zover was slaagde hij erin alle gasten tegen zich in te nemen, zodat de meesten voortijdig vertrokken, meestal kwaad.

Hij was nu een man, prentte ik mezelf in, en deze keer zou het anders zijn. Chris zei het tegen me, alsof we een soort telepathie hadden, beiden hetzelfde dachten.

'Hij krijgt nu waar hij recht op heeft,' zei ik. 'Denk je dat het testament na het feest nog een keer wordt voorgelezen?'

Glimlachend schudde Chris het hoofd. 'Nee, liefste, we zullen allemaal veel te moe zijn. Het voorlezen wordt uitgesteld tot de dag erna.' Een schaduw vloog over zijn gezicht. 'Ik kan me niet herinneren dat er iets in dat testament staat dat Barts verjaardag zou kunnen bederven. Jij?'

'Nee, maar toen moeders testament werd voorgelezen was ik te veel van streek, ik huilde en hoorde maar half wat er gezegd werd; het kon me toen niet schelen of een van ons het Foxworth-vermogen zou erven, waar een vloek op leek te rusten.'

'Er is iets dat Barts advocaten me niet willen vertellen, Cathy, iets waarvan ze zeggen dat ik het duidelijk begrepen moet hebben toen het testament van moeder vlak na haar dood werd voorgelezen. Nu willen ze er niet over spreken, omdat Bart heeft geëist dat ik bij geen enkele juridische discussie word betrokken. Ze kijken naar hem op of hij hen intimideert, of ze bang voor hem zijn. Het verbaast me dat mannen van middelbare leeftijd met een jarenlange praktijk zich zo onder druk laten zetten, alsof ze bij hem in een goed blaadje willen komen en mij niet belangrijk vinden. Het ergert me, maar ach, wat kan het me eigenlijk schelen? Straks gaan we weg en bouwen een nieuw huis voor onszelf, en Bart kan met zijn fortuin doen wat hij wil.'

Ik sloeg mijn armen om hem heen, kwaad omdat Bart weigerde hem de eer te geven die hem toekwam, omdat hij dat enorme vermogen zoveel jaren had beheerd, en verdraaid goed ook, ondanks het feit dat zijn medische praktijk zoveel beslag legde op zijn tijd.

'Hoeveel miljoen erft hij?' vroeg ik. 'Twintig, vijftig of meer? Eén miljard, twee, drie?'

Chris lachte. 'O, Catherine, jij wordt nooit volwassen. Jij overdrijft altijd. Eerlijk gezegd is het moeilijk de netto waarde te berekenen van al die beleggingen; ze zijn over zoveel gebieden verspreid. Maar hij zal ongetwijfeld tevreden zijn als zijn advocaten hem een globale schatting geven. Het is meer dan genoeg voor tien jongemannen!'

In de hal bleven we even staan kijken naar Jory, die aan het repeteren was met Cindy. Ze waren allebei warm en bezweet door de inspanning. Andere dansers die in het ballet met hen zouden optreden stonden er doelloos omheen. Ze keken naar Jory en Cindy of staarden om zich heen in het fabelachtige huis. Cindy danste uitzonderlijk goed, en dat verbaasde me; het idee dat ze haar balletlessen was blijven volgen, zonder mij iets te zeggen... Ze moest iets van haar zakgeld hebben gebruikt dat bestemd was voor kleren en make-up en andere onbelangrijke dingetjes die ze altijd nodig had.

Een van de oudere danseressen kwam naar me toe en vertelde glimlachend dat ze me een paar keer had zien dansen in New York. 'Uw zoon lijkt precies op zijn vader,' ging ze verder, met een blik op Jory, die zich tot zo'n hartstocht opzweepte dat ik me afvroeg of hij nog energie over zou hebben voor de voorstelling vanavond. 'Misschien mag ik dat niet zeggen, maar hij is tien keer beter. Ik was pas twaalf toen u en Julian Marquet dansten in *Doornroosje*. Maar dat gaf me de nodige inspiratie om zelf danseres te worden. Bedankt dat u ons een tweede danser hebt geschonken als Jory Marquet.'

Haar woorden maakten me gelukkig. Mijn huwelijk met Julian was geen totale mislukking geweest, want Jory was eruit voortgekomen. Nu moest ik nog kunnen geloven dat de zoon van Bartholomew Winslow me uiteindelijk met evenveel trots zou vervullen als ik nu voelde.

Toen de repetitie voorbij was kwam Cindy buiten adem naar me toe. 'Mams, hoe ging het?' Haar gretige gezichtje wachtte op mijn goedkeuring.

'Het was een mooie uitvoering, Cindy, echt waar. Als je er nu maar aan denkt de muziek aan te voelen en de timing in de gaten te houden, zul je een uitzonderlijk goede voorstelling geven voor een nieuweling.'

Ze grijnsde naar me. 'Altijd en eeuwig de balletmeesteres, hè, mams? Ik denk dat ik lang zo goed niet ben als jij me wilt laten geloven, maar ik zal alles wat ik heb in deze voorstelling leggen, en als ik faal, zal het niet zijn omdat ik het niet geprobeerd heb.'

Jory was omringd door bewonderaars, terwijl Melodie rustig op een loveseat zat naast Bart. Ze leken niet in gesprek te zijn, maar de sfeer was vriendschappelijk. Toch kreeg ik een onrustig gevoel toen ik hen op dat bankje zag zitten. Ik trok Chris mee en we liepen naar hen toe. 'Gefeliciteerd, Bart,' zei ik vrolijk. Hij keek op en glimlachte met een eerlijke charme.

'Ik zei je toch dat het een geweldige dag zou worden, mèt zon en zonder regen.'

'Ja, dat heb je gezegd.'

'Kunnen we nu gaan eten?' vroeg hij, terwijl hij opstond en Melodie's hand pakte. Ze negeerde hem en stond zonder hulp op. 'Ik rammel!' ging Bart verder, niet al te zeer terneergeslagen door haar afwijzende houding. 'Ik heb niet genoeg aan die kleine continentale hapjes 's ochtends.'

We vormden een vrolijk gezelschap, rond de lunchtafel; iedereen was er, behalve Joel, die apart zat aan zijn eigen ronde tafeltje op het terras. Hij beweerde dat we te veel lawaai maakten en te veel aten, wat indruiste tegen zijn Frugale kloostergewoontes, zijn serieuze houding ten opzichte van voedsel en zijn lange gebeden voor en na het eten. Zelfs Bart ergerde zich aan Joel als hij te vroom werd, en vooral vandaag was zijn ongeduld duidelijk merkbaar. 'Oom Joel, moet je daar werkelijk in je eentje blijven zitten? Kom erbij zitten en feliciteer me met mijn verjaardag.'

Joel schudde zijn hoofd. 'De Here veracht opzichtig vertoon van rijkdom en ijdelheid. Ik keur dit feest af. Je kunt je dankbaarheid dat je leeft op een betere manier tonen, door aan liefdadigheidsinstellingen te geven.'

'Wat hebben liefdadigheidsinstellingen ooit voor mij gedaan? Dit is *mijn* dag vandaag, Oom, en zelfs al draaide de ouwe dooie Malcolm zich om in zijn graf, vanavond heb ik de tijd van mijn leven!'

Ik was verrukt. Snel boog ik me voorover om hem een zoen te geven.

'Ik vind het heerlijk je zo te zien, Bart. Dit *is* jouw dag, en je zult opkijken als je ziet wat voor geschenken we voor je hebben.'

'Ik hoop het,' zei hij stralend. 'Ik zie dat het een hele stapel is geworden op de cadeau-tafel. We zullen ze openmaken zodra de gasten er zijn, zodat de voorstellingen kunnen beginnen.'

Tegenover me staarde Jory bezorgd in Melodie's ogen. 'Schat, voel je je goed?'

'Ja,' fluisterde ze, 'behalve dat *ik* de rol van Delila had willen dansen. Het is zo vreemd jou met een ander te zien dansen.'

'Zodra de baby er is dansen we weer samen,' zei hij en kuste haar. Ze keek hem vol bewondering na toen hij opstond om weer te gaan oefenen met Cindy.

Op dat moment verdween de blijdschap uit Barts gezicht.

Bezorgers kwamen voortdurend aan de deur om Bart meer geschenken te brengen. Veel van zijn medestudenten uit Harvard kwamen met hun vriendin of vrouw. Degenen die niet konden komen stuurden cadeaus. Bart kwam en ging, holde nu en dan, controleerde alles wat op het feest betrekking had. Boeketten bloemen werden met tientallen tegelijk gebracht. De caterers hadden de keuken in beslag genomen, zodat ik me een indringster voelde toen ik mijn eigen broodje wilde klaarmaken. Toen nam Bart me bij de arm en liep met me door de kamers die uitpuilden van de bloemen. 'Denk je dat mijn vrienden onder de indruk zullen zijn?' vroeg hij bezorgd. 'Weet je, ik ben bang dat ik een beetje te veel heb opgeschept in mijn studietijd. Ze zullen iets grandioos verwachten.'

Ik keek nog eens om me heen. Een huis dat opgetooid is voor een feest is extra mooi, en Foxworth Hall was niet alleen feestelijk, maar spectaculair, met alle verse bloemen die het warmte en elegance en schoonheid verleenden. Het kristal fonkelde, het zilver glansde, het koper glom. O ja, dit huis kon concurreren met de allerbeste.

'Schat, hou op met kniezen. Je kunt niet iedereen ter wereld overtreffen. Dit is een prachtig huis, en je architecten hebben geweldig werk gedaan. Je vrienden zullen onder de indruk zijn, daar hoef je geen seconde bang voor te zijn. De huismeesters hebben er al die jaren goed op gepast en de tuin heeft de kans gekregen om prachtig uit te groeien.'

Hij luisterde niet, maar staarde achter me, met licht gefronste wenkbrauwen. 'Weet je, Moeder,' zei hij zachtjes. 'Het zal hier stil zijn als jij en je broer weg zijn, en Melodie en Jory zijn vertrokken. Het is maar goed dat ik oom Joel heb, die tot zijn dood hier blijft.'

Ik hoorde het met angst in het hart.

Cindy's naam werd niet genoemd, want het was duidelijk dat hij haar niet zou missen. 'Ben je werkelijk zo op Joel gesteld, Bart? Vanmorgen leek hij je te ergeren met zijn vrome manieren.'

Een sombere schaduw verscheen in zijn donkere ogen en zijn knappe gezicht stond ernstig. 'Mijn oom helpt me mijzelf te vinden, Moeder, en als hij me soms ergert, komt dat omdat ik nog steeds onzeker ben over mijn toekomst. Hij kan het niet helpen dat hij gewoontes heeft die zijn ontstaan in al die jaren dat hij leefde met monniken die niet mochten spreken, alleen maar hardop bidden en zingen tijdens de dienst. Hij heeft me er een en ander over verteld, het moet heel grimmig en eenzaam zijn geweest. Maar hij zegt dat hij daar rust en vrede heeft gevonden, en een geloof in God en het eeuwige leven.'

Ik liet zijn middel los. Hij had zich tot Chris kunnen wenden, alles kunnen vinden wat hij nodig had – rust, veiligheid, en het vertrouwen dat Chris zijn leven lang had geholpen. Bart was blind voor de goedheid in een man die zo erg zijn best had gedaan van Bart een zoon te maken.

Maar mijn verhouding met mijn broer veroordeelde hem en verblindde Bart, zodat hij niets anders meer zag.

Bedroefd liet ik Bart alleen en liep de trap op om Chris te zoeken. Hij stond op het balkon en staarde naar de arbeiders in de tuin. Ik ging naar hem toe, voelde de zon heet op mijn hoofd branden. Zwijgend keken we naar al die activiteit, terwijl ik in stilte bad dat dit huis ons eindelijk eens iets anders zou geven dan verdriet en ellende.

We sliepen twee uur, aten toen een kleinigheidje, voordat we ons allemaal haastig gingen kleden voor het feest. Ik ging weer op het balkon staan, waar Chris en ik zoveel plezier van hadden. Onder mij lag het sprookjesland van Barts verjaardag. De kleuren van de ten einde lopende dag vulden de lucht met diep roze en paars, met strepen rood en oranje, en slaperige vogels vlogen als donkere tranen naar hun nest. Kardinaalvogels maakten zachte geluidjes, geen gesjirp of getjilp maar meer korte elektronisch klinkende fluittonen. Chris, nog vochtig van de douche, kwam zwijgend naast me staan. We hadden geen behoefte aan woorden. Met de armen om elkaar heen geslagen staarden we naar de tuin, tot we eindelijk naar binnen gingen.

Bart, het kind van mijn wraak, kreeg wat hem toebehoorde. Ik hoopte vurig dat alles goed zou aflopen en dat het feest een succes zou worden en hem de zelfverzekerdheid geven die hij nodig had, dat hij veel vrienden zou hebben en de mensen hem aardig vonden. Ik zette mijn angst van me af en dacht steeds weer dat Bart er recht op had, en wij ook.

Misschien zou Bart morgen tevreden zijn als het testament weer werd voorgelezen. Misschien, heel misschien... Ik wilde het beste voor hem, wilde dat het lot veel zou goedmaken.

Achter me liep Chris de kleedkamer in, trok de broek van zijn smoking aan, stopte zijn hemd erin, strikte zijn dasje zelf en vroeg mij toen het over te doen. 'Jij kan het netter dan ik.' Ik deed het voor hem, en hij borstelde zijn mooie blonde haar, dat van achteren iets donkerder was dan op zijn veertigste. Elke tien jaar werd het blond iets donkerder en kwam er iets meer zilver in ons beider haar. Ik kon het mijne gemakkelijk verven, maar Chris weigerde dat. Blond haar had veel te maken met de manier waarop ik aan mezelf dacht. Mijn gezicht was nog knap. Ik was een rijpe vrouw, maar zag er nog jong uit.

Chris' spiegelbeeld kwam dichter bij mijn toilettafel, hield stil boven mijn schouders. Zijn handen, die me nu zo vertrouwd waren, gleden in mijn décolleté en omvatten mijn borsten, voordat hij zijn lippen in mijn hals drukte. 'Ik hou van je. Ik weet bij God niet wat ik zou moeten beginnen als ik jou niet had.'

Waarom zei hij dat toch altijd?

Alsof hij verwachtte dat ik op een dag zou weggaan of eerder zou sterven dan hij. 'Schat, je zou het overleven. Jij bent belangrijk voor de maatschappij, ik niet.'

'Jij bent mijn stuwende kracht,' fluisterde hij hees. 'Zonder jou zou ik niet verder kunnen, maar als ik er niet meer was zou jij doorgaan en waarschijnlijk hertrouwen.'

Ik zag zijn ogen, zijn blauwe ogen weemoedig wachten.

'Ik heb drie echtgenoten en één minnaar gehad, en dat is genoeg voor elke vrouw. Als ik het ongeluk zou hebben jou eerst te verliezen, zou ik dag aan dag voor het raam zitten en naar buiten staren en eraan denken hoe het was samen met jou.'

Zijn ogen werden zachter, ze boorden zich in de mijne toen ik verder ging. 'Je bent zo mooi, Chris. Je zoons zullen jaloers op je zijn.'

'Mooi? Is dat geen woord dat gebruikt wordt voor een vrouw?'

'Nee. Er is verschil tussen knap en mooi. Sommige mannen zijn knap, maar stralen geen innerlijke schoonheid uit, zoals jij. Jij, m'n liefste, bent *mooi*, van binnen en van buiten.'

Weer lichtten zijn blauwe ogen op. 'Dank je. En mag ik jou dan zeggen dat ik jou tien keer zo mooi vind als jij mij?'

'Mijn zoons zullen jaloers zijn als ze de schoonheid aanschouwen van mijn Christopher Doll.'

'Ja, natuurlijk,' antwoordde hij met een wrange grijns. '*Jouw* zoons zien veel in me om te benijden.'

'Chris, je weet dat Jory van je houdt. Op een goede dag zal Bart ook ontdekken dat hij van je houdt.'

'Eens zal mijn schip binnenkomen,' zong hij zachtjes.

'Het is zijn schip ook, Chris. Bart krijgt vandaag wat hem toekomt. En met dat vermogen in zijn handen, en niet meer in de jouwe, zal hij zich kunnen ontspannen, zichzelf vinden en zich tot jou keren als de beste vader die hij had kunnen hebben.'

Peinzend glimlachte hij, een droevig glimlachje. 'Om eerlijk te zijn, schat, zal ik blij zijn als Bart zijn geld heeft en ik er niets meer mee te maken heb. Het was geen gemakkelijk karwei al dat geld te beheren, maar ik had natuurlijk een financiële expert kunnen aannemen om het voor me te doen. Ik denk dat ik mezelf tegenover Bart wilde bewijzen, dat ik meer ben dan alleen maar een dokter, omdat hij dat nooit goed genoeg leek te vinden.'

Wat kon ik zeggen? Niets wat Chris deed leek iets te veranderen aan de manier waarop Bart over hem dacht. Om dat ene ding dat hij niet kon veranderen – hij was mijn broer – zou Bart hem nooit als zijn vader accepteren.

'Waar denk je aan, liefste, dat zo onplezierig is dat je er somber van gaat kijken?'

'Niets bijzonders,' antwoordde ik, en stond op. De witte zij van mijn avondjurk, een Grieks model, ruiste en streelde mijn huid. Mijn haar was in een enkele lange krul gedraaid die over mijn schouder hing, terwijl de rest boven op mijn hoofd was vastgestoken. Het werd op zijn plaats gehouden met een diamanten speld, het enige sieraad dat ik droeg, behalve mijn trouwringen.

In het midden van de slaapkamer die we met elkaar deelden strekten Chris en ik onze armen naar elkaar uit. We omhelsden elkaar, klampten ons vast aan de enige zekerheid die we ooit hadden gehad. Het was zo rustig om ons heen in huis. We voelden ons verloren in de eeuwigheid, volkomen alleen.

'Vooruit, voor den dag ermee,' zei Chris toen er een paar lange minuten verstreken waren. 'Ik weet altijd wanneer je je zorgen maakt.'

'Ik wou dat het anders kon zijn tussen jou en Bart, dat is alles,' antwoordde ik nonchalant. Ik wilde deze avond niet bederven.

'Ik vind dat mijn relatie met Jory en Cindy voldoende compensatie is voor Barts vijandige houding. En wat belangrijker is, ik ben ervan overtuigd dat Bart me *niet haat*. Er zijn momenten waarop ik voel dat hij me wil bereiken, maar dan is die schaamte er weer, die wetenschap hoe onze ware relatie is, die hem met stalen ketenen geboeid houdt. Hij zoekt leiding, maar schaamt zich erom te vragen. Hij wil een vader, een echte vader. Zijn psychiaters hebben ons dat altijd verteld. Hij kijkt naar mij, vindt mij schromelijk tekort schieten en dus zoekt hij het elders. Eerst was het Malcolm, zijn overgrootvader, die nu dood in zijn graf ligt. Toen was het John Amos, en ook John liet hem in de steek. Nu keert hij zich tot Joel, met het angstige vermoeden dat ook hij zijn tekortkomingen kan hebben. Ja, ik weet dat hij zijn oudoom soms niet echt vertrouwt. En omdat hij zo kan denken, Cathy, weet ik dat Bart te redden is. We hebben nog tijd om tot hem door te dringen, want wij leven en hij leeft.'

'Ja, ja, ik weet het, ik weet het. Zolang er leven is, is er hoop. Zeg het nog eens, en nog eens. En als je het vaak genoeg zegt, zal eens misschien de dag komen waarop Bart tegen je zegt: "Ja, ik hou van je. Ja, je hebt je best gedaan. Ja, jij bent de vader die ik mijn leven lang heb gezocht." Zou dat niet fantastisch zijn?'

Hij boog zijn hoofd en liet het op mijn haar rusten. 'Niet zo verbitterd. Die dag zal komen, Cathy. Zo zeker als jij en ik van elkaar houden, en van onze drie kinderen, zal die dag komen.'

Ik wist dat ik alles zou doen wat nodig was om Bart op een dag die oprechte woorden van liefde tegen zijn vader te horen zeggen! Ik zou eeuwig willen leven om de dag mee te maken dat Bart Chris niet alleen accepteerde en zei dat hij van hem hield en hem bewonderde en bedankte, ik zou ook willen leven tot de dag waarop hij weer een echte broer zou zijn voor Jory en voor Cindy.

Minuten later stonden we bovenaan de trap en begonnen die af te dalen om ons bij Jory en Melodie te voegen, die we onderaan de trap zagen staan. Melodie droeg een eenvoudige zwarte jurk die gedrapeerd was aan dunne zwarte schouderbandjes. Haar enige sieraad was een glanzende parelketting.

Toen hij het geklik van mijn hooggehakte zilveren slippers op het marmer hoorde, deed Bart een stap naar voren in zijn naar maat gemaakte smoking. Ik hield mijn adem in. Hij had zijn vader kunnen zijn toen ik die voor het eerst had gezien.

Zijn snor – dat kleine beetje pluis dat ik zeven dagen geleden voor het eerst had gezien – was dikker geworden. Hij keek blij, en dat was al voldoende om hem er nog knapper te laten uitzien. Zijn donkere ogen waren vol bewondering toen hij mijn jurk zag, mijn haar, mijn parfum rook. 'Moeder!' riep hij uit. 'Je ziet er fantastisch uit! Je hebt die prachtige witte jurk speciaal voor mij gekocht, hè?' Lachend zei ik, ja, natuurlijk, ik kon niet iets ouds dragen op zo'n feest.

We gaven elkaar allemaal complimentjes, alleen zei Bart niets tegen Chris. Wel zag ik hem heimelijk naar hem kijken, alsof Chris' onveranderlijk knappe uiterlijk hem verbaasde. Melodie en Jory, Chris en ik stonden met Bart en Joel in een kring onderaan de trap, en iedereen behalve Joel probeerde tegelijk te praten. Toen...

'Mamma! Paps!' riep Cindy en holde de trap af naar ons toe. Ze hield haar lange vlammendrode jurk omhoog, zodat ze niet zou struikelen. Ik staarde haar ongelovig aan.

Ik wist niet waar Cindy de shockerende rode jurk vandaan had die ze droeg. Het was het soort jurk dat een snolletje kon dragen. Ik voelde zo'n misselijke angst voor Barts reactie dat al mijn vroegere blijdschap van me afviel. Het ding dat ze droeg sloot als een omhulsel van rode verf om haar heen, de hals was bijna tot haar middel uitgesneden en ze droeg er kennelijk niets onder. De tepels van haar vooruitstekende borsten waren te opvallend, en toen ze zich bewoog wiegde ze pijnlijk met haar heupen. De strakksluitende satijnen jurk was schuin geknipt en plakte aan haar vast. Er was geen rimpeltje of bobbeltje dat een grammetje vet verraadde, alleen een prachtig jong lichaam dat ze wilde laten zien.

'Cindy, ga naar je kamer,' fluisterde ik, 'en trek die blauwe jurk aan die je beloofde te zullen dragen. Je bent zestien, geen dertig.'

'O, mamma, doe niet zo bekrompen. De tijden zijn veranderd. Naakt is in, mamma, IN. En vergeleken met een paar andere jurken die ik had kunnen kiezen is deze jurk heel bescheiden, bijna preuts.'

Eén blik op Bart zei me dat hij Cindy's jurk allesbehalve preuts vond. Hij was met stomheid geslagen, zijn gezicht zag vuurrood, zijn donkere ogen puilden uit toen hij Cindy zag rondtrippelen, want de rok was zo nauw dat ze nauwelijks haar heupen kon bewegen.

Bart staarde naar ons en toen weer naar Cindy. Bart was zo razend van woede dat hij geen woord kon uitbrengen. In die paar seconden moest ik snel nadenken hoe ik hem kon sussen. 'Cindy, alsjeblieft, ga onmiddellijk terug naar je kamer en trek iets fatsoenlijks aan.'

Cindy had haar blik strak op Bart gericht gehouden. Het was duidelijk dat ze hem uitdaagde iets te doen om haar tegen te houden. Ze scheen zich te amuseren over zijn reactie, zijn uitpuilende ogen, zijn openhangende mond, die een bewijs waren van zijn verontwaardiging. Ze stelde zich nog meer aan door rond te huppelen als een loopse pony, zwaaiend met haar heupen op een wiegende, provocerende manier. Joel ging naast Bart staan, zijn waterige ogen waren koud en minachtend terwijl hij Cindy van top tot teen bekeek. Toen keek hij naar mij. *Zie, zie wat je hebt grootgebracht*, zei hij zwijgend.

'Cindy, heb je je moeder gehoord?' bulderde Chris. 'Doe wat ze zegt. Onmiddellijk!'

Geschokt bleef Cindy staan en staarde hem uitdagend aan. Ze bloosde, maar hield stand.

'Alsjeblieft, Cindy,' ging ik verder. 'Doe wat je vader zegt. Die andere jurk is erg leuk en geschikt. Wat je nu aan hebt is vulgair.'

'Ik ben oud genoeg om zelf uit te zoeken wat ik draag,' zei ze met bevende stem, weigerend om toe te geven. 'Bart houdt van rood, dus draag ik rood!'

Melodie staarde naar Cindy, keek hulpeloos naar mij en probeerde te glimlachen. Jory keek geamuseerd, alsof hij het een grote grap vond.

Cindy had haar potsierlijke voorstelling gestaakt. Ze keek een beetje beteuterd toen ze voor Jory bleef staan en vol verwachting naar hem opkeek. 'Je ziet er hemels uit, Jory, en jij ook, Melodie.'

Jory wist niet wat hij moest zeggen of waar hij moest kijken, dus wendde hij zijn blik af, keek toen weer terug. Een langzame blos steeg naar zijn wangen. 'En jij ziet eruit als... als Marilyn Monroe.'

Bart draaide met een ruk zijn hoofd om. Zijn felle blik gleed over Cindy. Zijn gezicht zag zo rood dat het leek of het elk moment in rook kon opgaan. Hij barstte uit, al zijn zelfbeheersing was verdwenen. 'Je gaat regelrecht naar je kamer en trekt wat fatsoenlijks aan! OGENBLIKKELIJK! VERDWIJN! voordat je krijgt wat je verdient! Ik wil niet dat iemand in mijn huis zich kleedt als een hoer!'

'Val dood, engerd!' snauwde ze.

'WAT ZEI JE?' gilde hij.

'Ik zei: VAL DOOD, ENGERD! Ik draag wat ik aan heb!'

Maar deze keer had Bart gelijk.

'Cindy, waarom? Je weet dat die jurk verkeerd is, en ze hebben allemaal gelijk dat ze geschockeerd zijn. Doe wat er van je verwacht wordt, ga naar boven en ga je verkleden. Maak niet nog meer moeilijkheden – je ziet eruit als een ordinaire straathoer, en dat weet je. Meestal heb je zo'n goede smaak. Waarom heb je dat ding uitgezocht?'

'Mamma!' jammerde ze. 'Je maakt dat ik me slecht voel!'

Bart deed met een dreigend gezicht een stap in haar richting. Ogenblikkelijk ging Melodie tussen hen staan en breidde haar slanke witte armen voor zich uit voor ze zich smekend tot Bart wendde. 'Zie je dan niet dat ze dat alleen maar doet om je te ergeren? Blijf rustig, anders geef je Cindy precies de voldoening die ze zoekt.'

Ze draaide zich om en zei met koele maar gezaghebbende stem tegen Cindy: 'Cindy, je hebt het effect bereikt dat je wilde. Ga nu naar boven en trek die leuke blauwe jurk aan die je had willen dragen.'

Bart negeerde Chris en mij toen hij naar Cindy toeliep, maar ze danste buiten zijn bereik, draaide zich plagend om en bespotte hem omdat hij traag was en niet zo lenig als zij, zelfs nu ze gehandicapt was door haar rechte strakke rok. Ik had Cindy kunnen slaan toen ik haar poeslief hoorde zeggen: 'Bart, lieverd, ik was er zeker van dat je deze rode jurk prachtig zou vinden, vooral omdat je me toch goedkoop en waardeloos vindt. Ik beantwoord alleen maar aan je verwachtingen en speel de rol die jij me hebt toebedacht.'

Met één sprong was hij bij haar en sloeg met zijn open palm op haar wang.

Door de harde slag viel Cindy achteruit en kwam heel hard terecht op de tweede tree van de trap. Ik hoorde de rok van haar rode jurk bij de achternaad scheuren. Haastig hielp ik haar overeind. Tranen sprongen in Cindy's ogen.

Ze stond haastig op en liep achteruit de trap op, deed haar uiterste best een waardige houding aan te nemen. 'Je *bent* een engerd, Bart. Een griezelige perverseling die niet weet wat er in de werkelijke wereld te koop is. Ik durf te wedden dat je nog maagd bent, of anders een nicht!'

De woede op Barts gezicht deed haar haastig de trap oplopen. Ik deed een poging Bart te beletten Cindy te volgen, maar hij was me te vlug af.

Meedogenloos schoof hij me opzij, zodat ik ook bijna viel. Huilend als een gestraft kind verdween Cindy met Bart dicht op haar hielen.

In een gang in de verte hoorde ik Bart vaag schreeuwen: 'Hoe waag je het mij zo in verlegenheid te brengen. Jij bent het tuig dat ik heb moeten beschermen tegen alle smerige verhalen die ik over je heb gehoord. Ik dacht altijd dat ze gelogen waren. Nu heb je bewezen dat je precies bent wat ze zeggen! Zodra dit feest voorbij is, wil ik je nooit meer zien!'

'ALSOF IK JOU ZOU WILLEN ZIEN!' schreeuwde ze. 'IK HAAT JE, BART! IK HAAT JE!'

Ik hoorde haar schreeuwen, jammeren. Ik wilde de trap oplopen, en Chris probeerde me tegen te houden. Ik rukte me los en was vijf treden hoger toen Bart weer verscheen met een tevreden grijns op zijn knappe, maar op dit moment boosaardige gezicht. Hij fluisterde toen hij langs me liep: 'Ik heb alleen maar gedaan wat jij veel eerder had moeten doen – haar een flink pak slaag gegeven. Als ze een week lang rustig kan zitten heeft ze een gat dat van ijzer is.'

Ik keek even achterom en zag nog net dat Joel zijn wenkbrauwen fronste bij het gebruik van dat woord.

Bart negeerde Joel voor de verandering, glimlachte als de volmaakte gastheer en stelde ons op in een ontvangstlijn. Even later begonnen de gasten te arriveren. Bart stelde ons voor aan mensen van wie ik niet had geweten dat hij ze kende. Ik stond verbaasd over zijn stijl, zijn evenwichtigheid, het gemak waarmee hij iedereen behandelde en welkom heette. Zijn studievrienden kwamen binnengedromd, alsof ze nu wel eens wilden zien waar hij altijd over verteld had. Als Cindy niet die afschuwelijke jurk had aangetrokken had ik werkelijk trots op Bart kunnen zijn. Nu was ik meer verbijsterd en geloofde dat Bart alles kon zijn wat hem uitkwam.

Op het ogenblik was hij erop uit iedereen te charmeren. En het lukte hem, zelfs nog beter dan Jory, die duidelijk en heel verstandig besloten had zich op de achtergrond te houden en Bart op de voorgrond te laten treden. Melodie bleef vlak bij haar man, klemde zich vast aan zijn hand, zijn arm, zag er bleek en ongelukkig uit. Ik staarde zo strak naar Bart dat ik verbaasd opkeek toen iemand aan mijn arm trok. Het was Cindy, die de bescheiden blauwe jurk droeg die ik voor haar had uitgezocht. Ze zag er lief uit, zestien-en-nog-nooit-gekust. Ik gaf haar een standje. 'Heus, Cindy, je kunt het Bart niet kwalijk nemen. Deze keer verdiende je een pak slaag.'

Gesmoord bracht ze eruit: 'Hij kan naar de hel lopen! Ik zal hem wel eens wat laten zien! Ik zal tien keer beter dansen dan Melodie ooit heeft gedanst! Ik zal ervoor zorgen dat elke man op dit feest vanavond naar me verlangt, ondanks die saaie jurk die jij hebt uitgezocht.'

'Dat meen je niet, Cindy.'

Ze vertederde en liet zich in mijn armen vallen. 'Nee, mamma, dat meen ik niet.'

Bart zag Cindy naast me, keek naar haar meisjesachtige jurk, glimlachte sarcastisch en kwam naar ons toe.

Cindy ging rechtop staan.

'Luister goed, Cindy. Je trekt je kostuum aan als het tijd is en vergeet wat er tussen ons gebeurd is. Je zult je rol perfect dansen – oké?'

Speels kneep hij in haar wang. Zo speels dat zijn kneepje een diepe rode moet in haar gezicht achterliet. Ze gaf een gil en trapte. Haar hoge hak boorde zich in zijn kuit. Hij gaf een kreet van pijn en sloeg haar.

'Bart!' siste ik. 'Hou op! Je doet haar geen pijn meer! Je hebt genoeg gedaan voor één avond!'

Chris rukte Bart bij Cindy vandaan. 'Nu heb ik genoeg van die idioterie,' zei hij nijdig, en Chris werd heel zelden kwaad. 'Je hebt een paar van de belangrijkste mensen uit Virginia uitgenodigd op dit feest, nu laat je zien dat je weet hoe je je moet gedragen.'

Bart rukte zich ruw los en staarde woedend naar Chris, liep toen snel weg, zonder commentaar te geven. Ik glimlachte naar Chris, en samen liepen we de tuin in. Jory en Melodie namen Cindy onder hun hoede en stelden haar voor aan een paar jonge mensen die met hun ouders waren meegekomen. Er waren veel mensen die Bart had leren kennen door Jory en Melodie, die talloze vrienden en fans hadden.

Ik kon er slechts het beste van hopen.

SIMSON EN DELILA

Talloze gouden bollen verlichtten de nacht en de maan stond hoog aan een wolkeloze sterrenhemel. Op het grasveld stonden tientallen buffettafels aan elkaar geschoven, zodat ze een enorme U vormden. Op die tafels stond het voedsel in grote zilveren schalen. Een fontein sproeide geïmporteerde champagne omhoog, die in bassins drupte met kleine kraantjes. Op de middelste tafel stond een reusachtig beeldhouwwerk van ijs, dat Foxworth Hall voorstelde.

Naast de grote tafels, die beladen waren met alles wat voor geld te koop was, stonden tientallen ronde en vierkante tafeltjes gedekt met heldergekleurde kleedjes, groen over roze, turquoise over paars, geel over oranje en andere opvallende combinaties. Zware bloemkransen langs de rand van de tafeltjes beletten dat de kleden omhoog waaiden in de wind.

Ofschoon Chris en ik in de ontvangstlijn waren voorgesteld, leken de meesten van Barts gasten ons opvallend te vermijden. Ik keek naar Chris en hij naar mij. 'Wat is er aan de hand?' vroeg ik fluisterend.

'De oudere gasten praten ook niet tegen Bart,' antwoordde ik. 'Chris, ze zijn alleen maar gekomen om te drinken, te eten en zich te amuseren, en ze geven geen moer om Bart of een van ons. Ze zijn hier alleen maar om zich te laten versieren.'

'Dat is niet helemaal waar,' antwoordde Chris. 'Iedereen praat met Jory en Melodie. Sommigen praten zelfs met Joel. Ziet hij er niet als een keurige heer uit vanavond?'

Het zou me altijd blijven verbazen hoe Chris in iedereen iets kon vinden om te bewonderen.

Joel zag eruit als een begrafenisondernemer, zoals hij plechtig van het ene groepje naar het andere schreed. Hij had geen glas in de hand zoals alle anderen. Hij at niet van de verversingen die in een adembenemende uitstalling op de tafels stonden. Ik knabbelde op een cracker met pâté de foie gras en keek om me heen of ik Cindy zag. Ze stond in het midden van een groepje van vijf jongemannen, heel erg de 'belle' van het bal. Zelfs haar preutse blauwe jurk belette niet dat ze er erg verleidelijk uitzag, nu ze de ruche langs de schouders omlaag had geschoven zodat haar halve boezem bloot was.

'Ze lijkt op jou vroeger,' zei Chris, die ook naar Cindy keek. 'Behalve dat jij er veel etherischer uitzag, alsof je beide voeten nooit stevig op de grond stonden en je altijd zou blijven geloven in wonderen.' Hij zweeg even en keek naar me op die speciale manier die me altijd weer ontroerde. 'Ja, liefste,' fluisterde hij. 'Wonderen kunnen gebeuren, zelfs hier.'

Elke vrouw of man leek bezig een lid van het andere geslacht te verleiden, zolang het maar niet de eigen man of vrouw was. Alleen Chris en ik bleven bij elkaar. Jory was verdwenen en Melodie stond nu naast Bart. Hij zei iets tegen haar dat haar ogen deed fonkelen. Ze draaide zich om en wilde snel weglopen, maar hij pakte haar arm vast en trok haar terug.

Ze rukte haar arm los, maar hij greep haar opnieuw en trok haar ruw in zijn armen. Ze begonnen te dansen, waarbij Melodie vastberaden voorkwam dat hij haar dicht tegen zich aandrukte.

Ik wilde naar hen toegaan, maar Chris hield me tegen. 'Laat het maar aan Melodie over. Jij zou hem alleen maar woedend maken.'

Zwijgend keek ik naar het kleine conflict tussen Bart en de vrouw van zijn broer en zag tot mijn verbazing dat hij won, want ze ontspande zich en scheen tenslotte zelfs te genieten van de dans, die weldra ten einde was. Toen liep hij met haar van het ene groepje naar het andere, alsof ze zijn vrouw was en niet die van Jory.

Ik had een paar hapjes van een en ander gegeten, toen een heel mooie vrouw naar ons toe kwam, eerst naar Chris glimlachte, en toen naar mij.

'Bent u niet de dochter van Christine Foxworth, die toen op dat kerstfeest kwam en –'

Ik viel haar abrupt in de rede. 'Neem me niet kwalijk, ik moet nog een paar dingen doen,' zei ik en liep haastig weg, Christopher stevig vasthoudend. De vrouw holde achter ons aan. 'Maar mevrouw Sheffield...'

Het antwoord werd me bespaard door trompetgeschal. Het amusement begon, en Barts gasten gingen zitten met borden eten en drankjes. Bart en Melodie kwamen bij ons zitten, terwijl Cindy en Jory weggingen voor een warming-up voor ze hun kostuums gingen aantrekken.

Het duurde niet lang of ik lachte hartelijk met de anderen mee tijdens het optreden van de beroepskomieken.

Wat een feest! Ik keek geregeld naar Chris, naar Bart en Melodie, die bij ons zaten. Het was een perfecte zomeravond. De bergen om ons heen omsloten ons in een vriendelijke romantische kring, en het verbaasde me opnieuw dat ik in staat was ze als iets anders te zien dan als een reusachtige barrière tussen ons en de vrijheid. Ik was blij Melodie te zien lachen en vooral om te zien dat Bart zich amuseerde. Hij schoof zijn stoel dichter naar de mijne. 'Vind je mijn feest een succes, Moeder?'

'Ja, o, ja, Bart, het is het mooiste feest dat ik ooit heb meegemaakt. Het is een fantastische party. Het is een schitterende avond, met de sterren en de maan, en al die gekleurde lichtjes. Wanneer begint het ballet?'

Hij glimlachte en legde met een teder gebaar zijn arm om mijn schouder. Met een begrijpende klank in zijn stem vroeg hij: 'Jij vindt dat niets het haalt bij het ballet, hè? En je zult niet teleurgesteld worden. Wacht maar, dan kun je zelf beoordelen of New York en Londen kunnen concurreren met mijn produktie van *Simson en Delila*.'

Jory had de rol pas drie keer gedaan, maar elke keer had hij een ovatie gehad en het was geen wonder dat Bart gefascineerd was door de rol. De in het zwart geklede musici namen plaats, pakten hun muziekbladen en begonnen hun instrumenten te stemmen.

Een paar meter verderop stond Joel, stijf rechtop, met een afkeurende uitdrukking op zijn gezicht, als de belichaming van alles wat de geest van zijn vader zou kunnen voelen bij deze extravagante geldverspilling.

'Bart, je bent vandaag vijfentwintig geworden, wel gefeliciteerd! Ik herinner me nog als de dag van gisteren dat de verpleegster je voor het eerst in mijn armen legde. Het was een heel moeilijke bevalling, en de artsen zeiden dat ik moest kiezen, jouw leven of het mijne. Ik koos het jouwe. Maar ik haalde het, en werd gezegend met een tweede zoon, die sprekend op zijn vader leek. Je huilde, je handjes waren tot vuisten gebald terwijl je om je heen sloeg. Je voetjes schopten de deken weg, maar zodra je mijn lichaamswarmte voelde tegen jouw lijfje en ik je dicht tegen mijn hart drukte hield je op met huilen. Je ogen, die tot op dat moment gesloten waren, openden zich tot spleetjes. Je leek me te zien voordat je in slaap viel.'

'Ik weet zeker dat je Jory een mooiere baby vond,' zei hij sarcastisch, maar zijn ogen stonden teder; hij scheen het prettig te vinden over zichzelf te horen als baby.

Melodie keek naar me met een vreemde uitdrukking op haar gezicht. Ik wilde dat ze niet zo dichtbij zat. 'Jij had je eigen schoonheid, Bart, je eigen persoonlijkheid, vanaf het begin. Je wilde dat ik dag en nacht bij je bleef. Als ik je in je wieg legde begon je te huilen. Als ik je oppakte was je stil.'

'Met andere woorden, ik was een reuze lastpost.'

'Dat heb ik nooit gevonden, Bart. Ik hield van je vanaf de dag waarop je verwekt werd. Ik hield nog meer van je als je lachte. Jouw eerste lachje was zo aarzelend, alsof het pijn deed aan je gezicht.'

Even leek het of ik tot hem was doorgedrongen. Hij stak zijn hand naar me uit, en ik stak mijn hand uit naar hem. Maar op dat moment begon de ouverture van *Simson en Delila*, en het moment van tederheid tussen mijn jongste zoon en mijzelf ging verloren in het opgewonden gemompel van verbazing toen Barts gasten in het programma keken en zagen dat Jory Janus Marquet zijn beroemdste rol zou dansen, met zijn zuster, Cynthia Sheffield, in de rol van Delila. Een paar mensen keken nieuwsgierig naar Melodie en vroegen zich af waarom zij niet Delila danste.

Zoals altijd, als een ballet begon, was ik verloren voor de buitenwereld; ik zweefde ergens op een wolk, voelde me verplaatst in een andere wereld.

Het gordijn ging op en toonde de binnenkant van een kleurige zijden tent tegen een achtergrond, die een sterrenhemel in de woestijn voorstelde. Er stonden opgezette, maar echt lijkende kamelen, palmbomen zwaaiden zachtjes heen en weer. Op het toneel stond Cindy, gekleed in een doorzichtig gewaad dat duidelijk haar slanke maar rijpe figuur liet zien. Ze droeg een donkere pruik, die handig om haar hoofd was bevestigd door met juwelen bestikte banden. Ze begon een verleidelijke, wiegende dans, om Simson te verleiden, die terzijde van het toneel stond. Toen Jory opkwam rezen de gasten als één man van hun plaatsen en brachten hem een ovatie.

Hij wachtte tot het applaus bedaard was en begon toen te dansen. Hij droeg slechts een lendedoek van leeuwehuid, op zijn plaats gehouden door een riem die dwars over zijn gespierde borst liep. Zijn gebronsde huid was met olie ingesmeerd. Zijn haar was lang en zwart en recht; zijn spieren rimpelden als hij draaide, zijn jeté's maakte en Delila's passen feller, krachtiger volgde alsof hij spotte met haar vrouwelijke zwakheid en verrukt was over zijn eigen soepele, mannelijke kracht. De kracht die nodig was om Simson uit te beelden deed me even huiveren. Hij leek zo geschikt voor die rol, danste zo goed, dat ik weer huiverde, niet van kou, maar van pure verrukking, dat ik mijn zoon zag dansen of God hem had begiftigd met een bovenmenselijke gratie.

Toen begon Delila's verleidelijke dans om zijn tegenstand te breken; Simson bezweek voor de schoonheid van Delila, die haar donkere vlechten losmaakte en zich langzaam begon uit te kleden. Sluier voor sluier liet ze vallen, tot Simson haar overmeesterde en haar naar de stapel dierenhuiden droeg. Het toneel werd donker en het doek viel.

Er klonk een donderend applaus. Ik zag een vreemde uitdrukking op Melodie's bleke gezicht – was dat jaloezie? Wilde ze nu dat zij Delila had gedanst?

'Jij zou een veel betere Delila zijn geweest,' fluisterde Bart zachtjes. Zijn lippen beroerden de lokjes haar die boven haar met parels versierde oor trilden. 'Cindy haalt het niet bij jou.'

'Je doet haar onrecht, Bart,' antwoordde Melodie scherp. 'Als je rekent hoe weinig tijd van voorbereiding ze had, danst ze uitstekend. Jory vertelde me dat hij verbaasd stond hoe goed ze is.' Melodie boog zich naar voren en zei tegen mij: 'Cathy, ik weet zeker dat Cindy uren en uren heeft geoefend, anders zou ze nooit zo goed kunnen dansen.'

De eerste acte van het ballet was zo goed gegaan dat ik ontspannen tegen Chris aanleunde, die zijn arm om me heen sloeg. 'Ik voel me zo trots, Chris. Bart gedraagt zich voortreffelijk. En Jory is de beste danser die ik ooit heb gezien. En het verwondert me zo goed als Cindy danst.'

'Jory is een geboren danser,' zei Chris. 'Als *hij* door de monniken was opgevoed, zou hij toch zijn gaan dansen. Maar ik herinner me nog heel goed een rebels klein meisje dat het verschrikkelijk vond haar spieren te rekken en pijn te doen.'

We lachten als een lang getrouwd echtpaar, een intieme lach, die meer uitdrukte dan we zeiden.

Het doek ging weer op.

Terwijl Simson sliep op de bank die hij met Delila had gedeeld, stond ze behoedzaam op, sloeg een beeldig zijden gewaad om, sloop zachtjes naar de opening van de tent en wenkte een groepje van zes soldaten dat zich verborgen had gehouden. Delila had Simsons lange donkere haar al afgeknipt. Ze hield het triomfantelijk omhoog, wat de aarzelende soldaten zelfvertrouwen gaf.

Wakker geschrokken sprong Simson overeind, maakte een hoge jeté en probeerde zijn wapen op te tillen. Wat er over was van zijn lange haar was kort en stoppelig. Zijn zwaard leek te zwaar. Hij schreeuwde in stilte, toen hij merkte dat zijn kracht verdwenen was. Zijn wanhoop werd zichtbaar toen hij gefrustreerd ronddraaide, met zijn vuisten tegen zijn voorhoofd sloeg, omdat hij had geloofd in de liefde en in Delila. Toen viel hij kronkelend op de grond, met een woedende blik op Delila, die hem bespotte met haar wilde lach. Hij vloog op haar af, maar de zes soldaten overmeesterden hem. Ze boeiden hem met kettingen en touwen, terwijl hij vocht om los te komen.

En al die tijd, buiten het toneel, zong de beroemdste tenor van het Metropolitan zijn smekende lied voor Delila, vragend waarom ze hem had verraden. De tranen rolden over mijn wangen toen ik zag hoe mijn zoon werd geslagen en gegeseld, voor hij overeind werd getrokken, en de soldaten hun dans van de marteling begonnen, terwijl Delila toekeek.

Ook al wist ik dat al die afschuwelijke dingen niet echt gebeurden, toch kromp ik ineen toen het rood gloeiende ijzer steeds dichter bij Simsons uitpuilende ogen werd gebracht. Het werd donker op de set. Alleen het hete ijzer verlichtte het toneel en glansde spookachtig op Simsons bijna naakte lichaam. Het laatste geluid was Simsons gil van pijn.

Het doek viel en weer klonk er een wild applaus en geroep van 'Bravo! Bravo!'

Tussen de actes door praatten de mensen, stonden op om een drankje te gaan halen en hun borden te vullen, maar ik bleef naast Chris zitten, verstard door een angst waar ik geen verklaring voor had.

Naast Bart zat Melodie, even gespannen als ik, met gesloten ogen te wachten.

Tijd voor de derde acte.

Bart schoof zijn stoel dichter naar Melodie toe. 'Ik haat dit ballet,' mompelde ze. 'Het maakt me altijd bang, het is zo wreed. Het bloed lijkt zo reëel, veel te reëel. Die wonden maken me misselijk. Ik hou veel meer van sprookjes.'

'Alles komt goed, maak je geen zorgen,' suste Bart en legde zijn arm om haar schouders. Onmiddellijk sprong Melodie overeind en weigerde weer te gaan zitten.

Het doek ging op. We keken naar de nabootsing van een heidense tempel, met reusachtige pilaren van papier-mâché. In de arena er voor stond de geketende Simson met om zich heen enkele dwergen die naar zijn sterke benen staken met kleine zwaarden, nietige lansen. (De dwergen waren in werkelijkheid kinderen, die gekostumeerd waren om een groteske indruk te maken.) Jory tilde zijn namaak-ketenen op, met veel inspanning of ze enorm zwaar waren, en wekte de indruk dat hij dodelijk vermoeid was. Om zijn polsen waren ijzeren boeien.

Terwijl hij door de arena strompelde, blindelings in kringen rondliep, tastend zijn weg zocht, klonk op de achtergrond de zangerige, hartverscheurende muziek. Buiten het toneel, in haar eigen blauwe spotlight, begon de operaster aan de beroemdste aria uit *Simson en Delila*:

'Mijn hart, bij jouw lieve stem...'

Blind en gemarteld en bloedend door de zweepslagen, begon Jory een langzame hypnotiserende dans van het verloren vertrouwen in de liefde; zijn geloof in God was sterker dan ooit; de namaak ijzeren kettingen waren een attribuut van zijn dans. Ik had nog nooit zo'n hartverscheurende opvoering meegemaakt.

Simsons martelende blindelingse zoeken naar Delila, die telkens net buiten zijn bereik sprong, deed me zo'n pijn of het echt was en niet alleen maar een ballet; het was zo overtuigend dat iedereen in het publiek vergat te eten, te drinken, tegen een partner te fluisteren.

Delila droeg een nog onthullender groen gewaad. De juwelen fonkelden of het echte diamanten en smaragden waren, en toen ik door mijn toneelkijker keek zag ik tot mijn ontsteltenis dat ze een deel waren van de Foxworth-erfenis. Ze fonkelden en glinsterden, zodat het leek of Delila meer aan had dan in werkelijkheid het geval was. En een paar uur geleden had Bart Cindy nog verwenst omdat ze meer gekleed was dan nu.

Luchtig dansend rond de tempel verborg Delila zich achter een namaakpilaar. Simsons uitgestrekte handen smeekten om hulp, terwijl de tenor zijn verdriet uitkreet om haar verraad. Snel keek ik naar Bart. Hij boog zich naar voren, keek zo gespannen toe dat het leek of niets ter wereld hem meer interesseerde dan dit spel van wanhoop dat hij verlangd had tussen broer en zuster.

En weer was ik plotseling bang. Het gevaar leek in de lucht te hangen.

Hoger en hoger ging de stem van de sopraan. Simson strompelde blindelings naar zijn doel – de twee pilaren die hij opzij wilde duwen om de hele tempel te doen instorten.

Boven hem grijnsde kwaadaardig de reusachtige obscene god.

En het liefdeslied maakte alles duizend keer pijnlijker en ontroerender.

Terwijl Simson de trap op wankelde lag Delila kronkelend op de vloer van de tempel, schijnbaar vol berouw en verdriet over de mishandeling van haar minnaar. Een paar schildwachten gingen op haar af om haar gevangen te nemen en dezelfde behandeling te doen ondergaan als Simson. Ze kroop naar Simson toe, haar lichaam dicht tegen de vloer, vlak onder de ketenen die hij woest heen en weer zwaaide. Nu pakte ze zijn enkel vast en keek smekend naar hem op. Het leek of hij haar zou slaan met zijn ketenen, maar hij aarzelde, staarde blindelings omlaag voordat hij zijn geboeide handen uitstrekte en teder over haar haar streek, luisterde naar de woorden die ze zei maar die wij niet konden horen.

Met een berekenend effect hief Jory zijn armen op, spande zijn biceps en verbrak zijn ketenen.

Het publiek hield de adem in, zoveel hartstocht legde Jory in zijn rol.

Hij draaide zich woest om, sloeg met de gebroken kettingen die van zijn polsen bungelden, probeerde blindelings te slaan, iemand, wie dan ook, te treffen. Delila sprong op om de kettingen te ontwijken die twee schildwachten en een dwerg velden. Haar pogingen om te ontkomen vormden zo'n opwindende dans dat alle gasten geboeid en met ingehouden adem toekeken. Handig leidde Delila haar blinde minnaar naar de positie die hij nodig had, tussen de twee enorme pilaren die de god van de tempel ondersteunden. Ze lokte Simson verder en verder, met stille honende gebaren, terwijl de stem buiten het toneel haar onvergankelijke liefde voor hem bezong. Alles bedoeld om de priesters en de bloeddorstige menigte te misleiden, die Simsons dood verlangden.

Rond de arena bogen de mensen zich naar voren, spanden zich in om de gratie en schoonheid te zien van een van de beroemdste balletdansers ter wereld.

Jory voerde wonderbaarlijke jeté's uit, zweepte zichzelf op tot een wilde razernij, legde tenslotte één hand op één van de pilaren en, met een nog dramatischer gebaar, zijn tweede hand op de andere pilaar.

Op de grond kuste Delila zijn voeten voor ze hem bespotte, hem kwelde met woorden die ze niet kon uitspreken. Ze bedroog de heidense menigte, maar hij wist dat ze in werkelijkheid van hem hield en hem alleen had verraden uit wrok en jaloezie en hebzucht. Met op en neer gaande, indrukwekkende bewegingen begon Simson de hele tempel omlaag te trekken door tegen de pilaren te duwen. De stem van de tenor smeekte God hem te helpen de heidense god te vellen.

Weer zong de sopraan, teder en verleidelijk, om Simson te laten geloven dat hij niet het onmogelijke kon presteren.

De laatste smekende toon stierf weg, het zweet stroomde langs Simsons gezicht, droop op zijn geoliede lichaam, dat rood gestreept was en afzichtelijk glom. Zijn blinde ogen glansden.

Delila schreeuwde.

Het wachtwoord.

Met enorme inspanning hief Jory zijn handen op en duwde met nog meer kracht tegen de 'stenen' pilaren. Mijn hart klopte in mijn keel toen ik zag hoe de papier-mâché pilaren doorbogen. Als God Simson zijn kracht hergaf zou de tempel instorten en iedereen zou sterven.

De toneelknechten hadden handig een enorme hoeveelheid karton opgesteld met een hoop rommel erachter, die kletterend neer zou vallen en een enorm lawaai zou maken. Ze imiteerden de donderslagen door lange rechthoekige bladen dun metaal heen en weer te schudden, alsof God zijn wraak persoonlijk uitoefende. Vreemd genoeg, toen de lichten rood werden en de grammofoonplaat van een schreeuwende menigte werd afgedraaid, vertelde Cindy me later, dat ze meende iets hards tegen haar schouder te voelen.

Vlak voordat het doek viel zag ik Jory vallen door een enorme namaakkei die hem op zijn rug en hoofd trof.

Hij viel languit met zijn gezicht voorover op de grond, terwijl het bloed uit zijn wonden spoot. Tot mijn ontzetting drong het plotseling tot me door dat het zand niet onschuldig uit de gebroken en gevallen pilaren stroomde. Ik sprong overeind en begon te gillen. Ogenblikkelijk sprong Chris op en rende naar het toneel.

Mijn knieën knikten en weigerden de dienst. Ik viel op het gras, zag nog steeds het afgrijselijke visioen voor me van Jory die plat op zijn gezicht viel met de pilaar op de onderkant van zijn rug.

Een tweede pilaar viel op zijn benen.

Het doek was neer.

Er klonk een donderend applaus. Ik probeerde op te staan om naar Jory toe te gaan, naar mijn benen weigerden de dienst. Iemand pakte mijn elleboog en tilde me overeind. Ik keek op en zag dat het Bart was. Even later stond ik op het toneel en staarde naar het gebroken lichaam van mijn oudste zoon.

Ik kon mijn ogen niet geloven. Niet mijn Jory, mijn dansende Jory. Niet de kleine jongen die op zijn derde jaar had gevraagd: *'Dans ik, mamma?'*

'Ja, Jory, je danst.'

'Ben ik goed, mamma?'

'Ja, Jory, je bent geweldig!'

Niet mijn Jory, die uitblonk in alles wat fysiek en mooi was en uit het hart kwam.

'Jory! Jory!' riep ik. Ik liet me op mijn knieën naast hem vallen, zag door mijn tranen heen dat Cindy ook huilde. Hij had nu op moeten staan. Hij lag languit, bloedend op de grond. Het 'namaak' bloed dat ik voelde was kleverig, warm. Het rook naar echt bloed. 'Jory, je bent toch niet echt gewond?'

Niets. Geen geluid, geen beweging.

Uit mijn ooghoek zag ik Melodie als door het verkeerde eind van een telescoop naar ons toekomen, haar gezicht zo bleek dat zij en haar zwarte jurk donkerder leken dan de nacht. 'Hij is gewond. Echt gewond.' Iemand zei het. Ik?

'Nee! Beweeg hem niet. Bel een ambulance.'

'Dat heeft iemand al gedaan – zijn vader, geloof ik.'

'Jory, Jory, je kan niet gewond zijn!' Melodie's kreet, toen ze naar voren holde. Bart probeerde haar tegen te houden. Ze begon te gillen toen ze het bloed zag. 'Jory, ga niet dood, alsjeblieft, ga niet dood!' snikte ze telkens weer.

Ik wist hoe ze zich voelde. Zodra het dock gevallen was sprong elke danser na het 'sterven' onmiddellijk overeind. Jory niet.

Overal klonk gegil. De geur van bloed was om ons heen. Ik staarde naar Bart, die had gewild dat van deze speciale opera een ballet zou worden gemaakt. Waarom deze rol voor Jory? Waarom, Bart, waarom? Had hij dit ongeluk weken geleden gepland?

Hoe had Bart het voor elkaar gekregen? Ik pakte een handvol zand op en voelde dat het nat was. Ik keek strak naar Bart, die omlaag staarde naar Jory's roerloze lichaam, nat van het zweet, kleverig van het bloed, korrelig van het zand. Bart had alleen maar oog voor Jory, toen twee ziekenbroeders uit de ambulance hem voorzichtig op een draagbaar tilden en hem achter in de witte ambulance plaatsten.

Ik rende naar voren en keek in de ziekenwagen. 'Blijft hij leven?' vroeg ik aan de jonge arts die Jory's pols voelde. Chris was nergens te bekennen.

De arts glimlachte. 'Ja, hij blijft leven. Hij is jong en sterk, maar ik denk dat het heel lang zal duren voor hij weer kan dansen.'

En Jory had wel tien miljoen keer gezegd dat hij zonder dansen niet kon leven.

ALS HET FEEST VOORBIJ IS

Ik klom in de ziekenwagen naast Jory, en even later zat Chris naast me. We bogen ons over Jory's roerloze gestalte die op de draagbaar was gebonden. Hij was bewusteloos, één kant van zijn gezicht was hevig gekneusd en het bloed droop uit talloze kleine wonden. Ik kon zijn verwondingen al niet verdragen, laat staan dat ik het waagde te kijken naar het afschuwelijke letsel op zijn rug.

Ik deed mijn ogen halfdicht, draaide mijn hoofd om en zag de heldere lichten van Foxworth Hall als vuurvliegjes op de berg. Later hoorde ik van Cindy dat aanvankelijk alle gasten hevig geschrokken waren en niet wisten wat ze moesten doen of zeggen, maar dat Bart had meegedeeld dat Jory maar licht gewond was en over een paar dagen volledig hersteld zou zijn.

Voorin, naast de chauffeur en een ziekenbroeder, zat Melodie in haar zwarte avondjurk. Nu en dan keek ze achterom en vroeg of Jory al bijgekomen was. 'Chris, blijft hij leven?' vroeg ze angstig.

'Natuurlijk blijft hij leven,' zei Chris, die koortsachtig bezig was Jory te onderzoeken. Zijn nieuwe smoking zat onder het bloed. 'Hij bloedt niet meer, dat heb ik kunnen stoppen.' Hij wendde zich tot de jonge arts en vroeg om meer verband.

Het gegil van de sirene werkte op mijn zenuwen; ik werd bang dat we straks allemaal dood zouden zijn. Hoe had ik mezelf voor de gek kunnen houden en geloven dat Foxworth Hall ons ooit iets anders zou geven dan verdriet? Ik begon te bidden, sloot mijn ogen en zei steeds weer dezelfde woorden. *Laat Jory niet sterven, God, alstublieft, neem hem niet tot U. Hij is nog te jong, hij heeft nog niet lang genoeg geleefd. Zijn ongeboren kind heeft hem nodig.* Pas nadat ik dit een aantal kilometers had volgehouden herinnerde ik me dat ik bijna dezelfde gebeden had gezegd voor Julian, en dat Julian was gestorven.

Melodie was intussen hysterisch geworden. De arts van de ambulance wilde haar een injectie geven met een of ander kalmerend middel, maar ik belette het hem. 'Nee! Ze is zwanger en het zou schadelijk kunnen zijn voor het kind.' Ik boog me naar voren en siste tegen Melodie: 'Hou op met gillen! Daarmee help je Jory niet en je baby niet.' Ze schreeuwde nog luider, draaide zich om en sloeg naar me met kleine maar sterke vuisten.

'Ik wou dat we nooit gekomen waren. Ik heb hem gezegd dat het verkeerd was, de grootste fout van ons leven, en nu moet hij ervoor boeten, boeten, boeten.' Ze zei het steeds opnieuw tot haar stem het tenslotte begaf en Jory zijn ogen open deed en naar ons grinnikte.

'Hi,' zei hij zwakjes. 'Het schijnt dat Simson toch niet dood is.'

Ik snikte van opluchting. Chris glimlachte en bette Jory's hoofdwonden met een of andere oplossing. 'Alles komt in orde, jongen. Klamp je daar maar aan vast.'

Jory sloot zijn ogen en mompelde zwak: 'Was het een goede voorstelling?'

'Cathy, vertel hem wat jij ervan denkt,' opperde Chris kalm.

'Je was ongelooflijk goed, schat,' zei ik en boog me voorover om Jory's bleke gezicht te kussen dat besmeurd was met make-up.

'Zeg tegen Mel dat ze zich niet ongerust moet maken,' fluisterde hij, alsof hij haar hoorde huilen. Toen viel hij in slaap, nadat Chris hem een kalmerend middel in de arm had gespoten.

We ijsbeerden door de wachtkamer van het ziekenhuis naast de operatiekamer. Melodie hing als een slap vod in een stoel, met grote angstige, starende ogen. 'Net als zijn vader, net als zijn vader.' Ze herhaalde de woorden zo vaak dat ik de indruk kreeg dat ze die mening in haar hoofd en het mijne wilde stampen. Ik had zelf het liefst gegild van angst dat Jory zou sterven. Meer om haar kalm te houden dan om iets anders, nam ik haar in mijn armen en drukte haar gezicht tegen mijn borst, suste haar met moederlijke geruststellende woordjes die ik zelf niet geloofde. Weer waren we gevangen in de genadeloze klauwen van de Foxworths. Hoe had ik zo gelukkig kunnen zijn vandaag? Waar was mijn intuïtie gebleven? Bart had gekregen wat hem rechtens toekwam, en daarmee had hij van Jory afgenomen wat van hem was, zijn waardevolste bezit, zijn gezondheid en zijn sterke, lenige lichaam.

Uren later reden vijf chirurgen in het groen mijn eerstgeboren zoon uit de operatiekamer. Jory was tot aan zijn kin bedekt met dekens. Zijn gebruinde zomerse tint was verdwenen, hij was even bleek als zijn vader *zijn* gelaatskleur altijd had willen houden. Zijn donkere krulhaar was vochtig. Onder zijn gesloten ogen waren blauwe plekken.

'Hij is toch weer in orde, hè?' vroeg Melodie, die overeind sprong en achter de brancard aanholde die snel naar een lift werd geduwd. 'Hij wordt weer beter. Hij wordt weer de oude, hè?'

Haar stem klonk hoog en schril van wanhoop.

Niemand zei iets.

Ze tilden Jory in de deken van de brancard, legden hem behoedzaam op bed, stuurden ons toen allemaal de kamer uit, behalve Chris. Buiten in de gang sloeg ik mijn armen om Melodie heen en wachtte, wachtte.

Melodie en ik gingen in de ochtendschemering terug naar Foxworth Hall, toen Jory's toestand stabiel genoeg leek om me een beetje te kunnen ontspannen. Chris bleef en sliep in een klein kamertje dat door dienstdoende artsen werd gebruikt.

Ik had ook willen blijven, maar Melodie werd steeds hysterischer, ze haatte de manier waarop Jory sliep, ze haatte de ziekenhuisgeur die in de gangen hing; haatte de verpleegsters die zijn kamer in- en uitliepen met grote bladen instrumenten en flessen; haatte de artsen die haar, of mij, geen rechtstreeks antwoord wilden geven.

Een taxi bracht ons terug naar de Hall waar een licht brandde naast de voordeur. De zon piepte net boven de horizon uit en kleurde de lucht lichtroze. De jonge vogels werden wakker en fladderden aarzelend met hun vleugeltjes, terwijl h n ouders hun territoriale rechten zongen of sjirpten, vóór ze weg vlogen om voedsel te gaan zoeken. Ik hielp Melodie de trap op naar binnen. Ze had elk gevoel voor de werkelijkheid verloren en wankelde of ze dronken was.

Aan één kant van de trap naar boven, voorzichtig, langzaam, met mijn arm om haar middel, elke seconde denkend aan de baby die ze verwachtte en aan het effect dat deze avond op hem of haar zou kunnen hebben. In de slaapkamer die ze deelde met Jory slaagde ze er niet in zich uit te kleden, haar handen trilden te veel. Ik hielp haar, trok een nachthemd over haar hoofd, stopte haar in bed en draaide het licht uit. 'Ik blijf als je wilt,' zei ik. Ze zag er zo triest en hulpeloos uit. Ze wilde dat ik bleef, ze wilde praten over Jory en de dokters, die weigerden één bemoedigend woord te zeggen. 'Waarom doen ze dat?' riep ze uit.

Hoe kon ik haar vertellen dat artsen zich hulden in stilzwijgen, tot ze zeker waren van de feiten? Ik verdedigde Jory's artsen, zei tegen Melodie dat het goed moest gaan met Jory, want dat ze haar anders gevraagd zouden hebben om te blijven.

Tenslotte viel ze in een rusteloze slaap. Ze lag te woelen en te draaien, riep Jory's naam, werd telkens weer wakker en begon dan opnieuw te huilen. Haar angst en verdriet waren pijnlijk om te zien en te horen, en ik voelde me langzamerhand als een uitgeknepen vaatdoek.

Een uur later viel ze tot mijn grote opluchting in een diepe slaap, alsof zelfs zij wist dat ze op deze manier moest ontsnappen.

Ik sliep zelf een paar minuten voordat Cindy mijn kamer binnengestormd kwam, ongerust op mijn bed ging zitten en wachtte tot ik wakker werd. Ik voelde het doorbuigen van de matras toen ze ging zitten en deed mijn ogen open. Ik zag haar gezicht, breidde mijn armen uit en hield haar vast terwijl ze huilde. 'Mamma, hij wordt toch weer beter?'

'Schat, je vader is bij hem. Jory moest direct geopereerd worden. Hij ligt nu in een eigen kamer, hij slaapt en rust. Chris is bij hem als hij wakker wordt. Ik wil snel wat ontbijten en dan rij ik terug naar het ziekenhuis. Ik heb liever dat jij hier blijft, bij Melodie.'

Ik had al besloten dat Melodie veel te hysterisch was om mee te gaan.

Cindy protesteerde, zei dat ze mee wilde om Jory te zien. Ik schudde het hoofd en stond erop dat ze bleef. 'Melodie is zijn vrouw, schat, en ze trekt zich alles ontzettend aan. In haar conditie mag ze niet naar het ziekenhuis voor we precies weten wat er met Jory aan de hand is. Ik heb nog nooit een vrouw zo te keer zien gaan. Ze schijnt te denken dat het ziekenhuis een soort begraafplaats is. Blijf en zeg tegen haar wat je kunt om haar te kalmeren, zorg voor haar, let erop dat ze eet en drinkt. Geef haar de rust die ze nu zo wanhopig nodig heeft. Ik bel je zodra ik iets weet.'

Toen ik een paar minuten later bij haar binnenkeek, lag Melodie zo diep te slapen dat ik wist dat ik de juiste beslissing had genomen. 'Leg haar uit waarom ik niet heb gewacht tot ze wakker werd, Cindy. Ze mag niet denken dat ik haar plaats wil innemen.'

Ik reed snel naar het ziekenhuis.

Omdat Chris arts was had ik een groot deel van mijn leven doorgebracht in ziekenhuizen om hem weg te brengen, af te halen, vrienden te bezoeken, nieuwe patiënten te leren kennen op wie hij erg gesteld was. We hadden Jory naar het beste ziekenhuis in de buurt gebracht. De gangen waren breed, zodat de brancards ongehinderd konden passeren, de ramen waren groot, en er hingen planten voor. Elk modern diagnostisch hulpmiddel was aanwezig, ongeacht de kosten. Maar de kamer waar Jory sliep en niet wakker wilde worden, was klein, heel klein, zoals alle kamers. Het enige raam lag in zo'n diepe nis dat het haast onmogelijk was om naar buiten te kijken, en toen het me toch lukte zag ik alleen maar de ingang van het ziekenhuis en verderop een andere vleugel van het gebouw.

Chris sliep nog, maar een verpleegster vertelde me dat hij die nacht vijf keer bij Jory binnen was geweest. 'Hij is een toegewijde vader, mevrouw Sheffield.'

Ik draaide me om en staarde naar Jory, wiens lichaam in gips was verpakt, met een raampje waardoor de insnijding zichtbaar was en indien nodig behandeld kon worden. Ik bleef naar zijn benen staren, vroeg me af waarom die niet bewogen, want ze waren niet in het gips.

Plotseling werd er een arm om mijn middel geslagen en warme lippen drukten zich in mijn hals.

'Heb ik je niet gezegd dat je niet terug moest komen vóór ik je belde?'

Een enorm gevoel van opluchting ging door me heen. Chris was er.

'Chris, ik hield het niet langer uit. Ik moet weten wat er aan de hand is, anders kan ik toch niet slapen. Zeg me de waarheid, nu Melodie er niet bij is om te schreeuwen en flauw te vallen.'

Hij zuchtte en boog zijn hoofd. Toen pas zag ik hoe uitgeput hij eruitzag. Hij was nog steeds gekleed in zijn gekreukte en vuile smoking. 'Het is geen goed nieuws, Cathy. Ik vertel liever geen bijzonderheden voor ik nog een keer heb gesproken met zijn artsen en de chirurg.'

'Die ouwe truc gaat bij mij niet op! Ik wil het weten! Ik ben niet een van je patiënten, die denken dat artsen godheden zijn op een voetstuk en die niets durven te vragen. Is Jory's rug gebroken? Is zijn ruggegraat beschadigd? Zal hij weer kunnen lopen? Waarom beweegt hij zijn benen niet?'

Eerst trok hij me mee naar de gang, voor het geval Jory wakker was maar zijn ogen gesloten hield. Zachtjes deed hij de deur achter zich dicht en nam me toen mee naar een klein hokje waar alleen artsen toegang hadden. Hij liet me zitten, torende hoog boven me uit, en ik begon te beseffen dat ik heel ernstig nieuws te horen zou krijgen. Toen pas zei hij: 'Jory's ruggegraat is gebroken, Cathy. Je hebt het goed geraden. Het is een lage lumbale fractuur, en we moeten dankbaar zijn dat het letsel niet hoger is. Hij zal zijn armen volledig kunnen gebruiken en zal op den duur zijn blaas en inwendige functies kunnen beheersen, maar op het ogenblik zijn ze in shock, zogezegd, en hij zal moeten functioneren met buizen en zakjes, tot hij weer voelt wanneer hij iets moet.'

Hij zweeg even, maar zo gemakkelijk liet ik hem niet gaan. 'Zijn ruggegraat? Zeg dat die niet verpletterd is!'

'Niet verpletterd, maar beschadigd,' zei hij onwillig. 'Zo ernstig dat zijn benen verlamd zijn.'

Ik verstarde. O, nee! Niet Jory! Ik schreeuwde het, toonde niet veel meer zelfbeheersing dan Melodie. 'Hij zal nooit meer kunnen lopen?' fluisterde ik. Ik voelde me verbleken, en zwak en duizelig worden. Toen ik het volgende ogenblik mijn ogen weer open deed lag Chris op zijn knieën naast me en greep mijn beide handen stevig beet.

'Beheers je. Hij leeft, en dat is het belangrijkste. Hij zal niet doodgaan, maar hij zal nooit meer kunnen lopen.'

Ik zonk, ik verdronk, verdronk, ging onder in die oude bekende poel van wanhoop. Dezelfde glinsterende visjes knabbelden aan mijn hersens, hapten stukjes uit mijn ziel. 'En dat betekent dat hij nooit meer zal dansen, nooit meer zal lopen, nooit meer zal dansen – Chris, wat moet er van hem terecht komen?'

Hij trok mij in zijn armen en liet zijn hoofd op mijn haar rusten. Zijn adem liet het zachtjes opwaaien terwijl hij verstikt zei: 'Hij zal het overleven, liefste. Dat doen we immers allemaal als we een tragedie beleven? We accepteren het, grinniken en verdragen het, en maken het beste van wat we over hebben. We vergeten wat we gisteren hadden en concentreren ons op wat we vandaag hebben. We kunnen Jory leren hoe hij moet accepteren wat er gebeurd is, we zullen onze zoon terug hebben. Invalide, maar levend, intelligent, organisch gezond.'

Ik schokte van het huilen toen hij verder praatte. Zijn handen gleden op en neer over mijn rug, zijn lippen raakten mijn ogen aan, mijn mond, zochten een manier om me te kalmeren.

'We moeten sterk zijn voor hem, schat. Je mag nu huilen zoveel je wilt, want je mag niet huilen als hij zijn ogen opendoet en je ziet. Je mag geen medelijden tonen. Niet te veel sympathie. Als hij wakker wordt, zal hij in je ogen kijken en je gedachten kunnen lezen. De angst en het lijden op je gezicht en in je ogen zullen bepalend zijn voor de manier waarop hij zijn invaliditeit beschouwt en voelt. Hij zal zich verpletterd en wanhopig voelen, dat weten we. Hij zal willen sterven. Hij zal aan zijn vader denken en aan de manier waarop Julian aan zijn toestand is ontsnapt. Ook dat mogen we niet vergeten. We moeten met Cindy en Bart praten en uitleggen welke rol ze spelen bij zijn herstel. We moeten een sterke eenheid vormen om hem door deze beproeving heen te helpen, want het zal moeilijk zijn, Cathy, heel erg moeilijk.'

Ik knikte, probeerde mijn tranen tegen te houden, ik had het gevoel dat ik in Jory was, zijn kwellingen en martelingen kende, die ook mij zouden verscheuren.

Chris ging verder, terwijl hij zijn armen beschermend om me heen geslagen hield. 'Jory heeft zijn hele leven opgebouwd rond het dansen, en hij zal nooit meer kunnen dansen. Nee, kijk niet naar me met die hoop in je ogen. NOOIT MEER! Er bestaat een mogelijkheid dat hij op een goede dag voldoende kracht zal hebben om op te staan en zich rond te slepen op krukken, maar hij zal nooit meer normaal kunnen lopen. Leg je daarbij neer, Cathy.

We moeten hem ervan overtuigen dat zijn invaliditeit niet belangrijk is, dat hij dezelfde mens is als hij was. En wat het belangrijkste is, we moeten onszelf ervan overtuigen dat hij even mannelijk, even menselijk is als vroeger, want veel gezinnen veranderen als een lid ervan invalide wordt. Ze tonen òf te veel medeleven, òf ze vervreemden, alsof invaliditeit de mens die ze kenden en liefhadden verandert. We moeten de middenweg kiezen en Jory helpen de kracht te vinden hier overheen te komen.'

Iets van hetgeen hij zei drong tot me door.

Invalide! Mijn Jory was invalide! Gedeeltelijk verlamd! Ik schudde mijn hoofd, ik kon niet geloven dat het lot zo wreed zou zijn. Mijn tranen drupten op Chris' vuile, gekreukte smokingoverhemd. Hoe moest Jory verder leven als hij ontdekte dat hij de rest van zijn leven in een rolstoel zou doorbrengen?

HET WREDE NOODLOT

De zon stond al hoog aan de hemel en nog steeds had Jory zijn ogen niet geopend. Chris besloot dat we allebei een behoorlijk maal nodig hadden, en het ziekenhuiseten was altijd even smakeloos en had veel weg van zaagsel en schoenleer. 'Probeer wat te slapen terwijl ik weg ben, en bewaar je zelfbeheersing. Als hij wakker wordt, raak dan niet in paniek, maar blijf kalm, glimlach, glimlach, glimlach. Hij zal doezelig zijn en het zal allemaal niet zo goed tot hem doordringen. Ik kom zo gauw mogelijk terug.'

Ik kon onmogelijk slapen; ik had het veel te druk met te bedenken hoe ik me moest gedragen als Jory tenslotte lang genoeg wakker zou zijn om vragen te gaan stellen. Chris had de deur nog niet achter zich dicht gedaan of Jory bewoog zich, draaide zijn hoofd om en glimlachte flauwtjes.

'Hé, zijn jullie hier de hele nacht geweest? Of twee nachten? Wanneer was het?'

'Gisteravond,' fluisterde ik hees, in de hoop dat mijn schorre stem niet zou opvallen. 'Je hebt uren en uren geslapen.'

'Je ziet er uitgeput uit,' zei hij zwakjes. Het ontroerde me dat hij bezorgder leek voor mij dan voor zichzelf. 'Waarom ga je niet terug naar de Hall om wat te slapen? Ik ben oké. Ik ben wel eerder gevallen, en net als altijd wervel ik over een paar dagen weer door het huis. Waar is mijn vrouw?'

Waarom zag hij dat gips niet op zijn borst? Toen zag ik dat zijn ogen troebel waren en dat hij nog helemaal niet bij was, dat de verdovende middelen die ze hem hadden ingespoten tegen de pijn nog niet volledig waren uitgewerkt. Goed, als hij maar niet begon met vragen te stellen waarvan ik wilde dat Chris ze zou beantwoorden.

Slaperig deed hij zijn ogen dicht en dutte weer in, maar tien minuten later was hij weer wakker. 'Mams, ik voel me zo vreemd. Zo heb ik me nog nooit gevoeld. Ik kan niet zeggen dat ik het erg prettig vind. Waarom dat gips? Heb ik wat gebroken?'

'De papier-mâché-pilaren van de tempel zijn gevallen,' legde ik zwakjes uit. 'Je bent bewusteloos geraakt. Wat een manier om een ballet te beëindigen! Een beetje al te realistisch!'

'Hebben ze de zaal afgebroken of het toneel?' vroeg hij schertsend. ogen werden helderder naarmate de verdovende middelen, waarvan ik had gehoopt dat ze hem nog zouden versuffen, uitgewerkt raakten. 'Cindy was geweldig, vond je niet? Weet je, elke keer als ik haar zie is ze weer mooier dan de vorige keer. En ze kan echt goed dansen. Ze lijkt op jou, mams, ze wordt beter naarmate ze ouder wordt.'

Ik zat op mijn handen om te beletten dat ze zich zenuwachtig zouden bewegen op de verraderlijke manier waarop mijn moeder haar handen altijd gebruikte. Ik glimlachte, stond op om een glas water in te schenken. 'Bevel van de dokter. Je moet veel drinken.'

Hij dronk terwijl ik zijn hoofd ondersteunde. Het was vreemd hem zo hulpeloos te zien, hij had nooit in bed gelegen. Zijn verkoudheden waren altijd in een paar dagen voorbij, en hij had geen dag van school of balletles gemist, behalve om Bart in het ziekenhuis op te zoeken als die weer een van zijn vele ongelukken had gehad die hem nooit blijvend letsel toebrachten. Jory had zijn enkel tientallen keren verstuikt, gewrichtsbanden gescheurd, was gevallen en opgestaan, maar had tot nu toe nooit ernstig letsel opgelopen. Alle dansers brachten enige tijd door met het verzorgen van kleine verwondingen en soms zelfs grotere, maar een gebroken rug, een beschadigde ruggegraat, dat was de meest gevreesde nachtmerrie van elke danser.

Weer dommelde hij in, maar het duurde niet lang of zijn ogen waren weer open en hij begon vragen te stellen over zichzelf. Ik zat op de rand van zijn bed en ratelde maar door, de ene onzin na de andere, biddend en smekend dat Chris terug zou komen. Een knappe verpleegster kwam terug met Jory's lunch, alles vloeibaar. Dat gaf me iets te doen. Ik frommelde aan een half pak melk, maakte de yoghurt open, schonk melk en sinaasappelsap in, stopte een servet onder zijn kin en begon met de aardbeienyoghurt. Hij begon onmiddellijk te kokhalzen en trok een lelijk gezicht. Hij duwde mijn handen weg en zei dat hij zelf wel kon eten, maar geen honger had.

Toen ik het blad had weggezet hoopte ik dat hij in slaap zou vallen. In plaats daarvan lag hij met heldere ogen naar me te staren. 'Kun je me nu vertellen waarom ik me zo zwak voel? Waarom ik niet kan eten? Waarom ik mijn benen niet kan bewegen?'

'Je vader is wat te eten gaan halen voor ons, junk food dat niet goed is voor jou, maar smakelijker dan wat we in de cafetaria beneden kunnen krijgen. Laat hij het je maar vertellen. Hij kent alle technische termen beter dan ik.'

'Mama, technische termen begrijp ik toch niet. Vertel me in je eigen woorden als leek – waarom kan ik mijn benen niet bewegen of voelen?'

Zijn donkere saffierkleurige ogen waren strak op me gericht. 'Mams, ik ben geen lafaard. Ik kan alles wat je te zeggen hebt aanvaarden. En nu voor den dag ermee, anders ga ik denken dat mijn rug gebroken is en mijn benen verlamd zijn en ik nooit meer zal kunnen lopen.'

Mijn hart begon te bonzen en ik boog mijn hoofd. Hij had het op schertsende toon gezegd, alsof het onmogelijk waar kon zijn, en hij had een nauwkeurige beschrijving gegeven van zijn conditie.

Een blik van wanhoop verscheen in zijn ogen toen ik haperde, probeerde de juiste woorden te vinden; ook de juiste woorden zouden zijn hart uit zijn lichaam scheuren. Op dat moment kwam Chris binnen met een papieren zak met cheeseburgers. 'Zo,' zei hij opgewekt, vriendelijk glimlachend naar Jory. 'Kijk, kijk, wie er eindelijk wakker is.' Hij haalde een burger uit de zak en gaf die aan mij. 'Sorry, Jory, maar jij krijgt een paar dagen geen vast voedsel. Dat komt door je operatie. Cathy, eet dat ding terwijl het nog warm is,' beval hij. Hij ging zitten en pakte zijn eigen burger uit. Ik zag dat hij twee grote voor zich zelf had gekocht. Hij hapte er smakelijk in en haalde flesjes cola te voorschijn. 'Ze hadden geen lime juice, Cathy. Het is Pepsi.'

'Het is koud, met veel ijs, dat is alles wat ik verlang.'

Jory nam ons aandachtig op terwijl we aten. Ik dwong mezelf de cheeseburgers en een bakje frites naar binnen te werken, terwijl ik de helft van mijn burger at en de vettige aardappelen niet aanraakte. Chris maakte een prop van zijn servet en gooide het in de prullemand, samen met de andere rommel.

Jory's oogleden begonnen zwaar te worden. Hij deed zijn uiterste best om wakker te blijven. 'Paps, wil je het me nu vertellen?'

'Ja, alles wat je wilt weten.' Chris ging op Jory's bed zitten en legde zijn sterke hand op die van Jory. Jory knipperde slaperig met zijn ogen.

'Paps, ik heb geen gevoel onder mijn middel. Al die tijd dat jij en mams zaten te eten heb ik geprobeerd mijn tenen te bewegen, maar ik kon het niet. Als ik mijn rug heb gebroken en daarom in het gips lig, wil ik de waarheid weten. De hele waarheid.'

'Ik ben van plan je de hele waarheid te vertellen,' zei Chris ferm.

'Is mijn rug gebroken?'

'Ja.'

'Zijn mijn benen verlamd?'

'Ja.'

Jory knipperde met zijn ogen, keek verbijsterd, raapte toen al zijn moed bij elkaar voor de laatste vraag. 'Zal ik ooit nog kunnen dansen?'

'Nee.'

Jory deed zijn ogen dicht; zijn lippen verstrakten tot een smalle streep en hij bleef roerloos liggen.

Ik deed een stap dichterbij, boog me over hem heen en streek met een teder gebaar de donkere krullen naar achteren die over zijn voorhoofd waren gevallen. 'Schat, ik weet wat dit voor je betekent en hoe je je voelt. Het was niet gemakkelijk voor je vader je de waarheid te vertellen, maar je moet het weten. Je staat niet alleen. We zijn er allemaal bij betrokken. We zijn bij je om je er overheen te helpen, alles te doen wat we kunnen. Je zult je aanpassen. De tijd zal je lichaam genezen zodat je geen pijn hebt, en tenslotte zul je accepteren wat niet te veranderen is. We houden van je. Melodie houdt van je. En in januari word je vader. Je hebt de top bereikt in je vak en je hebt vijf jaar lang aan de top gestaan, dat is meer dan de meeste mensen in hun hele leven bereiken.'

Hij keek me even in de ogen. De zijne waren vol verbittering, woede, frustratie, een razernij die zo groot was dat ik mijn ogen afwendde. Hij werd beheerst door een felle woede omdat hij bedrogen en bestolen was voordat hij genoeg had gehad.

Toen ik weer naar hem keek, waren zijn ogen gesloten. Chris had zijn vinger aan zijn pols. 'Jóry, ik weet dat je niet slaapt. Ik zal je nog een verdovend middel geven, zodat je werkelijk kunt slapen, en als je wakker wordt zul je moeten bedenken hoe belangrijk je bent voor een heleboel mensen. Je mag geen medelijden hebben met jezelf. De meeste mensen zullen nooit meemaken wat jij gekend hebt. Die zullen nooit door de wereld reizen en het donderende applaus horen en het gejuich van "bravo, bravo!" Ze zullen nooit de top kennen waar jij hebt gestaan, en die je weer kunt bereiken op ander artistiek terrein. Je wereld staat niet stil, jongen, je bent alleen maar gestruikeld. De weg naar succes ligt nog steeds voor je open, alleen zul je over die weg moeten rijden in plaats van erover te hollen of te dansen. Maar je zult weer succes hebben en iets presteren, want het zit in je om altijd als overwinnaar uit het strijdperk te treden. Je zult alleen een ander vak moeten zoeken, een andere loopbaan. Bij je gezin zul je het geluk vinden. Daar draait immers het hele leven om? We willen iemand hebben die van ons houdt, ons nodig heeft, ons leven deelt, en dat heb jij allemaal.'

Mijn zoon deed zijn ogen niet open, reageerde niet. Hij bleef alleen maar doodstil liggen, of de dood hem al had opgeëist.

Inwendig schreeuwde ik, want Julian had op precies dezelfde manier gereageerd! Jory sloot ons buiten, sloot zich op in de benauwde ruimte van zijn geest, die weigerde te leven zonder te kunnen lopen en dansen.

Zwijgend maakte Chris een injectiespuit klaar, bette Jory's arm en spoot de vloeistof in zijn arm. 'Slaap maar, jongen. Als je wakker wordt is je vrouw er. Je zult dapper moeten zijn terwille van haar.'

Ik dacht dat ik Jory zag huiveren.

We lieten hem achter in een diepe slaap, onder de hoede van een particuliere verpleegster, die opdracht had hem geen seconde alleen te laten. Chris reed terug naar Foxworth Hall, om een douche te nemen en zich te scheren en schone kleren aan te trekken, voor hij weer terugging naar Jory. We verwachtten dat Melodie met ons mee zou gaan.

Haar blauwe ogen stonden angstig toen Chris haar zo behoedzaam mogelijk op de hoogte bracht van Jory's toestand.

Ze slaakte een zachte kreet en greep naar haar buik. 'Bedoel je ... nooit meer dansen? Nooit meer lopen?' fluisterde ze, of haar stem haar in de steek liet. 'Je moet iets kunnen doen om hem te helpen.'

Chris sloeg die hoop onmiddellijk de bodem in. 'Nee, Melodie. Als de ruggegraat beschadigd is, krijgen de benen geen boodschappen meer door van de hersens. Jory kan zijn benen willen dwingen te bewegen, maar ze ontvangen de boodschap niet. Je moet hem accepteren zoals hij nu is en alles doen wat je kunt om hem te helpen bij de meest traumatische gebeurtenis van zijn leven.'

Ze sprong overeind en riep jammerlijk: 'Maar hij zal nooit meer de oude Jory zijn! Je zei zelf net dat hij weigerde te praten. Ik kan niet naar hem toe en net doen of het niet belangrijk is, terwijl het dat wèl is! Wat moet hij doen? Wat moet *ik* doen? Waar moeten we heen, hoe zal hij kunnen leven zonder lopen en dansen? Wat voor vader wordt hij nu hij de rest van zijn leven in een rolstoel zal moeten doorbrengen?'

Chris stond op en sprak op vastberaden toon. 'Melodie, dit is niet het moment om in paniek te raken en hysterisch te worden. Je moet sterk zijn, niet zwak. Ik begrijp dat jij er ook onder lijdt en verdriet hebt, maar je zult opgewekt moeten glimlachen om hem te bewijzen dat hij niet de vrouw verloren heeft van wie hij houdt. Je trouwt niet alleen voor de goede tijden, maar ook voor de slechte tijden. Je neemt een bad, kleedt je aan, maakt je op, kamt je haar en je gaat naar hem toe, omhelst hem, kust hem en overtuigt hem ervan dat hij een toekomst heeft die de moeite waard is om voor te leven.'

'MAAR DIE HEEFT HIJ NIET!' Gilde ze. 'DIE HEEFT HIJ NIET!'

Toen stortte ze in en schreide hete tranen. 'Dat bedoelde ik niet. Ik hou van hem. Maar dwing me niet naar hem toe te gaan en hem zo stil en rustig te zien liggen. Ik kan hem niet onder ogen komen vóór hij glimlacht en het accepteert, en misschien kan ik dan aanvaarden wat hij is geworden. Misschien.'

Ik had een hekel aan haar omdat ze zo weinig ruggegraat toonde en hysterisch werd en Jory in de steek liet op het moment dat hij haar het hardst nodig had. Ik ging naast Chris staan en gaf hem een arm. 'Melodie, geloof je heus dat jij de enige echtgenote en aanstaande moeder bent die haar wereld ziet instorten? Dat ben je niet. Ik verwachtte Jory toen zijn vader een fataal auto-ongeluk kreeg. Wees dankbaar dat Jory nog leeft.' Ze liet zich op een stoel vallen, verborg haar hoofd in haar handen en huilde lang en heftig. Toen ze eindelijk opkeek waren haar ogen nog donkerder en somberder dan eerst. 'Misschien is hij wel liever dood. Heb je daar wel eens aan gedacht?'

Het was de gedachte, die me voortdurend kwelde, dat Jory een eind zou maken aan zijn leven, zoals Julian had gedaan.

Ik zou het niet toestaan. Niet weer. 'Blijf dan maar hier zitten huilen,' zei ik met onopzettelijke hardheid. 'Maar ik laat mijn zoon niet alleen om dit zelf uit te vechten. Ik blijf dag en nacht bij hem om ervoor te zorgen dat hij de moed niet laat zakken. Maar vergeet één ding niet, Melodie: hij verwacht zijn kind, en daarom ben jij de belangrijkste mens in zijn leven, en ook belangrijk in het mijne. Hij heeft jou en je steun nodig. Het spijt me als het hard klinkt, maar ik moet eerst aan hem denken. Waarom kan jij dat niet?'

Sprakeloos en ontdaan staarde ze me aan, terwijl de tranen over haar wangen rolden. 'Zeg maar dat ik gauw kom, zeg dat tegen hem,' fluisterde ze hees.

We vertelden het hem.

Hij hield zijn ogen gesloten, zijn lippen op elkaar geknepen. Aan een paar dingen kon je merken dat hij niet sliep, ons alleen buitensloot.

Jory weigerde te eten en kreeg kunstmatige voeding. De dagen van de zomer gingen voorbij; lange dagen, droeve dagen. Sommige uren gaven me een vaag gevoel van blijdschap, als ik met Chris en Cindy was, maar weinige gaven me hoop.

Als... als... was het woord waarmee ik de dag begon en eindigde. Als ik mijn leven over kon doen, misschien kon ik dan Jory, Chris, Cindy, Melodie, mijzelf redden – en zelfs Bart. Als...

Als hij die rol maar niet had gedanst.

Ik probeerde van alles, net als Chris en Cindy, om Jory terug te halen uit die afschuwelijke eenzaamheid waarin hij zichzelf had opgesloten. Voor het eerst in mijn leven kon ik hem niet bereiken, kon ik hem niet troosten.

Hij had verloren wat het belangrijkst voor hem was, het gebruik van zijn dansende benen. Met zijn benen zou hij spoedig zijn wondermooie krachtige en behendige lichaam kwijtraken. Ik durfde niet te kijken naar die mooigevormde sterke benen die zo stil onder het laken lagen, zo verdomd nutteloos.

Had grootmoeder gelijk gehad toen ze zei dat we vervloekt waren, geboren voor mislukking en pijn? Had ze ons geprogrammeerd voor tragedie, om ons de vruchten van ons succes te ontnemen?

Hadden Chris en ik werkelijk iets van waarde bereikt als onze zoon als een dode in bed lag, en onze tweede zoon weigerde Jory te bezoeken?

Bart had op Jory neergestaard die hulpeloos en roerloos, met gesloten ogen, bleef liggen. 'O, mijn God,' had hij gefluisterd voordat hij haastig de kleine kamer was uitgelopen.

Ik kon hem niet overhalen er nog een keer naar toe te gaan. 'Moeder, hij weet niet dat ik er ben, dus wat heeft het voor zin? Ik kan het niet verdragen hem zo te zien liggen. Het spijt me, het spijt me echt, maar ik kan niets voor hem doen.'

Ik staarde naar hem, vroeg me af of ik *hem* zo graag had willen helpen dat ik het leven van mijn geliefde Jory had geriskeerd.

Op dat moment begon ik mezelf wijs te maken dat ik niet geloofde dat hij nooit meer zou lopen, nooit meer zou dansen. Het was een nachtmerrie die we moesten verdragen en waaruit we eens zouden ontwaken en dan zou Jory weer gezond zijn, net als vroeger.

Ik vertelde Chris over mijn plan Jory ervan te overtuigen dat hij weer zou kunnen lopen, zelfs al zou hij nooit meer dansen.

'Cathy, je mag hem geen valse hoop geven,' waarschuwde Chris ontsteld 'Het enige wat je nu kunt doen is hem te helpen te accepteren wat niet te veranderen is. Geef hem jouw soort kracht. Help hem, maar breng hem niet op een vals spoor dat alleen maar tot teleurstelling kan leiden. Ik weet dat het moeilijk is. Ik leef ook in een hel, net zoals jij. Maar vergeet niet dat onze hel niets is vergeleken bij de zijne. We kunnen met hem meeleven en medelijden met hem hebben, maar we kunnen niet in zijn huid kruipen. Wij lijden niet zoals hij; hij moet zijn verlies alleen verwerken. Hij ondergaat een foltering waar jij en ik geen flauw benul van hebben. Het enige wat we kunnen doen is er zijn als hij besluit uit zijn schulp te kruipen. Zorg dat je hier bent om hem het vertrouwen te geven dat hij nodig heeft om door te gaan, want Melodie geeft hem niets!'

Het feit dat zijn eigen vrouw hem vermeed was bijna even erg als Jory's invaliditeit. Chris en ik smeekten haar met ons mee te gaan; ook al zou ze niets anders zeggen dan: 'Hallo, ik hou van je,' *ze moest komen.*

'Wat kan ik zeggen dat jullie al niet gezegd hebben?' schreeuwde ze. 'Hij wil niet dat ik kom nu hij zo is! Ik ken hem beter dan jullie. Als hij me wilde zien zou hij dat zeggen. Bovendien ben ik bang om erheen te gaan, bang dat ik ga huilen en alle verkeerde dingen zal zeggen, en zelfs al blijf ik rustig, dan kan hij iets in mijn gezicht zien dat het nog erger voor hem zal maken, en ik wil niet verantwoordelijk zijn voor wat er dan kan gebeuren. Dring niet aan! Wacht tot hij wil dat ik hem kom opzoeken. Misschien dat ik de moed dan kan opbrengen!'

Ze vluchtte voor Chris en mij of we een besmettelijke ziekte hadden die *haar* droom zou kunnen aantasten dat deze nachtmerrie een gelukkig eind zou hebben.

Op de gang voor onze kamers stond Bart en staarde Melodie na met zijn hart in zijn ogen. Toen keek hij woedend naar mij.

'Waarom laat je haar niet met rust? Ik ben bij hem geweest, ik heb hem gezien en het maakte me kapot. In haar toestand heeft ze veiligheid en zekerheid nodig, al is het maar in haar dromen. Ze slaapt veel, weet je. Terwijl jullie bij hem zijn loopt zij met verwilderde ogen te huilen. Ze eet bijna niets. Ik moet haar smeken iets te eten, te drinken. Ze staart naar me en gehoorzaamt als een kind. Soms moet ik het eten in haar mond stoppen, het glas aan haar lippen houden. Moeder, Melodie heeft een shock, en het enige waar jij aan denkt is aan je lieve Jory, het interesseert je niets wat je haar aandoet!'

Ik had medelijden en spijt, en liep haastig naar haar toe, nam haar in mijn armen. 'Het is goed. Ik begrijp het. Bart heeft me uitgelegd dat je het nog niet kunt accepteren, maar probeer het, Melodie, probeer het alsjeblieft. Zelfs al doet hij zijn ogen niet open en zegt hij niets hij weet wat er gebeurt en wie er bij hem komt en wie niet.'

Haar hoofd lag op mijn schouder. 'Cathy, ik probeer het echt. Geef me alleen wat tijd.'

De volgende ochtend kwam Cindy zonder te kloppen onze slaapkamer binnen. Chris fronste zijn wenkbrauwen. Ze had beter moeten weten. Maar ik moest het haar vergeven toen ik haar bleke, angstige gezichtje zag. 'Mams, paps, ik moet jullie iets vertellen, maar ik weet niet of ik het wel moet doen. Of dat het iets te betekenen heeft.'

Ik werd afgeleid door de kleren die ze droeg: een witte bikini die zo klein was dat hij nauwelijks te zien was. Het zwembad dat Bart had besteld was klaar en werd vandaag voor het eerst in gebruik genomen. Jory's tragische ongeval had geen remmende invloed op Barts levensstijl.

'Cindy, ik zou graag willen dat je een strandjasje droeg als je bij het zwembad bent. En die bikini is veel te klein.'

Ze keek verbaasd, terneergeslagen en gekwetst omdat ik kritiek had op haar bikini. Ze bekeek zichzelf vluchtig en haalde toen onverschillig haar schouders op. 'Lieve hemel, mama! Sommige vriendinnen van me dragen string-bikini's. Die zou je eens moeten zien als je deze te uitdagend vindt. Sommige vriendinnen van me hebben helemaal niets aan.' Haar grote blauwe ogen keken ernstig in de mijne.

Chris gooide haar een handdoek toe, die ze om zich heen wikkelde.

'Mams, ik moet zeggen dat ik het niet prettig vind, dat gevoel dat je me geeft, zo – smerig, hetzelfde gevoel dat Bart me geeft. En ik kom je nog wel iets vertellen dat ik Bart heb horen zeggen.'

'Ga door, Cindy,' drong Chris aan.

'Bart was aan de telefoon. Hij had de deur op een kier laten staan. Ik hoorde hem praten tegen een verzekeringsmakelaar.' Ze zweeg even, ging op ons onopgemaakte bed zitten, boog haar hoofd en ging toen verder. Haar zachte, zijdeachtige haar verborg haar gezicht. 'Mams, paps, het schijnt dat Bart een "party" verzekering heeft afgesloten, als een van zijn gasten gewond mocht raken.'

'Dat is toch niet zo ongebruikelijk,' zei Chris. 'Het huis valt onder de verzekering van de eigenaar, maar met tweehonderd gasten had hij die avond wel een extra verzekering nodig.'

Cindy hief met een ruk haar hoofd op. Ze staarde naar haar vader, en toen naar mij. Een zucht ontsnapte haar. 'Dan zal het wel in orde zijn. Ik dacht alleen dat misschien... misschien...'

'Misschien wat?' vroeg ik scherp.

'Mama, jij hebt een handvol zand opgepakt dat uit die pilaren was gevallen toen ze braken. Had dat zand niet droog moeten zijn? Het was niet droog. Iemand heeft het nat gemaakt, en dat maakt het zwaarder. Het zand stroomde er niet uit zoals het had moeten doen. Het deed die pilaren rechtop staan, en het zand viel op Jory neer als cement. Anders had Jory nooit zo ernstig gewond kunnen raken.'

'Ik wist het van die verzekering,' zei Chris dof, die weigerde mij aan te kijken. 'Ik wist het niet van dat natte zand.'

Noch Chris, noch ik kon de woorden vinden om Bart te verdedigen. Maar hij zou Jory toch niet hebben willen verwonden of doden? Op een gegeven moment in ons leven moesten we in Bart geloven, hem het voordeel van de twijfel gunnen.

Chris liep met grote passen door onze slaapkamer op en neer. Met gefronst voorhoofd legde hij uit dat een van de toneelknechten water op het zand kon hebben gegooid, in de hoop de pilaren wat steviger te laten staan. Hij hoefde niet naar Barts instructies te hebben gehandeld.

Gedrieën liepen we plechtig de trap af, op zoek naar Bart die buiten op het terras zat met Melodie. Met de bergen op de achtergrond, het bos vóór hen, de tuin vol bloeiende bloemen, was het een romantisch tafereel. De zon scheen door de bladeren van de fruitbomen, kroop onder de vrolijk gestreepte parasol die de mensen aan het witte smeedijzeren tafeltje tegen de zon moest beschermen.

Tot mijn verbazing glimlachte Melodie toen ze haar blik liet rusten op de krachtige lijnen van Barts gezicht. 'Bart, je ouders kunnen maar niet begrijpen waarom ik het niet kan opbrengen Jory in het ziekenhuis te bezoeken. Je moeder neemt het me kwalijk. Ik stel haar teleur, stel mezelf teleur. Ik ben een lafaard als het op ziekte aankomt. Dat ben ik altijd geweest. Maar ik weet wat er gebeurt. Ik weet dat Jory op dat bed ligt en naar het plafond staart en weigert te praten. Ik weet wat hij denkt. Hij heeft niet alleen het gebruik van zijn benen verloren, maar elk doel dat hij zichzelf gesteld heeft. Hij denkt aan zijn vader en de manier waarop die is gestorven. Hij probeert zich terug te trekken uit de wereld door een "nul" te maken van zichzelf, zodat we hem niet zullen missen als hij een eind maakt aan zijn leven, zoals zijn vader heeft gedaan.'

Bart keek haar snel en afkeurend aan. 'Melodie, je kent mijn broer niet. Jory zou nooit de hand aan zichzelf slaan. Misschien weet hij zich nu geen raad met zichzelf, maar hij draait wel bij.'

'Hoe kan dat?' jammerde ze. 'Hij heeft het belangrijkste in zijn leven verloren. Ons huwelijk was niet alleen gebaseerd op onze liefde voor elkaar, maar op onze gemeenschappelijke carrière. Elke dag vertel ik mezelf dat ik naar hem toe moet gaan en tegen hem lachen en hem geven wat hij nodig heeft. En dan aarzel ik weer en vraag me af wat ik moet zeggen. Ik ben niet zo goed met woorden als je moeder. Ik kan niet glimlachen en optimistisch zijn zoals zijn vader.'

'Chris is Jory's vader niet,' zei Bart kortaf.

'O, voor Jory is Chris zijn vader. Althans degene die het belangrijkst voor hem is. Hij houdt van Chris, Bart, hij respecteert en bewondert hem, en vergeeft hem wat jij zijn zonden noemt.' Ze ging verder, terwijl wij ons op de achtergrond hielden, wachtten, omdat we wilden horen waarom ze zich zo gedroeg.

Alles wat we hoorden was een definitieve weigering. 'Ik schaam me om het te zeggen, maar ik kan niet naar hem toe en hem zien zoals hij nu is.'

'Wat wil je dan?' vroeg Bart cynisch. Hij nam een slok van zijn koffie en staarde haar recht in de ogen. Als hij zijn hoofd een klein beetje had omgedraaid had hij ons drieën kunnen zien staan, kijkend, luisterend, zoveel horend.

Haar enige antwoord was een angstige jammerklacht. 'Ik weet het niet! Ik word van binnen verscheurd! Ik vind het vreselijk om wakker te worden met de wetenschap dat Jory nooit meer een echte man voor me zal zijn. Als je het niet erg vindt ga ik naar de kamer aan de andere kant van de gang, die niet zoveel pijnlijke herinneringen heeft aan wat ik altijd samen met Jory gehad heb. Je moeder beseft niet dat ik me even verloren voel als hij, en ik verwacht zijn baby!'

Ze begon te snikken. Ze verborg haar hoofd in haar armen die gevouwen op tafel lagen. 'Iemand moet aan mij denken, *mij* helpen... iemand!'

'Ik zal je helpen,' zei Bart zachtjes. Hij legde zijn gebruinde hand op haar schouder. Met zijn rechterhand schoof hij haar koffie opzij en streek luchtig over haar haar. 'Als je me nodig hebt, al is het maar voor een schouder om op uit te huilen, zal ik er zijn, wanneer je maar wilt.'

Als ik Bart zo vol medelijden had horen spreken tegen ieder ander dan Melodie, zou mijn hart zijn opgesprongen van vreugde. Nu zonk het pijlsnel in mijn schoenen. *Jory* had zijn vrouw nodig. Niet Bart!

Ik liep naar voren en ging aan de ontbijttafel zitten. Bart liet Melodie los en staarde naar me of ik iets had onderbroken dat erg belangrijk voor hem was. Toen kwamen Chris en Cindy ook. Er viel een stilte die ik moest verbreken.

'Melodie, ik wil eens rustig met je praten, zodra we klaar zijn met ontbijten. En deze keer wil ik niet dat je wegloopt of je oren dichthoudt of me alleen maar wezenloos aanstaart.'

'Moeder!' viel Bart uit. 'Kun je haar standpunt dan niet begrijpen? Misschien zal Jory zich op een dag kunnen voortslepen op krukken, als hij een rugsteun draagt en een harnas. Kun jij je Jory zo voorstellen? Ik niet. Zelfs *ik* wil hem zo niet zien.'

Melodie slaakte een gil en sprong overeind. Bart volgde haar voorbeeld, en nam haar beschermend in zijn armen.

'Niet huilen, Melodie,' suste hij met tedere, liefdevolle stem. Melodie slaakte weer een zachte kreet van ontsteltenis en vluchtte het terras af. We staarden haar alle drie na zonder iets te zeggen. Toen ze uit het gezicht verdwenen was, keken we naar Bart, die ging zitten en rustig verder ontbeet, alsof wij er niet waren.

'Bart,' zei Chris, voordat Joel bij ons kwam, 'wat weet jij van het natte zand in die papier-mâché pilaren?'

'Ik begrijp je niet,' zei Bart vriendelijk. Hij staarde verward naar de deur waardoor Melodie verdwenen was.

'Dan zal ik duidelijker zijn,' ging Chris verder. 'De afspraak was dat het zand droog zou zijn, zodat het er gemakkelijk uit zou stromen en niemand gewond kon raken. Wie heeft het zand nat gemaakt?'

Bart kneep zijn ogen halfdicht en antwoordde scherp. 'Dus nu word ik ervan beschuldigd de oorzaak te zijn van Jory's ongeluk, en opzettelijk de beste avond van zijn leven te hebben verstoord. Dat was het tenminste tot hij gewond raakte. Het is weer precies zoals toen ik negen en tien was. Mijn schuld, alles was altijd mijn schuld. Toen Clover doodging namen jullie allebei aan dat ik dat ijzerdraad om zijn nek had gedraaid, jullie twijfelden geen moment. Toen Apple vermoord werd, was het weer mijn schuld, ook al wisten jullie dat ik van Clover en Apple hield. Ik heb nog nooit iets doodgemaakt. Zelfs toen jullie later ontdekten dat het John Amos was, hebben jullie me door de hel laten gaan voor je zei dat het je speet. Nou, zeg nu meteen maar dat het je spijt, want ik verdom het om de schuld voor Jory's gebroken rug op me te nemen!'

Ik wilde hem zo graag geloven dat de tranen in mijn ogen sprongen. 'Maar wie heeft het zand dan nat gemaakt, Bart?' vroeg ik, naar voren leunend en mijn hand uitstrekkend naar de zijne. '*Iemand* heeft het gedaan.'

Zijn donkere ogen werden uitdrukkingsloos. 'Verschillende werklieden hadden een hekel aan me omdat ze me te bazig vonden, maar ik denk niet dat ze iets tegen Jory zouden doen. Per slot danste ik niet op dat toneel.'

Om de een of andere reden geloofde ik hem. Hij wist niets van het natte zand, en toen ik Chris' ogen zag wist ik dat hij ook overtuigd was. Maar door het te vragen hadden we Bart weer van ons vervreemd.

Hij bleef zwijgend zitten tijdens de rest van de maaltijd. In de tuin ving ik een glimp op van Joel in de schaduw van het dichte struikgewas, alsof hij ons gesprek had afgeluisterd, terwijl hij net deed of hij de bloemen bewonderde.

'Vergeef ons dat we je onrecht en verdriet hebben gedaan, Bart. Alsjeblieft, doe je best er achter te komen wie het zand nat heeft gemaakt. Zonder dat natte zand had Jory zijn benen nog.'

Cindy was zo verstandig zich erbuiten te houden.

Bart wilde antwoord geven, maar op dat ogenblik kwam Trevor naar buiten om te serveren. Ik slikte haastig wat naar binnen en stond toen op om weg te gaan. Ik moest iets doen om Melodie's verantwoordelijkheidsgevoel weer op te wekken. 'Neem me niet kwalijk, Chris, Cindy. Eet rustig verder. Ik kom straks bij jullie.'

Joel glipte uit de schaduw van het dichte struikgewas en ging naast Bart zitten. Toen ik me omdraaide en over mijn schouder keek zag ik dat Joel zich naar Bart toeboog en iets in zijn oor fluisterde, dat ik niet kon verstaan.

Met haar gezicht in de deken van het bed dat zij en Jory hadden gedeeld, lag Melodie te huilen. Ik ging op de rand van haar bed zitten, en dacht aan alle juiste woorden om te zeggen, maar wat waren de juiste woorden? 'Hij leeft, Melodie, en dat is toch belangrijk, nietwaar? Hij is nog bij ons. Bij jou. Je kunt je hand uitsteken en hem aanraken, met hem praten, alle dingen zeggen die ik wilde dat ik tegen zijn vader had gezegd. Ga naar het ziekenhuis. Elke dag die je wegblijft sterft hij een beetje meer. Als je niet gaat, als je hier blijft en medelijden hebt met jezelf zul je er je leven lang spijt van hebben. Jory luistert nog steeds naar je, Melodie. Laat hem niet in de steek. Hij heeft je nu harder nodig dan ooit.'

Wild en hysterisch begon ze op me los te slaan met haar kleine stevige vuisten. Ik pakte haar polsen vast om te voorkomen dat ze me pijn zou doen.

'Maar ik kan hem niet onder ogen komen, Cathy! Ik weet dat hij daar ligt, zwijgend en eenzaam, onbereikbaar. Hij geeft geen antwoord als *jij* tegen hem praat, waarom zou hij dan op mij reageren? Als ik hem kuste en hij zou niets zeggen of doen, dan zou ik van binnen doodgaan. Bovendien ken je hem niet echt, niet zoals ik hem ken. Jij bent zijn moeder, niet zijn vrouw. Jij beseft niet hoe belangrijk zijn seksuele leven voor hem is. Nu is dat voorbij. Heb je enig idee wat dat voor hem betekent? Om nog maar te zwijgen over het feit dat hij zijn benen niet kan gebruiken en zijn carrière moet opgeven. Hij wilde zichzelf zo graag bewijzen terwille van zijn vader, zijn echte vader. En jij maakt jezelf wijs dat hij leeft. Dat doet hij niet. Hij heeft je al verlaten, Cathy. Mij ook. Hij hoeft niet te sterven. Hij is al dood terwijl hij nog leeft.'

Haar hartstochtelijke woorden troffen me diep. Misschien omdat ze maar al te waar waren.

Ik raakte in paniek, besefte dat Jory heel goed zou kunnen doen wat Julian had gedaan, een eind maken aan zijn leven. Ik probeerde me moed in te spreken. Jory leek niet op zijn vader, hij leek op Chris. Uiteindelijk zou Jory bijdraaien en het beste maken van wat hem nog restte.

Ik zat op het bed en staarde naar mijn schoondochter, en besefte dat ik haar niet kende. Het meisje niet kende dat ik sinds haar elfde jaar had gezien en meegemaakt. Ik had de façade gezien van een mooi, elegant meisje dat altijd vol adoratie naar Jory leek op te zien. 'Wat voor soort vrouw ben je, Melodie? Wat voor vrouw ben je?'

Ze liet zich op haar rug rollen en keek me woedend aan.

'Niet jouw soort, Cathy!' schreeuwde ze bijna. 'Jij bent van opvallend hard materiaal gemaakt. Ik niet. Ik was verwend, zoals jij je lieve kleine Cindy verwent. Ik was enig kind en ik kreeg alles wat ik wilde hebben. Toen ik klein was ontdekte ik al dat het leven geen sprookje is. En dat weigerde ik te aanvaarden. Toen ik oud genoeg was, zocht ik mijn toevlucht in het ballet. Ik hield mezelf voor dat ik alleen in de fantasiewereld het geluk zou kunnen vinden. Toen ik Jory leerde kennen leek hij de prins te zijn die ik nodig had. Prinsen vallen niet en breken hun rug niet, Cathy. Ze worden nooit invalide. Hoe kan ik met Jory leven als ik hem niet langer zie als een prins? Hoe, Cathy? Vertel me hoe ik mijn ogen blind kan maken en mijn gevoel afstompen, zodat ik geen afkeer voel als hij me aanraakt.'

Ik stond op.

Ik staarde naar haar rode ogen, haar gezicht dat gezwollen was van het vele huilen en voelde al mijn bewondering voor haar verdwijnen. Zwak, dat was ze. Wat een idioot om te geloven dat Jory niet van hetzelfde vlees en bloed gemaakt was als elke andere man. 'Als jij eens invalide was geworden, Melodie. Zou je dan willen dat Jory je in de steek liet?'

Ze keek me recht in de ogen. 'Ja.'

Ik liet Melodie huilend op bed achter.

Chris wachtte beneden op me. 'Ik dacht dat als jij vanmorgen ging, ik vanmiddag naar hem toe zou kunnen gaan, en dan kan Melodie vanavond gaan met Cindy. Je hebt haar natuurlijk overgehaald om te gaan.'

'Ja, ze gaat, maar vandaag nog niet,' zei ik zonder hem aan te kijken. 'Ze wil wachten tot hij zijn ogen opendoet en wat zegt. Dus zal ik zien dat ik op een of andere manier tot hem doordring, hem laten reageren.'

'Als iemand dat kan dan ben jij het,' mompelde Chris in mijn haar.

Jory lag achterover op bed. De breuk was zo laag in zijn rug dat hij in de verre toekomst misschien zelfs zijn potentie weer terug zou krijgen. Er waren bepaalde oefeningen die hij later kon doen.

Ik had twee grote gemengde boeketten gekocht die ik in vazen zette.

'Goeiemorgen, schat,' zei ik opgewekt toen ik zijn kleine steriele kamer binnenkwam.

Jory draaide zijn hoofd niet om, keek niet naar me. Hij lag precies zoals ik hem de laatste keer had gezien, recht naar het plafond starend. Ik gaf een zoen op zijn kil aanvoelende gezicht en begon de bloemen te schikken.

'Misschien interesseert het je dat Melodie niet langer last heeft van ochtendziekte. Maar ze is erg moe. Ik herinner me dat ik ook zo moe was toen ik jou verwachtte.'

Ik beet op mijn tong, want ik had Julian verloren korte tijd nadat ik wist dat ik een kind verwachtte. 'Het is een vreemde zomer, Jory. Ik kan niet zeggen dat ik Joel graag mag. Hij schijnt erg op Bart gesteld te zijn, maar hij doet niet anders dan Cindy bekritiseren. Ze kan niets goed doen in Joels ogen, of in Barts ogen. Ik begin te geloven dat het een goed idee zou zijn om Cindy naar een zomerkamp te sturen tot haar studie weer begint in de herfst. Jij vindt toch niet dat Cindy zich misdraagt?'

Geen antwoord.

Ik probeerde niet te zuchten en niet ongeduldig naar hem te kijken. Ik schoof een stoel naast Jory's bed en pakte zijn slappe hand. Geen reactie. Het was net of je een dode vis vasthield. 'Jory, ze blijven je kunstmatige voeding geven,' waarschuwde ik. 'En als je blijft weigeren te eten, stoppen ze nog meer buizen in je aderen en gebruiken ze andere methodes om je in leven te houden, al moeten we je aan alle machines leggen, die je in leven houden tot je niet koppig meer bent en bij ons terugkomt.'

Hij knipperde niet met zijn ogen en sprak niet.

'Goed, Jory. Ik heb geduld met je gehad, maar nu heb ik er genoeg van.' Mijn stem klonk hard. 'Ik hou te veel van je om je daar te zien liggen en jezelf te zien dwingen om dood te gaan. Dus je geeft nergens meer om, hè?

'Je bent invalide en je moet in een rolstoel zitten tot je met een paar krukken kunt omgaan, als je die ambitie ooit zult hebben. Je hebt medelijden met jezelf en vraagt je af hoe het verder moet. Anderen hebben het gedaan. Anderen hebben een leven voor zichzelf geschapen, mensen die er erger aan toe waren dan jij. Je zegt tegen jezelf dat het je niet interesseert wat een ander doet, want dat het jouw lichaam is en jouw leven, en misschien heb je gelijk. Het doet er niet toe wat een ander doet, als je egoïstisch wilt denken.

'Je kunt zeggen dat de toekomst je niets meer te bieden heeft. Dat dacht ik ook in het begin. Ik vind het vreselijk je daar zo stil te zien liggen, Jory. Het breekt mijn hart, en het hart van je vader, en Cindy is buiten zichzelf van ongerustheid. Bart is zo bezorgd dat hij het niet over zijn hart kan verkrijgen hier te komen en je zo stil te zien liggen. En wat denk je dat je Melodie aandoet? Ze verwacht je kind, Jory. Ze huilt de hele dag. Ze is een ander mens geworden, omdat ze ons hoort praten over jouw gebrek aan reactie en je koppige weigering om te aanvaarden wat niet te veranderen is. Het spijt ons, het spijt ons verschrikkelijk dat je het gebruik van je benen kwijt bent, maar wat kunnen wij anders doen dan het beste te maken van een ellendige situatie? Jory, kom bij ons terug. We hebben je nodig. We zijn niet bereid rustig toe te kijken hoe jij jezelf doodmaakt. We houden van je. Het kan ons geen donder schelen of je niet kan dansen en niet kan lopen, we willen alleen maar dat je leeft, dat we je kunnen zien, met je praten. Spreek tegen ons, Jory. Zeg iets, wat dan ook. Spreek tegen Melodie als ze komt. Reageer als ze je aanraakt, anders verlies je Melodie en je kind. Ze houdt van je, dat weet je. Maar geen vrouw kan leven van de liefde, als de man die ze liefheeft zich omdraait en haar afwijst. Ze komt niet omdat ze niet kan aanzien hoe je ons afwijst.'

Tijdens die hele lange hartstochtelijke toespraak hield ik mijn ogen strak op zijn gezicht gericht, hopend op een kleine verandering van uitdrukking. Ik werd beloond toen ik een spiertje naast zijn lippen zag trekken.

Aangemoedigd ging ik verder. 'Melodie's ouders hebben gebeld en voorgesteld dat ze bij hen komt om de baby te krijgen. Wil je dat Melodie weggaat, in de overtuiging dat ze toch niets voor jou kan doen? Jory, alsjeblieft, alsjeblieft, doe ons en jezelf dit niet aan. Je hebt de wereld nog zoveel te bieden. Je bent meer dan alleen maar een danser, weet je dat niet? Dat talent is maar één van de vele takken aan een boom. Je hebt die andere takken zelfs nooit onderzocht. Wie weet wat je daar ontdekt? Vergeet niet dat ook mijn leven bestond uit dansen, en toen ik niet meer kon dansen wist ik niet wat ik met mezelf moest beginnen. Ik hoorde de muziek spelen en zag jou met Melodie dansen in de zitkamer. Ik verstarde van binnen en probeerde de muziek buiten te sluiten, omdat mijn benen wilden dansen. Mijn ziel steeg omhoog, maar ik kwam met een smak neer op de aarde en huilde. Maar toen ik begon te schrijven dacht ik niet langer aan dansen. Jory, je zult iets vinden dat je belangstelling vasthoudt, iets dat het dansen kan vervangen. Ik weet het zeker.'

Voor het eerst sinds hij wist dat hij nooit meer zou lopen of dansen, draaide Jory zijn hoofd om. Alleen dat al maakte me blij.

Hij keek me heel even aan. Ik zag de onvergoten tranen in zijn ogen glinsteren. 'Is Mel van plan naar haar ouders te gaan?' vroeg hij hees.

Ik wist niet wat Melodie zou doen, ook al werd hij weer de oude Jory. Maar ik moest de juiste woorden kiezen, en ik wist me zo zelden goed uit te drukken. Ik had gefaald bij Julian, ik had gefaald bij Carrie. *God, alstublieft, laat me niet falen bij Jory.*

'Ze zou je nooit in de steek laten als je bij haar terugkwam. Ze heeft je nodig, ze verlangt naar je. Je wendt je van ons af en daarmee bewijs je haar dat je je ook van haar zult afkeren. Je voortdurende zwijgen, je weigering om te eten, zeggen veel, Jory, zo veel dat Melodie bang is. Ze is anders dan ik. Ze veert niet terug en schopt en schreeuwt. Ze huilt.

Ze eet bijna niet en ze is zwanger, Jory. Zwanger van jouw baby. Bedenk eens hoe jij je voelde toen je hoorde wat je vader had gedaan en denk dan aan het effect dat jouw dood zal hebben op je kind. Denk daar lang en goed over na, voordat je verdere plannen maakt. Denk aan jezelf, hoe graag jij je eigen natuurlijke vader had willen hebben. Jory, doe niet als je vader en laat niet ook een vaderloos kind achter. Vernietig ons niet, door jezelf te vernietigen.'

'Maar, mams,' riep hij diepbedroefd uit. 'Wat moet ik doen? Ik wil de rest van mijn leven niet in een rolstoel zitten! Ik ben kwaad, zo verdomd kwaad, dat ik wil uithalen en iedereen pijn doen! Wat heb ik gedaan om zo'n straf te verdienen? Ik ben een goede zoon geweest, een trouwe echtgenoot. Maar ik kan nu geen echtgenoot meer zijn. Er is daar beneden geen enkele prikkeling meer. Ik voel niets beneden mijn middel. Ik ben dood beter af dan zoals dit.'

Ik boog mijn hoofd en drukte mijn wang tegen zijn levenloze hand. 'Misschien wel, Jory. Goed, honger jezelf dan maar verder uit en dwing jezelf om te sterven, dan hoef je nooit in die rolstoel te zitten. Denk maar niet aan ons. Vergeet het verdriet dat je ons aandoet als jij er niet meer bent. Vergeet al diegenen die Chris en ik al hebben verloren. We kunnen ons aanpassen, we zijn eraan gewend de mensen te verliezen van wie we het meest houden. We voegen jou gewoon toe aan de lijst van al degenen over wie we ons schuldig voelen, schuldig moeten en zullen voelen. We zullen zoeken en zoeken, tot we iets vinden dat we verkeerd hebben gedaan, en dat zullen we buiten proporties opblazen, tot alle geluk onmogelijk is geworden, en we zullen het graf ingaan met het schuldige besef dat we alweer een leven verloren hebben laten gaan.'

'Mams! Stop! Ik kan er niet tegen als je zo praat!'

'Ik kan er niet tegen wat je ons aandoet! Jory! Geef het niet op! Dat is niets voor jou. Vecht terug. Zeg tegen jezelf dat je dit zult overwinnen, en dat je een betere, sterkere man zult worden omdat je tegenslagen hebt verwerkt waar anderen geen idee van hebben.'

Hij luisterde. 'Ik weet niet of ik terug wil vechten. Sinds dat ongeluk heb ik hier gelegen en erover nagedacht wat ik zou kunnen doen. Zeg niet dat ik niets hoef te doen omdat jij rijk bent en ik ook geld heb. Het leven is niets zonder doel, dat weet je.'

'Je kind. Maak je kind tot dat doel. Maak Melodie gelukkig, dat is ook een doel. Blijf, Jory, blijf. Ik kan het niet verdragen nog iemand te verliezen, ik kan het niet, ik kan het niet.' Ik begon te huilen.

En ik was zo vast van plan geweest geen zwakheid te tonen, niet te huilen. Ik snikte wanhopig, zonder hem aan te kijken. 'Toen je vader stierf, werd mijn baby het belangrijkste in mijn leven. Misschien deed ik het om een schuldig geweten te sussen, ik weet het niet. Maar toen jij kwam in de nacht van St. Valentijn, en ze legden je op mijn buik, zodat ik je kon zien, barstte mijn hart bijna van trots. Je pakte mijn vinger en je wilde die niet meer loslaten. Paul was erbij, en Chris ook. Ze waren gek op je, vanaf het eerste begin. Je was zo'n lieve, vrolijke baby. Ik geloof dat we je allemaal hebben verwend; je hoefde nooit te huilen om je zin te krijgen. Jory, ik weet nu dat het niet mogelijk is jou te verwennen. Je hebt een innerlijke kracht die je overal overheen helpt. Uiteindelijk zul je blij zijn dat je bent blijven leven om je kind te zien. Ik weet dat je blij zult zijn.'

De woorden kwamen er onsamenhangend en snikkend uit. Ik geloof dat Jory medelijden met me had. Hij bewoog zijn hand en veegde mijn tranen weg met de punt van het witte laken.

'Enig idee wat ik zou kunnen doen in een rolstoel?' vroeg hij zachtjes spottend.

'O, ik heb wel duizend ideeën, Jory. De dag is niet lang genoeg om ze allemaal op te sommen. Je kunt leren pianospelen, schilderen, schrijven. Of je kunt balletles geven. Daarvoor hoef je niet te kunnen lopen; je hebt alleen maar een grote woordenschat nodig en een onvermoeibare tong. Of je kunt wat zakelijkers doen, rechten studeren en een concurrent worden van Bart. Er is eigenlijk maar weinig wat je niet kunt. We zijn allemaal gehandicapt op de een of andere manier. Dat hoor jij te weten. Bart heeft zijn onzichtbare handicap, die erger is dan de jouwe. Denk eens aan al zijn problemen, terwijl jij danste en een geweldige tijd had. Hij was onder behandeling van psychiaters.'

Zijn ogen stonden helderder, en er lag een vage hoop in.

'Bart heeft een zwembad in de tuin laten aanleggen. Je artsen zeggen dat je armen erg sterk zijn, en na wat fysieke therapie zul je weer kunnen zwemmen. En er is daar een hele nieuwe wereld van elektronica die je beslist zal interesseren.'

'Wat wil *jij* dat ik doe, mams?' Zijn stem klonk zacht en vriendelijk, en hij streek over mijn haar. Er lag een tedere blik in zijn ogen.

'Leven, Jory, dat is alles.'

Zijn ogen waren zacht en vol tranen. 'En jij, en paps en Cindy? Waren jullie niet van plan naar Hawaii te verhuizen?'

Ik had al in weken niet meer aan Hawaii gedacht. Ik staarde nietsziend voor me uit. Hoe konden we weggaan nu Jory invalide was en Melodie volkomen in de war? We konden niet weg.

We waren weer de gevangenen van Foxworth Hall.

Boek twee

DE ONWILLIGE ECHTGENOTE

Tot onze spijt moesten Chris en ik Cindy verwaarlozen, omdat we zoveel tijd doorbrachten in het ziekenhuis. Cindy werd rusteloos en verveelde zich in het vijandige huis, met Joel, die alleen maar kritiek had, met Melodie die niemand meer iets te bieden had.

'Mamma!' jammerde ze. 'Ik heb het zo slecht naar mijn zin! Het is een afschuwelijke zomer geweest, de ergste die ik ooit heb meegemaakt. Het spijt me dat Jory in het ziekenhuis ligt en dat hij nooit meer zal kunnen lopen of dansen, en ik wil voor hem doen wat ik kan – maar *ik* dan? Er mogen maar twee bezoekers tegelijk bij hem, en jij en paps zijn er altijd. En zelfs al kom ik bij hem, dan weet ik toch niet wat ik moet zeggen of doen. En ik weet ook niet wat ik moet doen als ik hier ben. Dit huis ligt zo geïsoleerd van de rest van de wereld, dat het is of je op de maan leeft, saai en vervelend. Je zegt dat ik niet het dorp in mag gaan, geen afspraakjes mag maken zonder dat jij het weet, maar je bent er nooit om het je te vragen als iemand me uitnodigt. Je zegt dat ik niet mag zwemmen als Bart en Joel in de buurt zijn. Ik mag zoveel dingen *niet*. Wat mag ik dan *wel*?'

'Zeg maar wat je wilt,' zei ik. Ik had medelijden met haar. Ze was zestien en ze had verwacht dat deze vakantie iets verrukkelijks zou worden. En nu bleek het grote huis, dat ze in het begin zo had bewonderd, in sommige opzichten net zo'n gevangenis voor haar te zijn als het oude huis voor ons was geweest.

Ze ging met gekruiste benen op de grond naast me zitten. 'Ik wil Jory's gevoelens niet kwetsen door weg te gaan, maar ik word gek hier. Melodie blijft de hele tijd in haar kamer, en ze houdt haar deur op slot en weigert me binnen te laten. Joel zou me het liefst vernietigen met zijn valse ouwe ogen. Bart doet net of hij me niet ziet. Vandaag kreeg ik een brief van mijn vriendin Bary Boswell; zij gaat naar een fantastisch zomerkamp, een paar kilometer ten noorden van Boston, waar een zomertheater in de buurt is. En waar je kan zwemmen in het meer, en zeilen en elke zaterdag dansen, en allerlei dingen leren. Ik vind het leuk om met meisjes van mijn eigen leeftijd te zijn, en het is precies het soort kamp waar ik graag naar toe ga. Je kunt ernaar informeren, het heeft een heel goede reputatie, maar alsjeblieft laat me gaan voordat ik hier gek word.'

Ik had zo naar een intieme, elkaar-weer-helemaal-opnieuw-leren-kennen zomer verlangd, en nu wilde Cindy alweer weg en ik had lang niet genoeg tijd met haar doorgebracht. Maar ik kon het wel begrijpen. 'Ik zal er vanavond met je vader over praten,' beloofde ik. 'We willen dat je gelukkig bent, Cindy, dat weet je. Het spijt me dat we jou verwaarloosd hebben in onze zorg om Jory. Laten we het nu eens over jou hebben. Hoe zit het met jongens die je op Barts feest hebt ontmoet, Cindy? Zie je die nog wel eens?'

'Bart en Joel hebben alle autosleutels verstopt, zodat ik niet met de auto weg kan. En dat is nou precies wat ik zo graag zou doen, of ze het goed vinden of niet. Ik zou stiekem door een raam naar buiten willen kruipen, maar de ramen zijn zo hoog boven de grond, en ik bang dat ik val als ik spring, en me pijn doe. Maar ik denk wel voortdurend aan jongens. Ik mis ze, ik mis mijn afspraakjes en mijn dansavonden. Ik weet wat je denkt, want Joel loopt altijd te mompelen dat ik geen moraal heb. Ik probeer echt me netjes te gedragen, heus. Maar ik weet niet hoe lang ik nog maagd kan blijven. Ik hou me voor dat ik ouderwets wil zijn en het niet doen voor ik getrouwd ben, maar ik ben niet van plan te trouwen voor ik minstens dertig ben. En als ik uit ben met een jongen die ik echt aardig vind en hij zet me onder druk, dan wil ik toegeven. Ik hou van dat prikkelende opwindende gevoel dat mijn hart sneller doet kloppen. Mijn lichaam verlangt ernaar. Mams, waarom heb ik niet die kracht die jij hebt? Hoe kan ik mijn echte ik vinden? Ik ben gevangen in een wereld die niet weet wat hij wil, dat vertel jij me altijd. Maar als die wereld het niet weet, hoe moet ik het dan weten? Ik zou willen zijn wat *jij* wilt dat ik ben, lief en zuiver, maar *ik* wil sexy zijn. Die twee zijn met elkaar in tegenspraak. Ik wil dat jij en paps van me houden, dus probeer ik zo lief en zedig te zijn als jij denkt dat ik ben, maar ik ben niet zo onschuldig, mamma. Ik wil dat alle knappe jongens verliefd op me zijn. En op een dag zal ik me niet meer kunnen beheersen.'

Ik glimlachte toen ik haar bezorgde gezichtje zag, haar angst dat ik geshockeerd zou zijn. En ik denk ook dat ze bang was dat ze nu haar kans had bedorven om uit dit huis te ontsnappen. Ik sloeg mijn armen om haar heen. 'Hou vast aan je moraal, Cindy. Je bent veel te talentvol en te mooi om jezelf weg te geven, als een of andere waardeloze del. Denk goed over jezelf, dan doen anderen dat ook.'

'Maar, mams, hoe kan ik nee zeggen en toch zorgen dat de jongens me aardig blijven vinden?'

'Er zijn een hoop jongens die niet van je verwachten dat je met ze naar bed gaat, Cindy, en dat is het soort jongens dat je nodig hebt. De jongens die met je naar bed willen zullen je waarschijnlijk heel gauw aan de kant zetten als ze eenmaal gekregen hebben wat ze willen. Iets in een man maakt dat ze elke vrouw willen veroveren, vooral een uitzonderlijk mooie vrouw als jij bent. En vergeet niet dat ze onder elkaar praten en verslag uitbrengen over de meest intieme details als ze niet echt van je houden.'

'Mams! Je geeft me het gevoel dat het iets vreselijks is om een vrouw te zijn! Ik wil niet dat ze *mij* in de val lokken, ik wil *hen* in de val lokken! Maar ik moet eerlijk bekennen dat ik niet erg goed ben in het nee zeggen. Bart heeft gemaakt dat ik me zo onzeker voel over mezelf dat ik alle jongens van het tegendeel wil overtuigen. Maar vanaf vandaag, als ik met een jongen op de achterbank zit en hij zegt dat-ie ziek wordt als ik zijn verlangen niet bevredig, zal ik geen medelijden meer met hem hebben. Ik zal denken aan jou en paps en zijn hersens inslaan of hem een knietje geven op de plaats waar het pijn doet.'

Ze maakte me aan het lachen, en ik had in weken al niet meer gelachen. 'Goed, schat, ik weet dat je uiteindelijk zult doen wat goed is. Laten we het dus liever over het zomerkamp hebben, dan kan ik je vader alle bijzonderheden vertellen.'

'Bedoel je dat ik mijn kans niet verprutst heb?' vroeg ze verrukt.

'Natuurlijk niet. Ik denk dat Chris het wel met me eens zal zijn dat je eens wat anders nodig hebt dan al die ellende hier.'

Chris was het inderdaad met me eens, hij vond net als ik dat een meisje van zestien plezier moest hebben in de zomervakantie. Zodra Cindy het wist, moest ze met alle geweld naar Jory om het hem te vertellen. 'Dat ik wegga betekent niet dat ik me er niets van aantrek, maar ik verveel me zo verschrikkelijk, Jory. Ik zal je heel vaak schrijven en kleine cadeautjes sturen.' Ze omhelsde hem, zoende hem, en haar tranen vielen op zijn gladgeschoren gezicht. 'Niets kan wegnemen wat jij bent, Jory, dat mooie dat zoiets bijzonders van je maakt, en dat zit niet in je benen. Ik zou je zelf willen hebben, als je mijn broer niet was.'

'Dat geloof ik, ja,' zei hij een beetje ironisch. 'Maar in ieder geval bedankt.'

Chris en ik lieten Jory lang genoeg alleen met zijn verpleegster om Cindy naar het dichtstbijzijnde vliegveld te rijden, waar we haar een afscheidszoen gaven en Chris haar wat zakgeld gaf. Ze was enthousiast over het bedrag en zoende hem steeds opnieuw, tot ze eindelijk hevig zwaaiend wegliep. 'Ik zal echte brieven schrijven,' beloofde ze. 'Niet alleen maar ansichtkaarten. En ik zal foto's opsturen. Bedankt voor alles, en vergeet niet om vaak te schrijven en me alles te vertellen wat er gebeurt. Eigenlijk lijkt het wonen in Foxworth Hall een beetje op het gevangen zitten in een geheimzinnige roman, alleen is het veel te angstig als je het verhaal werkelijk beleeft.'

Op weg naar het ziekenhuis vertelde Chris me zijn plannen. We konden nu naar Hawaii verhuizen en Jory overlaten aan de twijfelachtige zorgen van Bart en Joel. En Melodie was niet eens in staat voor zichzelf te zorgen, laat staan voor een echtgenoot met zijn rug in het gips, zelfs niet als ze een verpleegster huurde. En het zou nog maanden duren voor Jory en Melodie de lange vliegreis naar Hawaii konden maken.

'Ik zal niet weten wat ik moet doen als Jory teruggaat naar de Hall, met zijn eigen verzorgers om zich heen, evenmin als Cindy wist hoe ze zich bezig moest houden. Jory zal me niet elk uur nodig hebben. Ik zal me nutteloos voelen, tenzij ik iets zinvols doe, Cathy. Ik ben nog niet oud. Ik heb nog een hoop goeie jaren voor me.'

Triest draaide ik mijn hoofd om en keek naar hem; hij hield zijn ogen op het verkeer gericht. Hij ging verder zonder me aan te kijken. 'De geneeskunde heeft altijd een belangrijke rol gespeeld in mijn leven. Dat betekent niet dat ik mijn belofte zal breken om meer tijd te besteden aan jou en mijn gezin dan aan mijn beroep. Maar vergeet niet wat het verliezen van een carrière betekent voor Jory.'

Ik schoof dichter naar hem toe en legde mijn hand op zijn schouder, vertelde hem met gesmoorde stem dat hij moest doen wat hem goeddunkte. 'Maar denk eraan dat een arts een onberispelijke staat van dienst moet hebben en op een dag kan er over ons geroddeld worden.'

Hij knikte en zei dat hij daarmee altijd rekening had gehouden. Deze keer wilde hij zich bezig houden met de research-kant van de geneeskunde. Hij zou geen mensen ontmoeten, die hem zouden herkennen als een Foxworth. Hij had er veel over nagedacht. Hij begon zich te vervelen nu hij gedwongen was thuis te blijven en niets kon bijdragen. Hij moest iets belangrijks doen, anders zou hij de identiteit verliezen die hij zo nodig had. Ik glimlachte zo opgewekt mogelijk, al voelde ik mijn hart in mijn schoenen zinken, want zijn droom om op Hawaii te wonen was ook mijn droom.

Met de armen om elkaar heengeslagen gingen we het reusachtige huis binnen, dat met wijd geopende kaken op ons wachtte.

Melodie had zich opgesloten in haar kamer, Joel zat in het kleine kamertje zonder meubels op zijn knieën te bidden, terwijl een enkele kaars brandde in het schemerdonker. 'Waar is Bart?' vroeg Chris. Hij keek om zich heen, alsof hij verbaasd was dat iemand zoveel tijd wilde doorbrengen op zo'n trieste, sombere plaats.

Joel fronste zijn wenkbrauwen, glimlachte toen vaag, alsof hij niet mocht vergeten dat hij vriendelijk moest lijken. 'Bart zit in een of andere bar en drinkt zich een stuk in zijn kraag, zoals hij het uitdrukte.'

Ik had niet geweten dat Bart ooit zoiets deed. Spijt omdat hij de voorstelling had georganiseerd die de benen van zijn broer had verlamd en zijn carrière vernietigd? Spijt omdat hij Cindy had verdreven? Wist Bart wat het was om spijt te hebben? Ik staarde sprakeloos naar Joel, die door de kamer ijsbeerde, schijnbaar erg van streek. Maar wat kon het hem schelen hoe Bart zich gedroeg?

De oude man volgde ons, zoals hij gewoonlijk Bart volgde. 'Hij hoorde beter te weten,' mompelde Joel. 'Hoeren en ontuchtige vrouwen hangen rond in bars; ik heb hem gewaarschuwd.'

Zijn woorden intrigeerden me. 'Wat is het verschil tussen een hoer en een ontuchtige vrouw, Joel?'

Hij keek naar me met zijn valse ogen. Alsof een licht hem verblindde, beschermde hij ze met zijn knokige hand.

'Spot je met me, niet? Beide namen staan in de bijbel, zodat er verschil moet zijn.'

'Misschien is een hoer slechter dan een ontuchtige vrouw, of andersom? Bedoel je dat?'

Hij keek me woedend aan, zei me met zijn glinsterende valse ogen dat ik hem kwelde met mijn belachelijke vragen.

'Er zijn ook nog tippelaarsters, Joel, en tegenwoordig hebben we callgirls, en prostituees. Staan die tussen de hoeren en de ontuchtige vrouwen in of zijn ze hetzelfde?'

Zijn ogen werden hard en richtten zich op me met de fanatieke blik van een maagdelijke heilige. 'Je mag me niet, Catherine. Waarom mag je me niet? Wat heb ik gedaan, dat je me wantrouwt? Ik blijf hier om Bart te beschermen tegen het slechtste in hemzelf, anders zou ik vandaag nog vertrekken vanwege jouw houding, en ik ben meer een Foxworth dan jij.' Toen veranderde de uitdrukking op zijn gezicht en zijn lippen vertrokken. 'Nee, dat neem ik terug. Jij bent *twee keer* de Foxworth die ik ben.'

Ik haatte hem dat hij me daaraan herinnerde! Maar hij wist te bereiken dat ik me schaamde, alsof ik de zwijgende boodschappen die hij naar me had uitgezonden verkeerd had opgevangen. Ik verdedigde me niet, protesteerde niet, probeerde hem niet van het tegendeel te overtuigen. Evenmin zei Chris een woord om de confrontatie te voorkomen waarvan hij voelde dat die vroeg of laat zou komen.

'Ik weet niet waarom ik je niet vertrouw, Joel,' zei ik op een vriendelijkere toon dan ik meestal tegen hem gebruikte. 'Misschien omdat je te hard schreeuwt over je vader, wat me eraan doet twijfelen of je een haar beter of anders bent dan hij.'

Zonder verder een woord te zeggen, maar met een trieste blik, die ongetwijfeld gehuicheld was, draaide hij zich om en schuifelde weg, zijn handen in die onzichtbare bruine monniksmouwen.

Diezelfde avond, toen Melodie weer alleen in haar kamer at, nam ik een besluit. Al wilde ze niet en zou ze zich verzetten, ik zou Melodie naar Jory rijden om hem te bezoeken!

Met grote passen liep ik haar kamer in en haalde het blad met eten, dat ze bijna niet had aangeroerd, weg, zonder een woord te zeggen. Ze droeg dezelfde haveloze peignoir die ze al dagen aan had. Ik haalde haar mooiste zomerjurk uit de kast en gooide die op bed. 'Neem een douche, Melodie, en was je haar. En kleed je dan aan, want we gaan vanavond naar Jory, of je wilt of niet.'

Ze sprong onmiddellijk overeind en protesteerde hevig. Hysterisch zei ze dat ze nog niet kon, dat ze nog niet zover was, en dat ik haar niet kon dwingen iets tegen haar zin te doen. Ik schoof haar bezwaren opzij, schreeuwde terug dat ze waarschijnlijk nooit zover zou zijn, en dat het me niet kon schelen wat voor excuses ze bedacht, ze ging!

'Je kan me niet dwingen iets te doen, wat ik niet wil, verdomme!' gilde ze. Ze was doodsbleek en deinsde achteruit. Toen smeekte ze me snikkend haar wat meer tijd te geven om te wennen aan het idee dat Jory invalide was. Ik zei dat ze tijd genoeg had gehad. Ik was eraan gewend, en Chris, en Cindy, en zij kon doen alsof; per slot was ze een artieste die een rol kon spelen.

Ik moest Melodie letterlijk naar de douche slepen en haar naar binnen duwen toen ze een bad wilde. Maar ik kende Melodie. Ze zou in het bad blijven zitten tot haar huid gerimpeld was en het bezoekuur voorbij. Ik bleef voor de douche wachten en spoorde haar aan om zich te haasten. Ze kwam naar buiten, een handdoek om zich heen geslagen, nog steeds snikkend, terwijl haar blauwe ogen smeekten om genade.

'Hou op met huilen!' beval ik. Ik duwde haar op het krukje voor de toilettafel. 'Ik föhn je haar, terwijl jij je opmaakt. En zorg dat je die opgezwollen rode plekken rond je ogen goed maskeert, want Jory zal erg goed op je letten. Je moet hem overtuigen dat je liefde voor hem niet veranderd is.'

Ik praatte aan een stuk door, om haar te overtuigen dat ze de juiste woorden zou vinden, het juiste gezicht zou weten te trekken en intussen droogde ik haar mooie blonde haar.

Haar haar had een prachtige glans en was dieper van kleur dan het mijne; ik had geen rode gloed in mijn haar. En het was steviger en resistenter dan dat fijne vlashaar van mij. Toen ik Melodie had aangekleed besproeide ik haar vluchtig met Jory's lievelingsparfum, terwijl ze in een soort trance bleef staan, alsof ze niet wist wat ze nu moest doen. Ik omhelsde haar even en duwde haar toen in de richting van de deur.

'Kom, Melodie, zo erg is het niet. Hij houdt van je en hij heeft je nodig. Als je er eenmaal bent en hij kijkt naar je, zul je vergeten dat zijn benen verlamd zijn. Je zult instinctief de juiste dingen zeggen en doen. Ik weet het, want je houdt van hem.'

Bleek onder haar make-up, staarde ze me met grote sombere ogen aan, alsof ze haar twijfels had, maar wist dat ze die beter vóór zich kon houden.

Bart was intussen thuis gekomen uit een bar waar hij voldoende had gedronken om zijn benen slap te maken en zijn ogen troebel. Hij zakte weg in een fauteuil, met zijn benen voor zich uitgestrekt. Achter hem in de schaduw stond Joel als een stervende palm. 'W'r gaje toe?' vroeg Bart onduidelijk, toen ik probeerde Melodie door de gang naar de garage te brengen zonder dat hij het merkte.

'Naar het ziekenhuis,' zei ik, Melodie meetrekkend naar de grote garage. 'En ik vind dat het tijd wordt dat jij je broer weer eens een bezoek brengt, Bart. Niet vanavond, maar morgen. Koop iets voor hem wat hem afleidt. Hij wordt gek van het nietsdoen.'

'Melodie, je hoeft niet te gaan als je niet wilt,' zei Bart, die wankelend overeind kwam. 'Laat je niet de wet voorschrijven door mijn tirannieke moeder.'

Ze rilde, bleef opzettelijk achter, smeekte hem zwijgend met haar ogen. Meedogenloos sleurde ik haar mee en dwong haar in de auto te stappen.

Bart kwam wankelend de garage binnen, riep tegen Melodie dat hij haar zou redden, en toen verloor hij zijn evenwicht en viel dronken op de grond. Ik drukte op de elektrische knop om een van de enorme garagedeuren te openen en reed achteruit naar buiten.

De hele weg naar Charlottesville, tot ik parkeerde voor het ziekenhuis, zat Melodie rillend en snikkend naast me en probeerde me te overtuigen dat ze Jory meer kwaad zou doen dan goed. En al die tijd probeerde ik haar zelfvertrouwen te geven, zodat ze tegen de situatie opgewassen zou zijn.

'Melodie, alsjeblieft, ga naar binnen met een glimlach. Neem die nobele houding aan, dat vorstelijke air van een prinses, dat je altijd had.

En als je bij zijn bed bent, neem je hem in je armen en kust hem.'

Ze knikte zwijgend, als een angstig kind.

Ik legde de rozen die ik had gekocht en de cadeaus die ik mooi had ingepakt in haar armen. Eén van de cadeautjes had ze voor hem gekocht om hem te geven na Barts party. 'En je zegt dat je niet eerder bent geweest, omdat je je zwak, moe en ziek voelde. Vertel hem al je andere zorgen ook als je dat wilt. Maar waag het niet er zelfs maar op te zinspelen dat je je niet langer zijn vrouw kunt voelen.'

Als een blinde robot knikte ze, dwong zich gelijke tred met me te houden.

We kwamen Chris in de gang tegen, toen we op de tweede verdieping uit de lift stapten. Hij lachte stralend toen hij Melodie zag. 'Geweldig, Melodie,' zei hij, en omhelsde haar even voor hij zich tot mij wendde. 'Ik ben naar buiten gegaan om iets te eten te kopen voor Jory en mij. Hij is in een vrij goede stemming. Hij heeft al zijn melk opgedronken en twee hapjes notentaart gegeten. Hij was altijd gek op notentaart. Melodie, als je kunt, probeer hem dan nog wat meer ervan te laten eten. Hij wordt zo mager, ik zou graag willen dat hij wat aankomt.'

Nog steeds sprakeloos, met grote, sombere ogen, knikte Melodie, keek naar de deur met het nummer 606 of ze naar de elektrische stoel ging. Chris gaf haar een vriendschappelijk begrijpend klopje op de rug, gaf mij een zoen en ging toen weg. 'Ik ga even met de artsen praten. Ik kom wat later en volg jullie in mijn eigen auto naar huis.'

Ik voelde me allesbehalve zelfverzekerd toen ik Melodie naar Jory's gesloten deur duwde. Hij had een manie om die deur gesloten te houden, zodat niemand de voormalige balletdanser hulpeloos op bed kon zien liggen. Ik klopte één keer, toen twee keer, ons signaal. 'Jory, ik ben het, je moeder.'

'Binnen, mams,' riep hij hartelijker dan de vorige keren. 'Paps vertelde me dat je elk moment kon komen. Ik hoop dat je een goed boek voor me hebt meegenomen. Ik heb dit uit.'

Hij zweeg en staarde naar Melodie die ik als eerste naar binnen had geduwd.

Ik had Chris gebeld om hem te vertellen wat ik van plan was, en hij had Jory geholpen zijn ziekenhuiskleding uit te trekken. Hij droeg nu een blauw zijden pyjamajasje. Zijn haar was keurig geborsteld. Zijn gezicht was schoon en geschoren, en voor het eerst sinds zijn ongeluk was zijn haar geknipt. Hij zag er beter uit dan sinds die afschuwelijke avond het geval was geweest.

Hij probeerde te glimlachen. Een hoopvolle blik verscheen in zijn ogen, zo blij was hij haar weer te zien.

Ze bleef stokstijf staan en kwam geen stap dichterbij het bed. Zijn aarzelende glimlach bevroor op zijn gezicht, terwijl hij zijn hunkerende verlangen, het flakkerende vlammetje van zijn hoop probeerde te verbergen. Hij keek naar haar, maar ze weigerde zijn blik te ontmoeten. De glimlach verdween en de vlam in zijn ogen flakkerde, sputterde en ging uit. Het waren nu dode ogen. Hij keerde zijn gezicht naar de muur.

Ogenblikkelijk ging ik achter Melodie staan, duwde haar naar het bed. Ze bleef als vastgenageld aan de grond staan, met haar armen vol rode rozen en cadeaus, en trilde als een espeblad. Ik gaf haar een por. 'Zeg wat,' fluisterde ik.

'Hi, Jory,' zei ze met een zacht bevend stemmetje en met een wanhopige blik in haar ogen. Ik duwde haar dichter naar hem toe. 'Ik heb rozen voor je meegebracht,' ging ze verder.

Hij bleef met zijn gezicht naar de muur liggen.

Weer gaf ik haar een por. Misschien moest ik naar buiten gaan en hen alleen laten, maar ik was bang dat zodra ik dat deed ze zich zou omkeren en weglopen.

'Het spijt me dat ik je niet eerder heb bezocht,' zei ze hakkelend, millimeter voor millimeter naar het bed toe schuivend. 'Ik heb ook een paar cadeautjes voor je meegebracht, een paar dingen die je moeder zei dat je nodig had.'

Hij draaide zijn hoofd met een ruk om, zijn donkerblauwe ogen smeulden van woede en wrok. 'En mijn moeder heeft je gedwongen om te komen, hè? Nu, je hoeft niet te blijven. Je hebt je rozen en je cadeaus gegeven. VERDWIJN NU!'

Melodie stortte in. Ze liet de rozen op zijn bed vallen, de cadeaus op de grond. Ze probeerde zijn hand te pakken, die hij snel wegrukte. 'Ik hou van je, Jory, en hét spijt me zo.'

'Ik twijfel er geen seconde aan dat het je spijt!' schreeuwde hij. 'Het spijt je verschrikkelijk dat alle glamour in één ogenblik is verdwenen, en nu zit je met een invalide echtgenoot! Nou, je zit er niet aan vast, Melodie! Je kunt morgen een eis tot echtscheiding indienen en vertrekken.'

Ik deinsde achteruit naar de deur, vervuld van medelijden met hem en met haar. Zachtjes liep ik naar buiten, maar liet de deur op een kier staan, zodat ik kon horen en zien wat er gebeurde. Ik was zo bang dat Melodie de kans zou aangrijpen om weg te gaan, of dat ze anders iets zou doen om zijn verlangen om te blijven leven stuk te maken. Ik zou alles doen wat ik kon om het haar te beletten.

Eén voor één raapte Melodie de gevallen rozen op. Ze gooide oude dorre bloemen in de prullemand, vulde de vaas met water in de kleine aangrenzende badkamer, schikte de rozen zorgvuldig, heel zorgvuldig, deed er heel lang over, alsof ze alleen door iets te doen kon voorkomen dat ze hem kapot maakte. Toen ze dat had gedaan ging ze weer naar het bed en raapte de drie pakjes op. 'Wil je ze niet openmaken?' vroeg ze zwakjes.

'Ik heb niets nodig,' zei hij effen en staarde weer naar de muur, zodat ik alleen de achterkant van zijn hoofd zag.

Ergens wist ze de moed vandaan te halen. 'Ik denk dat je wel mooi zal vinden wat erin zit. Je hebt vaak genoeg gezegd dat je het hebben wilde.'

'Het enige wat ik ooit heb gewild was dansen tot ik veertig was,' zei hij met gesmoorde stem. 'Nu is dat voorbij, en ik heb geen vrouw nodig, geen danspartner, ik heb helemaal niets meer nodig.'

Ze legde de pakjes op het bed en wrong haar bleke magere handen. Stille tranen rolden over haar wangen. 'Ik hou van je, Jory,' zei ze met moeite. 'Ik wil alles goed doen, maar ik ben niet zo dapper als je moeder en je vader, en daarom heb ik je niet eerder opgezocht. Je moeder wilde dat ik zei dat ik ziek was, en daarom niet kon komen, maar ik had wel kunnen komen. Ik zat in dat huis te huilen, en hoopte dat ik de kracht zou kunnen vinden om te glimlachen als ik eindelijk zou komen. Ik schaam me zo verschrikkelijk omdat ik zo zwak ben, omdat ik niet alles voor je doe, nu je me nodig hebt. En hoe langer ik wegbleef, hoe moeilijker het werd om naar je toe te gaan. Ik was bang dat je niet tegen me zou praten, niet naar me zou willen kijken, en dat ik iets doms zou doen waardoor je me zou gaan haten. Ik wil geen scheiding, Jory. Ik ben nog steeds je vrouw. Chris is gisteren met me naar een gynaecoloog geweest, en onze baby groeit normaal.'

Ze zweeg even en raakte aarzelend zijn arm aan. Hij trok spastisch met zijn arm alsof haar hand hem verbrandde, maar hij trok zijn arm niet weg – zij trok de hare weg.

Vanwaar ik stond in de gang kon ik voldoende van Jory's gezicht zien om te weten dat hij huilde, en erg zijn best deed het Melodie niet te laten merken. Ook in mijn ogen waren tranen. Ik kromp ineen, voelde me een indringster die niet het recht had te kijken en te luisteren. Maar ik had de moed niet om weg te gaan, zoals ik bij Julian was weggegaan, en toen ik hem de volgende keer zag was hij dood. Zo vader zo zoon, zo vader zo zoon, dreunde het in mijn hoofd.

Weer strekte ze haar hand uit om hem aan te raken, deze keer zijn haar. 'Wend je gezicht niet af, Jory. Kijk me aan. Laat me zien dat je me niet haat, omdat ik je in de steek gelaten heb op het moment dat je me het hardst nodig had. Schreeuw naar me, sla me, maar sluit je niet voor me af. Ik weet niet wat ik moet doen. Ik kan 's nachts niet slapen, omdat ik het gevoel heb dat ik iets had moeten doen om jou te beletten die rol te dansen. Ik heb dat ballet altijd gehaat, maar ik wilde het niet zeggen omdat het jouw choreografie was, jouw ballet.' Ze veegde haar tranen weg en zonk op haar knieën naast het bed, liet haar hoofd op zijn hand rusten die ze had beetgepakt.

Haar zachte stem drong nauwelijks tot me door. 'We kunnen samen een nieuw leven opbouwen. Jij kunt me leren hoe. Geef jij de leiding, Jory, en ik zal je volgen. Zeg alleen dat je wilt dat ik blijf.'

Misschien omdat ze nu haar gezicht verborgen hield en haar tranen zijn hand vochtig maakten, draaide hij zijn hoofd om en keek naar haar met gekwelde tragische ogen. Hij schraapte zijn keel voor hij sprak en droogde zijn tranen met de rand van het laken.

'Ik wil niet dat je blijft als het leven met mij een last voor je is. Je kunt altijd teruggaan naar New York en met andere partners dansen. Dat ik invalide ben betekent niet dat jij ook invalide moet zijn. Jij hebt je carrière, en al die jaren van hard werken en toewijding. Ga, Mel, mijn zegen heb je. Ik heb je nu niet nodig.'

Mijn hart ging naar hem uit. Ik wist dat het niet waar was.

Ze keek op. Haar make-up was uitgelopen door haar tranen. 'Hoe zou ik met mezelf kunnen leven, Jory? Ik blijf. Ik zal mijn best doen een goede vrouw voor je te zijn.' Ze zweeg even, terwijl ik dacht dat haar timing zo verkeerd was, zo verdomd verkeerd. Ze gaf hem de tijd om te bedenken dat hij geen vrouw nodig had, alleen maar een verpleegster en een gezelschapsdame, en een vervangende moeder voor zijn kind.

Ik sloot mijn ogen en begon te bidden. *God, laat haar de juiste woorden vinden.* Waarom vertelt ze hem niet dat het ballet niets voor haar betekent zonder hem? Waarom vertelt ze hem niet dat zijn geluk belangrijker is dan al het andere ter wereld? Melodie, Melodie, zeg iets tegen hem dat hem doet geloven dat zijn handicap niet belangrijk is, dat hij de man is van wie je houdt, de man die hij altijd zal blijven. Maar ze zei niets.

Ze maakte alleen zijn pakjes voor hem open, liet ze hem zien, terwijl hij met sombere ogen naar haar keek.

Hij bedankte haar voor de bestseller die ze hem gaf (door mij uitgezocht); bedankte haar voor het reis-scheeretui met drie zilveren scheerapparaten, elektrische en gewone, en een rond zilveren spiegeltje dat met een zuignapje aan elk glad oppervlak bevestigd kon worden. Er was ook een kwast met zilveren handvat, een zilveren scheerkom met zeep, eaude-cologne en after-shave. En tenslotte maakte ze het mooiste cadeau open, een enorme mahoniehouten doos vol waterverf, een hobby van Chris. Hij was van plan Jory de techniek van het aquarelleren bij te brengen zodra hij thuiskwam. Jory staarde lange tijd en zonder enige belangstelling naar de verfdoos en wendde toen zijn blik af. 'Je hebt een goede smaak, Mel.'

Ze boog haar hoofd en knikte. 'Heb je nog iets nodig?'

'Nee. Ga nu maar weg. Ik heb slaap. Het is fijn je weer te zien, maar ik ben moe.'

Aarzelend liep ze achteruit, terwijl mijn hart naar hen beiden uitging. Vóór dit ongeluk hielden ze zo verschrikkelijk veel van elkaar, en al die hartstocht was uitgewist door haar shock en zijn vernedering.

Ik kwam de kamer binnen.

'Ik hoop dat ik niet stoor, maar ik denk dat Jory moe is, Melodie.' Ik glimlachte vrolijk naar hen. 'Wacht maar tot je ziet wat we van plan zijn als je thuiskomt. Schilderen interesseert je nu misschien niet, maar later vast wel. En er ligt thuis nog meer moois op je te wachten. Je zult niet weten wat je ziet! Het is allemaal een welkom-thuis verrassing.' Ik omhelsde hem, wat niet gemakkelijk was, omdat zijn lichaam hard en stijf was door het gips. Ik gaf hem een zoen op zijn wang, woelde door zijn haar en kneep hem in zijn vingers. 'Alles komt in orde, schat,' fluisterde ik. 'Ze moet leren het te accepteren, net als jij. Ze doet erg haar best, en als ze niet de woorden zegt die jij graag wilt horen, komt dat alleen omdat ze nog te veel in een shocktoestand verkeert om goed te kunnen denken.'

Hij glimlachte ironisch. 'Natuurlijk, mams, natuurlijk. Ze houdt nog evenveel van me als toen ik nog kon lopen en dansen. Er is niets veranderd, niets belangrijks.'

Melodie was de kamer al uit en stond in de gang te wachten, dus zij hoorde niet wat hij zei. Steeds weer herhaalde ze op weg naar huis, terwijl Chris ons volgde: 'O, mijn God. O, mijn God, wat moeten we beginnen?'

'Je hebt het goed gedaan, Melodie, heus. Volgende keer gaat het nog beter,' zei ik opgewekt.

Een week ging voorbij, en het tweede bezoek van Melodie ging beter, en het derde nog beter. Ze stribbelde niet meer tegen als ik haar vertelde waar ze naar toe moest. Ze wist dat het geen zin had.

Op een dag zat ik me op te maken voor de lange spiegel in mijn kleedkamer. Chris kwam binnen met een tevreden gezicht.

'Ik moet je iets geweldigs vertellen,' begon hij. 'Verleden week ben ik bij de wetenschappelijke staf van de universiteit geweest en heb een aanvraag ingediend voor hun kankerresearch-team. Maar om de een of andere reden leken sommige van mijn antwoorden in de smaak te vallen, en ze hebben me gevraagd lid te worden van hun wetenschappelijke team. Cathy, ik vind het zo heerlijk iets te doen te hebben. Bart vindt het goed dat we hier blijven zo lang we willen, of tot hij gaat trouwen. Ik heb met Jory gesproken, en hij wil bij ons blijven. Zijn appartement in New York is zo klein. Hier heeft hij brede gangen en een grote kamer waar ruimte is voor zijn rolstoel. Hij zegt nu wel dat hij nooit een rolstoel zal gebruiken, maar hij bedenkt zich wel als dat gips eraf gaat.'

Chris' enthousiasme voor zijn nieuwe baan werkte aanstekelijk. Ik wilde hem gelukkig zien, ik was blij dat hij iets te doen had dat zijn aandacht zou afleiden van Jory's problemen. Ik wilde naar de kast lopen, maar hij trok me op zijn schoot om zijn verhaal af te maken. Sommige dingen begreep ik niet, want hij verviel nu en dan in een medisch jargon dat me volslagen onduidelijk was.

'Ben je daar gelukkig mee, Chris? Het is belangrijk dat je met je leven doet wat je wilt. Jory's geluk is ook belangrijk, maar ik wil niet dat je hier blijft als Bart onuitstaanbaar is. Wees eerlijk, kun je Bart verdragen alleen omdat het zo'n prima huis is voor Jory?'

'Catherine, liefste, zolang jij hier bent, ben ik natuurlijk gelukkig. En wat Bart betreft, ik heb hem al die jaren verdragen, ik kan er tegen, zo lang het nodig is. Ik weet wie Jory door deze traumatische tijd heen helpt. Ik kan er misschien een beetje toe bijdragen, maar jij bent het zonnetje in huis met je vrolijke gebabbel, je charme, je armen vol cadeaus en je voortdurende geruststelling dat Melodie zal veranderen. Elk woord dat jij zegt is heilig voor hem.'

'Maar jij zult voortdurend op pad zijn, en we zullen je bijna niet meer zien,' jammerde ik.

'Hé, trek niet zo'n somber gezicht. Ik rij elke avond naar huis, en probeer vóór het donker terug te zijn.' Hij legde verder uit dat hij niet vóór tien uur 's morgens in het lab hoefde te zijn, zodat we ruim tijd hadden om samen te ontbijten. Er zouden 's nachts geen telefoontjes zijn die hem uit bed haalden; hij had elk weekend vrij, een maand betaalde vakantie. Niet dat geld belangrijk was voor ons. En we zouden naar conferenties gaan, waar ik mensen zou ontmoeten met nieuwe ideeën, het soort creatieve mensen waar ik van hield.

Hij bleef maar doorgaan over alle voordelen van zijn nieuwe werk, en ik accepteerde wat hij zo dolgraag leek te willen. Maar die nacht lag ik piekerend in zijn armen; ik wilde dat we nooit naar dit huis gekomen waren, waaraan zoveel verschrikkelijke herinneringen verbonden waren en dat zoveel tragedies had veroorzaakt.

Rond middernacht, toen ik onmogelijk in slaap kon komen, ging ik in onze privé-zitkamer zitten, naast onze slaapkamer, en breide aan wat een pluizig babymutsje moest worden. Ik voelde me net mijn moeder, toen ik zo ijverig zat te breien, zo ingespannen dat ik het niet uit handen kon leggen. Net als zij kon ik nooit iets met rust laten tot het af was.

Er werd zachtjes op de deur geklopt en even later vroeg Melodie of ze binnen mocht komen. Ik was blij met haar bezoek en antwoordde: 'Natuurlijk, ik ben blij dat je het licht onder mijn deur zag. Ik zat aan jou en Jory te denken terwijl ik breide, en ik weet nooit van ophouden als ik eenmaal ergens mee begonnen ben.'

Aarzelend kwam ze op het bankje naast me zitten. Haar onzekerheid deed me onmiddellijk op mijn hoede zijn. Ze keek naar mijn breiwerk en wendde toen haar blik af. 'Ik heb iemand nodig om mee te praten, Cathy. Iemand die verstandig is, iemand als jij.'

Ze klonk zo zielig en jong, nog jonger dan Cindy. Ik legde mijn breiwerk neer en omhelsde haar. 'Huil maar eens uit, Melodie, toe maar. Je hebt genoeg om over te huilen. Ik ben erg hard tegen je geweest, dat weet ik.'

Ze legde haar hoofd op mijn schouder en liet zich gaan, ze huilde of haar hart zou breken.

'Help me, Cathy, alsjeblieft, help me. Ik weet niet wat ik moet doen. Ik moet steeds maar aan Jory denken, hoe verschrikkelijk het allemaal voor hem is. Ik denk aan mezelf, en hoe ontoereikend *ik* me voel. Ik ben blij dat je me hebt gedwongen naar hem toe te gaan, al heb ik je er toen om gehaat. Vandaag, toen ik alleen naar hem toe ben gegaan, glimlachte hij, alsof het iets bewees. Ik weet dat ik kinderachtig en zwak ben geweest. Maar elke keer weer moet ik me dwingen zijn kamer binnen te gaan. Ik vind het afschuwelijk hem zo stil op dat bed te zien liggen en alleen zijn armen en hoofd te zien bewegen. Ik kus hem, ik hou zijn hand vast, maar zodra ik over kleine, onbelangrijke dingen begin te praten, draait hij zijn hoofd naar de muur en weigert te reageren. Cathy, misschien denk jij dat hij leert zijn invaliditeit te aanvaarden, maar ik geloof dat hij zich dwingt om dood te gaan – en het is mijn schuld, mijn schuld!'

Verbaasd sperde ik mijn ogen open. 'Jouw schuld? Het was een ongeluk, dat is jouw schuld niet!'

Ademloos kwamen de woorden eruit. 'Je begrijpt niet waarom ik me zo voel! Het achtervolgt me, ik voel me zo schuldig. Het komt omdat we hier zijn, in dit vervloekte huis! Jory wilde pas over jaren een baby hebben. Vóór we trouwden moest ik hem beloven dat we geen gezin zouden stichten voordat we minstens tien jaar aan de top hadden gestaan.

Maar ik heb opzettelijk mijn woord gebroken en de pil niet genomen. Ik wilde mijn eerste baby hebben vóór ik dertig was. Ik redeneerde dat als de baby eenmaal verwekt was, hij niet zou willen dat ik abortus pleegde. Toen ik het hem vertelde was hij razend! Hij ging tegen me te keer en *eiste* een abortus.'

'O, nee!' Ik was geschokt; ik kende Jory blijkbaar minder goed dan ik dacht.

'Je mag het hem niet kwalijk nemen; het was mijn eigen schuld. Dansen was zijn wereld, zijn leven,' ging Melodie haperend verder. 'Ik had het niet mogen doen. Ik zei dat ik het vergeten was. Ik wist toen we trouwden dat dansen het allerbelangrijkste voor hem was en altijd op de eerste plaats kwam, en ik op de tweede. Hij heeft nooit tegen me gelogen of me iets anders verteld, ook al hield hij van me. Toen, omdat ik zwanger was, hebben we onze tournee afgebroken en zijn hier naar toe gegaan – en nu is dit gebeurd! Het is niet eerlijk, Cathy, niet eerlijk! Zonder de baby zouden we vandaag in Londen zijn geweest. Hij zou op het toneel staan, buigen, het applaus in ontvangst nemen, de bloemen, en doen waarvoor hij geboren is. Ik heb hem bedrogen en daardoor is dit ongeluk gebeurd, en wat moet hij nu beginnen? Hoe kan ik ooit goedmaken wat ik hem heb ontstolen?'

Ze trilde over haar hele lichaam. Wat moest ik zeggen? Ik beet op mijn lip, had verdriet om haar, om Jory. In zekere zin leken we op elkaar, want ik had Julians dood veroorzaakt door hem in de steek te laten, hem in Spanje achter te laten – dat had zijn einde betekend. Nooit met opzet kwaad doen, alleen maar achteloos doen wat ik juist vond, zoals Melodie had gedaan wat *zij* juist vond.

Wie telde ooit de bloemen die stierven als we het onkruid eruit trokken? Ik schudde mijn hoofd, kwam met moeite terug uit de afgrond van het verleden en concentreerde me op het heden.

'Melodie, Jory is net zo bang als jij, meer nog misschien, en met reden. Je mag het jezelf niet kwalijk nemen. Hij is blij met de baby nu die eenmaal onderweg is. Veel mannen protesteren als hun vrouw een baby wil, maar als ze hun kind zien zijn ze overwonnen. Hij ligt op zijn bed, zoals jij op het jouwe, en vraagt zich af hoe het moet met zijn huwelijk nu hij niet meer kan dansen. *Hij* is invalide. *Hij* moet het leven elke dag verdragen, wetend dat hij niet kan opstaan; wetend dat hij niet in een gewone stoel kan zitten en zich bewegen zoals hij wil; hij kan niet buiten lopen in de regen, of over het gras hollen, of normaal naar het toilet gaan.

Alle gewone alledaagse dingen die hij altijd vanzelfsprekend vond zullen nu erg moeilijk voor hem worden. En denk eens aan hem zoals hij was. Dit is een vreselijke slag voor zijn trots. Hij wilde niet eens proberen het te aanvaarden, uit angst dat het een te grote last zou zijn voor jou. Maar luister. Vanmiddag toen ik bij hem was, zei hij dat hij zijn uiterste best wilde doen om wat op te vrolijken, over zijn depressie heen te komen. En het lukt hem. En voor een groot deel zal dat zijn omdat jij hem hebt geholpen, door hem op te zoeken, bij hem te zitten. Elke keer dat je erheen gaat overtuig je hem dat je nog van hem houdt.'

Waarom maakte ze zich los uit mijn armen en wendde ze haar gezicht af? Ik zag dat ze ongeduldig haar tranen wegveegde; toen snoot ze haar neus en hield op met huilen.

Met moeite sprak ze verder. 'Ik weet niet hoe het komt, maar ik heb zulke angstige dromen. Ik word angstig wakker, en denk dat er nog iets ergers gaat gebeuren. Dit huis heeft iets griezeligs. Iets vreemds en angstaanjagends. Als iedereen weg is, en Bart zit in zijn kantoor, en Joel is aan het bidden in dat afschuwelijke kale kamertje, lig ik op bed en dan denk ik dat ik het huis hoor fluisteren. Het schijnt me te roepen. Ik hoor de wind loeien of hij probeert me iets te vertellen. Ik hoor de vloer kraken voor mijn deur, en ik spring op en gooi de deur open, maar er is niemand, er is nooit iemand. Ik denk dat het mijn verbeelding is, maar, net als jij, hoor ik zoveel dat niet reëel is. Ben ik bezig gek te worden, Cathy?'

'O, Melodie,' mompelde ik. Ik probeerde haar weer naar me toe te trekken, maar ze voorkwam dat door naar het verste puntje van de bank te schuiven.

'Cathy, waarom is dit huis anders?'

'Anders dan wat?' vroeg ik ongerust.

'Dan alle andere huizen.' Angstig keek ze naar de gangdeur. 'Voel je het niet? Hoor je het niet? Voel je niet dat het huis ademhaalt, of het een eigen leven leidt?'

Ik sperde mijn ogen open en een kille sfeer leek zich in mijn gezellige zitkamer te verspreiden. In de slaapkamer hoorde ik vaag Chris' regelmatige ademhaling.

Melodie, die meestal gereserveerd was en niet veel zei, was niet te stuiten. 'Dit huis wil de mensen erin gebruiken als een manier om eeuwig voort te leven. Het is net een vampier, het zuigt ons levensbloed op. Ik wou dat het niet gerestaureerd was. Het is geen nieuw huis. Het heeft hier al eeuwen gestaan. Alleen het behang en de verf en de meubels zijn nieuw, maar die trap in de hal, ik kan hem nooit op- of afgaan zonder de geesten te zien van anderen.'

Een soort verlamming maakte zich van me meester.

Elk woord dat ze zei was zo afschuwelijk waar. Ik *kon* het horen ademhalen! Ik probeerde mezelf te dwingen nuchter te blijven. 'Melodie, luister. Bart was nog maar een kleine jongen toen mijn moeder opdracht gaf het huis weer op te bouwen op de oude fundamenten. Voordat ze stierf was het huis gereed, maar van binnen nog niet klaar. Toen haar testament werd voorgelezen en ze het huis aan Bart naliet, met Chris als trustee om het voor hem te beheren tot hij meerderjarig was, vonden we het zonde om het niet af te maken. Chris en onze advocaat hebben de architecten en makelaars aangenomen, en toen het huis af was moest het alleen nog worden ingericht. Daarmee hebben we gewacht tot Bart hier kwam in de vakanties. Hij heeft de binnenhuisarchitecten opdracht gegeven het precies zo in te richten als het vroeger was. En je hebt gelijk, ik wou ook dat het huis met de grond gelijk was gebleven.'

'Misschien wist je moeder dat Bart dit huis nodig had om hem zelfvertrouwen te geven. Het is zo indrukwekkend. Heb je niet gemerkt hoe hij veranderd is? Hij is niet meer de kleine jongen die zich in de schaduw verborg en zich achter bomen verschool. Hij is hier de heer en meester die zijn domein overziet. Of misschien moet ik zeggen de koning van de bergen, want hij is zo rijk, zo ontzettend rijk.'

Nog niet, nog niet, bleef ik steeds maar denken. Maar haar zwakke, fluisterende stem verontrustte me. Ik wilde niet denken dat Bart zo heerszuchtig was als een middeleeuwse heer. Maar ze ging verder: 'Bart is gelukkig, Cathy, erg gelukkig. Hij zegt dat hij medelijden heeft met Jory. Maar dan belt hij zijn advocaten en wil weten waarom de tweede voorlezing van het testament van zijn grootmoeder steeds wordt uitgesteld. Ze hebben hem gezegd dat ze het niet kunnen voorlezen als niet iedereen die in het testament genoemd wordt erbij is, en daarom stellen ze het uit tot Jory uit het ziekenhuis komt. Het testament wordt voorgelezen in Barts kantoor.'

'Hoe komt het dat jij zoveel over Barts zaken weet?' vroeg ik scherp, plotseling heel argwanend als ik dacht aan al die tijd dat ze alleen in huis was met mijn jongste zoon en een oude man, die het grootste deel van zijn tijd doorbracht in het kleine kale kamertje dat hij als kapel gebruikte. Joel zou Jory met het grootste genoegen vernietigen, als dat Bart plezier zou doen. In Joels ogen was een danser een grote zondaar, die met zijn lichaam pronkte. Springen en dansen in aanwezigheid van vrouwen, slechts gekleed in een lendedoek. Ik staarde weer naar Melodie.

'Brengen jij en Bart veel tijd met elkaar door?'

Ze stond snel op. 'Ik ben moe, Cathy. Ik heb genoeg gezegd om je in de waan te brengen dat ik gek ben. Hebben alle aanstaande moeders zulke angstige dromen? Had jij die? Ik ben bang dat mijn baby niet normaal zal zijn, omdat ik zoveel verdriet heb gehad over Jory.'

Ik troostte haar zo goed ik kon, maar ik voelde me misselijk, en 's nachts, toen ik naast Chris lag, begon ik te woelen en te draaien en ik had nachtmerries, tot hij wakker werd en me smeekte hem wat slaap te gunnen. Ik draaide me om, sloeg mijn armen om hem heen, klampte me aan hem vast of hij een reddingsvlot was, zoals ik me altijd had vastgeklampt aan de enige strohalm die belette dat ik verdronk in de wrede zee van Foxworth Hall.

THUISKOMST

Eindelijk waren de binnenhuisarchitecten die ik had aangenomen om Jory's kamers in te richten klaar. Alles in die kamers was gericht op zijn amusement en comfort en gemak. Met Melodie naast me keek ik naar alles wat gedaan was om de kamer licht en gezellig te maken.

'Jory houdt van kleur en veel licht, in tegenstelling tot sommigen die alleen maar een schemerachtig duister willen omdat ze denken dat het duurder is,' zei Melodie met een vreemde blik in haar ogen. Natuurlijk wist ik dat ze Bart bedoelde. Ik keek haar onderzoekend aan, vroeg me weer af hoeveel tijd ze met Bart doorbracht en waarover ze praatten en of hij iets bij haar geprobeerd had. Dat verlangen dat ik in zijn ogen had gezien zou hem er beslist toe brengen avances te maken. En welke tijd was daar beter geschikt voor dan nu Jory weg was en Melodie wanhopig behoefte had aan iemand? Maar toen bedacht ik tot mijn opluchting dat Melodie een hekel had aan Bart. Ze had hem misschien nodig om mee te praten, maar dat was alles.

'Zeg maar wat ik nog meer kan doen om te helpen,' zei ik. Ik wilde dat zij zelf het meeste deed, zodat ze zich nodig en nuttig zou voelen. Voor het eerst glimlachte ze met enige oprechte vreugde. 'Je kan me helpen het bed op te maken met de mooie nieuwe lakens die ik heb gekocht.' Ze maakte de plastic verpakking open, waarbij haar vollere borsten op en neer wipten. Haar spijkerbroek begon een lichte zwelling te vertonen.

Ik maakte me bijna net zo ongerust over haar als over Jory. Een aanstaande moeder moest meer eten, melk drinken, vitaminen slikken. En dan was er die onverwachte totale ommekeer van haar vroegere zware depressie. Ze had zich nu volledig neergelegd bij Jory's ongelukkige toestand. Het was wat ik gewild had, maar het was te snel gebeurd, en dat gaf me het gevoel dat het niet echt was.

Toen kwam de verklaring voor haar nieuwe gevoel van zekerheid. 'Cathy, Jory wordt beter en zal weer kunnen dansen. Ik heb het gisternacht gedroomd, en mijn dromen komen altijd uit.'

Ik wist dat ze precies hetzelfde ging doen wat ik in het begin had gedaan. Zichzelf ervan overtuigen dat Jory zou genezen. En op die fantasie zou ze haar leven en het zijne opbouwen.

Ik wilde wat zeggen, hetzelfde zeggen wat Chris tegen mij had gezegd, maar op dat moment kwam Bart eraan. Zijn grote voeten dreunden door de lange, schemerige gang. Hij keek nijdig naar de panelen die donker waren geweest en nu wit geschilderd, zodat de schilderijen van de zee en de kust mooi uitkwamen. Het was duidelijk te zien dat onze veranderingen hem niet bevielen.

'We hebben het gedaan om Jory een plezier te doen,' zei ik vóór hij kon protesteren, terwijl Melodie er zwijgend bij stond en naar hem staarde met de grote, hulpeloze ogen van een kind dat zich in een moeilijke situatie bevindt. 'Ik weet dat je wilt dat je broer gelukkig is, en niemand houdt meer van de zee, de branding, het zand en de zeevogels dan Jory. Dus brengen we iets van de zee en het strand in zijn kamer, om hem de overtuiging te geven dat alle belangrijke dingen in het leven nog steeds voor hem bestaan. De lucht boven hem, de aarde onder hem en de zee daartussen in. Hij zal nergens gebrek aan hebben, Bart. Hij zal alles krijgen wat hij nodig heeft om hem in leven te houden en gelukkig te maken, en jij moet jouw deel daartoe bijdragen.'

Hij staarde naar Melodie, luisterde nauwelijks naar me. Zijn blik richtte zich op haar borsten, haar dikker wordende buik. 'Melodie, je had bij mij kunnen komen en het mij vragen voor je iets deed, want ik zal de rekeningen moeten betalen.' Hij negeerde mij volkomen, alsof ik niet bestond.

'O, nee,' ontkende Melodie. 'Jory en ik hebben geld. We kunnen de veranderingen hier zelf betalen, en ik dacht niet dat je het erg zou vinden, omdat je zo bezorgd over hem bent.'

'Jij hoeft niets te betalen,' zei Bart met onverwachte hartelijkheid. 'Op de dag dat Jory thuiskomt, zal 's middags het testament worden voorgelezen, en dan zal ik precies weten wat ik waard ben. Ik vind het vreselijk dat het steeds maar weer wordt uitgesteld.'

'Bart,' zei ik, terwijl ik tussen hem en Melodie in ging staan. 'Je weet waarom het testament nog niet is voorgelezen. Jory moet erbij zijn, hij moet het ook horen.'

Hij liep om me heen en keek in de grote droevige ogen van Melodie. Hij sprak tegen haar en alleen tegen haar. '*Jij* zegt maar wat je nodig hebt en ik zal het gisteren laten bezorgen. Jij en Jory kunnen net zo lang hier blijven als je maar wilt.'

Ze stonden elkaar aan te staren over zes meter zeeblauw tapijt. Barts donkere ogen boorden zich in haar blauwe, en hij zei zachtjes en overredend: 'Maak je niet zoveel zorgen, Melodie. Jij en Jory zullen hier eeuwig een thuis hebben als je dat wilt. Het kan me niet schelen wat je met deze kamers doet. Ik wil dat Jory het zoveel mogelijk naar zijn zin heeft en gelukkig is.'

Waren het woorden die mij tevreden moesten stellen, of berekende woorden om haar te verleiden? Waarom bloosde Melodie en sloeg ze haar ogen neer?

Cindy's verhaal klonk vaag in mijn hoofd. Een verzekering voor alle gasten voor het geval dat er een ongeluk zou gebeuren. Nat zand dat droog had moeten zijn. Zand dat zich samenbalde tot cement en niet onmiddellijk naar buiten stroomde, zodat de papier-mâché pilaren onveilig waren.

Herinneringen aan Bart kwamen bij me op toen hij zeven, acht, negen en tien was.

Ik wou dat ik zulke mooie benen had als Jory. Ik wou dat ik kon hollen en dansen als Jory. Ik word groter, veel groter, ik word veel sterker dan Jory. Eens...

Barts gemompelde jongensdromen, die ik zo vaak had gehoord dat ik er onverschillig voor was geworden. Toen, toen hij ouder was:

Wie zal van me houden zoals Melodie van Jory houdt? Niemand. Niemand.

Ik schudde mijn hoofd om me te bevrijden van onwelkome herinneringen aan een kleine jongen die zijn oudere en talentvollere broer wilde evenaren.

Maar waarom keek hij nu zo veelbetekenend naar Melodie? Ze sloeg haar blauwe ogen even naar hem op, wendde ze toen af, bloosde weer, plaatste haar handen in de balletpositie die alle dansers gebruiken om te voorkomen dat de aandacht wordt afgeleid van de hoofdpersoon, haar voeten naar buiten gedraaid. Op het toneel. Melodie stond op het toneel en speelde een rol.

Bart liep met grote, zelfverzekerde passen weg, zoals hij nooit had gedaan toen hij nog jong was. Ik voelde me bedroefd en het speet me dat hij had moeten wachten tot hij onder Jory's schaduw vandaan was, voordat hij zelfs maar wist hoe hij zijn lichaamsbewegingen goed moest coördineren. Zuchtend besloot ik me te bepalen bij het heden en bij alles wat gedaan was om een perfecte omgeving te scheppen voor Jory's herstel.

Een grote kleuren-TV met afstandsbediening stond aan het voeteneinde van zijn bed. Een elektricien had ervoor gezorgd dat Jory zelf zijn gordijnen open en dicht kon doen. Een stereo stond binnen zijn bereik. Boeken stonden langs de achterkant van zijn bed, dat verstelbaar was en dat hij in alle mogelijke posities kon draaien. Melodie en ik hadden samen met Chris onze hersens afgepijnigd om alle moderne apparatuur te vinden die hem in staat zou stellen de dingen zelf te doen. Nu moesten we er alleen nog voor zorgen dat hij zich kon toeleggen op iets dat hem interesseerde, iets dat zijn energie in beslag nam en een uitdaging vormde voor zijn talent.

Lang geleden was ik begonnen boeken te lezen over psychologie, in een armzalige poging om Bart te helpen. Nu kon ik Jory helpen, Jory, met zijn 'renpaard'-mentaliteit die moest concurreren en winnen. Hij kon niet liggen zonder iets te doen. Er was al een barre langs de muur zonder ramen, die daar kort geleden was aangebracht, om hem de overtuiging te geven dat hij op een dag zou kunnen staan, zelfs al zou hij een rugsteun moeten dragen met beenbeugels. Ik zuchtte toen ik dacht aan mijn mooie, elegante zoon, als een paard voortstrompelend in een harnas, en de tranen stroomden over mijn wangen. Tranen die ik snel afveegde en wegknipperde, zodat Melodie ze niet zou zien.

Na een tijdje raakte Melodie vermoeid en ze ging weg om te gaan rusten. Ik legde de laatste hand aan de kamer en liep toen snel weg om toezicht te houden op de bouw van de opritten naar de terrassen en de tuin. Geen moeite was ons te veel om ervoor te zorgen dat hij niet in zijn kamer zou zijn opgesloten. Er was ook een lift geïnstalleerd op de plaats waar vroeger een kamertje voor het glaswerk en zilver was geweest.

Eindelijk kwam de dag waarop Jory het ziekenhuis mocht verlaten en thuiskwam. Zijn rug was nog in het gips, maar hij kon normaal eten en drinken, hij had weer kleur en was wat aangekomen. Mijn hart kromp ineen van medelijden toen ik hem plat op een brancard zag liggen en hij naar de lift werd gereden, terwijl hij vroeger met drie treden tegelijk de trap opliep. Ik zag dat hij zijn hoofd omdraaide en naar de trap staarde, alsof hij zijn ziel zou willen verkopen om die weer te kunnen gebruiken.

Maar hij keek glimlachend om zich heen in de nieuw ingerichte kamers en zijn ogen glansden. 'Geweldig wat jullie hebben gedaan, fantastisch. Mijn lievelingskleuren, wit en blauw. En de kust – ik kan de branding bijna ruiken en de meeuwen horen krijsen. Het is ongelooflijk wat verf en schilderijen, groene planten en een goede planning kunnen doen.'

Zijn vrouw stond aan het voeteneind van het smalle bed dat hij moest gebruiken tot het gips er af ging, maar ze vermeed zijn blik. 'Ik ben blij dat het je bevalt wat we hebben gedaan. Je moeder en ik, en Chris, doen echt ons best het je naar de zin te maken.'

Zijn blauwe ogen werden donker toen hij naar haar staarde. Hij voelde iets dat ik ook voelde. Hij keek naar de ramen, zijn lippen verstrakten en hij trok zich terug.

Onmiddellijk liep ik naar hem toe en overhandigde hem een grote doos, die ik had bewaard voor een pijnlijk moment als dit. 'Jory, iets zinvols voor je om te doen zolang je nog in bed moet blijven.'

Schijnbaar opgelucht dat hij zijn vrouw niet hoefde lastig te vallen met woorden die ze niet wilde horen, veinsde hij een kinderlijk enthousiasme door de grote doos heen en weer te schudden. 'Een gecomprimeerde olifant? Een surfboard dat niet kan zinken?' raadde hij, alleen naar mij kijkend. Ik woelde door zijn krulhaar, bukte me en gaf hem een zoen en zei dat hij de doos gauw moest openmaken. Ik wilde zo graag weten wat hij vond van mijn cadeau, dat ik helemaal uit New England had laten komen.

Even later had hij de linten en het cadeaupapier eraf gehaald en staarde hij naar de lange doos die bundeltjes bevatte van wat extra lange lucifers leken. Kleine flesjes inkt, grotere flesjes lijm, spoelen met heel dun koord, zorgvuldig verpakt doek. 'Een bouwdoos om een schip te maken, een klipper,' zei hij met verbazing en ontsteltenis. 'Mams, er zijn tien pagina's instructies bij! Dat ding is zo ingewikkeld dat ik het grootste deel van mijn leven nodig zal hebben om het af te maken. En als het klaar is – als het ooit zover komt – wat dan nog?'

'Wat dan nog? Jongen, als je klaar bent heb je een kostbaar erfstuk, dat je kunt nalaten aan je zoon of dochter.' Ik zei het trots, vol overtuiging dat hij de moeilijke instructies zou kunnen volgen. 'Je hebt een vaste hand, een goed oog voor details, een snel begrip van het geschreven woord en doorzettingsvermogen. Bovendien, kijk eens naar die lege schoorsteen. Die schreeuwt om een schip in het midden.'

Lachend liet hij zijn hoofd achterover op het kussen vallen, uitgeput. Hij sloot zijn ogen. 'Oké, je hebt me overtuigd. Ik zal het proberen, maar ik heb niet veel ervaring opgedaan sinds ik als kind een vliegtuig in elkaar heb gelijmd.'

O, ja, ik herinnerde het me nog duidelijk. Ze hingen aan zijn plafond, tot grote ergernis van Bart, die toen geen twee houtjes aan elkaar kon lijmen.

'Mams, ik ben moe. Geef me even de kans een dutje te doen voordat het testament wordt voorgelezen. Ik weet niet of ik opgewassen ben tegen alle opwinding nu Bart eindelijk krijgt "waar hij recht op heeft".'

Op dat moment kwam Bart de kamer binnen. Jory voelde dat hij er was en deed zijn ogen open. De donkerbruine en donkerblauwe van de beide broers keken elkaar aan, daagden elkaar uit. De stilte werd intenser, tot ik mijn eigen hart hoorde kloppen; de klok achter me tikte te luid en Melodie haalde zwaar adem. Ik hoorde de vogels buiten sjirpen. Melodie begon een vaas bloemen opnieuw te schikken, om iets te doen te hebben.

Ze staarden elkaar strak in de ogen. Bart moest iets zeggen, zijn broer, die hij maar één keer had bezocht, welkom heten. Maar hij bleef doodstil staan, of hij Jory net zo lang zou blijven aankijken tot Jory de stilte zou verbreken en de stille strijd zou verliezen.

Ik deed mijn mond open om er een eind aan te maken, toen Jory glimlachte en hartelijk zei, zonder zijn ogen neer te slaan of de ban te verbreken: 'Hallo, broer, ik weet dat je een hekel hebt aan ziekenhuizen, dus vond ik het dubbel aardig van je dat je me hebt opgezocht. Hier in jouw huis is het gemakkelijker om hallo te zeggen, nietwaar? Ik ben blij dat mijn ongeluk je verjaardagsfeest niet heeft bedorven, en het feest is doorgegaan of er niets gebeurd is.'

Nog steeds zei Bart niets. Melodie zette de laatste roos in de vaas en hief haar hoofd op. Een paar lokjes van haar blonde haar waren ontsnapt aan de strenge ballerina-knot, wat haar een charmant en ouderwets, teer uiterlijk gaf. Er straalde een moeheid van haar uit, of ze zich aan het leven en zijn wisselvalligheden had overgegeven. Verbeeldde ik het me dat ze Bart zwijgend waarschuwde, een waarschuwing die hij scheen te begrijpen? Plotseling glimlachte hij, al was het een strakke glimlach.

'Ik ben blij dat je terug bent. Welkom thuis, Jory.' Hij deed een stap naar voren en pakte de hand van zijn broer. 'Als ik iets voor je kan doen, laat het me dan weten.' Toen liep hij de kamer uit, en ik staarde hem verbaasd na.

Diezelfde middag, precies om vier uur, vlak nadat Jory wakker werd en Chris en Bart hem op een brancard tilden, installeerden zich drie advocaten in Barts luxueuze kantoor. We zaten in fraaie melkchocoladekleurige leren fauteuils, behalve Jory, die heel stil op een brancard lag. Zijn vermoeide ogen waren half open, hij toonde weinig belangstelling. Cindy was overgekomen om erbij aanwezig te zijn, zoals noodzakelijk was, omdat ook zij in het testament werd genoemd. Ze zat op de armleuning van mijn stoel en zwaaide met haar goedgevormde been. Ze beschouwde het allemaal als een grap, terwijl Joel met een woedend gezicht naar die constant heen en weer zwaaiende hooggehakte blauwe schoen keek, die de aandacht vestigde op haar opvallend mooie benen. We zaten erbij als op een begrafenis, terwijl de papieren werden klaargelegd, brillen opgezet en de advocaten met elkaar fluisterden. We werden allemaal onrustig.

Vooral Bart was erg zenuwachtig. Hij keek opgewonden, maar achterdochtig naar de advocaten, die ons onderzoekend opnamen. De oudste van de drie las het belangrijkste deel van moeders testament nog eens over. We hadden het allemaal al eerder gehoord.

'Wanneer mijn kleinzoon, Bartholomew Winslow Scott Sheffield, die uiteindelijk zijn rechtmatige achternaam Foxworth zal opeisen, de leeftijd heeft bereikt van vijfentwintig jaar,' las de man van achter in de zestig, wiens bril op het puntje van zijn neus stond, voor, 'zal hij een jaarlijks bedrag ontvangen van vijfhonderdduizend dollar, tot hij de leeftijd zal hebben bereikt van vijfendertig jaar. Op die leeftijd zal het restant van mijn erfenis, hierna genoemd de Corrine Foxworth Winslow Trust, in zijn geheel worden overgedragen aan mijn kleinzoon, Bartholomew Winslow Scott Sheffield Foxworth. Mijn eerstgeboren zoon, Christopher Garland Sheffield Foxworth, zal tot die tijd in zijn positie als trustee worden gehandhaafd. Mocht genoemde trustee niet in leven blijven tot het moment waarop mijn kleinzoon Barholomew Winslow Scott Sheffield Foxworth de leeftijd van vijfendertig jaar zal hebben bereikt, zal mijn dochter, Catherine Sheffield Foxworth, worden benoemd tot plaatsvervangend trustee, totdat mijn kleinzoon de leeftijd van vijfendertig zal hebben bereikt.'

Er was meer, veel meer, maar ik hoorde niets meer. Ik was hevig geschokt, en keek naar Chris, die verbijsterd voor zich uitstaarde. Toen bleef mijn blik rusten op Bart.

Hij was doodsbleek geworden, zijn gezicht registreerde een kaleidoscoop van wisselende uitdrukkingen. Hij streek met zijn lange sterke vingers door zijn haar en maakte het in de war. Hulpeloos keek hij naar Joel, alsof hij hulp van hem verwachtte, maar Joel haalde slechts zijn schouders op en krulde zijn lippen, alsof hij wilde zeggen: 'Ik heb het je wel gezegd.'

Vervolgens keek Bart woedend naar Cindy, alsof haar aanwezigheid een magische invloed had op het testament van zijn grootmoeder. Zijn blik ging even naar Jory, die slaperig op de brancard lag, schijnbaar onverschillig voor alles wat er om hem heen gebeurde, en van hem naar Melodie, die met een bleek, droevig gezicht naar Bart staarde, als een zwak kaarsvlammetje dat flakkerde in de krachtige wind van Barts teleurstelling.

Snel wendde Bart zijn blik af toen ze haar hoofd op Jory's borst liet rusten. Stilletjes begon ze te huilen.

Er leek een eeuwigheid voorbij te gaan voordat de oude advocaat het testament opvouwde, in de blauwe map borg en die op Barts bureau legde. Hij bleef met gevouwen armen wachten op Barts vragen.

'Wat is er in godsnaam aan de hand?' schreeuwde Bart.

Hij sprong overeind, liep met grote passen naar het bureau en pakte het testament op, dat hij snel doorkeek met het oog van de expert. Toen smeet hij het testament neer. 'Verdomme! Dat vervloekte wijf! Ze heeft me alles, alles beloofd! Nu moet ik nog tien jaar wachten. Waarom is dat deel van het testament niet eerder voorgelezen? Ik was erbij. Ik was pas tien jaar, maar ik herinner me dat er stond dat ik alles zou krijgen zodra ik vijfentwintig was. Nu ben ik vijfentwintig – waar blijft mijn beloning?'

Chris stond op. 'Bart,' zei hij kalm. 'Je krijgt vijfhonderdduizend dollar per jaar. Dat is niet niets. En heb je niet gehoord dat alle kosten van levensonderhoud en de onderhoudskosten van dit huis worden betaald van het geld dat zich nog in de trust bevindt? Alle belastingen worden betaald. En vijfhonderdduizend per jaar, tien jaar lang, is meer dan negenennegentig komma negen procent van wat de mensheid in zijn hele leven ooit zal krijgen. Hoeveel kun je uitgeven om je eigen levensstijl vol te houden als alle andere kosten betaald zijn? Bovendien zullen die tien jaar voorbij vliegen, en dan is alles van jou en kun je ermee doen wat je wilt.'

'Hoeveel is er?' vroeg Bart.

Zijn donkere ogen glinsterden hebzuchtig. Zijn gezicht zag paars van woede. 'Vijf miljoen over een periode van tien jaar, maar wat blijft er over? Nog tien miljoen? Twintig, vijftig, een miljard – hoeveel?'

'Ik weet het echt niet,' antwoordde Chris koel, terwijl de advocaten verbijsterd naar Bart staarden. 'Maar ik kan in alle oprechtheid zeggen dat op de dag waarop je financieel onafhankelijk wordt en alles in handen krijgt, je zonder enige twijfel een van de rijkste mannen ter wereld zult zijn.'

'En tot die tijd ben jij het!' schreeuwde Bart. 'JIJ! Van alle mensen, jij! Degene die het meest gezondigd heeft! Het is niet eerlijk, helemaal niet eerlijk! Ik ben bedrogen, erin geluisd!' Hij keek ons woedend aan, liep toen zijn kantoor uit, maar stak een seconde later zijn hoofd weer naar binnen.

'Je zult er spijt van hebben, Chris,' tierde hij. 'Jij moet haar hebben overgehaald dat codicil aan haar testament toe te voegen en opdracht hebben gegeven het niet hardop voor te lezen toen ik het testament voor het eerst hoorde, op mijn tiende jaar. *Het is jouw schuld dat ik niet alles heb gekregen wat me toekomt.*'

Zoals altijd was het de schuld van Chris of van mij.

BROEDERLIEFDE

Het grootste deel van de ellendig hete maand augustus verstreek terwijl Jory in het ziekenhuis lag. September kwam met koelere nachten, en de kleurige herfst begon. Chris en ik harkten de bladeren bijeen als de tuinlieden weg waren. De bladeren bleven vallen, maar we vonden het allebei een prettig karwei.

We verzamelden ze in diepe kloven, lieten een lucifer erin vallen en hurkten dicht naast elkaar op het gras om het vuur hoog op te zien laaien, warm genoeg om onze koude handen en gezichten te verwarmen. Het vuur onder ons was zo veilig dat we rustig konden blijven kijken. Vaak keken we ook naar elkaar, naar de manier waarop de gloed onze ogen deed fonkelen en onze huid een rode tint gaf. Chris keek altijd vol liefde naar me, streelde met zijn hand over mijn wang, streek met zijn vingertoppen over mijn haar, kuste mijn hals, en ontroerde me met zijn oprechte liefde. Bij het licht van die brandende bladeren in de avond vonden we elkaar op een nieuwe, rijpere manier, nog beter dan vroeger.

En achter ons, opgesloten in haar kamer in dat afschuwelijke huis, werd Melodie steeds dikker door de baby.

Oktober kwam en ging in een verbijsterende gloed van kleuren, die mij de adem benam, me met eerbied vervulde, zoals alleen de natuur dat kon. Dit waren dezelfde bomen waarvan we slechts de toppen hadden gezien in ons geheime leslokaal op zolder. Ik kon ons vieren bijna zien zoals we naar buiten staarden door de zolderramen; de tweeling net vijf, wegkwijnend tot kleine dwergjes met reusachtige ogen, onze bleke gezichten verlangend tegen het smerige glas gedrukt, naar buiten starend, hunkerend naar de vrijheid om te kunnen doen wat ik nu niet meer dan normaal vond, iets dat me toekwam.

Geesten daarboven, onze geesten daarboven.

Kleur al onze dagen grijs, was wat ik toen dacht. Kleur al Jory's dagen nu grijs, want hij wilde de schoonheid van de herfst in de bergen niet zien als hij niet over de paden in het bos kon lopen, of dansen op het verdorrende gras, of zich voorover buigen om de geur van de herfstbloemen op te snuiven, of met Melodie door het bos te joggen.

De tennisbaan bleef leeg, toen Bart hem in de steek liet bij gebrek aan een partner. Chris zou het heerlijk hebben gevonden zaterdags of zondags met Bart te tennissen, maar Bart negeerde Chris nog steeds.

Het grote zwembad was leeg, schoongemaakt en afgedekt. De ramen werden schoongemaakt voordat de dubbele ramen werden aangebracht. De stapels hout, die achter de garage werden opgeslagen, werden hoger, en vrachtwagens leverden steenkool af dat gebruikt zou worden als de olie-installatie het opgaf of de elektriciteit uitviel. We hadden een eigen generator om onze kamers te verlichten en onze elektrische apparaten op gang te houden, maar toch was ik bang voor deze winter, banger dan ik ooit voor een winter was geweest, behalve op zolder.

Het was ijskoud geweest op zolder, als in het Poolgebied. Nu kregen we de kans om te ervaren hoe het beneden was geweest, waar mama van het leven genoot met haar ouders en vrienden, en de minnaar die ze had gevonden, terwijl vier ongewenste kinderen boven bevroren en verhongerden en leden.

De zondagochtenden waren het prettigst. Chris en ik vonden het heerlijk samen. We ontbeten in Jory's kamer, zodat hij zich niet gescheiden voelde van de rest van het gezin. Ik kon Bart en Melodie maar een paar keer overhalen zich bij ons te voegen.

'Ga maar,' drong Jory aan, als hij me naar het raam zag kijken. 'Ga maar wandelen. Je moet niet denken dat ik jou en paps jullie benen misgun omdat ik de mijne niet meer kan gebruiken. Ik ben geen kind meer, en ik ben niet zo egoïstisch.'

We moesten gaan, anders zou hij denken dat hij onze levenswijze belemmerde. En dus gingen we, in de hoop dat Melodie naar hem toe zou gaan. Op een dag werden we zo vroeg wakker dat de grond nog dik bevroren was. De rijp zag eruit als poedersuiker, die zou smelten zodra de zon opkwam.

Tijdens onze wandeling bleven we staan en staarden naar de lucht. De Canadese ganzen vlogen naar het zuiden, een teken dat de winter dit jaar vroeger zou komen dan gewoonlijk. We hoorden het melancholieke gesnater van de vogels wegsterven toen ze in de wolken verdwenen. Ze vlogen naar Zuid-Carolina, waar wij eens naar toe waren gevlucht voordat de winter inzette.

Half oktober kwam de orthopedist met een reusachtige elektrische schaar om Jory's gips halverwege door te knippen; toen knipte hij voorzichtig met de hand de rest door. Jory zei dat hij zich een schildpad voelde zonder schild. Zijn sterke lichaam was weggekwijnd in het gips. 'Een paar weken je arm- en schouderspieren oefenen en je borst is weer even krachtig als vroeger,' moedigde Chris hem aan. 'Je hebt een paar sterke armen nodig, dus blijf die trapeze gebruiken, we zullen evenwijdige stangen laten maken in je zitkamer zodat je je zelf kunt optrekken in een staande positie. Je moet niet denken dat het leven voorbij is, dat alle uitdagingen achter je liggen en niets er meer op aankomt, want je hebt nog een heel eind te gaan voordat je leven ten einde is, vergeet dat niet.'

'Nee,' mompelde Jory somber. Hij staarde nietsziend naar de deur, die Melodie zelden passeerde. 'Nog een heel eind voordat ik een ander lichaam kan vinden dat functioneert zoals het hoort. Ik denk dat ik in reïncarnatie ga geloven.'

De snel afkoelende dagen werden bitter koud, en het begon 's nachts te vriezen. De migrerende vogels vlogen niet langer over, nu de wind door de toppen van de bomen floot, rond het huis huilde, onze kamers binnenwoei. De maan was weer een rovende Vikingboot hoog in de lucht, die ons bed verlichtte met zijn schijnsel, ons voedsel gaf voor een nieuw soort romantiek. Een reine, koele liefde, die onze geest verlichtte en ons zei dat we geen zondaars waren. Niet als onze liefde zo lang kon duren, terwijl andere huwelijken na een paar maanden of jaren mislukten. We konden niet zondigen als we zoveel voor elkaar voelden. Wie deden we ermee verdriet? Niemand immers. Bart deed zichzelf verdriet, redeneerden we.

Maar toch, waarom werd ik dan achtervolgd door nachtmerries die heel iets anders zeiden? Ik was een expert geworden in het uitschakelen van verontrustende gedachten, door te denken aan alle onbelangrijke details in mijn leven. Niets leidde zo af als de verrassende schoonheid van de natuur. Ik wilde dat de natuur mijn wonden en die van Jory, en misschien zelfs die van Bart genas.

Met scherpe blik bestudeerde ik de natuur en bracht verslag uit aan Jory. De konijnen werden dikker. De eekhoorns leken meer noten op te slaan.

Wollige rupsen leken op kleine treintjes van bont, kruipend naar een veilig plaatsje, waar dat ook mocht zijn.

Het duurde niet lang of ik haalde de winterjassen, dikke truien en wollen rokken te voorschijn die ik van plan was geweest aan een liefdadige instelling te geven, omdat ik die op Hawaii niet nodig had. In september was Cindy teruggevlogen naar haar middelbare school in Zuid-Carolina. Het was haar laatste jaar op een heel dure particuliere school, waar ze het erg naar haar zin had. Haar brieven stroomden binnen, met het verzoek om meer geld voor dit of voor dat.

Cindy's meisjesachtige handschrift bedekte de ene pagina na de andere; ze had altijd méér nodig, ondanks alle cadeaus die ik haar voortdurend stuurde. Ze had tientallen vriendjes, elke keer een ander als ze schreef. Ze had vrijetijdskleding nodig voor de jongen die graag jaagde en viste. Ze had nette kleren nodig voor de jongen die van opera's en concerten hield. Ze had jeans en tops nodig voor zichzelf, en luxe ondergoed en nachthemden, want ze kon niet slapen in goedkope dingen.

Haar brieven deden me denken aan alles wat ik had gemist toen ik zestien was. Ik herinnerde me Clairmont en mijn dagen in het huis van Dr. Paul, met Henny in de keuken die me leerde koken door het me voor te doen, niet met woorden. Ik had een kookboek gekocht, hoe je een man moest veroveren en vasthouden door zijn lievelingsgerechten klaar te maken. Wat een kind was ik toen. Ik zuchtte. Misschien had ik het op een andere manier wel net zo goed gehad als Cindy, toen we eenmaal uit Foxworth Hall waren ontsnapt. Ik rook even aan Cindy's geparfumeerde roze postpapier voor ik haar brief neerlegde. Toen richtte ik mijn aandacht op het heden en alle problemen in Foxworth Hall, zonder de papieren bloemen op zolder.

Een nauwkeurige, dagelijkse observatie van Bart als hij bij Melodie was, overtuigde me ervan dat ze elkaar vaak zagen, terwijl Jory zijn vrouw maar zo zelden zag. Ik trachtte mezelf wijs te maken dat Melodie Bart probeerde te troosten omdat hij niet zoveel had geërfd als hij had gedacht, maar vermoedde dat er meer achter zat dan alleen maar medelijden.

Als een trouw hondje, dat slechts één vriend had, volgde Joel Bart overal, behalve in zijn kantoor of slaapkamer. Hij bad in het kleine kamertje voor hij naar bed ging, en hij bad als hij rondliep, mompelde citaten uit de bijbel die pasten bij elke gelegenheid die hem aanleiding gaf tot vroomheid.

Op zijn manier was Chris in de zevende hemel, hij genoot van de beste jaren van zijn leven. Dat beweerde hij tenminste. 'Ik hou van mijn werk. De mannen met wie ik samenwerk zijn intelligent en geestig, vertellen eindeloze verhalen en verdrijven de eentonigheid van het sleurwerk. We gaan elke dag naar het lab, trekken onze witte jassen aan, controleren onze plaatjes, verwachten een wonder, en grijnzen en klemmen onze tanden op elkaar als die wonderen niet gebeuren.'

Bart was geen vriend en geen vijand van Jory, alleen maar iemand die zijn hoofd om de hoek van de deur stak en een paar woorden zei, voor hij haastig verder ging om iets te gaan doen dat hij belangrijker vond dan zijn tijd te verspillen aan een invalide broer. Ik vroeg me vaak af wat hij deed, behalve de financiële markten bestuderen en obligaties en aandelen kopen en verkopen. Ik vermoedde dat hij met een groot deel van zijn vijfhonderdduizend speculeerde, om te bewijzen dat hij slimmer was dan Chris en sluwer dan de leepste van alle Foxworths, Malcolm.

Toen Chris op een dinsdagochtend, laat in oktober, was weggereden, liep ik haastig de trap op, om even bij Jory te gaan kijken of hij alles had wat hij nodig had. Chris had een verpleger in dienst genomen, maar die kwam maar om de dag.

Jory klaagde zelden dat hij aan huis gebonden was, al lag hij vaak met zijn hoofd naar het raam gekeerd, starend naar de kleurenpracht van de herfst.

'De zomer is voorbij,' zei hij terloops, lusteloos, terwijl de wind speelde met de kleurige bladeren. 'En hij heeft mijn benen meegenomen.'

'De herfst zal andere redenen brengen om je gelukkig te maken, Jory. In de winter word je vader. Het leven heeft nog veel verrassingen voor je in petto, of je het gelooft of niet. Ik geloof, net als Chris, dat het beste nog moet komen. Nu zullen we eens zien wat we kunnen doen om je een paar substituut-benen te verschaffen. Nu je sterk genoeg bent om rechtop te zitten is er geen reden waarom je niet in die rolstoel kan gaan zitten die je vader heeft meegebracht. Jory, alsjeblieft. Ik vind het afschuwelijk je steeds in bed te zien liggen. Probeer de stoel nu eens, misschien is het minder erg dan je denkt.'

Koppig schudde hij het hoofd.

Ik negeerde het en ging verder met mijn pogingen hem over te halen. 'We kunnen je gemakkelijk naar buiten rijden. We kunnen door het bos wandelen, zodra Bart de paden heeft laten schoonvegen. En nu zou je op een terras in de zon kunnen zitten en weer wat kleur op je wangen krijgen. Straks is het te koud om buiten te zitten. Ik kan je door de tuin en het bos duwen.'

Hij wierp een harde, minachtende blik op de rolstoel. 'dat ding zou omvallen.'

'We zullen een van die elektrische rolstoelen voor je kopen die zo zwaar en uitgebalanceerd zijn dat ze niet kunnen omvallen.'

'Ik geloof het niet, mams. Ik heb altijd van de herfst gehouden, maar deze herfst maakt me zo triest. Ik heb het gevoel dat ik alles verloren heb wat echt belangrijk was. Ik ben als een gebroken kompas, ik draai rond zonder richting aan te wijzen. Niets lijkt me meer de moeite waard. Ik voel me bedrogen en het maakt me razend. Ik haat de dagen. Maar de nachten zijn nog erger. Ik wil me vastklampen aan de zomer en wat ik altijd heb gehad. De vallende bladeren zijn de tranen die ik van binnen schrei, en de wind die 's nachts om het huis huilt, is mijn gehuil van angst en ellende, en de vogels die naar het zuiden vliegen vertellen me dat de zomer van mijn leven is gekomen en gegaan, en dat ik me nooit, nooit meer zo gelukkig zal voelen. Ik ben een nul, mams, een niemand.'

Het brak mijn hart.

Alleen als hij zich omdraaide om aan te kijken zag hij dat. Dan kreeg hij een kleur van schaamte. Schuldbewust draaide hij zijn hoofd om. 'Het spijt me, mams, jij bent de enige tegen wie ik zo kan praten. Bij paps, al is hij nog zo fantastisch voor me, moet ik me mannelijk gedragen. Als ik tegen jou alles eruit gooi wat ik voel, vreet het niet meer zo aan me van binnen. Vergeef me dat ik jou belast met al mijn sombere gedachten.'

'Dat geeft niet. Blijf me alsjeblieft altijd vertellen hoe je je voelt. Anders weet ik niet hoe ik je moet helpen. Daarvoor ben ik hier, Jory. Daarvoor heb je ouders. Je moet niet denken dat je vader het niet zou begrijpen, want dat doet hij wel. Praat met hem zoals je met mij praat. Zeg alles wat je wilt zeggen, beheers je niet. Vraag alles wat redelijk is, en Chris en ik zullen je alles geven wat we kunnen. Maar verlang niet het onmogelijke.'

Zwijgend knikte hij, toen forceerde hij een zwakke glimlach. 'Oké. Misschien zal ik het toch nog eens opbrengen in een elektrische rolstoel te gaan zitten.'

Voor hem, op een tafel met klemmen die op zijn bed pasten, lagen de vele onderdelen van de klipper, die hij met engelengeduld aan elkaar lijmde. Hij zette zelden de stereo aan, alsof mooie muziek hem een gruwel was nu hij niet kon dansen. Hij negeerde de televisie als tijdverspilling en las als hij niet aan het schip werkte. Hij hield een heel klein stukje hout vast met een pincet, terwijl hij een minieme hoeveelheid lijm aanbracht. Met één oog half dichtgeknepen bestudeerde hij de instructies en maakte de romp af.

Achteloos vroeg hij, zonder me aan te kijken: 'Waar is mijn vrouw? Ze komt vóór vijf uur bijna nooit. Wat doet ze verdomme de hele dag?'

De vraag klonk achteloos genoeg. Op dat moment kwam Jory's verpleger binnen en zei dat hij naar les ging. Hij wuifde vrolijk ten afscheid en ging weg. Tijdens zijn afwezigheid moesten Melodie en ik doen wat we konden om het Jory naar de zin te maken en hem bezig te houden. Hem bezig houden was de moeilijkste taak. Hij had altijd een fysiek leven geleid, en nu moest hij zich tevreden stellen met geestelijke activiteiten. Het enige wat een heel klein beetje in de buurt van fysieke inspanning kwam was het maken van het schip.

Ik zag Melodie zelden. Het huis was zo groot dat je gemakkelijk iedereen kon vermijden die je niet wilde zien. De laatste tijd had ze de gewoonte aangenomen om niet alleen te ontbijten, maar ook te lunchen in haar slaapkamer tegenover Jory's suite.

Chris bracht de elektrische rolstoel met de stuurknuppel. Onmiddellijk begon de verpleger Jory te leren hoe hij zijn lichaam uit bed en in de stoel moest zwaaien, die hij vlak naast zijn bed zou zetten.

Jory was nu al langer dan drieëneenhalve maand invalide. Voor hem leken het jaren. Hij was gedwongen een ander mens te worden, een soort mens dat hij in zijn hart verafschuwde, dat kon ik zien.

Er ging weer een dag voorbij zonder dat Melodie kwam en Jory vroeg weer waar ze was en wat ze deed. 'Mams, heb je gehoord wat ik vroeg? Vertel me alsjeblieft wat mijn vrouw de hele dag doet.' Er lag een scherpe klank in zijn gewoonlijk zo zachte en vriendelijke stem. 'Ze brengt haar tijd in ieder geval niet met mij door, dat staat vast.'

Er lag een verbitterde uitdrukking in zijn ogen. 'Wil je naar Melodie toegaan en tegen haar zeggen dat ik haar wil zien – NU! Niet later, niet als het haar uitkomt, want dat schijnt het nooit te doen!'

'Ik zal haar halen,' zei ik vastbesloten. 'Ze is ongetwijfeld in haar kamer en luistert naar balletmuziek.'

Met een angstig gevoel liet ik Jory achter om te werken aan zijn schip. De wind stak plotseling op en joeg de vallende bladeren in de richting van het huis. Gouden en rode en roestbruine bladeren die hij weigerde te zien.

Kijk nu, Jory. Kijk naar die schoonheid buiten. Negeer het niet, profiteer ervan, pluk de dag, zoals je vroeger deed.

Maar had ik dat toen gedaan? Had ik dat?

Terwijl ik naar hem stond te kijken werd het donker en alle kleurige bladeren werden slap in de kille, stromende regen die tegen de ruiten joeg. 'Papa deed vroeger alle karweitjes toen we in Gladstone woonden. Mama klaagde altijd dat de dubbele ruiten betekenden dat ze twee keer zoveel ramen schoon moest maken.'

'Ik wil mijn vrouw, mams. NU!'

Onwillig ging ik op zoek naar Melodie. In het sombere halfduister moest Jory om tien uur in de ochtend een lamp aan doen.

'Zal ik een gezellig houtvuur aanleggen?'

'Ik wil alleen mijn vrouw. Moet ik dat nog tien keer zeggen? Als Melodie hier is, kan *zij* het vuur aanleggen.'

Ik liet hem alleen, ik besefte dat mijn aanwezigheid hem irriteerde. Hij wilde alleen *haar* bij zich. Zij was de enige die hem kon opbeuren.

Melodie was niet in haar kamer, zoals ik verwacht had.

De gangen waarin ik liep leken dezelfde gangen waarin ik vroeger had gelopen, toen ik nog jong was. De gesloten deuren waar ik langs kwam leken dezelfde zware massieve deuren die ik stiekem had geopend toen ik veertien, vijftien was. Achter me voelde ik de alomtegenwoordige aanwezigheid van Malcolm en de vijandige sfeer van mijn boosaardige grootmoeder.

Ik ging naar de westelijke vleugel. Barts vleugel. Bijna automatisch en half versuft liep ik er heen. Bijna mijn hele leven had ik me laten leiden door mijn intuïtie en dat zou ik waarschijnlijk in de toekomst ook doen. Waarom ging ik hier naar toe? Waarom zocht ik niet ergens anders naar Melodie? Welk instinct voerde me naar de kamer van mijn jongste zoon, waar hij nooit wilde dat ik kwam?

Voor Barts dubbele deuren, die bekleed waren met een mooi zwart leer en ingelegd met een gouden monogram en familiewapen, bleef ik staan en riep zachtjes: 'Bart, ben je binnen?'

Ik hoorde niets. Maar alle deuren waren gemaakt van massief eikehout, zware panelen onder de leren bekleding. Geluiddichte deuren en dikke muren die wisten hoe ze een geheim moesten bewaren. Het was geen wonder dat ze ons vieren zo gemakkelijk verbergen konden. Ik draaide de knop om, in de verwachting dat de deur op slot zou zijn. Hij was open. Zachtjes sloop ik Barts zitkamer binnen, die keurig was, geen boek of tijdschrift was van zijn plaats. Aan de muren hing zijn sportuitrusting: tennisrackets en vishengels, een golftas in een hoek, een hometrainer in een kast waarvan de deur half open stond. Ik staarde naar de foto's van sportsterren. Vaak dacht ik dat Bart net deed of hij rugby- en baseballsterren bewonderde, om iets gemeen te hebben met de rest van zijn sekse. Volgens mij zou het eerlijker zijn geweest om zijn muren te behangen met foto's van mannen die een fortuin hadden verdiend op de effectenmarkt, of de grote kopstukken in de industrie of de politiek.

Zijn kamers waren zwart en wit met rode accenten; dramatisch maar kil. Ik ging op zijn witte leren bank zitten, die meer dan drieëneenhalve meter lang was, mijn voeten op zijn rode tapijt, het zwart fluwelen en rood zijden kussen in mijn rug. In één hoek van de kamer stond een prachtige bar die fonkelde van alle kristallen karaffen en glazen en alle soorten drank die hij daar bewaarde voor zijn privé-gebruik, zoutjes en snacks. Er stonden ook een kleine koelkast en een grill om kaas te smelten of een paar kleine dingetjes klaar te maken als hij daar trek in had.

Elke foto zat in een zwart of rood passepartout met een gouden lijst. Drie muren waren behangen met witte moiréezijde. Eén muur was bekleed met zwart doorgestikt leer. Een bedrieglijke muur. Een van die leren knoppen verborg de grote safe waarin hij zijn effecten bewaarde, want hij had me één keer heel trots zijn suite laten zien, toen die pas klaar was. Hij had de geheime knoppen en alle ingewikkelde dingen laten zien. De safe beneden in zijn kantoor werd gebruikt voor minder permanente en belangrijke papieren.

Ik draaide mijn hoofd om en staarde naar de deur van zijn slaapkamer, die eveneens was bekleed met zwart leer. Mooie deuren van een schitterende slaapkamer, die precies was ingericht als deze kamer. Ik meende iets te horen. Het zachte gelach van een man, het gegiechel van een vrouw. Kon ik me vergissen? Kon Bart Melodie aan het lachen brengen, wat niemand anders lukte?

Mijn verbeelding sloeg op hol, toen ik me voorstelde wat ze daar achter die deuren uitvoerden. Ik voelde me misselijk worden als ik dacht aan Jory, die in zijn kamer hoopvol wachtte op een vrouw die nooit kwam. Misselijk omdat Bart hem dit aandeed, zijn eigen broer, die hij korte tijd, zo'n jammerlijk korte tijd, had liefgehad en bewonderd.

Op dat moment ging de deur open en Bart kwam spiernaakt naar buiten. Hij bewoog zich snel, zijn lange benen vormden een vage vlek. Ik voelde me beschaamd toen ik hem naakt zag en kroop weg in de zachte kussens, in de hoop dat hij me niet zou zien. Hij zou het me nooit vergeven. Ik hoorde hier niet.

Dank zij het plotselinge onweer was het zo donker in zijn zitkamer dat ik een vage hoop had dat hij me niet zou zien zitten op zijn witte bank. Hij liep regelrecht naar de goed voorziene bar en maakte snel en handig een cocktail klaar. Hij sneed een stukje citroen af, schonk twee glazen in, zette die op een zilveren blad en liep terug naar de slaapkamer. De deur viel achter hem dicht.

Cocktails, om twaalf uur 's middags?

Wat zou Joel daarvan zeggen?

Ik bleef zitten, durfde nauwelijks adem te halen.

De donder rommelde en de bliksemstralen flitsten, de regen sloeg tegen de ruiten. De bliksem kliefde door de lucht en verlichtte het vertrek om de paar seconden.

Ik liep naar een meer verborgen plekje in de kamer, ging in de schaduw achter een enorme plant op een stoel zitten en wachtte.

Er leek een eeuwigheid voorbij te gaan voordat de deur weer openging. Ik wist dat Jory ongerust, misschien kwaad lag te wachten tot Melodie kwam. *Twee* glazen, *twee*. Ze was hier. Ze moest hier zijn.

In de schemering zag ik Melodie tenslotte uit Barts slaapkamer komen. Ze droeg een dunne peignoir die duidelijk liet zien dat ze niets eronder aan had. Een bliksemflits verlichtte de kamer, en de zwelling van de baby, die ze begin januari verwachtte, was duidelijk te zien.

O, Melodie, hoe kun je Jory zoiets aandoen?

'Kom terug,' riep Bart met onduidelijke, bevredigde stem. 'Het regent. Het haardvuur maakt het gezelliger, en we hebben niets beters te doen.'

'Ik moet een bad nemen en me aankleden; ik moet naar Jory,' zei ze, terwijl ze aarzelend op de drempel bleef staan. Ze keek naar hem met een duidelijk verlangen. 'Ik wil graag blijven, echt waar, maar Jory heeft me nodig.'

'Kan hij je geven wat ik je zojuist heb gegeven?'

'Alsjeblieft, Bart. Hij heeft me nodig. Jij weet niet wat het is als iemand je nodig heeft.'

'Nee, dat weet ik niet. Alleen zwakke mensen zijn afhankelijk van anderen.'

'Jij hebt nooit van iemand gehouden, Bart,' antwoordde ze hees. 'Jij kan zoiets niet begrijpen. Je neemt me, gebruikt me, vertelt me dat ik geweldig ben, maar je houdt niet van me, je hebt me niet echt nodig. Iemand anders zou even goed aan je doel beantwoorden. Het is een goed gevoel als iemand je nodig heeft, iemand die meer naar jou verlangt dan naar iemand anders.'

'Ga dan,' zei hij. Zijn stem klonk koel. 'Natuurlijk heb ik je niet nodig. Ik heb niemand nodig. Ik weet niet of wat ik voor jou voel liefde is of begeerte. Zelfs zwanger ben je erg mooi, maar al geeft je lichaam me nu genot, morgen doet het dat misschien niet meer.'

Ik kon aan haar profiel zien dat ze zich gekwetst voelde. Ontdaan riep ze uit: 'Waarom wil je dan dat ik elke dag, elke nacht kom? Waarom volgen je ogen me overal waar ik ga? Je hebt me *wel* nodig, Bart! Je houdt *wel* van me! Je schaamt je alleen om het toe te geven. Praat alsjeblieft niet zo wreed tegen me. Dat doet pijn. Je hebt me verleid toen ik zwak en bang was, en Jory nog in het ziekenhuis lag. Je hebt me genomen toen ik *hem* nodig had en je vertelde me dat *ik jou* nodig had! Je wist hoe bang ik was dat Jory zou sterven, en ik had behoefte aan iemand.'

'Dus dat is alles wat ik ben?' brulde hij. 'Een behoefte? Ik dacht dat je van me hield, echt van me hield!'

'Dat doe ik ook, dat doe ik ook!'

'Nee, dat doe je niet! Hoe kun je van mij houden en nog steeds over hem praten? Ga maar naar hem. Neem maar wat hij je nog kan geven!'

Ze ging weg, haar dunne gewaad achter haar aan fladderend. Ze deed me denken aan een geest die wanhopig wegvlucht, op zoek naar het leven.

De deur sloeg achter haar dicht.

Stijf stond ik op van mijn stoel. Mijn knie deed pijn, zoals altijd als het regende. Ik aarzelde niet toen ik de deur opendeed. Voor hij kon protesteren had ik het knopje omgedraaid en zijn gezellige, schemerige kamer werd plotseling hel verlicht.

Onmiddellijk sprong hij overeind. 'Moeder! Wat doe jij verdomme in mijn slaapkamer? Eruit, *eruit!*'

Ik liep naar voren, legde de grote ruimte tussen de deur en het bed in een seconde af.

'Wat haal je je verdomme in je hoofd, naar bed gaan met de vrouw van je broer? De vrouw van je invalide broer?'

'Eruit!' bulderde hij weer. Hij hield zijn edele delen preuts bedekt, terwijl het donkere haar op zijn borst leek te trillen van verontwaardiging. 'Hoe waag je het me te bespioneren?'

'Schreeuw niet zo tegen me, Bart Foxworth! Ik ben je moeder, en je bent nog geen vijfendertig, dus je kunt me niet het huis uit jagen. Ik ga als ik zover ben, en die tijd is nog niet gekomen. Je bent me zoveel schuldig, Bart, zoveel.'

'Ik jou iets schuldig, Moeder?' vroeg hij sarcastisch en verbitterd. 'Vertel me alsjeblieft eens waarom ik jou iets schuldig ben. Moet ik je bedanken voor mijn vader, die mede door jouw schuld is gestorven? Moet ik je bedanken voor die ellendige tijd in mijn jeugd toen ik zo verwaarloosd en onzeker was? Moet ik je bedanken omdat je me zo onzeker van mezelf hebt gemaakt, dat ik het gevoel heb dat ik geen normale man ben, dat niemand van me kan houden om mezelf?'

Zijn stem brak en hij boog zijn hoofd. 'Sta me niet te beschuldigen met die vervloekte blauwe Foxworth-ogen van je. Je hoeft echt niets te doen om me een schuldgevoel te geven. Ik ben geboren met dat gevoel. Ik had Melodie genomen toen ze huilde en iemand nodig had die haar omarmde en vertrouwen en liefde gaf. En voor het eerst van mijn leven vond ik het soort liefde waarover ik mijn hele leven heb gehoord en gelezen, de liefde van een vrouw die slechts *één* man heeft gehad. Melodie is de eerste vrouw die me het gevoel heeft gegeven een echt mens te zijn. Bij haar kan ik me ontspannen, mijn verdediging laten vallen; zij probeert niet me te kwetsen. Ze houdt van me, moeder. Ik geloof niet dat ik ooit gelukkiger ben geweest.'

'Hoe durf je zoiets te beweren? Ik heb net gehoord wat jullie tegen elkaar zeiden.'

Hij snikte en liet zich achterover vallen. Hij rolde op zijn zij, van mij afgewend. Het laken bedekte hem maar net. 'Ik ben in het defensief gedrongen, en zij ook. Ze heeft het gevoel dat ze Jory verraadt door van mij te houden. Dat gevoel heb ik ook. Soms kunnen we alle schuldbesef en schaamte vergeten, en dan is het mooi. Toen Jory in het ziekenhuis was, en jij en Chris voortdurend weg waren, was er niet veel voor nodig om haar te verleiden. Ze heeft heel weinig tegenzin getoond. Ze was blij dat ze iemand had die genoeg om haar gaf om haar te begrijpen. Onze ruzies komen alleen maar voort uit schuldbesef. Als Jory me niet in de weg stond zou ze naar mij toekomen, mijn vrouw zijn.'

'BART! Je mag Jory's vrouw niet van hem afnemen. Hij heeft haar nu meer nodig dan ooit. Het was verkeerd van je haar te verleiden toen ze zwak was van wanhoop en eenzaamheid. Geef haar op. Ga niet meer met haar naar bed. Wees Jory trouw, zoals hij jou trouw is geweest. Door alles heen is Jory achter jou blijven staan, vergeet dat niet.'

Hij draaide zich om, greep preuts het laken vast. Er verscheen een kwetsbare blik in zijn ogen als van een pathetisch kind. Een gewond, klein kind dat een hekel had aan zichzelf. Zijn stem klonk hees toen hij zei: 'Ja, ik hou van Melodie. Ik hou genoeg van haar om met haar te trouwen. Ze heeft me gewekt uit een diepe slaap. Zij is de eerste vrouw van wie ik heb gehouden. Geen vrouw heeft me ooit zo ontroerd als Melodie. Ze is mijn hart binnengeslopen en ik kan haar niet meer eruit zetten. Ze komt mijn kamer binnen in haar mooie kleren, met haar mooie lange haar los, pas uit het bad en verrukkelijk geurend. En dan staat ze daar, smekend met haar ogen, en ik voel dat mijn hart sneller begint te kloppen, en als ik droom, droom ik van haar. Zij is het geweldigste dat me in mijn leven is overkomen.

Begrijp je dan niet waarom ik haar niet kan opgeven? Zij is de enige die dit brandende verlangen naar liefde en sex in me heeft doen ontwaken; ik wist zelfs niet dat ik dat had. Ik dacht dat sex zonde was, en ik ging nooit weg bij een vrouw zonder dat ik me smerig voelde, smeriger dan ik dacht dat ik haar achterliet. Als ik met andere vrouwen naar bed ging had ik altijd een schuldige nasmaak, alsof het slecht is als twee naakte lichamen zich in hartstocht verenigen. Maar nu weet ik beter. Zij heeft me doen beseffen hoe mooi liefde kan zijn, en nu weet ik niet meer wat ik zonder haar moet beginnen. Jory kan geen echte minnaar meer zijn. Laat mij de echtgenoot zijn die ze nodig heeft en die ze wil. Help me een normaal leven met haar te leiden. Anders weet ik het niet meer. Dan weet ik echt niet wat er zal gebeuren.' Hij richtte zijn donkere ogen op mij, smekend om begrip.

Zolang hij leefde had ik ernaar verlangd door hem in vertrouwen te worden genomen, en wat moest ik doen nu hij dat deed? Ik hield van Bart en ik hield van Jory. Ik stond daar handenwringend, schuldbewust, mezelf pijnigend omdat ik het op een of andere manier veroorzaakt moest hebben. Ik had Bart verwaarloosd, Jory, Cindy voorgetrokken.

En nu moesten Jory en ik daarvoor boeten.

Hij sprak, zijn stem klonk lager en hees, waardoor hij nog jonger en kwetsbaarder leek, trachtend zijn geluk weg te sluiten op een veilige plaats, waar ik niet bij kon, en het voor altijd te beschermen.

'Moeder, zie voor één keer in je leven de dingen eens van mijn kant. Ik ben niet slecht, niet gemeen, niet het beest waar je me soms voor aanziet. Ik ben alleen maar een man die nooit goed over zichzelf heeft kunnen denken. Help me, Moeder. Help Melodie het soort man te houden dat ze nodig heeft nu Jory geen echte man meer kan zijn.'

De regen sloeg tegen de ramen, terwijl wanhopige vleermuizen met hun vleugels tegen de binnenkant van mijn schedel sloegen. Ik kon Melodie niet in twee gelijke delen verdelen en Jory en Bart hun deel geven. Ik moest me houden aan wat ik dacht dat goed was. Barts liefde voor Melodie was verkeerd. Jory had haar harder nodig.

Ik stond nog steeds op dezelfde plaats, als aan de grond vastgenageld. Ik voelde me overweldigd door de wanhopige behoefte van mijn jongste zoon aan liefde. Zo vaak in het verleden had ik hem in staat geacht tot slechte dingen en bleek hij onschuldig te zijn. Had mijn eigen schuldbesef dat ik Bart ter wereld had gebracht me vervloekt met ogen die weigerden het goede te zien in Bart?

'Weet je het zeker, Bart? Houd je werkelijk van Melodie, of wil je haar alleen maar omdat ze van Jory is?'

Hij ging op zijn rug liggen en zijn donkere ogen keken me eerlijker aan dan ooit te voren. Zijn donkere ogen smeekten om begrip. 'In het begin wilde ik Melodie alleen omdat ze van Jory was. Dat geef ik eerlijk toe. Ik wilde hem afnemen wat hem het liefst was. Omdat hij van mij had afgenomen wat mij het liefst was – JOU!'

Ik kromp ineen toen hij verderging. 'Ze weigerde mijn avances zo vaak dat ik respect voor haar kreeg, haar anders begon te zien dan de vrouwen die zo gemakkelijk te krijgen waren. Hoe meer ze me van zich afduwde, hoe vuriger mijn begeerte werd, tot ik haar moest hebben of eraan kapot gaan. Ik hou van haar! Ja, ze heeft me kwetsbaar gemaakt, en nu weet ik niet hoe ik zonder haar moet leven!'

Ik breidde mijn handen uit en ging op de rand van zijn bed zitten. 'O, Bart, wat jammer dat het geen andere vrouw kon zijn. Elke vrouw behalve Melodie. Ik ben blij dat je weet wat liefde is en dat het niet smerig of zondig is. Zou God man en vrouw zo hebben geschapen als het niet Zijn bedoeling was hen samen te smeden? Hij heeft het zo gepland. We scheppen ons zelf steeds opnieuw via de liefde. Maar, Bart, je moet me beloven dat je haar niet meer alleen zult ontmoeten. Wacht tot Melodie haar baby heeft gehad voor jij en zij een besluit nemen.'

Zijn ogen vulden zich met hoop, met dankbaarheid. 'Wil je me helpen?' Er verscheen een ongelovige blik in zijn ogen. 'Dat had ik nooit gedacht.'

'Wacht, wacht, alsjeblieft. Laat Melodie haar kind krijgen en ga dan naar Jory, en wees eerlijk tegen hem, Bart. Vertel hem hoe je over haar denkt. Steel zijn vrouw niet van hem zonder hem de kans te geven iets te zeggen.'

'Wat kan hij zeggen, Moeder, dat enig verschil zal maken? Hij is al verloren. Hij kan niet dansen. Hij kan niet eens lopen. Hij kan lichamelijk niet functioneren.'

De seconden tikten voorbij voordat ik meer nutteloze woorden vond. 'Maar houdt ze ook eerlijk van *jou*? Ik was in je zitkamer. Ik heb haar gehoord. Zij heeft niet gezegd wat zij ervan dacht. Naar wat ik heb kunnen horen werd ze heen en weer geslingerd tussen haar liefde voor Jory en haar behoefte aan jou. Profiteer niet van haar zwakheid of van Jory's gebreken. Geef hem tijd om bij te komen, doe dan wat je doen moet. Het is niet eerlijk om van Jory te stelen als hij niet kan terugvechten. Geef haar de tijd zich aan te passen aan Jory's conditie. Als ze je dan nog steeds wil, neem haar dan, want anders zou ze hem alleen maar nog meer kwaad doen. Maar wat zou jij moeten beginnen met Jory's kind? Wil je Jory behalve zijn vrouw ook zijn kind afnemen? Wil je hem helemaal niets overlaten?'

Hij keek me achterdochtig aan, staarde toen naar het plafond. 'Ik weet het nog niet van de baby. Zo diep heb ik er nog niet over nagedacht. Ik probeer niet aan de baby te denken, en jij mag hier niet met Chris of Jory over praten. Geef me één keer in mijn leven eens de kans iets van mezelf te hebben.'

'Bart!'

'Ga nu alsjeblieft. Laat me alleen. Ik wil erover nadenken. Ik ben moe. Jij kunt een man uitputten, moeder, met je eisen, je oordeel. Geef me deze keer eens een eerlijke kans om te bewijzen dat ik niet zo slecht ben als je denkt, of zo gek als ik vroeger dacht dat ik was.'

Hij vroeg me niet nog een keer het niet tegen Jory of Chris te zeggen. Alsof hij wist dat ik het niet zou doen. Ik stond op, draaide me om en liep de kamer uit.

Op weg naar mijn kamer dacht ik erover Melodie ter verantwoording te roepen, maar ik was te veel van streek om haar onder ogen te kunnen komen zonder er langer over te hebben nagedacht. Ze *was* al erg in de war, en ik moest denken aan de gezondheid van haar kind.

Toen ik alleen in mijn kamer was ging ik voor het houtvuur zitten en piekerde wat ik moest doen. Jory ging voor. In drie maanden waren Jory's sterke benen verschrompeld tot dunne stokjes die me deden denken aan Barts benen toen hij nog heel klein was. Korte, dunne beentjes, onder de krabben, sneden en blauwe plekken. Altijd viel hij, altijd brak hij een of ander bot. Het leek of hij zichzelf strafte omdat hij geboren was en niet voldeed aan de normen die Jory had gesteld. Alleen dat was de reden dat ik opstond en naar Jory's kamer ging.

In de deuropening bleef ik staan. Ik had de tranen van mijn gezicht gewassen en mijn ogen gekoeld met koude kompressen, zodat ze niet rood zagen, en ik glimlachte opgewekt naar mijn oudste zoon. 'Melodie slaapt, Jory. Maar ze komt vóór het eten. Misschien kunnen jullie samen eten bij het haardvuur. De regen buiten maakt het hier binnen gezellig. Ik heb Trevor en Henry gevraagd wat houtblokken boven te brengen en een tafeltje klaar te zetten voor het eten. Ik heb een menu gepland met alle dingen die je lekker vindt. Zal ik je helpen aankleden zodat je er op je best uitziet?'

Hij haalde onverschillig zijn schouders op. Vóór het ongeluk had hij veel om kleren gegeven, zich altijd tot in de puntjes verzorgd. 'Wat maakt het voor verschil, mams, wat doet het er nog toe? Je hebt haar niet meegebracht, en waarom heeft het zo lang geduurd voor je terugkwam om me te vertellen dat ze slaapt?'

'De telefoon ging, en, Jory, ik heb zelf ook nog wel eens een paar dingen te doen. Zo, nou, welk pak heb je het liefst?'

'Geen enkel. Een pyjama en een ochtendjas is goed genoeg,' zei hij koel.

'Luister, Jory. Vanavond ga je in die elektrische rolstoel zitten en je draagt een van je vaders pakken, want jij hebt geen winterpak bij je.' Hij protesteerde heftig, maar ik hield vol.

We hadden al naar New York geschreven en gevraagd Jory's kleren op te sturen. Melodie had gezegd dat ze haar kleren daar wilde laten, wat me razend had gemaakt, maar ik had niets gezegd.

'Als je er goed uitziet, voel je je ook beter, en dan is de halve strijd gewonnen. Je verwaarloost je uiterlijk. En ik ga je scheren, ook al wil jij je baard laten staan. Je bent veel te knap om je te verbergen achter al dat stoppelhaar. Je hebt een mooie mond en een sterke kin. Alleen mannen met een zwakke kin moeten zich verbergen achter een baard.'

Tenslotte gaf hij het op en glimlachte sarcastisch, maar liet me alles doen wat ik wilde om hem wat meer op zichzelf te laten lijken. 'Mams, jij trekt het je allemaal zo verdomd aan, maar ik zal je niet vragen waarom. Ik ben al blij dat het iemand nog iets kan schelen.'

Omstreeks die tijd kwam Chris naar huis, verlangend om te helpen. Hij schoor Jory met een gewoon mes, wat volgens hem een veel beter gevoel gaf.

Ik zat op het bed en keek toe terwijl Chris Jory's gezicht bette met after shave. Jory liet het met een tolerant gezicht toe. Ik vroeg me onwillekeurig af wat Bart zou doen, en hoe ik Melodie moest benaderen om haar te vertellen dat ik wist wat er gaande was tussen haar en Bart.

Jory's armen waren al sterk genoeg om zich in de stoel te kunnen hijsen. Chris en ik keken toe, boden niet aan om te helpen, want we wisten dat hij het zelf moest doen. Hij leek zich een beetje vernederd te voelen, maar ook trots dat het hem de eerste keer zo gemakkelijk lukte. Toen hij eenmaal in de stoel zat keek Jory ondanks alles tevreden. 'Niet zo slecht,' zei hij, terwijl hij zijn gezicht bestudeerde in de spiegel die ik voor hem ophield. Hij zette de stoel in beweging en maakte een proefrondje door de kamer. Hij grinnikte naar ons. 'Het is beter dan in bed. Wat een idioot moeten jullie me vinden. Nu kan ik het schip gemakkelijker afmaken, en krijg ik het nog klaar voor Kerstmis. En misschien zal ik het op deze manier overleven.'

'We hebben nooit anders geloofd,' zei Chris blij.

'Beheers je nu, Jory, ik ga Melodie halen,' zei ik, verrukt over de gelukkige blik in zijn ogen en zijn opwinding dat hij zich weer kon bewegen, ook al was het op wielen in plaats van op benen. 'Melodie zal nu wel klaar zijn. Zoals je weet is onze slordige Bart van vroeger nu een heel stipte man geworden.'

'Zeg dat ze opschiet,' riep Jory me na. Hij begon weer een beetje op de oude Jory te lijken. 'Ik ben uitgehongerd. En als ik naar dat haardvuur kijk begin ik heel erg naar haar te verlangen.'

Ongerust liep ik naar Melodie's kamer. Ik wist dat ik haar voor de voeten zou moeten gooien wat ik ontdekt had, en als ik klaar was, zou het heel goed mogelijk zijn dat ik haar recht in Barts armen had gedreven. Dat was het risico dat ik moest nemen.

Eén broer zou winnen.

De ander zou verliezen.

En ik wilde dat ze allebei zouden winnen.

MELODIE'S VERRAAD

Zachtjes klopte ik op Melodie's deur. Vaag hoorde ik door de deur heen de muziek van *Het Zwanenmeer*. De muziek moest heel hard staan anders had ik het niet kunnen horen. Ik klopte weer. Ze reageerde niet. Zachtjes deed ik de deur open, ging naar binnen en sloot de deur achter me. Haar kamer was niet opgeruimd; op de grond lagen kleren, cosmetica lag verspreid op de toilettafel. 'Melodie, waar ben je?'

Haar badkamer was leeg. O, verdomme! Ze was naar Bart. In een oogwenk was ik de kamer uit en holde naar Barts kamer. Woedend bonsde ik op de deur. 'Bart, Melodie, dat kunnen jullie Jory niet aandoen.'

Ze waren er niet.

Ik rende de trap af naar de eetkamer, half en half verwachtend dat ze waren gaan eten zonder Chris en mij. Trevor was bezig de tafel te dekken voor twee, met zijn oog de afstand metend van het bord tot de rand van de tafel, zo exact dat het leek of hij een liniaal gebruikte. Langzaam liep ik de eetkamer binnen. 'Trevor, heb je mijn jongste zoon ook gezien?'

'O, ja, mevrouw,' zei hij op zijn beleefde Britse manier, terwijl hij het zilzilveren bestek neerlegde. 'Meneer Foxworth en mevrouw Marquet zijn net weg gegaan om in een restaurant te gaan eten. Meneer Foxworth heeft me gevraagd u te zeggen dat hij vroeg terug is.'

'Wat zei hij werkelijk, Trevor?' vroeg ik met een misselijk gevoel in mijn maagstreek.

'Mevrouw, meneer Foxworth was een heel klein beetje dronken. Niet erg, dus u hoeft niet bang te zijn voor de regen en een ongeluk. Ik weet zeker dat hij de auto volkomen in zijn macht heeft. Het is een mooie avond om te gaan rijden als je van regen houdt.'

Ik holde naar de garage, in de hoop dat ik op tijd zou zijn om ze tegen te houden. Te laat! En het was precies wat ik gevreesd had. Bart was met Melodie vertrokken in zijn sportwagen, de rode Jaguar.

Als een slak liep ik de trap weer op. Jory gloeide van de champagne die hij had gedronken terwijl hij wachtte. Chris was naar onze kamer gegaan om zich te verkleden voor het eten.

'Waar is mijn vrouw?' vroeg Jory, zittend aan het tafeltje dat Henry en Trevor boven hadden gebracht. Verse bloemen uit onze kassen stonden op het tafeltje, en met de champagne in de zilveren ijsemmer hing er een feestelijke en verleidelijke sfeer, vooral met het houtvuur dat de vochtige kilte verjoeg. Jory leek weer de oude, met de plaid over zijn benen. De stoel, die hij zo haatte, viel nauwelijks op.

Moest ik weer een leugen bedenken, zoals ik al eerder had gedaan?

Alle vreugde verdween uit zijn ogen. 'Dus ze komt niet,' zei hij effen. 'Ze komt nooit meer, tenminste niet in de kamer. Ze blijft op de drempel staan en spreekt tegen me van een afstand.' Zijn stem haperde en hij begon te huilen.

'Ik probeer het, mamma, ik probeer echt dit te accepteren en niet verbitterd te zijn. Maar als ik zie wat er gebeurt tussen mij en mijn vrouw ga ik kapot van binnen. Ik weet wat ze denkt, ook al zegt ze niets. Ik ben geen echte man meer, en ze weet niet wat ze daarmee aan moet.'

Ik viel op mijn knieën naast hem en nam hem in mijn armen. 'Ze leert het wel, Jory, ze leert het heus wel. We moeten allemaal leren de dingen te accepteren die we niet kunnen veranderen. Geef haar tijd. Wacht tot de baby er is. Ze zal veranderen. Ik beloof je dat ze zal veranderen. Je hebt haar je kind gegeven. En niets is beter dan een eigen baby, die je in je armen kan houden, die je zoveel vreugde kan geven. Een klein menselijk wezentje dat je kan vormen en kneden. O, Jory, wacht af, je zult zien hoe Melodie zal veranderen.'

Zijn tranen waren gedroogd, maar de angst in zijn ogen bleef.

'Ik weet niet of ik kan wachten,' fluisterde hij hees. 'Als er anderen bij zijn lach ik en doe ik of ik tevreden ben. Maar ik denk er nog steeds over er een eind aan te maken en Melodie van haar verplichtingen te bevrijden. Het is niet eerlijk om te verwachten dat ze zal blijven. Vanavond zal ik haar zeggen dat ze kan gaan als ze wil, of dat ze kan blijven tot de baby is geboren en dan weggaan, en een eis tot echtscheiding indienen. Ik zal me er niet tegen verzetten.'

'Nee, Jory!' vloog ik op. 'Zeg niets om haar nog meer van streek te brengen. Geef haar tijd. Tijd om zich aan te passen. De baby zal daarbij helpen.'

'Maar, mams, ik weet niet of ik het kan volhouden. Ik denk steeds aan zelfmoord. Ik denk aan mijn vader en dan wens ik dat ik de moed had te doen wat hij heeft gedaan.'

'Nee, lieveling, hou vol. Je bent niet alleen.'

Chris en ik gingen aan het tafeltje zitten om hem gezelschap te houden. Hij sprak nog geen tien woorden tijdens de maaltijd.

Toen het tijd was om naar bed te gaan, stopte ik stiekem alle scheermessen weg en alles waarmee hij zich kon verwonden. Ik sliep die nacht op de bank in zijn kamer, bang dat hij zo wanhopig was dat hij zou proberen een eind te maken aan zijn leven, alleen Melodie de vrijheid te geven zonder dat ze zich schuldig zou voelen. Zelfs in mijn dromen hoorde ik hem kreunen.

'Mel, mijn benen doen pijn!' schreeuwde hij in zijn slaap. Ik stond op om hem te troosten. Hij werd wakker en staarde me verward aan. 'Elke nacht doen mijn rug en benen pijn,' antwoordde hij slaperig in antwoord op mijn vragen. 'Ik heb geen medelijden nodig voor mijn fantoompijn. Ik wil alleen een nacht kunnen slapen.'

De hele nacht lag hij te kreunen van de pijn. De benen die hij overdag niet kon voelen deden hem 's nachts voortdurend pijn. Hij voelde stekende pijnen in het onderste deel van zijn rug.

'Waarom heb ik 's nachts pijn en voel ik overdag niets?' riep hij uit, terwijl het zweet langs zijn gezicht gutste. Zijn pyjamajasje kleefde aan zijn lichaam. 'Ik wou dat ik de moed had van mijn vader. Dat zou al onze problemen oplossen!'

Nee, nee, nee. Ik klampte me aan hem vast, kuste hem, beloofde van alles om te zorgen dat hij aan het leven vasthield. 'Het komt allemaal in orde, Jory, heus! Hou vol. Geef het niet op. Geef je niet verloren nu je tegenover de grootste uitdaging van je leven staat. Je hebt mij en je hebt Chris, en vroeg of laat draait Melodie bij en wordt ze weer je vrouw.'

Hij staarde me somber aan, of ik hem luchtkastelen voortoverde die in rook zouden opgaan.

'Ga in je eigen kamer slapen, mams. Ik voel me net een klein kind als je hier blijft. Ik beloof dat ik niets zal doen om je weer aan het huilen te maken.'

'Schat, alsjeblieft, bel je vader of mij als je iets nodig hebt. We vinden het geen van beiden erg om op te staan. Roep Melodie liever niet, want zij kan in het donker struikelen en vallen, nu ze zo wankel op haar benen staat. Ik slaap erg licht en ik val gemakkelijk weer in slaap. Luister je, Jory?'

'Natuurlijk luister ik,' zei hij met nietsziende ogen. 'Als ik ergens goed in ben tegenwoordig, is het in luisteren.'

'En binnenkort komt de fysiotherapeut, en begin je aan je herstel.'

'Herstel, mams?' Hij keek vermoeid en somber. 'Bedoel je die rugsteun die ze me gaan aanmeten? Ja, ik verheug me er erg op om dat ding te gebruiken. De beenbeugels zullen een ware vreugde voor me zijn. Wat een bof dat ik ze niet voel, hè? Om nog maar niet te spreken over dat harnas, waarin ik net een paard lijk.' Hij zweeg even, verborg zijn gezicht in zijn handen, gooide zijn hoofd achterover en zuchtte. 'God, geef me de kracht het te verdragen. Straft U me omdat ik te trots was op mijn benen en mijn lichaam? U hebt erg Uw best gedaan me dat af te leren.'

Hij liet zijn handen zakken. Tranen glinsterden in zijn ogen, stroomden langs zijn wangen. Een ogenblik later verontschuldigde hij zich. 'Het spijt me, mams. Tranen van zelfmedelijden zijn niet erg mannelijk, hè? Ik kan niet altijd dapper en sterk zijn. Ik heb mijn momenten van zwakte, zoals iedereen. Ga terug naar je kamer. Ik zal niets doen om jou en paps nog meer verdriet te bezorgen. Ik zal het tot het eind toe volhouden. Welterusten. Wens Melodie welterusten van me als ze thuiskomt.'

Ik huilde in Chris' armen, hij stelde me duizend vragen die ik weigerde te beantwoorden. Gefrustreerd en kwaad viel hij uit: 'Je kunt mij niet voor de gek houden, Catherine. Je verbergt iets, om het me niet moeilijker te maken, terwijl het allerergste juist is niet te weten wat er aan de hand is.'

Hij wachtte tot ik zou antwoorden. Toen ik niets zei viel hij weldra naast me in slaap. Hij had de irriterende gewoonte om te kunnen slapen als ik dat niet kon. Ik wilde dat hij wakker bleef, me dwong de vragen te beantwoorden die ik had vermeden. Maar hij sliep door, omhelsde me in zijn slaap, verborg zijn gezicht in mijn haar.

Om het uur stond ik op en controleerde of Bart en Melodie al thuis waren en of alles goed ging met Jory. Jory lag op bed, met wijd open ogen. Waarschijnlijk wachtte hij net als ik tot Melodie thuis zou komen.

'Is de fantoompijn wat minder?'

'Ja, ga naar bed. Er is niets aan de hand.'

Ik kwam Joel op de gang voor Barts kamer tegen. Hij bloosde toen hij me zag in mijn witte kanten negligé. 'Joel,' zei ik, 'ik dacht dat je niet meer onder dit dak wilde wonen en terugging naar je kleine kamertje boven de garage.'

'Dat heb ik ook gedaan, Catherine,' mompelde hij. 'Bart heeft me bevolen terug te komen. Hij zei dat een Foxworth niet behandeld mocht worden als een bediende.' Zijn waterige ogen keken verwijtend naar me omdat ik niet had geprotesteerd toen hij ons had verteld dat hij liever zijn kleine kamertje boven de garage had, dan de mooie kamer in Barts vleugel.

'Je weet niet wat het is om oud en eenzaam te zijn, nicht. Ik heb jaren en jaren aan slapeloosheid geleden, en aan nachtmerries, en vage pijnen en pijntjes, die beletten dat ik kon slapen zoals ik wilde. Dus sta ik op om mezelf te vermoeien, en loop wat rond.'

Rondlopen? Spioneren, bedoelde hij. Maar toen ik hem wat aandachtiger opnam schaamde ik me. Zoals hij daar in de donkere gang stond leek hij zo teer, zo ziekelijk en mager. Was ik onrechtvaardig tegenover Joel? Had ik alleen een hekel aan hem omdat hij de zoon van Malcolm was? En die afschuwelijke gewoonte had onophoudelijk citaten uit de bijbel te mompelen, die me terugbrachten in de tijd van mijn grootmoeder, die ons dwong elke dag een citaat uit het heilige boek te leren?

'Welterusten, Joel,' zei ik vriendelijker dan gewoonlijk. Maar toen hij nog even bleef staan, dacht ik aan Bart, die een hoop pijnlijke dingen tegen me had gezegd toen hij jong was, maar niet meer sinds hij volwassen was geworden. Nu las hij ook in de bijbel, haalde de woorden die daar geschreven stonden aan om een standpunt te bewijzen. Had Joel weer tot leven gebracht wat lag te sluimeren? Ik staarde naar de oude man, die bijna angstig achteruit deinsde.

'Waarom kijk je zo?' vroeg ik scherp.

'Hoe, Catherine?'

'Of je bang voor me bent.'

Zijn glimlach was schraal, meelijwekkend. 'Je bent een vrouw om bang voor te zijn, Catherine. Ondanks je blonde schoonheid kun je soms net zo hard zijn als mijn moeder.'

Ik schrok, verbijsterd dat hij zoiets kon denken. Ik kon onmogelijk lijken op die gemene oude vrouw.

'Je doet me ook denken aan je moeder,' fluisterde hij, terwijl hij zijn oude badjas steviger om zich heen trok. 'En je lijkt veel te jong om al in de vijftig te zijn. Mijn vader zei altijd dat slechte mensen langer jong en gezond bleven, dan degenen op wie een plaatsje in de Hemel wachtte.'

'Als jouw vader naar de Hemel ging, Joel, ga ik graag de andere kant op.'

Hij keek naar me of ik een zielig voorwerp was, dat er niets van begreep, en liep toen weg.

Toen ik weer naast Chris ging liggen werd hij net lang genoeg wakker om hem over de ontmoeting met Joel te kunnen vertellen. Chris keek me kwaad aan in het schemerdonker. 'Catherine, wat onaardig van je om zo te praten tegen een oude man. Natuurlijk kun je hem niet de deur uitzetten. In zekere zin heeft hij meer recht om hier te zijn dan een van ons, en het is wettelijk Barts huis, ook al hebben wij levenslang het recht hier te wonen.'

Ik werd woedend. 'Zie je dan niet dat Joel de vaderfiguur is geworden die Bart zijn leven lang heeft gezocht?' En nu had ik hem gekwetst. Hij verstarde en draaide me de rug toe.

'Welterusten, Catherine. Misschien kun je beter in bed blijven en je voor de verandering eens met je eigen zaken bemoeien. Joel is een eenzame oude man die dankbaar is dat hij een beschermer heeft als Bart. Gun hem een plaats waar hij de rest van zijn leven kan doorbrengen. Je moet eens ophouden Malcolm te zien in elke oude man die je tegenkomt, want als ik lang genoeg leef, zal ik tenslotte ook een oude man zijn.'

'Als je er zo uit gaat zien en je zo gaat gedragen als Joel, hoef ik jou ook niet meer.'

O, hoe kon ik zoiets zeggen tegen de man van wie ik hield? Hij schoof verder van me weg en weigerde te reageren toen ik zijn arm aanraakte. 'Chris, het spijt me, zo bedoelde ik het niet.' Mijn hand streelde zijn arm en gleed in zijn pyjamajasje.

'Het lijkt me beter dat je je handen bij je houdt. Ik ben er nu niet voor in de stemming. Welterusten, Catherine, en denk eraan, als je moeilijkheden zoekt vind je die meestal ook.'

Ik hoorde in de verte een deur dichtgaan. Mijn horloge met de verlichte wijzerplaat stond op half vier. Ik trok een ochtendjas aan, glipte Melodie's kamer binnen en wachtte. Het was vier uur voor ze de weg had afgelegd van de garage naar haar slaapkamer. Waren zij en Bart blijven staan om elkaar te omhelzen en te zoenen? Fluisterden ze lieve woordjes tegen elkaar? Waarom zou ze anders zo lang wegblijven? Het vage licht van de naderende dageraad was zichtbaar boven de bergen. Ik liep op en neer in haar kamer, werd steeds ongeduldiger. Tenslotte hoorde ik haar komen. Struikelend stond Melodie op de drempel van haar kamer met haar hooggehakte zilveren sandalen in de hand.

Ze was zes maanden zwanger, maar in haar wijdse zwarte jurk was het nauwelijks merkbaar. Ze schrok toen ze me zag opstaan uit een stoel en maakte een gesmoord geluid terwijl ze achteruit deinsde. 'Zo, Melodie,' zei ik cynisch. 'Wat zie jij er goed uit.'

'Cathy, gaat het goed met Jory?'

'Kan het je echt wat schelen?'

'Je stem klinkt zo kwaad. En je kijkt me zo woedend aan – wat heb ik gedaan, Cathy?'

'Alsof je dat niet weet,' zei ik nadrukkelijk. Ik vergat alle tact die ik had willen gebruiken. 'Je gaat op een regenachtige avond uit met mijn oudste zoon en je komt uren later thuis met rode plekken in je hals, je lippenstift uitgesmeerd en je haar los, en dan vraag je nog *wat je gedaan hebt*. Waarom vertel *jij* me niet *wat* je gedaan hebt.'

Ze staarde me met grote ongelovige ogen aan, half schuldig, half beschaamd, maar ook met een vage hoop. 'Je bent als een moeder voor me geweest, Cathy,' riep ze smekend uit. 'Laat me nu alsjeblieft niet in de steek, nu ik harder dan ooit een moeder nodig heb.'

'Je vergeet dat ik in de eerste plaats Jory's moeder ben. Ik ben ook Barts moeder. Als je Jory verraadt, verraad je mij.'

Melodie riep weer smekend: 'Laat me nu niet in de steek, Cathy. Jij bent de enige die het kan begrijpen. Jij toch zeker! *Ik hou van Jory*, ik zal altijd van hem houden.'

'En daarom ga je met Bart naar bed? Mooie manier om je liefde te tonen,' viel ik haar in de rede. Mijn stem klonk koud en hard.

Ze verborg haar gezicht in mijn schoot en sloeg haar armen om mijn middel. Ze klampte zich aan me vast. 'Cathy, alsjeblieft. Wacht tot je mijn kant hebt gehoord.' Ze hief haar betraande gezicht op, zwarte tranen van de mascara. Het maakte haar nog kwetsbaarder. 'Ik hoor bij de balletwereld. Cathy, en je weet wat dat betekent. We zijn dansers, die de muziek opnemen in lichaam en ziel en voor iedereen zichtbaar maken, en daarvoor betalen we een prijs, een hoge prijs. Je kent die prijs. We dansen met onze ziel open en bloot zodat iedereen die kan bekritiseren die dat wil, en als de dans ten einde is en we horen het applaus en we accepteren de rozen en maken een buiging en het doek wordt steeds weer gehaald en we horen het *bravo! bravo!*-geroep dan komen we tenslotte achter het toneel, om ons af te schminken en onze dagelijkse kleren aan te trekken, en dan weten we dat het beste deel van ons niet echt is, maar fantasie. We zweven op vleugels van sensualiteit, die zo sterk zijn dat niemand beter dan wij de pijn beseffen van al het ongevoelige en wrede en harde in de werkelijkheid.'

Ze aarzelde even, zocht de kracht om verder te gaan, terwijl ik verbaasd stond over haar scherpzinnigheid, want ik herkende de waarheid. Wie kon het beter weten dan ik?

'De meeste mensen in het publiek denken dat we homoseksueel zijn. Ze begrijpen niet dat we gedragen en gesteund worden door de muziek, boven onszelf uitstijgen door de decors, het applaus, de verering, en het minst van alles dat de liefde ons voedt. Jory en ik vielen altijd hartstochtelijk in elkaars armen zodra we alleen waren; alleen dan konden we de ontspanning vinden om in slaap te kunnen vallen. Nu heb ik geen uitlaat meer, en hij ook niet. Hij wil niet naar de muziek luisteren, en ik kan die niet afzetten.'

'Maar je hebt een minnaar,' zei ik zwakjes. Ik begreep elk woord dat ze zei. Ook ik had eens gezweefd op de vleugelen van de muziek en was afgegleden, ziek van het feit dat er niemand was die ik kon beminnen en die werkelijkheid kon verlenen aan de fantasiewereld waar ik het meest van hield.

'Luister, Cathy, alsjeblieft. Geef me een kans het uit te leggen. Je weet hoe saai het is hier in huis, waar nooit iemand op bezoek komt en de telefoon alleen maar gaat als ze Bart willen spreken. Jij en Chris en Cindy waren steeds in het ziekenhuis bij Jory, terwijl ik laf was en hier bleef, bang dat hij mijn angst zou zien. Ik heb geprobeerd te lezen, ik heb geprobeerd te breien, net als jij, maar ik kon het niet. Ik gaf het op en wachtte tot de telefoon zou gaan. Er belt nooit iemand uit New York. Ik wandelde, trok onkruid uit de tuin. Ik huilde in het bos, staarde naar de lucht, keek naar de vlinders, en huilde weer.

Een paar avonden nadat we hadden gehoord dat Jory nooit meer zou lopen of dansen kwam Bart in mijn kamer. Hij deed de deur achter zich dicht en keek alleen maar naar me. Ik zat op bed en huilde zoals gewoonlijk. Ik had balletmuziek opgezet, probeerde de sfeer op te roepen van vroeger, met Jory, en Bart stond daar maar en keek naar me met die donkere, hypnotiserende ogen van hem. Hij wachtte en keek, tot ik ophield met huilen, en toen kwam hij dichterbij om de tranen van mijn gezicht te vegen. Zijn ogen werden zacht van liefde toen ik overeind ging zitten. Ik had zijn ogen nog nooit zo vriendelijk, zo teder, zo vol medelijden gezien. Hij raakte me aan. Mijn wang, mijn haar, mijn lippen. Er liepen rillingen over mijn rug. Hij legde zijn handen op mijn haar, staarde in mijn ogen, en langzaam, heel langzaam boog hij zijn hoofd tot zijn lippen de mijne raakten. Ik had nooit geweten dat hij zo teder kon zijn. Ik had altijd gedacht dat hij een vrouw zou nemen met brute kracht. Misschien, als hij me ruw en onverschillig had aangeraakt, zou ik me afgekeerd hebben, maar tegen zijn tederheid was ik niet opgewassen. Hij deed me aan Jory denken.'

Ik wilde niets meer horen. Ik moest haar het zwijgen opleggen, vóór ik medelijden en sympathie ging voelen voor haar en voor Bart.

'Ik wil niets meer horen, Melodie,' zei ik kil. Met een ruk draaide ik mijn hoofd om; ik wilde die verraderlijke plekjes in haar hals niet zien. Ze zouden Jory kunnen opvallen als ze nu naar hem toeging. 'Dus nu Jory je het hardst nodig heeft, ben je van plan hem in de steek te laten en naar Bart te gaan,' zei ik bitter. 'Een goeie echtgenote ben je, Melodie.'

Ze snikte nog luider, bedekte haar gezicht met haar handen.

'Ik herinner me je trouwdag nog toen je voor het altaar stond, en de belofte van trouw aflegde, in goede en slechte tijden. En zodra er een slechte tijd komt, schaf je je een minnaar aan.'

Terwijl ze snikte en naar woorden zocht om mijn sympathie op te wekken bedacht ik hoe eenzaam dit huis op de berg was, hoe geïsoleerd. En we hadden Melodie hier achtergelaten, denkend dat ze te veel van streek was om ergens heen te willen rijden. Zonder te denken aan wat zij en Bart konden doen, zonder te vermoeden dat ze bij hem hulp zou zoeken, bij de man aan wie ze zo'n hekel leek te hebben.

Nog steeds snuffend en huilend speelde Melodie met haar schouderbandje, terwijl er een behoedzame blik in haar ogen verscheen. 'Hoe kun jij me veroordelen, Cathy, terwijl jij nog veel erger dingen hebt gedaan?'

Getroffen stond ik op. Mijn benen waren nog zwaarder dan mijn hart. Ze had gelijk. Ik was geen haar beter. Ook ik had meer dan eens verkeerd gehandeld. 'Wil je Bart vergeten en bij hem uit de buurt blijven, en Jory ervan overtuigen dat je nog steeds van hem houdt?'

'Ik hou nog steeds van Jory, Cathy. Het klinkt misschien vreemd, maar ik hou van Bart op een andere manier, een vreemde manier die niets te maken heeft met mijn gevoelens voor Jory. Jory was mijn jeugdvriendje, mijn beste vriend. Zijn jongste broer mocht ik nooit zo erg, maar hij is veranderd, Cathy, echt waar. Een man die vrouwen haat kan niet zo vrijen als hij.'

Mijn lippen verstrakten. Ik stond in de deuropening en veroordeelde haar, zoals mijn grootmoeder mij vroeger had veroordeeld met haar meedogenloze staalgrijze ogen die me altijd weer vertelden dat ik de ergste zondares was die er bestond.

'Ga niet weg voordat ik het je duidelijk heb kunnen maken!' riep ze uit. Ze strekte haar armen naar me uit. Ik deed de deur dicht, dacht aan Joel en leunde ertegen. 'Goed. Ik zal blijven, maar ik zal het nooit begrijpen.'

'Bart houdt van me, Cathy, hij houdt echt van me. Als hij het zegt moet ik het wel geloven. Hij wil dat ik van Jory ga scheiden. Bart heeft gezegd dat hij met me wil trouwen.' Haar stem stierf weg tot een hees gefluister. 'Ik weet echt niet of ik de rest van mijn leven kan doorbrengen met een man die in een rolstoel zit.'

Ze snikte nog heviger en vanuit haar knielende houding viel ze op de grond. 'Ik ben niet zo sterk als jij, Cathy. Ik kan Jory de steun niet geven die hij nu nodig heeft. Ik weet niet wat ik moet zeggen of wat ik voor hem moet doen. Ik wil de klok terugdraaien, ik wil de Jory weer hebben die ik vroeger had, want deze ken ik niet. Ik geloof niet eens dat ik hem *wil* kennen, en ik schaam me, ik schaam me zo verschrikkelijk! Maar ik wil alleen maar weg.'

Mijn stem klonk scherp. 'Zo gemakkelijk zul je je verantwoordelijkheden niet kunnen ontvluchten, Melodie. Ik zal ervoor zorgen dat je je huwelijksbeloftes nakomt. Om te beginnen zul je Bart uit je leven bannen. Je zult hem nooit toestaan je weer aan te raken. Je zult nee zeggen als hij iets probeert. Ik zal hem weer tot de orde roepen. Ja, ik ben altijd sterker geweest dan hij, maar deze keer zal ik nog harder zijn. Als het moet, ga ik naar Chris en zal ik hem vertellen wat er aan de hand is. Zoals je weet is Chris een heel geduldige, begrijpende man met een grote zelfbeheersing, maar hij zal nooit tolereren wat jij met Bart doet.'

'Nee!' riep ze uit. 'Ik hou van Chris als van een vader! Ik wil dat hij me blijft respecteren.'

'*Laat Bart dan met rust!* Denk aan je kind, dat op de eerste plaats hoort te komen. Het is nu trouwens toch beter als je geen sex hebt, dat is soms riskant.'

Ze sloot haar ogen, drong de tranen terug. Toen knikte ze en beloofde nooit meer met Bart naar bed te gaan. Maar ik geloofde haar niet. Ik geloofde Bart ook niet toen ik met hem sprak voor ik naar bed ging.

Het werd ochtend en ik had geen oog dicht gedaan. Ik stond op, moe en lusteloos, maar forceerde een glimlach voor Jory, toen ik op zijn deur klopte. Hij vroeg me binnen te komen. Om de een of andere reden leek hij gelukkiger dan de vorige avond, alsof hij 's nachts had nagedacht en tot kalmte was gekomen. 'Ik ben blij dat Melodie jou heeft om op te steunen,' zei Jory.

Elke dag dat de therapeut er niet was bewogen Chris, de verpleegster en ik om de beurt zijn benen en masseerden ze. Op die manier zouden de spieren niet wegkwijnen. Zijn benen hadden dank zij de massage weer iets van hun vroegere vorm teruggekregen.

Ik beschouwde het als een enorme stap vooruit. Hoop... in dit huis van verdriet en narigheid klampten we ons altijd vast aan hoop, die we geel kleurden, als de zon die we zo zelden hadden gezien.

'Ik dacht dat Melodie vanmorgen zou komen,' zei Jory een beetje weemoedig. 'Omdat ze gisteravond niet even langs is gekomen om welterusten te zeggen.'

De dagen gingen voorbij. Melodie verdween vaak, evenals Bart. Mijn vertrouwen in Melodie was verdwenen. Ik kon niet langer met een glimlach naar haar kijken. Ik probeerde niet meer met Bart te praten. Ik hield Jory gezelschap. We keken samen TV. We deden spelletjes. We hielden flauwe legpuzzel-competities, om te zien wie het juiste stukje het snelst kon vinden. We dronken 's middags wijn, kregen om negen uur slaap en deden net of alles op zijn pootjes terecht zou komen.

Hij werd erg moe van het voortdurend in bed liggen. 'Het komt door gebrek aan lichaamsbeweging,' zei hij, trekkend aan de trapeze die aan zijn hoofdeinde was bevestigd. 'Maar in ieder geval blijven mijn armen sterk. Waar zei je dat Melodie was?'

Ik legde het slofje neer dat ik net af had en pakte de wol om aan het tweede te beginnen. Tussen de spelletjes door breide ik en keek TV. Als ik niet bij Jory was, zat ik in mijn kamer en hield mijn dagboek bij. Mijn laatste boek, dacht ik. Wat zou ik hierna nog meer te zeggen hebben? Wat kon er nog meer met ons gebeuren?

'Mams! Luister je ooit wel eens naar me? Ik vroeg of je wist waar Melodie was en wat ze doet.'

'Ze is in de keuken, Jory,' zei ik snel. 'Ze is bezig een van je lievelingsgerechten klaar te maken.'

Hij keek opgelucht. 'Ik maak me bezorgd over mijn vrouw, Mams. Ze komt binnen en doet wat voor me, maar ze is er niet bij met haar hart.' Een schaduw verscheen in zijn ogen, die onmiddellijk weer verdween toen hij mijn doordringende blik zag. 'Ik zeg tegen jou alle dingen die ik tegen haar moet zeggen. Het is zo verdrietig om te zien hoe ze zich langzamerhand van me terugtrekt. Ik wil met haar praten, haar vertellen dat ik van binnen nog steeds dezelfde man ben, maar ik geloof niet dat ze dat wil weten. Ik geloof dat ze wil denken dat ik anders ben, omdat ik niet langer kan dansen of lopen, en dat maakt het haar gemakkelijker zich van me los te maken en alle banden te verbreken. Ze praat nooit over de toekomst. Ze heeft zelfs geen namen met me bedacht voor het kind. Ik heb boeken doorgebladerd om namen te vinden voor onze zoon of dochter. En dan denk ik maar weer, zoals jij hebt gezegd, dat ze zwanger is, en daarover heb ik ook gelezen. Om mijn vroegere gebrek aan belangstelling goed te maken.'

Hij praatte maar door, overtuigde zichzelf dat het haar zwangerschap was die verantwoordelijk was voor de verandering in zijn vrouw.

Ik schraapte mijn keel en nam mijn kans waar. 'Jory, ik heb er ernstig over nagedacht. Je dokter zei dat je beter in het ziekenhuis kunt zijn dan hier, ook al komt er iemand om je te helpen met je revalidatie. Jij en Melodie kunnen een klein appartement huren bij het ziekenhuis, en ze kan je elke dag naar Rehab rijden. Het is bijna winter, Jory. Je kent de winters niet in deze bergen. Ze zijn ijskoud. De wind gaat nooit liggen. Het sneeuwt vaak. De wegen naar het dorp zijn vaak geblokkeerd. De Staat houdt de grote verkeerswegen open, maar de smalle wegen naar dit huis zijn meestal gesloten. Er zullen dagen zijn dat je verpleger of fysiotherapeut niet kan komen, en je moet elke dag oefenen. Als je in de buurt van het ziekenhuis woont, krijg je alle lichamelijke hulp en oefeningen die je nodig hebt.'

Hij staarde me geschokt en verbaasd aan. 'Bedoel je dat je me kwijt wilt?'

'Natuurlijk niet. Maar je hebt zelf gezegd dat je niet van dit huis houdt.'

Hij staarde naar het raam. De regen sloeg tegen de ruiten. Alle zomervogels waren weggevlogen.

De wind gierde om het huis, vond zijn weg door kleine spleten en huilde en gierde net als in het oorspronkelijke huis.

Jory zei achter me, terwijl ik naar buiten bleef staren: 'Ik ben erg blij dat jij en Mel deze kamers hebben veranderd. Het is een veilige haven geworden, waar ik me beschermd voel tegen de buitenwereld. En op het ogenblik wil ik hier nog niet weg; ik wil al die mensen nog niet onder ogen komen die mijn kunst en talent vroeger hebben bewonderd. Ik wil niet gescheiden zijn van jou en paps. Ik geloof dat we dichter naar elkaar zijn toegegroeid, meer dan ooit het geval is geweest, en de vakantie staat voor de deur. 'En als de wegen gesloten zijn voor de verpleger en de therapeut, zullen ze ook gesloten zijn voor jou en paps. Laat me hier blijven, Mams. Ik heb jou nodig. Ik heb Paps nodig. En zelfs de kans om naar mijn broer toe te groeien. Ik heb de laatste tijd veel over Bart nagedacht. Soms komt hij naast me zitten en dan praten we. Ik geloof dat we eindelijk weer beginnen de vrienden te worden die we waren voordat je moeder in dat huis naast ons kwam wonen, toen hij negen was.'

Ik schoof onrustig heen en weer, dacht aan Bart met zijn janusgezicht, die binnenkwam als de vriend van zijn broer en achter zijn rug zijn vrouw verleidde.

'Als je dat wilt, Jory, moet je blijven. Maar denk er nog eens goed over na. Chris en ik kunnen naar de stad verhuizen, om dichter bij jou en Melodie te zijn, en we kunnen het je daar even comfortabel maken als hier.'

'Maar je kunt me geen andere broer meer geven, Bart is de enige broer die ik ooit zal hebben. En ik wil dat hij weet dat ik het me aantrek wat er met hem gebeurt. Ik wil dat hij gelukkig wordt. Ik wil dat hij net zo'n huwelijksleven heeft als ik heb met Mel. Op een goede dag zal hij het feit onder ogen moeten zien dat met geld niet alles te koop is, en dat je er geen liefde mee kunt kopen. Niet het soort liefde tussen Mel en mij.'

Hij keek peinzend voor zich uit en innerlijk huilde ik om hem en zijn 'liefde'. Toen kroop er een blos van de halsuitsnijding van zijn sporthemd waarover hij een rode trui droeg die kleur bracht op zijn bleke wangen. 'Dat wil zeggen, het soort huwelijk dat we hadden. Ik moet helaas toegeven dat het nu weinig meer met een huwelijk te maken heeft. Maar dat is niet haar schuld.'

Een week later was ik alleen in mijn kamer, waar ik druk zat te schrijven in mijn dagboek, toen Chris de kamer binnenstormde. 'Cathy,' zei hij opgewonden. Hij trok zijn jas uit en smeet die op een stoel. 'Ik heb fantastisch nieuws! Herinner je je nog dat experiment waar ik bij assisteerde? We hebben een doorbraak!' Hij trok me achter mijn bureau vandaan, zette me neer in een stoel voor het laaiende haardvuur. Hij legde tot in de kleinste bijzonderheid uit wat hij en de andere wetenschappers probeerden te bereiken. 'Het betekent dat ik vijf avonden per week niet thuis zal zijn, nu de winter komt. De sneeuw wordt pas om een uur of twaalf weggeruimd, zodat ik weinig tijd heb in het lab. Maar kijk niet zo triest, ik ben er in de weekends. Maar als je er bezwaar tegen hebt, moet je het eerlijk zeggen. Mijn eerste plicht geldt jou en het gezin.'

Zijn opwinding over het nieuwe project was zo overduidelijk, dat ik het niet over mijn hart kon verkrijgen zijn enthousiasme de kop in te drukken. Hij had mij en Jory en Bart zoveel gegeven, en zo weinig waardering ervoor terugontvangen. Automatisch sloeg ik mijn armen om zijn hals. Ik keek naar zijn lieve vertrouwde gezicht. Ik zag vage rimpeltjes rond zijn blauwe ogen, die ik daar niet eerder had gezien. Mijn vingers in zijn haar vonden zilver dat grover was dan het goud. Er waren een paar grijze haren in zijn wenkbrauwen.

'Als je je ongelukkig voelt, geef ik het op, dan geef ik de research eraan en wijd al mijn tijd aan het gezin. Maar ik zal je erg dankbaar zijn als je me een kans wilt geven. Toen ik mijn praktijk in Californië opgaf dacht ik dat ik nooit iets zou vinden dat me méér zou interesseren, maar ik vergiste me. Misschien heeft dit zo moeten zijn. Maar als het nodig is, *kan* ik het opgeven om bij mijn gezin te blijven.'

De geneeskunde opgeven? Hij had het grootste deel van zijn leven eraan gewijd. Zich nuttig voelen gaf een extra dimensie aan zijn leven. Hem hier houden terwille van mezelf, zonder iets te doen dat een bijdrage kon leveren aan de mensheid – op dit kritieke moment, de middelbare leeftijd – zou hem als mens vernietigen.

'Cathy,' zei Chris, mijn gedachtengang verstorend. Hij trok zijn dikke wollen jas weer aan. 'Gaat het goed? Waarom kijk je zo vreemd? Zo droevig? Ik kom elke vrijdagavond thuis en ga pas maandagmorgen weer weg. Leg Jory alles uit wat ik je verteld heb. Of nee, bij nader inzien ga ik zelf even naar hem toe om het hem te vertellen.'

'Als je dat graag wilt, moet je dat doen. Maar we zullen je missen. Ik weet niet hoe ik moet slapen zonder jou naast me. Ik heb met Jory gepraat, maar hij wil niet naar Charlottesville. Ik geloof dat hij erg veel van zijn kamers is gaan houden. Hij is bijna klaar met die klipper. En het zou jammer zijn hem alle comfort te ontnemen dat hij hier heeft. Bovendien is het gauw Kerstmis. Cindy komt thuis met Thanksgiving en blijft tot nieuwjaar. Chris, beloof me dat je echt je best zult doen elke vrijdag thuis te komen. Jory heeft niet alleen mijn kracht nodig maar ook de jouwe, want Melodie laat hem volkomen in de steek.'

O, ik had te veel gezegd.

Hij kneep zijn ogen halfdicht. 'Wat gebeurt er dat je voor me verzwijgt?' Ik slikte eens, wilde iets zeggen, haperde, probeerde mijn blik af te wenden, maar zijn blauwe ogen dwongen me te zeggen. 'Chris, zou je het heel erg vinden als je wist dat Bart verliefd is geworden op Melodie?'

Zijn lippen vertrokken even. 'O, dat. Ik weet dat Bart verliefd is op Melodie al sinds de dag dat ze hier kwam. Ik heb gezien hoe hij naar haar keek. Ik heb ze op een dag in een van de salons betrapt, op de bank. Hij had haar jurk opengeknoopt en kuste haar borsten. Ik ben weggegaan. Cathy, als Melodie hem niet wilde, zou ze hem een klap in zijn gezicht geven. Jij denkt misschien dat Bart Jory's vrouw steelt op het moment dat Jory haar het hardst nodig heeft – maar hij heeft geen vrouw nodig die niet meer van hem houdt. Laat ze – wat kan ze nog voor Jory doen?'

Ik staarde hem ongelovig aan. 'Je verdedigt Bart! Vind je het eerlijk wat hij heeft gedaan?'

'Nee, ik vind het niet eerlijk. Maar wanneer is het leven ooit eerlijk, Cathy? Was het eerlijk dat Jory's rug is gebroken en dat hij nu niet meer kan lopen? Nee, het is *niet* eerlijk. Ik heb te lang de geneeskunde uitgeoefend om niet te weten dat rechtvaardigheid niet in gelijke porties wordt uitgedeeld. De goeden gaan vaak eerder dood dan de slechten. Kinderen sterven vóór de grootouders, en wie durft te beweren dat dat eerlijk is? Maar wat kunnen we eraan doen? Het leven is een geschenk, en misschien is de dood een ander soort geschenk. Wie ben ik, of jij, om dat te zeggen? Leg je neer bij wat er gebeurd is tussen Bart en Melodie, en blijf dicht bij Jory. Maak hem zo gelukkig mogelijk, tot de dag komt waarop hij een andere vrouw kan vinden.'

Het duizelde me, alles leek me onwezenlijk. 'En de baby? Wat moet er gebeuren met de baby?'

Nu werd zijn stem hard. 'De baby is wat anders. Hij of zij zal bij Jory horen, welke broer Melodie ook kiest. Het kind zal Jory helpen er overheen te komen, want hij zal misschien nooit meer een ander kunnen verwekken.'

'Chris, alsjeblieft. Ga naar Bart en zeg dat hij Melodie met rust moet laten. Ik kan het niet verdragen dat Jory op dit moment in zijn leven ook zijn vrouw nog kwijtraakt.'

Hij schudde zijn hoofd, zei dat Bart nooit naar hem had geluisterd en dat hij dat nu zeker niet zou doen. En zonder dat ik het wist had hij al gesproken met Melodie.

'Schat, zie de feiten onder ogen. In haar hart wil Melodie Jory niet meer. Ze wil het niet bekennen, maar achter elk woord dat ze zegt, achter alle excuses, ligt het simpele feit dat ze niet getrouwd wil blijven met een man die niet kan lopen. Ik vind het wreed om haar te dwingen te blijven; vroeg of laat zal ze terugslaan omdat hij niet meer de man is die hij was, en dat wil ik hem besparen. Ze kan beter weggaan voordat ze hem nog meer verdriet doet dan met haar verhouding met Bart.'

'Chris!' riep ik uit, geschokt dat hij zo kon denken. 'Dat mag ze Jory niet aandoen!'

'Cathy, wie zijn wij om daarover te oordelen? Of we gelijk hebben of niet – moeten *wij*, die zelf door Bart als zondaars worden beschouwd, hem veroordelen?'

De volgende ochtend reed Chris weg, na me te hebben verteld dat hij vrijdagavond om een uur of zes terug zou zijn. Ik keek uit het raam van mijn slaapkamer tot de auto uit het zicht verdwenen was.

Wat waren de dagen leeg nu Chris er niet meer was, de nachten somber en verdrietig zonder zijn armen om me heen en zijn fluisterende stem die me verzekerde dat alles goed zou komen. Ik glimlachte terwille van Jory, ik wilde niet dat hij wist dat ik verdriet had omdat ik Chris 's nachts miste in bed. Jory sliep alleen, dacht ik, en als hij het kon, kon ik het ook. Ik wist dat Melodie en Bart nog steeds een verhouding hadden, maar ze waren discreet genoeg om te proberen het voor mij verborgen te houden. Maar ik wist door de manier waarop Joel naar Jory's vrouw keek dat hij haar beschouwde als een hoer. Vreemd dat hij niet woedend naar Bart keek, terwijl die toch net zo schuldig was. Maar mannen vonden nu eenmaal dat een vrouw zich niet hetzelfde kon permitteren als een man, zelfs vrome religieuze mannen als Joel.

November was al twee weken oud en onze plannen voor Thanksgiving waren rond. Het weer werd slechter, met harde wind en sneeuw. De sneeuw stapelde zich op bij de deuren en bevroor 's nachts tot ijs, zodat we de garage niet uit konden in een van onze vele auto's. Eén voor één lieten onze bedienden ons in de steek, tot alleen Trevor er nog was om samen met mij de maaltijden klaar te maken.

Cindy kwam thuis en vrolijkte ons op met haar lach en haar charmante maniertjes die iedereen charmeerden, behalve Bart en Joel. Zelfs Melodie leek wat opgewekter. Wel bleef ze vaak een dag in bed, probeerde warm te blijven nu de elektriciteit het zo vaak af liet weten, en dat betekende dat de elektrische verwarming het niet deed. We moesten onze toevlucht nemen tot de kolenkachels.

Bart droeg hout naar binnen om in zijn haard in zijn kantoor te branden, en vergat dat de anderen ook wel blij zouden zijn met een vuurtje.

Bart sloot zich op met Joel en besprak fluisterend het kerstbal dat hij wilde geven, dus moest ik zelf hout gaan halen voor een vuur in Jory's kamer, waar Cindy spelletjes met hem deed. Hij zat in zijn stoel, met een plaid om zijn knieën en een warme jas om zijn schouders, en lachte om mijn vergeefse pogingen het vuur aan te krijgen. 'Doe de schuif open, mams, misschien helpt dat.'

Hoe kon ik dat nou vergeten?

Het duurde niet lang of het vuur brandde. De heldere gloed vrolijkte de kamer op, die in de zomer zo mooi was, maar niet in de winter, precies zoals Bart had voorspeld. Nu zouden de donkere panelen het gezelliger hebben gemaakt.

'Mams,' zei Jory, plotseling vrolijk opkijkend. 'Ik heb de laatste dagen eens goed nagedacht. Ik ben een idioot, en ik schaam me zoals ik me heb gedragen. Je hebt gelijk. Je hebt al die tijd gelijk gehad. Ik wil geen medelijden meer met mezelf hebben zodra ik alleen ben en niemand me kan zien. Ik heb niet anders gedaan sinds dat ongeluk. Ik zal me neerleggen bij het onvermijdelijke en het beste maken van een moeilijke situatie. Net als jij en paps hebben gedaan toen jullie opgesloten zaten, zal ik mijn vrije tijd creatief maken. Ik heb nu alle tijd om de boeken te lezen waar ik vroeger geen tijd voor had, en als paps me weer aanbiedt om me te leren aquarelleren zal ik ja zeggen. Ik zal naar buiten gaan en landschappen schilderen. Misschien ook met olieverf. Ik wil jullie allebei bedanken dat je me de moed hebt gegeven om door te zetten. Ik bof dat ik ouders heb als jij en paps.'

Ik voelde me zo trots dat ik wel had kunnen huilen. Ik omhelsde hem, feliciteerde hem omdat hij weer de oude was.

Cindy had een bridgetafeltje neergezet, maar Jory ging weer verder met zijn klipper, die hij vóór Kerstmis af wilde hebben. Hij was bezig de heel dunne koordjes langs het tuig te spannen, voordat hij de laatste hand eraan zou leggen met een likje verf hier en daar.

'Ik wil dit aan iemand geven, mams,' vertelde hij. 'Op eerste Kerstdag krijgt iemand in dit huis mijn eerste moeizaam gemaakte stukje handenarbeid.'

'Ik heb het voor jou gekocht, Jory, als erfstuk voor je kinderen.' Ik verbleekte toen ik mezelf 'kinderen' hoorde zeggen.

'Het geeft niet, mams. Met dit geschenk wil ik mijn jongste broer terugwinnen, die van me hield, tot die oude man hem veranderd heeft. Hij wil het graag hebben; ik zie het als hij binnenkomt. Bovendien kan ik altijd een ander maken voor mijn kind. Nu wil ik iets doen voor Bart.

Hij denkt dat niemand van ons hem nodig heeft of hem aardig vindt. Ik heb nog nooit een man gezien die zo onzeker is van zichzelf... en dat vind ik jammer.'

VAKANTIEPRET

Thanksgiving Day kwam, en Chris arriveerde vroeg in de ochtend. Jory's verpleger bleef voor het Thanksgiving diner en staarde met verliefde ogen naar Cindy, alsof ze hem betoverd had. Ze gedroeg zich als een dame, en ik was verschrikkelijk trots op haar. De volgende dag nam ze gretig onze uitnodiging aan om in Richmond te gaan winkelen. Melodie schudde haar hoofd. 'Sorry, ik voel me er gewoon niet toe in staat.'

Chris, Cindy en ik reden weg met een gerust geweten, want we wisten dat Bart naar New York was en niet bij Melodie zou zijn. Jory's verpleger had beloofd bij hem te blijven tot we terugkwamen.

Onze driedaagse vakantie in Richmond deed ons geestelijk en lichamelijk goed, ik had het gevoel dat ik nog mooi was en heel erg verliefd, en Cindy had de tijd van haar leven. Ze kocht en kocht en gaf een enorme hoop geld uit. 'Weet je,' zei ze trots, 'ik besteed echt niet al mijn zakgeld aan mezelf. Ik spaar om mooie cadeaus te kunnen kopen voor mijn familie... Mams, Paps, wacht maar af tot je ziet wat ik voor jullie gekocht heb. Ik hoop maar dat Jory zijn cadeau mooi vindt. Bart kan zijn cadeau op prijs stellen of niet, dat interesseert me niet.'

'En Oom Joel?' vroeg ik nieuwsgierig.

Lachend omhelsde ze me. 'Wacht maar!'

Uren later reed Chris de bochtige weg op naar Foxworth Hall. In een van de dozen in de achterbak zat een dure jurk die ik had gekocht voor het kerstbal, waarover ik Bart had horen spreken met dezelfde caterers die zijn verjaardag hadden verzorgd. In een enorme doos zat een opvallende jurk die Cindy had uitgezocht, gewaagd, maar uitstekend voor haar geschikt. 'Dank je, mams, dat je geen bezwaar hebt gemaakt,' fluisterde ze en gaf me een zoen.

Er was niets bijzonders gebeurd tijdens onze afwezigheid, behalve dat Jory eindelijk zijn schip af had. Het stond trots en tot in details afgewerkt voor hem; het kleine koperen roer glansde, de zeilen stonden bol. 'Suikerwater,' vertelde Jory lachend. 'Het ging. Ik heb de zeilen om een fles heen gelegd, zoals in de instructies stond.' Hij was trots op zijn werk, glimlachte toen Chris dichterbij kwam om zijn nauwgezette arbeid van dichtbij te bewonderen. Daarna hielpen we hem het schip in een schuimrubber vorm te zetten, waar het veilig zou zijn tot het in handen kwam van de nieuwe eigenaar.

Hij keek naar mij. 'Bedankt dat je me iets te doen hebt gegeven in al die lange saaie uren, mams. Toen ik het voor het eerst zag, wist ik me er geen raad mee, ik dacht dat ik het nooit zou kunnen. Maar ik heb het stap voor stap gedaan, en ik heb die ontzettend ingewikkelde instructies onder de knie weten te krijgen.'

'Zo win je elke strijd in het leven, Jory,' zei Chris, terwijl ik Jory dicht tegen me aandrukte. 'Je moet niet naar het totale beeld kijken. Je neemt één stap, dan nog één en dan nog één… tot je je doel bereikt hebt. En ik moet zeggen dat je schitterend werk hebt geleverd met dat schip. Als Bart al die inspanning niet waardeert, zou me dat erg tegenvallen.'

Chris keek stralend naar Jory. 'Je ziet er gezonder, sterker uit. En geef die aquarellen niet op. Het is moeilijk, maar ik denk dat het je beter zal bevallen dan olieverf. Ik denk dat je op een dag een heel goeie schilder zult worden.'

Beneden gaf Bart een man van de bank telefonisch opdracht een failliet-gaande zaak over te nemen. Toen sprak hij iemand anders over het kerst-bal dat hij wilde geven, een bal dat de tragedie van zijn verjaardagsfeest moest goedmaken. Ik stond op de drempel te luisteren en dacht dat het maar goed was dat hij het niet uit eigen zak hoefde te betalen, maar dat het ten koste ging van de Corrine Foxworth Winslow Trust; de jaarlijkse vijfhonderdduizend 'zakgeld' kon Bart uitsluitend voor zichzelf beste-den.

Bart smeet de hoorn neer en keek me woedend aan. 'Moeder, waarom blijf je daar staan om me af te luisteren? Heb ik je niet gezegd dat je uit m'n buurt moet blijven als ik bezig ben?'

'Wanneer kan ik je spreken als ik dat niet doe?'

'Waarom wil je me spreken?'

'Waarom wil een moeder haar zoon spreken?'

Zijn donkere ogen werden vriendelijker. 'Je hebt Jory. En hij leek altijd meer dan voldoende.'

'Nee, je vergist je. Als ik jou nooit had gehad, zou Jory voldoende zijn. Maar ik heb jou wel gekregen, en daardoor ben je een essentieel deel van mijn leven geworden.'

Hij keek aarzelend, toen stond hij op en liep naar het raam, bleef met zijn rug naar me toe staan. Zijn stem klonk diep en ruw, maar er lag een melancholieke klank in. 'Herinner je je nog de tijd toen ik Malcolms dag-boek onder mijn hemd verborgen hield? Malcolm schreef zoveel over zijn moeder, en hoeveel hij van haar hield voordat ze er vandoor ging met haar minnaar en hem alleen achterliet bij zijn vader die hij niet aardig vond. Iets van Malcolms haat tegen haar is op mij overgeslagen vrees ik. Telkens als ik jou en Chris die trap op zie lopen, voel ik de behoefte mezelf schoon te wassen van de schaamte die ik voel. Dus probeer me niet de les te lezen over Melodie, want wat ik met haar doe is heel wat minder zondig, dan wat jij doet met Chris.'

Hij had ongetwijfeld gelijk, en dat deed nog het meeste pijn.

Triest raakte ik er min of meer aan gewend Chris alleen tijdens het weekend te zien. Ik was verdrietig, en mijn bed was zo groot en eenzaam zonder hem, en al mijn eenzame ochtenden waren weemoedig. Ik wilde dat ik hem kon horen fluiten terwijl hij zich schoor en een douche nam, ik miste zijn opgewektheid, zijn optimisme. Als het weer belette dat hij zelfs het weekend kwam, raakte ik ook daaraan gewend. Wat kan een mens zich toch goed aanpassen, bereid elke verschrikking, elke ontbering te doorstaan, voor een paar minuten van intens geluk. Als ik achter het raam stond en Chris aan zag komen, voelde ik me zo verbazingwekkend jeugdig en opgewonden dat het leek of ik wachtte op Barts vader, die uit Foxworth Hall kwam om me in de bungalow te ontmoeten. Ik gedroeg me minder kalm en beheerst dan toen ik hem elke nacht en ochtend zag. De weekends waren iets waarover ik droomde en waar ik naar uitkeek. Chris was tegelijk méér en minder voor me; méér een minnaar en minder een echtgenoot. Ik miste de broer en ik hield van de minnaar-echtgenoot die me niet deed denken aan de broer die ik had gekend.

Er bestonden geen manieren, geen woorden om ons te scheiden, nu ik hem had geaccepteerd en als echtgenoot aanvaard, alle minachting en morele regels van de maatschappij ten spijt.

Toch paste mijn onderbewustzijn vreemde trucjes toe. Vastberaden scheidde ik Chris, de man, van Chris, de jongen, die mijn broer was geweest. Een onbewust, ongepland spel dat we beiden met raffinement speelden. We spraken er niet over, dat was niet nodig. Chris noemde me nooit meer 'mijn lady Ca-the-rine'. En hij zei nooit meer plagend: 'Ik hoop dat de luizen niet bijten'. Al die toverwoorden uit het verleden, uit onze gevangenschap, die de kwade geesten moesten verjagen, lieten we eindelijk gaan in onze tevreden middelbare jaren.

Op een vrijdagavond in december kwam hij laat thuis en stampte in de hal de sneeuw van zijn schoenen terwijl ik stond te wachten in de schaduw van de rotonde. Hij trok zijn jas uit en hing die netjes in de kast voor hij met twee treden tegelijk de trap oprende en me riep. Ik kwam uit de schaduw te voorschijn en nestelde me in zijn armen. 'Je bent weer te laat!' riep ik. 'Wie ontmoet je toch in dat lab die je daar vasthoudt?'

Niemand! Niemand! verzekerden zijn hartstochtelijke kussen me.

De weekends waren zo kort, zo afschuwelijk kort.

Ik vertelde alles wat me dwars zat, over Joel en zijn griezelige manier om door het huis te zwerven, en zijn afkeurende blikken bij alles wat ik deed. Ik vertelde hem over Melodie en Bart, en Jory, die gedeprimeerd was en naar Melodie verlangde, haar onverschilligheid haatte, maar toch van haar hield, terwijl ik Melodie voortdurend wees op haar plichten. Het deed hem nog meer verdriet dan het feit dat hij zijn benen niet meer kon gebruiken.

Chris lag naast me en luisterde kalm maar ongeduldig naar mijn lange tirade, tot hij eindelijk zijn geduld verloor. 'Catherine, soms maak je dat ik ertegen opzie naar huis te komen.' Hij draaide zich om. 'Je bederft alles wat mooi en goed tussen ons is met je onophoudelijke, achterdochtige verhalen. En het meeste bestaat alleen in je eigen verbeelding. Je hebt altijd teveel fantasie gehad. Word toch eens volwassen, Catherine. Je steekt Jory ook al aan met je argwaan. Als je eens leert alleen maar goeds te verwachten van de mensen, zou je dat misschien ook krijgen.'

'Die filosofie heb ik vaker van je gehoord, *Christopher*,' zei ik met een plotselinge verbittering. Ik dacht aan zijn vertrouwen in onze moeder, het goede dat hij van haar verwachtte door zijn toewijding. *Chris, Chris, leer jij het dan nooit?* Maar ik zei het niet, durfde het niet te zeggen.

Hij was van middelbare leeftijd, ook al zag hij er niet naar uit, en had nog steeds datzelfde jongensachtige optimisme. Al spotte ik er vaak mee, inwendig verlangde ik naar dat soort vertrouwen, want het schonk hem vrede, terwijl ik dag in dag uit in een zenuwtoestand leefde.

Bart zat voor het laaiende vuur en probeerde zich te concentreren op *The Wall Street Journal*, terwijl Jory en ik kerstcadeautjes inpakten op een lange tafel die we voor dat doel leeggeruimd hadden. Terwijl ik strikken maakte en het glanzende kerstpapier op maat knipte, drong het plotseling tot me door dat Cindy zich sinds haar thuiskomst dromerig door het huis bewoog, verloren in haar eigen wereld, zodat het bijna leek of ze er niet was. Het gaf ons zo'n rust, dat ik haar min of meer vergeten was en al mijn aandacht op Jory richtte. Het had me niet verbaasd dat ze met Chris naar Charlottesville wilde, om haar laatste inkopen te doen en naar de bioscoop te gaan. Ze zou vrijdag met hem terugkomen. Chris had een flat waarin één bed stond; Cindy zou op de bank slapen.

'Heus, mams, ik weet zeker dat mijn speciale kerstverrassing je zal bevallen!' Pas toen ze weg was vroeg ik me af wat dat heimelijke voldane lachje van haar betekende.

Terwijl Jory en ik alle pakjes versierden met enorme satijnen strikken en naamkaartjes, hoorde ik het dichtslaan van portieren, zware voetstappen en de stem van Chris.

Het was pas twee uur 's middags toen hij de salon binnenkwam, met Cindy, en tot mijn verbazing met een opvallend knappe jongen van een jaar of achttien. Ik wist al dat Cindy elke jongen die minder dan twee jaar ouder was dan zij, te jong voor haar vond. 'Hoe ouder, en ervarener, hoe beter,' zei ze altijd plagend tegen me.

'Mams,' zei Cindy met een stralend gezicht, 'dit is de verrassing die ik zei dat ik mee zou brengen.'

Verbaasd glimlachte ik. Cindy had niet één keer gezegd dat haar 'geheime' verrassing een gast was die ze had uitgenodigd zonder iemands toestemming te vragen. Ik stond op zodat Chris Cindy's vriend uit Zuid-Carolina keurig kon voorstellen als Lance Spalding. De jongeman gedroeg zich keurig en beheerst toen hij mij, Jory, en een woedend kijkende Bart een hand gaf.

Chris gaf me een zoen op mijn wang, omhelsde Jory even en liep toen haastig naar de deur. 'Cathy, neem me niet kwalijk dat ik zo gauw wegga, maar ik kom morgen vroeg terug. Cindy kon niet tot morgen wachten om haar gast thuis te brengen. Ik moet nog een paar dingen afwikkelen op de universiteit. En ik ben nog niet helemaal klaar met winkelen.' Hij keek naar me met een stralende glimlach. 'Schat, ik heb twee weken vrij. Dus doe het rustig aan en hou je verbeelding achter slot en grendel.' Hij wendde zich tot Lance: 'Prettige vakantie, Lance.'

Cindy liep met haar vriend naar degene van wie het allerminst te verwachten was dat hij zich gastvrij zou gedragen. 'Bart, ik wist dat je het niet erg zou vinden als ik Lance uitnodigde. Zijn vader is president van de keten *Chemical Banks of Virginia*.'

Magische woorden. Ik moest glimlachen om Cindy's slimheid. Onmiddellijk veranderde Barts vijandige houding in belangstelling. Het was bijna pijnlijk zoals hij informatie trachtte te peuren uit de jongeman die duidelijk smoorverliefd was op Cindy.

Cindy was mooier dan ooit in haar strakke witte trui met roze strepen en haar nauwe roze tricot broek. Ze had een prachtig figuur dat ze graag liet zien.

Lachend pakte ze Lance's hand en sleurde hem bij Bart vandaan. 'Lance, wacht maar tot je het hele huis hebt gezien. We hebben authentieke harnassen – twee – en die zijn zo klein dat ze mij niet eens zouden passen. Mams misschien, maar mij niet. Moet je je voorstellen, we denken altijd dat ridders zulke grote, sterke mannen waren, maar dat waren ze helemaal niet. De muziekkamer is groter dan deze kamer, en mijn kamer is de mooiste van allemaal. De suite van mijn ouders is het einde. Ik ben nooit uitgenodigd in Barts vertrekken, maar ik weet zeker dat ze fantastisch zijn.' Ze keerde zich half naar Bart en keek naar hem met een plagende glimlach. Hij fronste zijn wenkbrauwen.

'Jij blijft uit mijn kamers!' beval hij ruw. 'Waag het niet in de buurt van mijn kantoor te komen. En, Lance, zolang je hier bent, mag je niet vergeten dat je onder mijn dak vertoeft, en ik verwacht van je dat je Cindy eervol behandelt.'

Het gezicht van de jongen werd rood, maar hij zei gedwee: 'Natuurlijk. Ik begrijp het.'

Zodra ze uit het gezicht verdwenen waren, al konden we Cindy nog steeds de lof horen zingen van Foxworth Hall, gaf Bart zijn mening over Cindy's vriend te kennen. 'Ik mag hem niet. Hij is te oud voor haar en te vlot. Zij of jij had het me horen te vertellen. Je weet dat ik niet wil dat er onverwachte gasten komen binnenvallen.'

'Bart, ik ben het volkomen met je eens. Cindy had ons moeten waarschuwen, maar misschien was ze bang dat je nee zou zeggen als ze dat deed. En hij lijkt me een heel aardige jongeman. Vergeet niet dat Cindy erg lief is geweest sinds Thanksgiving. Ze heeft niet één keer moeilijkheden veroorzaakt. Ze wordt volwassen.'

'Laten we hopen dat ze zich blijft gedragen,' mopperde hij met een vage glimlach. 'Zag je hoe hij naar haar keek? Ze heeft die arme jongen volkomen in haar ban.'

Opgelucht glimlachte ik terug naar Bart en naar Jory, die met de lichtjes van de kerstboom bezig was en pakjes onder de boom legde.

'Het was een traditie van de Foxworths om een kerstbal te geven op de avond vóór Kerstmis,' zei Bart vriendelijk. 'Oom Joel heeft twee weken geleden zelf mijn uitnodigingen op de post gedaan. Ik verwacht minstens tweehonderd mensen als het weer behoorlijk blijft. En zelfs al krijgen we een sneeuwstorm, dan denk ik dat de helft toch nog zal kunnen komen. Ze kunnen zich niet veroorloven me links te laten liggen, want ik ben hun grootste werkverschaffer. Bankiers, advocaten, makelaars, artsen, zakenlieden, en hun vrouwen en vriendinnen, en de plaatselijke society. En er komen een paar studievrienden van me. Dus, Moeder, deze ene keer kun je nu eens niet klagen dat het leven hier zo eenzaam is.'

Jory ging weer lezen, schijnbaar vastbesloten zich niet van de wijs te laten brengen door iets dat Bart zei of deed. Bij het licht van het vuur was zijn klassiek profiel volmaakt. Zijn donkere haar krulde zachtjes rond zijn gezicht en viel op de kraag van zijn gebreide sporthemd. Bart droeg een zakenkostuum, alsof hij elk moment kon weggaan om een vergadering bij te wonen. Op dat moment kwam Melodie binnen in een vormeloos grijs gewaad dat uitpuilde of ze er een watermeloen onder droeg. Haar blik ging onmiddellijk naar Bart, die opsprong, zijn blik afwendde en haastig de kamer uitging. Er heerste een pijnlijke stilte toen hij weg was.

'Ik kwam Cindy boven tegen,' zei Melodie hees. Ze keek Jory niet aan. Ze ging naast het vuur zitten en strekte haar handen uit om ze te warmen. 'Haar vriend lijkt me een vriendelijke, goed opgevoede jongen. Hij heeft een knap gezicht.' Ze hield haar blik strak op het vuur gericht, terwijl Jory zijn best deed haar aandacht te trekken. Triest gaf hij het eindelijk op en begon weer te lezen. 'Cindy schijnt te houden van mannen met donker haar die op haar broers lijken,' ging ze verder, alsof ze alles onbelangrijk vond en alleen maar een gesprek gaande wilde houden.

Kwaad sloeg Jory zijn ogen op. 'Mel, kun je me zelfs niet goedendag zeggen?' vroeg hij hees. 'Ik ben hier, ik leef. Ik doe mijn best om te overleven. Kun je niet iets zeggen en doen om me te laten weten dat je je nog herinnert dat ik je man ben?'

Onwillig draaide ze haar hoofd naar hem toe en gaf hem een vaag lachje van herkenning. Haar ogen verrieden dat ze hem niet langer zag als de man die ze hartstochtelijk had bemind en bewonderd. Ze zag alleen maar een invalide in een rolstoel, en zoals hij nu was maakte hij haar onrustig en verlegen.

'Hallo, Jory,' zei ze plichtsgetrouw.

Waarom stond ze niet op en gaf ze hem een zoen? Waarom zag ze de smeekbede niet in zijn ogen? Waarom kon ze niet een keer haar best doen, ook al hield ze niet meer van hem? Jory's gezicht werd langzaam rood, toen boog hij zijn hoofd en staarde naar alle cadeaus die hij zo mooi had ingepakt.

Ik stond op het punt iets wreeds te zeggen tegen Melodie, toen Cindy en Lance terugkwamen met fonkelende ogen en blozende wangen. Bart kwam kort daarna. Hij keek de kamer door, zag dat Melodie er nog was en wilde weer gaan. Onmiddellijk stond Melodie op en verdween. Bart moest hebben gezien dat ze wegging, want even later kwam hij terug en ging zitten, sloeg zijn benen over elkaar, opgelucht dat Melodie weg was.

De vriend keek met een brede glimlach naar Bart. 'Ik heb gehoord dat dit allemaal van u is, meneer Foxworth.'

'Zeg maar Bart,' beval Cindy.

Bart fronste zijn wenkbrauwen.

'Bart...' begon Lance aarzelend. 'Het is een bijzonder huis. Bedankt voor de uitnodiging.' Ik keek even naar Cindy, die geen krimp gaf toen Bart haar woedend aankeek. Lance ging onschuldig verder: 'Cindy heeft me jouw kamers en kantoor niet laten zien, maar ik hoop dat jij dat zelf wilt doen. Op een dag hoop ik zelf iets te bezitten als dit... en ik ben dol op elektronische apparatuur. Cindy heeft me verteld dat jij daar zoveel van hebt.'

Ogenblikkelijk sprong Bart overeind. Hij was schijnbaar trots dat hij zijn elektronica kon laten zien. 'Natuurlijk, als je mijn kamers en kantoor wilt zien, zal ik je graag rondleiden. Maar ik heb liever dat Cindy niet meegaat.'

Na een uitvoerig diner, dat Trevor serveerde, zaten we met Jory en Bart in de muziekkamer. Melodie was boven, ze was al naar bed gegaan. Even later zei Bart dat hij vroeg op moest, en ging ook naar bed. Het gesprek verflauwde en na een paar minuten stonden we allemaal op en liepen naar de trap. Ik bracht Lance naar zijn kamer met eigen badkamer in de oostelijke vleugel, niet ver van Barts eigen vertrekken, terwijl Cindy's kamer naast de mijne lag. Cindy lachte liefjes en gaf Lance Spalding een zoen op zijn wang. 'Welterusten, lieve prins,' fluisterde ze. 'Afscheid is zo'n zoet-zoet verdriet.'

Met zijn armen over zijn borst gevouwen op dezelfde manier als Joel, stond Bart op de achtergrond minachtend naar het tedere tafereeltje te kijken. 'Laat het vooral een echt afscheid zijn,' zei hij nadrukkelijk, met een veelbetekenende blik op Lance en Cindy, vóór hij met grote passen naar zijn kamers liep.

Eerst bracht ik Cindy naar haar kamer, en we wisselden een paar woorden en een nachtzoen. Toen bleef ik even voor Melodie's deur staan en vroeg me af of ik zou aankloppen en trachten haar tot rede te brengen. Ik zuchtte, ik wist dat het geen goed zou doen; ik had het al zo vaak geprobeerd. Vervolgens liep ik naar Jory's kamer.

Hij lag op bed en staarde naar het plafond. Zijn donkere blauwe ogen richtten zich op mij, glansden van onvergoten tranen. 'Het is zo lang geleden sinds Melodie binnen is gekomen om me welterusten te wensen. Jij en Cindy vinden altijd gelegenheid om dat te doen, maar mijn vrouw negeert me, alsof ik niet besta. Er is eigenlijk geen enkele reden waarom ik niet in een groter bed zou kunnen slapen. Dan kon ze naast me liggen. Maar ze zou het niet doen als ik het haar vroeg. Nu ik het schip af heb weet ik niet wat ik moet doen om de tijd te verdrijven. Ik wil liever niet aan een ander schip beginnen. Ik voel me zo onbevredigd, ik lig overhoop met het leven en vooral met mijn vrouw. Ik wil me tot haar keren, maar zij keert zich van me af. Mams, zonder jou, paps en Cindy, zou ik de dagen niet doorkomen.'

Ik nam hem in mijn armen, woelde met mijn vingers door zijn haar, zoals ik deed toen hij nog klein was. Ik zei alle dingen die uit Melodie's mond hoorden te komen. Ik had medelijden met haar, had een hekel aan haar omdat ze zwak was, haatte haar omdat ze niet genoeg van hem hield, hem niets kon geven.

'Welterusten, *mijn* lieve prins,' zei ik op Jory's drempel. 'Klamp je vast aan je dromen, laat ze niet los, want het leven biedt veel mogelijkheden om gelukkig te zijn, Jory. Het is niet allemaal voorbij.'

Hij glimlachte, zei welterusten, en ik liep naar de zuidelijke vleugel, naar de suite die ik deelde met Chris.

Plotseling stond Joel voor me, versperde me de weg. Hij droeg een versleten oude ochtendjas, van een vale kleur, meer grauw dan iets anders. Zijn dunne, bleke haar stond in kleine plukjes overeind, als horens, terwijl het koord om zijn ochtendjas achter hem aan sleepte als een staart.

'Catherine,' zei hij scherp. 'Besef je wel wat dat meisje op dit moment aan het doen is?'

'*Dat* meisje? Welk meisje?' antwoordde ik even scherp.

'Je weet wel wie ik bedoel – die dochter van je. Ze ontvangt die jongeman die ze mee naar huis heeft genomen.'

'Ontvangen, wat bedoel je?'

Zijn glimlach was sluw en vals. 'Als iemand het kan weten ben jij het wel. Ze ligt met die jongen in bed.'

'Dat geloof ik niet!'

'Ga dan zelf kijken,' antwoordde hij snel, met voldoening in zijn stem. 'Jij gelooft toch nooit wat ik zeg. Ik stond achterin de hal en zag die jongen toevallig door de gangen sluipen. Ik volgde hem. Nog voordat hij bij Cindy's deur was had ze al opengedaan en nodigde ze hem binnen.'

'Ik geloof het niet,' zei ik, minder overtuigd.

'Ben je bang om te gaan kijken? Ben je bang te ontdekken dat ik de waarheid spreek? Zou je dat overtuigen dat ik niet de vijand ben voor wie je me aanziet?'

Ik wist niet wat ik moest zeggen of denken. Cindy had beloofd zich netjes te gedragen, had zo goed geholpen met Jory, had zich tegen haar natuurlijke neiging verzet met Bart te redetwisten. Joel moest liegen. Ik draaide me met een ruk om en liep naar Cindy's kamer, met Joel achter me aan.

'Je liegt, Joel, ik zal het je bewijzen,' zei ik, snel doorlopend.

Vlak voor haar deur bleef ik staan en luisterde, maar ik hoorde niets. Ik hief mijn hand op om te kloppen. 'Nee!' siste Joel. 'Je moet ze niet waarschuwen als je de waarheid wilt weten. Gooi de deur open en loop naar binnen en kijk zelf.'

Ik bleef staan, ik wilde niet eens aan de mogelijkheid denken dat hij gelijk zou kunnen hebben. En ik wilde niet dat Joel me vertelde wat ik moest doen. Ik keek hem woedend aan, klopte één keer hard op de deur en wachtte een paar seconden. Toen gooide ik de deur van Cindy's slaapkamer open en liep haar kamer binnen, die verlicht was door het maanlicht dat door haar ramen naar binnen viel.

Twee volkomen naakte lichamen lagen in elkaar gestrengeld op Cindy's maagdelijke bed!

Ik staarde, geschokt, voelde een schreeuw in mijn keel die bleef stokken. Voor mijn verbijsterde ogen lag Lance Spalding bovenop mijn zestienjarige dochter; zijn lichaam schokte spastisch. Cindy's handen omklemden zijn billen, haar lange rode nagels groeven zich erin, haar hoofd rolde heen en weer terwijl ze kreunde van genot, wat me duidelijk maakte dat het niet de eerste keer was.

Wat moest ik doen? De deur sluiten en niets zeggen? Toegeven aan een wilde woede en Lance het huis uitjagen? Hulpeloos en besluiteloos bleef ik staan. Er moesten maar een paar seconden voorbij zijn gegaan toen ik een zacht geluid achter me hoorde.

Weer een onderdrukte kreet. Ik draaide me met een ruk om en zag Bart naar Cindy staren, die zich nu bovenop Lance had laten rollen en hem wellustig bereed. Ze riep de meest vulgaire woorden tussen haar extatisch gekreun door, zich van niets anders bewust dan van hetgeen ze deden.

Bart was minder besluiteloos.

Hij liep met grote passen naar het bed en greep Cindy rond haar middel. Met een flinke ruk trok hij haar van de jongen af die hulpeloos leek in zijn naaktheid. Meedogenloos smeet Bart Cindy op de grond. Ze schreeuwde toen ze met haar gezicht op het kleed viel.

Bart hoorde het niet.

Hij had het te druk met de jongen. Steeds opnieuw sloegen zijn vuisten in Lance's knappe gezicht. Ik hoorde het kraken van zijn neus. Het bloed spatte overal in het rond. 'NIET ONDER MIJN DAK!' brulde hij, terwijl hij met zijn vuisten Lance's gezicht bleef bewerken. 'GEEN ZONDE ONDER MIJN DAK!'

Een ogenblik geleden had ik hetzelfde willen doen. Nu rende ik naar hem toe om de jongen te redden, 'Bart, HOU OP! JE VERMOORDT HEM!'

Cindy bleef hysterisch schreeuwen terwijl ze probeerde haar naaktheid te bedekken met de kleren die ze op de grond had laten vallen en die tussen Lance's kleren lagen. Joel was ook in de kamer en keek minachtend naar Cindy. Toen keek hij naar mij met een voldane lach die zeggen wilde: *Zie je wel, ik zei het je toch. Zo moeder, zo dochter.*

'Zie je wat je hebt bereikt met je verwennerij?' zei Joel op zangerige toon, alsof hij op de kansel stond. 'Het was me vanaf de eerste keer dat ik haar zag duidelijk dat dat meisje een ontuchtige vrouw is onder het dak van mijn vaders huis.'

'Idioot!' tierde ik. 'Hoe durf jij iemand te veroordelen?'

'Jij bent zelf idioot, Catherine. Je bent net als je moeder, in meer dan één opzicht. Ook zij wilde elke man hebben die ze zag, zelfs haar eigen halfoom. Ze was net als die naakte meid, wellustig rondkruipend over de vloer – bereid om met alles naar bed te gaan dat een broek aan heeft.'

Onverwacht liet Bart Lance op het bed vallen en keerde zich met een ruk naar Joel. 'Hou je mond! Waag het niet tegen mijn moeder te zeggen dat ze op haar moeder lijkt! Dat doet ze niet, dat doet ze niet!'

'Je zult het uiteindelijk met me eens zijn, Bart,' zei Joel met zijn zachtste, schijnheiligste stem. 'Corrine kreeg wat ze verdiende. Zoals jouw moeder op een dag zal krijgen wat zij verdient. En als er nog rechtvaardigheid en recht heersen in deze wereld, en God is in Zijn Hemel, dan zal die onfatsoenlijke, naakte meid op de grond, die probeert haar naakte lijf te bedekken, haar einde vinden in de laaiende vlammen, zoals ze verdient.'

'Waag het niet dat nog eens te zeggen!' bulderde Bart, zo woedend op Joel dat hij Cindy en Lance vergat, die haastig hun nachtkleren aantrokken. Hij aarzelde, alsof hij er zelf van schrok dat hij het meisje verdedigde waarvan hij hardnekkig ontkende dat het zijn zusje was. 'Dit is mijn leven, oom,' zei hij streng. 'En mijn familie, meer dan de jouwe. *Ik* zal hier voor de nodige rechtvaardigheid zorgen, niet jij.'

Schijnbaar ontsteld, zwakjes schuifelend als een oude man, liep Joel de gang door, bijna dubbelgebogen.

Zodra hij uit het gezicht verdwenen was, richtte Bart zijn woede op mij. 'ZIE JE NOU WEL!' bulderde hij. 'Cindy heeft net bewezen dat ze is wat ik allang vermoedde! Ze deugt niet, moeder. ZE DEUGT NIET! Al die tijd dat ze zich zo lief voordeed speelde ze een spelletje, maakte ze plannen om zich te amuseren als Lance kwam. Ik wil dat ze dit huis uit gaat en voorgoed uit mijn leven verdwijnt!'

'Bart, je kunt Cindy niet wegsturen. Ze is mijn dochter! Als je met alle geweld iemand nog meer moet straffen dan je al gedaan hebt moet je Lance wegsturen. Je hebt natuurlijk gelijk, Cindy had niet mogen doen wat ze gedaan heeft, en evenmin had Lance misbruik mogen maken van je gastvrijheid.'

Bart kwam een beetje tot bedaren. 'Goed, Cindy kan blijven, omdat jij met alle geweld van haar wilt blijven houden, wat er ook gebeurt. Maar die jongen gaat vanavond nog de deur uit!' Hij gilde tegen Lance: 'Schiet op en ga je koffer pakken. Over vijf minuten rij ik je naar het vliegveld. Als je het ooit nog waagt Cindy aan te raken breek ik de rest van je botten. En denk maar niet dat ik er niet achter kom. Ik heb ook vrienden in Zuid-Carolina.'

Lance Spalding zag doodsbleek en gooide haastig zijn kleren in de koffers die hij net had uitgepakt. Hij durfde zelfs niet naar me te kijken toen hij haastig voorbij liep en hees fluisterde: 'Het spijt me, en ik schaam me verschrikkelijk, mevrouw Sheffield.' En toen was hij weg; met Bart achter zich aan, hem voortdurend aansporend om sneller te lopen.

Ik keek naar Cindy, die een heel preutse ouderwetse pon had aangetrokken en onder de dekens lag en me met grote, angstige ogen aanstaarde.

'Ik hoop dat je tevreden bent, Cindy,' zei ik op kille toon. 'Je hebt me diep teleurgesteld. Ik had meer van je verwacht... je had het me beloofd. Betekent een belofte dan helemaal niets voor je?'

'Mams, alsjeblieft,' snikte ze. 'Ik hou van hem en ik verlangde naar hem, en ik vind dat ik lang genoeg heb gewacht. Het was mijn kerstcadeau voor hem en voor mezelf.'

'Lieg niet tegen me, Cynthia! Vanavond was niet de eerste keer. Ik ben niet zo stom als je schijnt te denken. Jij en Lance zijn al eerder met elkaar naar bed geweest!'

Ze jammerde luid. 'Mamma, hou je niet meer van me? Als je dat niet meer doet, wil ik dood! Ik heb geen andere ouders dan jij en paps... en ik zweer je dat het nooit meer zal gebeuren. Alsjeblieft, vergeef me, alsjeblieft!'

'Ik zal erover denken,' zei ik koel, en deed haar deur dicht.

De volgende ochtend, toen ik bezig was me aan te kleden, kwam Cindy mijn kamer binnengehold, hysterisch gillend: 'Mamma, alsjeblieft, laat Bart me niet dwingen om weg te gaan. Ik heb nog nooit een gelukkig kerstfeest gehad als Bart erbij was. Ik haat hem! Ik haat hem echt! Hij heeft Lance's gezicht verwoest, helemaal verwoest.'

Hoogstwaarschijnlijk had ze gelijk. Ik moest Bart leren zijn woede te beheersen. Het was afschuwelijk voor zo'n knappe jongen dat zijn neus gebroken was, om nog maar te zwijgen over de blauwe ogen die hij had opgelopen, en de vele wonden en blauwe plekken.

Maar toen Lance weg was, werd Bart plotseling merkwaardig stil en rustig. Rimpels die me niet eerder waren opgevallen liepen van zijn neus naar zijn lippen, en hij was te jong voor rimpels. Hij weigerde met Cindy te praten of zelfs maar naar haar te kijken. Hij behandelde mij ook of ik er niet was. Hij zat gemelijk en stil naar me te staren, richtte zijn ogen dan even vluchtig op de huilende Cindy, en ik kon me niet herinneren dat Cindy ooit gehuild had waar één van ons bij was.

Later op de dag had ik een gesprek met Cindy. 'Cindy, ik ben geschrokken van je gedrag. Bart had het recht om woedend te zijn, ook al keur ik het af dat hij zo ruw was tegen die jongen. Hem kan ik tenminste begrijpen, maar jou niet. Elke jongeman komt je kamer binnen als je zo bereidwillig je deur opendoet en hem binnen noodt. Cindy, je moet me beloven dat je zoiets nooit meer zult doen. Als je achttien bent, ben je je eigen baas, maar tot die dag, en zolang je onder dit dak vertoeft, zul je geen seksuele spelletjes spelen, met niemand, hier niet en nergens, begrepen?'

Ze sperde haar blauwe ogen open, de tranen blonken in haar ogen. 'Mamma, ik leef niet in de achttiende eeuw! Alle meisjes doen het! Ik heb het veel langer uitgesteld dan de meesten, en naar wat ik over jou heb gehoord, zat jij ook achter de mannen aan.'

'Cindy!' snauwde ik. 'Gooi me nooit mijn verleden of heden voor de voeten! Jij hebt geen idee wat ik heb moeten verdragen, terwijl jij alleen maar plezier hebt gehad, alles genoten hebt wat mij ontzegd was.'

'Plezier?' vroeg ze bitter. 'Ben je al die afschuwelijke, gemene dingen vergeten die Bart me aandeed? Misschien zat ik niet opgesloten, en leed ik geen honger en werd ik niet geslagen, maar ik heb ook mijn problemen gehad, geloof dat maar! Bart geeft me zo'n onzeker gevoel dat ik alle jongens die ik leer kennen op de proef moet stellen. Ik kan er niets aan doen!'

We waren in haar slaapkamer; Bart was beneden.

Ik deed een stap naar voren en nam Cindy in mijn armen. 'Niet huilen, lieverd. Ik weet hoe je je voelt. Maar je moet proberen te begrijpen hoe ouders over hun dochters denken. Je vader en ik hebben het beste met je voor. We willen niet dat je verdriet hebt. Laat die ervaring met Lance een les voor je zijn, en wacht tot je achttien bent en een rijper oordeel hebt. En stel het liever nog wat langer uit als je dat kunt. Als je te vroeg naar sex grijpt krijg je een negatieve reactie.

Bij mij is het net zo gegaan. Ik heb je wel duizend keren horen zeggen dat je een toneel- en filmcarrière wilt hebben, en dat mannen en baby's zullen moeten wachten. Hoeveel meisjes zijn niet geremd door een baby die ontstaan is uit een hartstochtelijk avontuur. Wees voorzichtig, vóór je je aan iemand geeft. Word niet te snel verliefd, want dan ben je kwetsbaar en kunnen er allerlei onvoorziene dingen gebeuren. Geef de romantiek een kans zonder sex, Cindy, en bespaar jezelf het verdriet dat je tè snel, tè veel geeft.'

Ze sloeg haar armen steviger om mij heen, haar ogen werden zacht en zeiden me dat we weer moeder en dochter waren.

Later stonden Cindy en ik beneden naast elkaar en keken naar buiten. Alles was wit van de sneeuw, in de verte hing een dichte nevel, we waren wreed gescheiden en geïsoleerd van de wereld. 'Nu zullen alle wegen naar Charlottesville geblokkeerd zijn,' zei ik toonloos tegen Cindy. 'En wat erger is, Melodie gedraagt zich zo vreemd dat ik bang begin te worden voor de gezondheid van het kind. Jory blijft in zijn kamer, of hij haar niet wil zien, niemand van ons trouwens. Bart loopt rond of niet alleen het huis, maar wij allemaal zijn eigendom zijn. O, ik wou dat Chris hier was! Ik vind het afschuwelijk als hij weg is.'

Ik draaide me om en zag Cindy met een zekere verbazing naar me kijken. Ze bloosde toen ze mijn blik ontmoette. Toen ik vroeg waarom, mompelde ze: 'Ik vraag me soms af hoe het komt dat jullie zo weten vast te houden wat je hebt, terwijl ik zo vaak verliefd word. Mamma, je moet me toch eens leren hoe ik een man werkelijk van mij kan laten houden, en niet alleen van mijn lichaam. Ik wou dat jongens in mijn ogen keken zoals paps in de jouwe kijkt; ik wou dat ze nu en dan eens naar mijn gezicht keken, want het is geen lelijk gezicht, maar ze kijken alleen maar naar mijn tieten. Ik wou dat hun ogen me volgden, zoals die van Jory Melodie volgen...'

Cindy sloeg haar armen om me heen en verborg haar gezicht tegen mijn schouder. 'Het spijt me zo, mamma. Het spijt me echt dat ik gisteravond al die narigheid heb veroorzaakt. Dank je, dat je me niet erger op mijn kop hebt gegeven. Ik heb nagedacht over wat je hebt gezegd, en je hebt gelijk. Lance heeft er een hoge prijs voor betaald, en ik had beter moeten weten.' Smekend keek ze me in de ogen. 'Mamma, ik meende het echt, alle meisjes op school zijn al op hun elfde, twaalfde en dertiende begonnen, en ik hou van Lance. En ik heb het volgehouden, al zaten alle jongens veel meer achter mij aan dan achter de anderen. Alle meisjes dachten, dat ik het deed, maar dat was niet zo. Ik deed net of ik erg modern was, maar toen hoorde ik op een dag een paar jongens met elkaar praten, en ze zeiden allemaal dat ze bij mij niets hadden bereikt. Ze praatten over me of ik een soort griezel was, of lesbisch. En toen besloot ik Lance zijn zin te geven met Kerstmis. Dat was mijn speciale cadeau voor hem.'

Ik staarde haar aan en vroeg me af of ze de hele waarheid vertelde. Ze vertelde verder dat zij het enige meisje was in haar groep dat had gewacht tot ze zestien was, en dat was tegenwoordig al oud voor een meisje. 'Alsjeblieft, schaam je nou niet. Ik heb het al willen doen sinds ik twaalf was, maar ik heb het niet gedaan om jou en wat je zei. Maar je moet begrijpen dat wat ik met Lance heb gedaan niet zo maar een vluchtig avontuurtje was. Ik hou van hem. En een tijdje, voordat jij en Bart binnenkwamen... voelde ik me... was het... zo goed.'

Wat moest ik nu zeggen?

Ik had mijn eigenzinnige jeugd weggestopt in een hokje in mijn geheugen; maar elk moment kon die weer de kop opsteken en zag ik Paul voor me. Ik had gewild dat hij me alles van de liefde leerde, vooral omdat mijn eerste ervaring met sex zo verschrikkelijk was geweest, me een schuldgevoel had bijgebracht dat me nog steeds aan het huilen kon brengen. Als ik naar de maan keek, die de zonde van Chris en mij had gezien.

Om zes uur belde Chris dat hij de hele dag had geprobeerd me te bereiken, maar dat de verbinding was verbroken. 'Ik kom de avond voor Kerstmis,' zei hij opgewekt. 'Ik heb een sneeuwploeg gehuurd om naar de Hall te gaan en rij er achter aan. Hoe gaat het?'

'Goed, goed,' jokte ik. Ik vertelde hem dat de vader van Lance van de trap was gevallen, en dat Lance terug was naar huis. Ik babbelde verder, zei dat alles klaar was voor Kerstmis, dat de cadeaus waren ingepakt, de boom versierd, maar dat Melodie, zoals gewoonlijk, in haar kamer bleef, alsof die haar enige bescherming was tegen de boze wereld.

'Cathy,' zei Chris gesmoord, 'wat zou het heerlijk zijn als je eens een keer eerlijk tegen me was. Lance is niet naar huis. Er is geen enkel vliegtuig opgestegen. Lance staat op dit moment drie meter van de telefooncel. Hij is bij me gekomen en heeft alles bekend. Ik heb zijn gebroken neus behandeld en zijn andere wonden, en ik heb Bart vervloekt. Die jongen is een puinhoop.'

De volgende ochtend hoorden we op de radio dat alle wegen naar het dorp en de dichtstbijzijnde stad waren ondergesneeuwd. Reizigers kregen de waarschuwing thuis te blijven. We lieten de radio de hele dag aan staan, luisterden naar de weerberichten, die ons leven beheersten. 'Nog nooit hebben we zo'n strenge winter gehad,' ging de zangerige mannenstem verder. 'Het record is gebroken...'

Uur na uur stonden Cindy en ik voor het raam, vaak met Jory, en staarden naar de sneeuw die onophoudelijk naar beneden viel en ons van de rest van de wereld isoleerde.

In gedachten zag ik ons vieren, opgesloten in die kamer, terwijl we fluisterden over het kerstmannetje en de tweeling vertelden, dat hij ons beslist zou weten te vinden. Chris had hem een brief geschreven. O, die arme kleine tweeling, die op de ochtend van Kerstmis wakker werd, en zich niet eens meer de goede tijden herinnerde die eraan vooraf waren gegaan.

Ik hoorde Jory hoesten en dat bracht me weer terug in het heden. Om de paar minuten kreeg Jory een hevige hoestbui en ik maakte me ongerust over hem.

Even later reed hij zijn stoel naar de deur en zei dat hij zelf wel naar bed kon gaan. Ik wilde met hem meegaan, maar wist dat hij zoveel mogelijk zelf wilde doen.

'Ik begin dit huis te haten,' mopperde Cindy. 'Nu is Jory ook nog verkouden. Daarom had ik Lance meegenomen. Ik wist dat het zo zou gaan. Ik had gehoopt dat we elke avond een feestje konden bouwen; en als ik een beetje dronken was zou ik me misschien minder beklemd voelen omdat ik moet leven in de schaduw van Bart en die griezelige ouwe Joel. Ik had gehoopt dat Lance me gelukkig zou kunnen maken zolang ik hier was. Nu heb ik alleen jou nog maar, mamma. Jory is zo gereserveerd en eenzaam, en hij denkt dat ik te jong ben om zijn probleem te begrijpen. Melodie zegt nooit iets tegen me, tegen niemand. Bart loopt rond als de grimmige man met de zeis, en die ouwe man jaagt me de rillingen over mijn rug. We hebben geen vrienden. Niemand komt ooit eens onverwacht langs. We zijn helemaal alleen en we werken op elkaars zenuwen. En het is Kerstmis. Ik verheug me op het bal dat Bart wil geven. Dat geeft me tenminste de kans een paar mensen te ontmoeten en de schimmel van mijn benen te vegen die ik omhoog voel kruipen.'

Plotseling stond Bart achter ons en gilde tegen Cindy: 'Je hoeft hier niet te blijven. Je bent precies het kreng dat mijn moeder moest hebben.'

Cindy bloosde diep. 'Probeer je me weer verdriet te doen, klootzak? Je kunt me *nu* geen verdriet meer doen, dat heb ik al gehad!'

'Waag het niet me ooit nog een keer klootzak te noemen, kreng!'

'ENGERD, KLOOTZAK, ENGERD, KLOOTZAK!' schold ze. Ze week achteruit, dook weg achter stoelen en tafels, hem met opzet uitdagend haar achterna te zitten, en op die manier haar saaie dag wat opwindender te maken.

'Cindy!' viel ik woedend uit. 'Hoe durf je zo tegen Bart te praten? Zeg dat het je spijt... vooruit!'

'Nee, dat zeg ik niet, want het spijt me niet!' gilde ze, niet tegen mij, maar tegen Bart. 'Hij is een bruut, een maniak, en hij probeert ons allemaal even gek te maken als hij zelf is!'

'Hou je mond!' gilde ik. Ik zag dat Bart doodsbleek was geworden. Toen sprong hij naar voren en greep haar haar vast. Ze probeerde weg te lopen, maar hij liet niet los. Ik rende naar voren en probeerde hem te beletten haar te slaan door aan zijn vrije arm te hangen. Hij torende hoog boven haar uit. 'Als je ooit nog een woord tegen me durft te zeggen dan zul je daar spijt van krijgen. Nog één belediging, en je zult je in alle kasten verbergen en alle spiegels in stukken smijten.'

Zijn doodse stem bewees dat het hem ernst was. Ik ondersteunde Cindy. 'Bart, dat meen je niet, je leven lang heb je Cindy gekweld. Kun je het haar kwalijk nemen dat ze wraak wil nemen?'

'Hoe kun je haar partij kiezen na wat ze tegen mij heeft gezegd?'

'Zeg dat het je spijt, Cindy,' smeekte ik. Toen keek ik smekend naar Bart. 'Zeg jij het ook alsjeblieft.'

Even verscheen er een aarzelende blik in Barts ogen toen hij zag hoe erg ik van streek was. Maar die verdween onmiddellijk weer toen Cindy schreeuwde: 'NEE! Het spijt me niet! En ik ben niet bang voor hem. Hij is net zo'n griezel en net zo seniel als die ouwe klootzak die hier in huis rondzwerft en in zichzelf loopt te mompelen. Jongen, jongen, wat heb jij toch met ouwe kerels? Misschien is dat je probleem wel, *broer!*'

'Cindy!' fluisterde ik geschokt. 'Bied Bart je verontschuldigingen aan.'

'Nooit, nooit, NOOIT! Niet na wat hij Lance heeft aangedaan!'

De woede op Barts gezicht maakte me angstig.

Op dat moment kwam Joel de kamer binnen. Hij stond met zijn armen voor zijn borst gevouwen en keek in Barts woedende ogen. 'Jongen... laat het gaan. De Here ziet en hoort alles en de wrake is Hem. Ze is een kind, als een vogel die sjilpt in de bomen, geleid door instincten die geen moraliteit kennen. Ze handelt, spreekt, beweegt zich zonder te denken. Ze is niets vergeleken bij jou, Bart. Niets dan een streng haar, een bot en een vod. Jij bent geboren om te leiden.'

Bart bleef als aan de grond genageld staan en zijn woede zakte. Hij volgde Joel de kamer uit zonder naar ons te kijken. Toen ik zag dat Bart die oude man zo gehoorzaam en zonder iets te vragen volgde, werd mijn angst groter dan ooit. Hoe had Joel hem zo in zijn macht weten te krijgen?

Cindy liet zich in mijn armen vallen en begon te huilen. 'Mams, wat is er mis met mij, met Bart? Waarom zeg ik al die hatelijke dingen die hem verdriet doen? Waarom zegt hij ze tegen mij? Ik wil Bart kwetsen. Ik wil hem alle afschuwelijke dingen die hij me heeft aangedaan betaald zetten.'

Ze snikte in mijn armen haar angst en ongerustheid uit, tot ze volkomen slap hing.

In veel opzichten deed Cindy me aan mijzelf denken, zo vol verlangen om bemind te worden en te beminnen, een opwindend leven te leiden, nog voordat ze rijp genoeg was om de emotionele verantwoordelijkheden te accepteren.

Ik zuchtte en drukte haar dichter tegen me aan. Op een dag zouden alle familieproblemen worden opgelost. Ik klampte me vast aan dat geloof en bad dat Chris gauw thuis zou komen.

KERSTMIS

De avond voor Kerstmis kwam met al zijn charme en feestelijke rust en vrede, en gaf zelfs Foxworth Hall een eigen schoonheid. Het sneeuwde nog steeds, maar minder hard, en de wind was wat gaan liggen. In de kamer waar we het liefst bijeenkwamen waren Bart en Cindy bezig een gigantische kerstboom te versieren, terwijl Jory aanwijzingen gaf. Cindy stond aan de ene kant op een ladder, Bart op de tweede ladder, terwijl Jory in zijn rolstoel zat met de slingers lichtjes die bestemd waren voor de kransen op de deur. In de andere kamers waren de decorateurs bezig om ze feestelijk in te richten voor de honderden gasten die Bart had uitgenodigd voor het bal. Hij was verschrikkelijk opgewonden. Ik was zo blij hem te zien lachen, hem gelukkig te zien, vooral toen Chris binnenkwam, met zijn armen vol pakjes die hij op het laatste moment nòg had gekocht, zoals zijn gewoonte was.

Ik rende naar hem toe, nam hem in mijn armen en kuste hem, wat Bart niet kon zien vanaf de plaats waar hij stond. 'Waar ben je zo lang gebleven?' vroeg ik, en hij lachte, wijzend op de fraai ingepakte geschenken.

'Buiten in de auto heb ik nog meer,' zei hij met een stralende glimlach. 'Ik weet wat je denkt, dat ik mijn inkopen eerder moet doen, maar ik schijn er nooit de tijd voor te hebben. En dan plotseling is het de dag voor Kerstmis, en het resultaat is dat het me twee keer zoveel tijd kost. Maar je zult tevreden zijn. Anders mag je het eerlijk zeggen.'

Melodie zat op een krukje bij de haard en zag er ellendig uit. Ik nam haar wat aandachtiger op; het leek me dat ze pijn had. 'Gaat het goed, Melodie?' vroeg ik. Ze knikte, en ik was dom genoeg haar te geloven. Toen Chris haar ondervroeg stond ze op en ontkende dat er iets was. Ze wierp Bart een smekende blik toe die hij niet zag, en liep toen naar de trap. In haar vormeloze, kleurloze gewaad leek ze grauw en triest, tien jaar ouder geworden sinds juli. Jory, die Melodie altijd scherp opnam, keek haar na toen ze wegliep; er lag een trieste blik in zijn ogen, en alle plezier was verdwenen. De slingers met de lichtjes gleden van zijn schoot en raakten verward in de wielen van zijn rolstoel. Hij merkte het niet, maar bleef met gebalde vuisten zitten, alsof hij het noodlot in het gezicht wilde slaan, omdat het hem het gebruik van zijn mooie lichaam had ontnomen en daarmee de vrouw had gestolen die hij lief had.

Op weg naar de trap bleef Chris staan en sloeg Jory hartelijk op zijn rug. 'Je ziet er gezond en fit uit. En maak je geen zorgen over Melodie. Het is normaal dat een vrouw in de laatste maanden geïrriteerd en humeurig is. Dat zou jij ook zijn als je al dat extra gewicht moest torsen.'

'Ze zou in ieder geval zo nu en dan eens iets tegen me kunnen zeggen,' klaagde Jory. 'Of naar me kijken. Ze kruipt zelfs niet meer tegen Bart aan.'

Ik keek geschrokken naar hem. wist hij dat Bart en Melodie kort geleden nog een verhouding hadden? Ik geloofde niet dat het nòg zo was, en dat leek me de verklaring voor Melodie's gedeprimeerdheid. Ik probeerde in zijn ogen te kijken, maar hij had ze neergeslagen en deed of hij alleen maar belangstelling had voor het versieren van de boom.

Lang geleden hadden Chris en ik een traditie ingesteld dat we één pakje openmaakten op de avond voor Kerstmis. Toen het avond werd zaten Chris en ik alleen in de salon en dronken elkaar toe met champagne. We hieven de glazen. 'Op al onze morgens samen,' zei hij, met ogen die straalden van liefde en geluk. Ik herhaalde zijn woorden, en toen gaf Chris me zijn 'speciale' cadeau. Ik maakte het kleine juweliersdoosje open en zag een tweekaraats peervormige diamant aan een dunne gouden ketting.

'Nu niet protesteren en zeggen dat je niet van juwelen houdt,' zei Chris haastig, toen ik staarde naar de diamant die fonkelde en alle kleuren van de regenboog weerkaatste. 'Moeder heeft nooit zoiets gedragen. Ik had eigenlijk een lange parelketting voor je willen kopen, zoals zij altijd droeg, omdat ik ze elegant en bescheiden vind. Maar ik ken je, dus heb ik de parels maar vergeten en deze diamant voor je gekocht. Hij heeft de vorm van een traan, Cathy, voor alle tranen die ik geschreid zou hebben als ik nooit van je had mogen houden.'

De manier waarop hij het zei bracht de tranen in mijn ogen. In mijn hart voelde ik de schuld, de droefheid, en die speciale vreugde, dat we waren wie we waren, al waren de complicaties soms wel eens te veel.

Zwijgend overhandigde ik hem mijn 'speciale' cadeau – een mooie saffieren ring voor zijn wijsvinger. Hij lachte, zei dat hij opzichtig was, maar mooi.

Hij had het nog niet gezegd of Jory, Melodie en Bart kwamen bij ons zitten. Jory glimlachte toen hij de glans in onze ogen zag. Bart fronste zijn wenkbrauwen. Melodie ging in een diepe fauteuil zitten en leek erin te verdwijnen. Cindy kwam binnen in een vuurrode broek en trui met klokjes in de hand die ze vrolijk liet klingelen. Tenslotte kwam Joel de kamer binnen en bleef in een hoek staan met zijn armen voor zijn borst gevouwen, als een sombere rechter die toezicht houdt op slechte en gevaarlijke kinderen.

Het was Jory die het eerst reageerde op Cindy's charme door zijn glas champagne te heffen en een toast uit te brengen. 'Op ons Kerstfeest! Ik hoop dat mijn vader en moeder altijd naar elkaar zullen kijken zoals vanavond, met liefde en tederheid, met medelijden en begrip. En ik hoop dat ik heel spoedig diezelfde liefde weer zal zien in de ogen van mijn vrouw...'

Hij daagde Melodie uit, waar we allemaal bij waren. Helaas was zijn timing niet al te best. Ze kromp ineen en weigerde zijn blik te ontmoeten; in plaats daarvan boog ze zich naar voren en staarde nog intenser in het vuur. De hoop in Jory's ogen stierf. Zijn schouders gingen omlaag en hij draaide zijn stoel zo dat hij haar niet kon zien. Hij zette zijn champagne neer en richtte zijn blik even strak op het vuur als zijn vrouw, alsof hij wilde weten welke symboliek ze daarin kon vinden. In een verre schemerige hoek glimlachte Joel.

Cindy probeerde enige vrolijkheid te forceren. Bart liet zich beïnvloeden door de somberheid die Melodie als een grijze mist uitstraalde. Onze kleine familiereünie in de feestelijke kamer was een flop. Bart weigerde zelfs naar Melodie te kijken nu ze zo'n dik en vormeloos figuur had.

Even later liep hij rusteloos door de kamer en keek naar de cadeaus onder de 'familie'boom. Per ongeluk ving hij Melodie's blik op die hoopvol naar hem staarde; hij wendde onmiddellijk zijn ogen af, alsof hij zich verlegen voelde door haar openlijke smeekbede. Na een paar minuten excuseerde Melodie zich en zei zachtjes dat ze zich niet goed voelde.

'Kan ik iets doen?' vroeg Chris onmiddellijk. Hij sprong op om haar de trap op te helpen. Ze sjokte voort – zwaar, moeizaam. 'Ik voel me best,' snauwde ze onderaan de trap. 'Ik heb je hulp niet nodig. Van niemand!'

'Gelukkig Kerstfeest iedereen,' zei Bart op zangerige toon, op de manier van Joel, die nog steeds in de schaduw stond, observerend, altijd maar observerend.

Zodra Melodie de kamer uit was, zakte Jory naar voren in zijn stoel en zei toen dat hij ook moe was en zich niet goed voelde. Zijn hoestbui bewees het. 'Ik heb wel iets voor je dat helpt tegen de hoest,' zei Chris, naar de trap lopend. 'Ga nog niet meteen naar bed, Jory. Blijf nog even. We moeten het vieren. En voor ik je iets geef dat niet geschikt voor je is, moet ik eerst even naar je longen luisteren.'

Bart leunde achteloos tegen de schoorsteen en keek naar het bezorgde tafereeltje van Jory en Chris, alsof hij jaloers was op hun relatie. Chris kwam naar me toe. 'Misschien is het beter als we nu naar bed gaan zodat we morgenochtend vroeg kunnen opstaan om te ontbijten, de pakjes uit te pakken en dan wat te slapen voor we ons gereed maken voor het bal morgenavond.'

'Halleluja!' riep Cindy, rondwervelend door de kamer. 'Mensen, hopen mensen, allemaal in hun beste kleren. Ik kan bijna niet wachten tot morgenavond! Lachen – ik snak er naar dat weer te horen. Grapjes en zorgeloze babbeltjes, mijn oren hunkeren ernaar. Ik heb er zo genoeg van om altijd maar ernstig te zijn, al die grimmige gezichten om me heen te zien die niet kunnen glimlachen, allemaal trieste dingen te horen. Ik hoop dat al die ouwetjes hun studerende zoons meebrengen – of alle zoons zolang ze maar ouder zijn dan twaalf. Zo wanhopig ben ik langzamerhand!'

Bart was niet de enige die haar een afkeurende blik toewierp, die Cindy negeerde. 'Ik dans de hele nacht, ik dans de hele nacht!' zong ze, ronddraaiend met een denkbeeldige partner, weigerend haar verwachtingen de bodem te laten inslaan door een of andere opmerking van ons. 'En dan dans ik nog meer...'

Chris en Jory waren gecharmeerd van haar, van haar vrolijke zang. Chris glimlachte en zei: 'Er moeten minstens twintig jongemannen zijn morgenavond. Probeer je een beetje te beheersen. Jory ziet er doodmoe uit, dus laten we naar bed gaan. Morgen wordt het een lange dag.'

Het leek een goed idee.

Plotseling liet Cindy zich in een stoel vallen, even slap en lusteloos als Melodie. Ze zag er bedroefd uit en aan de rand van tranen. 'Ik wou dat

Lance had kunnen blijven. Ik heb liever hèm dan alle anderen.'

Bart wierp haar een woedende blik toe. 'Die jongeman zet nooit meer een voet in dit huis.' Hij keek naar mij. 'We hebben Melodie niet nodig op het feest,' ging hij vastberaden verder. 'Niet als ze zich zo miserabel en ziek gedraagt. Ze mag morgenochtend in haar kamer blijven pruilen, zodat wij rustig onze pakjes kunnen uitpakken. Een middagslaapje lijkt me een voortreffelijk idee, dan zijn we morgenavond uitgerust en in een goede stemming voor mijn feest.'

Jory ging vooruit in z'n eentje de lift in, of hij wilde bewijzen dat hij onafhankelijk was. De anderen leken onwillig om naar boven te gaan. Terwijl ik zat te luisteren naar de kerstliedjes die Bart had opgezet, dacht ik aan al zijn keurige, precieze gewoontes.

Als jongen vond hij het zalig om niet alleen vuil, maar vies en smerig te zijn. Nu nam hij een paar keer per dag een douche en verzorgde zich tot in de puntjes. Hij ging niet naar bed voordat hij 'zijn huis' van onder tot boven had gecontroleerd, ervoor gezorgd dat de deuren en de ramen waren gesloten en dat het kleine katje van Trevor niets op het kleed had gedaan. (Trevor was al tien keer door Bart ontslagen, maar hij bleef, en Bart drong er niet op aan dat hij wegging.)

Terwijl ik keek stond Bart op om de kussens op te schudden, de kreuken uit de bank te strijken, de tijdschriften op te pakken en op keurige stapeltjes te leggen. Alles wat de bedienden vergaten deed hij. En dan ging hij 's morgens naar Trevor en zei tegen hem dat de dienstmeisjes beter hun best moesten doen, want dat ze anders geen uitkering kregen bij ontslag. Geen wonder dat we geen personeel konden houden. Alleen Trevor bleef ons trouw, negeerde de onhebbelijkheid van Bart, die hij vol medelijden bekeek, al wist Bart dat niet.

Ik dacht aan dat alles toen ik Barts toenemende enthousiasme zag voor het feest van morgenavond. Ik keek even naar de ramen en zag dat het nog steeds sneeuwde. Er lag zeker al zestig centimeter sneeuw. 'Bart... de wegen zullen morgen spiegelglad zijn, misschien zelfs gedeeltelijk afgesloten. Een hoop gasten zullen niet kunnen komen voor het traditionele Foxworth bal.'

'Onzin! Ik vlieg ze hier naar toe als ze bellen om af te zeggen. Een helikopter kan op het grasveld landen.'

Ik zuchtte. Om de een of andere reden voelde ik me onrustig onder de vreemd kwaadaardige blik van Joel, die dat moment koos om de kamer uit te gaan.

'Je moeder heeft gelijk, Bart,' zei Chris vriendelijk. 'Je moet je niet teleurgesteld voelen als er maar een paar kunnen komen. Ik had een paar uur geleden al duivelse moeite hier te komen, en het sneeuwt nu harder.'

Het was of Chris geen woord had gezegd. Bart wenste me welterusten en liep toen naar de trap. Even later gingen Chris, Cindy en ik ook naar boven.

Terwijl Chris Jory's kamer binnenging om nog even met hem te praten, wachtte ik tot Cindy uit de badkamer kwam. Een douche (minstens twee per dag, waarbij ze ook haar haar waste), en ze kwam fris en vrolijk uit de badkamer in een piepklein rood nachthemd. 'Mams, ga nou alsjeblieft niet weer preken. Ik kan er niet meer tegen. Toen ik hier pas kwam vond ik het huis net een sprookjespaleis. Nu vind ik het een somber fort waarin we allemaal gevangen zitten. Zodra het bal voorbij is ga ik weg – en Bart kan naar de duivel lopen! Ik hou van jou en paps en Jory, maar Melodie is onuitstaanbaar geworden, en Bart zal nooit veranderen. Hij zal me altijd blijven haten, dus probeer ik niet eens meer aardig tegen hem te zijn.'

Ze liet zich tussen de lakens glijden, trok de dekens hoog op, keerde zich van me af. 'Welterusten, mamma. Draai alsjeblieft het licht uit als je weggaat. En vraag me niet me morgenavond netjes te gedragen, want ik ben van plan het summum van damesachtig decorum te zijn. Maak me drie uur vóór het bal begint wakker.'

'Met andere woorden, je wilt zelfs kerstochtend niet bij ons zijn?'

'O,' zei ze onverschillig. 'Ik denk dat ik lang genoeg wakker kan blijven voor het uitpakken van de cadeaus. Dan ga ik weer naar bed, zodat ik morgenavond de *belle* van het bal kan zijn.'

'Ik hou van je, Cindy,' zei ik, terwijl ik het licht uitdraaide. Toen bukte ik me, tilde haar haar op en gaf haar een zoen in haar warme hals.

Ze sloeg haar slanke jonge armen om mijn hals en snikte: 'O, mams, je bent een schat! Ik beloof je dat ik me van nu af aan netjes zal gedragen. Ik zal geen jongen zelfs mijn hand maar laten vasthouden. Maar laat me alsjeblieft weggaan uit dit huis. Ik wil graag naar een nieuwjaarsfeest dat een vriendin van me geeft in één van de grote hotels.'

Ik knikte zwijgend. 'Ik vind het goed, maar beloof me dat je je best zult doen Bart morgenavond niet te treiteren. Je kent zijn probleem. Het heeft hem veel moeite gekost om over al die verontrustende ideeën heen te komen die in zijn hoofd zijn geplant toen hij nog heel jong was. Help hem, Cindy. Laat hem beseffen dat hij een familie heeft die achter hem staat.'

'Ik zal het doen, mams, ik beloof het je.'

Ik deed de deur dicht en zei even later welterusten tegen Jory. Hij was ongewoon stil. 'Alles komt in orde, schat. Zodra de baby er is, komt Melodie weer bij je terug.'

'Denk je?' vroeg hij verbitterd. 'Ik betwijfel het. Dan heeft ze de baby om haar af te leiden. Ze zal me nog minder nodig hebben dan nu.'

Een half uur later sloeg Chris zijn armen om me heen, en gretig gaf ik me over aan de enige duurzame liefde in mijn leven.

Het ochtendlicht scheen de kamer binnen en maakte me wakker nog voordat de wekker afliep. Snel stond ik op en keek uit het raam. Het sneeuwde niet meer. God zij dank; Bart zou blij zijn. Haastig ging ik terug naar bed om Chris wakker te kussen. 'Prettig kerstfeest, schat van een doctor Christopher Sheffield,' fluisterde ik in zijn oor.

'Ik heb liever dat je me alleen schat noemt,' mompelde hij. Hij werd wakker en keek verward om zich heen.

Vastbesloten er een succesvolle dag van te maken sjorde ik hem het bed uit, en even later waren we allebei aangekleed en op weg naar de ontbijtkamer.

Twee dagen lang waren er mannen en vrouwen in het huis geweest, die de hele benedenverdieping hadden omgetoverd in een kerstfantasie.

Ik keek toe, terwijl de werklieden van de caterer, die Bart had gehuurd, de laatste hand legden aan ons huis dat eruit zag als een sprookjesland. Cindy stond naast me en staarde naar de feestelijke kamers, vol kleur, kaarsen, slingers, kransen en een enorme kerstboom in de hal, die drie meter hoger was dan onze familieboom.

Cindy kwam snel tot de overtuiging dat het zonde was de dag in bed door te brengen. Ze vergat Lance en de eenzaamheid, want de eerste Kerstdag werkte nog magischer dan de avond voor Kerstmis.

'Kijk eens, wat een enorme taart, mams!' Ze was plotseling een en al leven. 'Sorry, dat ik me zo verschrikkelijk heb gedragen. Ik heb erover nagedacht en het spijt me. Er komen jongens vanavond en een heleboel knappe rijke mannen. Misschien heeft dit huis toch wel wat meer te bieden dan alleen maar verdriet en narigheid.'

'Natuurlijk heeft het dat,' zei Bart, die tussen ons in kwam staan. Zijn ogen schitterden toen hij om zich heen keek. 'Maar zorg ervoor dat je een fatsoenlijke jurk draagt en geen schandaal veroorzaakt.' Toen volgde hij de werklieden en gaf opdrachten. Hij lachte vaak, Jory, Cindy, Melodie en mijzelf erbij betrekkend, alsof hij iedereen had vergeven nu het Kerstmis was.

Elke dag was Joel, als een donkere sombere schaduw, achter Bart aangelopen, met zijn krassende oude stem citaten mompelend uit de bijbel. Deze ochtend, om half zeven 's morgens al volledig gekleed, zei hij weer:

'Het is eenvoudiger voor een kameel om door het oog van een naald te gaan, dan voor een rijk man om het koninkrijk Gods binnen te treden.'

'Wat wil je daarmee zeggen, ouwe?' schreeuwde Bart.

Even vonkten Joels waterige ogen van woede als een vuur dat elk moment kon ontvlammen.

'Je gooit duizenden dollars weg in de hoop indruk te maken. Maar niemand zal onder de indruk zijn, want de anderen hebben ook geld. Sommigen wonen in nog mooiere huizen. Foxworth Hall was vroeger het mooiste, maar zijn tijd is voorbij.'

Bart keerde zich woedend naar hem toe. 'HOU JE MOND! Jij probeert al mijn plezier en geluk te verwoesten. Alles wat ik doe is zonde! Je bent een oude man en je hebt je leven gehad; en nu probeer je het mijne te bederven. Ik ben jong en ik wil van het leven genieten. Hou je godsdienstige citaten maar voor je!'

'Hoogmoed komt voor de val.'

Bart keek woedend naar zijn oudoom, wat me een enorme bevrediging schonk.

Eindelijk, eindelijk zag Bart Joel als een dreiging en niet als de respectabele vader die hij zijn leven lang had gezocht.

'Hoogmoed is de fout van de dommen,' zei Joel, vol afkeer om zich heen kijkend. 'Je hebt geld verspild dat je beter aan liefdadigheid had kunnen besteden.'

'Ga weg! Ga naar je kamer en poets je hoogmoed op, oom! Want het is duidelijk dat er alleen maar jaloezie is in je hart.'

Joel strompelde de kamer uit, mompelend bij zichzelf. 'Hij komt er wel achter. Niets wordt vergeten of vergeven hier in de bergen. Ik weet het. Wie weet het beter dan ik? Bitter, bitter zijn de dagen van de Foxworths, ondanks al hun rijkdom.'

Ik deed een stap naar voren om Bart te omhelzen. 'Luister niet naar hem, Bart. Je zult een heerlijk feest hebben. Iedereen zal komen nu de zon schijnt en de sneeuw smelt. God staat vandaag aan jouw kant, wees dus blij en geniet.'

De blik in zijn ogen toen ik dat zij, die dankbare blik… Hij staarde naar me, probeerde iets te zeggen, maar kon het niet onder woorden brengen. Tenslotte omhelsde hij me, en liep toen weg of hij verlegen was. Zo'n fantastisch knappe man, dacht ik. Er moest een plaats zijn waar Bart thuishoorde.

De kamers die afgesloten waren toen de winter begon, waren weer in gebruik genomen, de hoezen verwijderd, de kamers gelucht, zodat niemand zou weten dat we ooit iets deden om warmte of geld te sparen. De badkamers en kleedkamers zagen er keurig en aantrekkelijk uit. Dure zeep en kostbare gastendoekjes waren neergelegd. Elk toiletartikel dat een gast nodig zou kunnen hebben stond gereed. Speciale kerstserviezen en kristallen glazen werden uit de kasten gehaald, samen met versieringen en snuisterijen die te kostbaar waren voor de caterer.

Omstreeks elf uur verzamelden we ons rond de kerstboom. Bart had zich geschoren en keurig aangekleed, evenals Jory. Alleen Melodie zag er saai en grauw uit in haar versleten positiejurk die ze dag in dag uit droeg. Ik pakte het Christuskindje uit de realistische kribbe en hield de baby in mijn armen. 'Bart, dit ken ik nog niet. Heb je het pas gekocht? Ik heb nog nooit zo'n mooi bewerkte groep bijbelse figuren gezien.'

'Het is gisteren net aangekomen, en ik heb het vandaag uitgepakt,' antwoordde Bart. 'Ik heb het vorige winter in Italië gekocht en laten opsturen.'

Ik praatte verder, blij dat hij zo geanimeerd was. 'Dit Christuskindje lijkt op een echte baby. De meeste doen dat niet. En de maagd Maria is schitterend. En Jozef ziet er zo vriendelijk en begrijpend uit.'

'Hij moet wel, hè?' zei Jory, die zich bukte om nog een paar pakjes onder de boom te leggen. 'Per slot moet hij het toch wel een beetje bizar hebben gevonden dat een maagd zwanger kan worden van een onzichtbare abstracte God.'

'Je hoort niet te vragen,' antwoordde Bart, terwijl zijn blik liefkozend gleed over de bijna levensgrote figuren die hij had gekocht. 'Je moet blindelings accepteren wat er geschreven staat.'

'Waarom ben je dan zo tegen Joel uitgevallen?'

'Jory… ga niet te ver, Joel helpt me mijzelf te vinden. Hij is een oude man, die in zonde heeft geleefd toen hij jong was en dat in zijn ouderdom wil goedmaken door zijn goede daden. Ik ben een jonge man, die de zonde wil, omdat ik het gevoel heb dat mijn traumatische jeugd me daar het recht toe geeft.'

'Ik denk dat je na een aantal orgies in de grote stad hier weer terug zal komen, even huichelachtig als je oudoom Joel,' antwoordde Jory onbevreesd. 'Ik mag hem niet. En je zou er verstandig aan doen hem de deur uit te zetten, Bart. Geef hem een paar honderdduizend dollar en neem afscheid van hem.'

Even kwam er een verlangende blik in Barts ogen, alsof dat precies was wat hij het liefst zou doen. Hij boog zich naar voren en staarde Jory in de ogen. 'Waarom mag je hem niet?'

'Ik weet het niet precies, Bart,' zei Jory, die altijd erg vergevensgezind was. 'Hij kijkt om zich heen in je huis of het eigenlijk van hem hoort te zijn. Ik heb de kwade blikken gezien waarmee hij naar je keek als je niet oplette. Ik geloof niet dat hij je vriend is, hij is je vijand.'

Volkomen van streek en met een veronstruste blik ging Bart de kamer uit, met een laatste cynische opmerking. 'Wanneer heb ik ooit iets anders gehad dan vijanden?'

Een paar minuten later was Bart terug, met zijn eigen stapel cadeaus. Er waren drie wandelingen naar zijn kantoor voor nodig om alles wat hij had gekocht onder de boom te leggen.

Toen Chris. Hij arrangeerde keurig al zijn cadeaus, en daar was tijd voor nodig. De pakjes waren een meter hoog opgestapeld, en namen een groot deel van een hoek van de kamer in beslag.

Melodie kwam neerslachtig, als een donkere schaduw de kamer binnen en ging bij het haardvuur zitten, ineengezakt in haar stoel, nog steeds gefascineerd door de dansende vlammen. Ze was gemelijk, humeurig, gereserveerd, vastbesloten alleen lichamelijk aanwezig te zijn, terwijl haar gedachten elders waren. Haar buik was enorm gezwollen, maar ze had nog een paar weken voor de boeg. Onder haar ogen waren donkere kringen.

Even later deden we allemaal ons best een liefdevol gezin te zijn terwijl Cindy voor kerstmannetje speelde. Kerstmis, zoals ik lang geleden had geleerd, gaf zijn eigen geschenken. Grieven werden vergeten, vijanden vergeven, toen we ons rond de boom schaarden, zelfs Joel, en één voor één onze pakjes heen en weer schudden, raadden, het papier openscheurden, lachten en gekheid maakten, de kerstliederen overstemmend, die ik op de stereo had opgezet. Het duurde niet lang of de vloer was bezaaid met glinsterend papier en glanzende linten.

Eindelijk overhandigde Cindy Joel haar cadeau voor hem. Hij nam het aarzelend aan, zoals hij al onze geschenken had aangenomen, alsof we heidense idioten waren die de betekenis niet kenden van een Kerstmis die geen geschenken nodig had. Zijn ogen rolden haast uit zijn hoofd toen hij het witte nachthemd en de slaapmuts zag. Het moest Cindy heel wat moeite gekost hebben die te vinden. Hij zou er uitzien als Scrooge in die dingen. Er was een ebbehouten stok bij die hij samen met het nachthemd en de slaapmuts op de grond smeet. 'Drijf je de spot met me, meisje?'

'Ik wilde u alleen wat warme nachtkleding geven, oom,' antwoordde ze zedig, haar fonkelende ogen neergeslagen. 'En met de wandelstok kunt u vlugger lopen.'

'Bij jou vandaan? Bedoel je dat soms?' Hij bukte zich pijnlijk om de stok op te rapen en zwaaide er wild mee door de lucht. 'Misschien zal ik dat ding toch maar houden; een goed wapen als ik 's avonds zou worden aangevallen als ik in de tuin of de gang loop.'

Even was het stil; niemand wist wat hij moest zeggen. Toen lachte Cindy. 'Oom, dat was precies waar ik aan dacht. Ik wist dat u zich op een dag bedreigd zou voelen.'

Daarop verliet hij de kamer.

Al te gauw waren alle cadeaus uitgepakt, en Jory staarde bezorgd naar de rommel op de grond, keek toen om zich heen in de kamer. 'Ik heb jou niet vergeten, Bart,' zei hij bezorgd. 'Cindy en paps hebben me geholpen het in te pakken, maar ik heb het weer uitgepakt, nog een beetje bijgewerkt, en het toen samen met Cindy weer ingepakt.' Hij bleef zoeken in de rommel van papier en linten. 'Vanmorgen vroeg, voordat de anderen op waren, ben ik naar beneden gegaan en heb het onder de boom gelegd. Waar kan het gebleven zijn? Het is een grote doos in rood foliepapier, met zilveren linten. De grootste doos onder de boom.'

Bart zei geen woord, alsof hij gewend was geraakt aan teleurstellingen en het wegraken van Jory's cadeau niet belangrijk was.

Natuurlijk wist ik dat Jory maanden en maanden aan het schip had gewerkt om het op tijd klaar te krijgen. Het schip was een meter lang geworden en even hoog. Hij had zelfs speciale koperen onderdelen laten komen en een massief koperen roer. Wanhopig keek Jory om zich heen.

'Heeft iemand de grote doos gezien in rood folie, met Barts naam op het kaartje?' vroeg hij.

Ik sprong overeind en baande me een weg door de stapels dozen, linten, papier. Chris hielp me zoeken. Cindy zocht aan de andere kant van de kamer. 'O,' riep ze uit. 'Hier is het, achter de rode bank.' Ze bracht het pak naar Bart en zette het naast hem neer op de grond, maakte een spottende, onderdanige buiging. 'Voor onze heer en meester,' zei ze liefjes, snel achteruitlopend. 'Ik vind het stom van Jory om het aan jou te geven na al dat werk dat hij eraan heeft gehad, maar misschien waardeer je het eens voor de verandering.'

Plotseling merkte ik dat Joel weer in de kamer was en strak naar Bart keek. Wat een vreemde uitdrukking op zijn gezicht, heel vreemd...

Bart liet zijn gereserveerde houding varen en scheurde kinderlijk enthousiast het papier van het pak. Hij keek met een warme gelukkige glimlach naar Jory, zijn donkere ogen vol jongensachtige verwachting. 'Tien tegen één dat het die klipper is die je hebt gemaakt, Jory. Je had hem echt zelf moeten houden... maar dank je, dank je duizend –' Hij zweeg, hield zijn adem in.

Hij staarde in de doos, verbleekte, keek toen op, al zijn blijdschap was verdwenen. Zijn ogen waren bitter. 'Het is stuk,' zei hij dof. 'In duizend stukken geslagen. Er zit niets anders in die doos dan gebroken houtjes en verwarde koordjes.'

Zijn stem brak toen hij opstond en de doos op de grond liet vallen. Heftig schopte hij hem opzij en keek toen doordringend naar Melodie, die geen woord had gezegd, zelfs niet toen ze haar pakjes openmaakte, ons alleen maar bedankte met een flauwe glimlach en een hoofdknikje. 'Ik had moeten weten dat je de volmaakte manier zou vinden om het me betaald te zetten dat ik met je vrouw heb geslapen.'

Een verbijsterde stilte viel in het vertrek die luider klonk dan een donderslag. Melodie bleef doodstil zitten, somber voor zich uitstarend, als een leeg omhulsel, terwijl ze aan één stuk door mompelde dat ze dit huis haatte. Jory's ogen werden donker en ondoorgrondelijk.

Had hij het al die tijd vermoed? Jory's kleur trok weg uit zijn gezicht toen hij zich tenslotte dwong naar Melodie te kijken. 'Ik geloof je niet, Bart. Je hebt altijd een gemene gave gehad om te trappen waar het het meeste pijn doet.'

'Ik lieg niet,' viel Bart uit, zonder te letten op het verdriet dat hij Jory deed, en mij en Chris. 'Toen jij in het ziekenhuis lag, in het gips, hebben je vrouw en ik mijn bed gedeeld, en ze heeft gretig genoeg haar benen voor me gespreid.'

Chris sprong overeind, kwader dan ik hem ooit had gezien. 'Bart, hoe durf je dergelijke dingen tegen je broer te zeggen? Bied Jory en Melodie je verontschuldigingen aan, onmiddellijk! Hoe kun je hem zoveel verdriet doen? Hij heeft het al moeilijk genoeg! Hoor je me? Je zegt tegen hem dat elk woord dat je net gezegd hebt een leugen is! Een verdomde leugen!'

'Het is geen leugen,' tierde Bart. 'Al geloof je nooit meer iets dat ik ooit nog zal zeggen, je kunt me nu geloven als ik zeg dat Melodie een heel gewillige bedgenote was.'

Cindy gaf een gil, sprong overeind en gaf Melodie een harde klap in haar ontstelde bleke gezicht. 'Hoe durf je Jory zoiets aan te doen!' schreeuwde ze. 'Je weet hoeveel hij van je houdt!'

Toen begon Bart te lachen, hysterisch te lachen. Chris bulderde 'HOU OP! Zie de situatie onder ogen, Bart. Het verlies van de klipper is geen excuus om het huwelijk van je broer te vernietigen. Waar blijft je eer, je integriteit?'

Bijna onmiddellijk verdween Barts lach. Zijn ogen werden kristalhard en koud, terwijl hij Chris van het hoofd tot de voeten opnam. 'Praat *jij* me niet over eer en integriteit. Waar waren de jouwe toen je met je zuster naar bed ging? Waar zijn ze nu, nu je erin volhardt met haar te slapen? Besef je niet dat jouw relatie met haar me zo heeft gefrustreerd dat ik nog maar één verlangen heb en dat is jullie gescheiden te zien? Ik wil dat mijn moeder haar leven beëindigt als een fatsoenlijke, respectabele vrouw, en jij bent degene die haar dat belet! *Jij*, Christopher, *jij!*'

Bart, wiens gezicht alleen maar afkeer en geen spoortje berouw toonde, draaide zich op zijn hielen om en verliet de kamer.

En liet de puinhopen na van de kerstvreugde.

Melodie, die niets liever wilde dan zijn voorbeeld volgen, stond onhandig op, bleef even bevend en met gebogen hoofd staan, toen Cindy gilde: 'Ben je met Bart naar bed geweest? Is het waar? Het is gemeen dat je niets zegt terwijl Jory's hart breekt.'

Melodie's donkere ogen leken nog verder weg te zinken in haar hoofd. Ze leken oneindig groot te worden, haar pupillen verwijdden zich of ze bang was. 'Waarom laat je me niet met rust?' riep ze jammerlijk. 'Ik ben niet van ijzer, zoals jullie! Ik kan niet de ene tragedie na de andere verwerken. Jory lag in het ziekenhuis, niet in staat ooit nog te dansen of zelfs maar te lopen, en Bart was hier. Ik had iemand nodig. Hij hield me in zijn armen, troostte me. Ik deed mijn ogen dicht en deed net of hij Jory was.'

Jory viel voorover in zijn stoel. Ik rende naar hem toe en merkte dat hij pijnlijk hijgde en het trillen van zijn handen niet kon bedwingen. Ik hield hem in mijn armen, terwijl Chris Melodie probeerde te beletten de trap op te rennen. 'Wees voorzichtig!' riep hij. 'Je kan vallen en de baby verliezen!'

'Het kan me niet schelen,' riep ze wanhopig, terwijl ze uit het gezicht verdween.

Inmiddels had Jory zich voldoende beheerst om zijn tranen te kunnen afvegen en zwakjes te glimlachen. 'Nou, nu weet ik het,' zei hij met gebroken stem. 'Ik vermoedde allang dat er iets was tussen Bart en haar, maar ik hoopte dat het alleen mijn achterdocht was. Ik had beter moeten weten. Mel kan niet leven zonder een man naast haar, vooral in bed, en ik kan het haar nauwelijks kwalijk nemen.'

Het duurde niet lang of Jory excuseerde zich, zei dat hij alleen wilde zijn. 'Wie kan dat prachtige schip vernield hebben?' fluisterde ik. 'Cindy heeft Jory geholpen het de laatste keer in te pakken; ik was erbij. Het schip was heel zorgvuldig in een speciale schuimplastic vorm geplaatst om het rechtop te houden. Niet één klein dingetje kon breken.'

'Wie kan ooit verklaren wat er in dit huis gebeurt?' antwoordde Chris met doffe en verdrietige stem. Hij keek op en zag Bart in de deuropening staan, zijn lange benen gespreid, zijn vuisten op zijn heupen, terwijl hij woedend naar me keek. Luider zei Chris tegen Bart: 'Wat gebeurd is, is gebeurd, en ik weet zeker dat het niet Jory 's fout is dat de klipper kapot is. Hij heeft ons voortdurend verteld dat hij het schip voor jou maakte.'

'Ik ben ervan overtuigd dat Jory het goed bedoelde,' zei Bart effen en weer beheerst. 'Maar mijn lieve kleine geadopteerde zusje is er ook nog. Ze haat me en wil me ongetwijfeld straffen omdat ik haar vriendje het pak slaag heb gegeven dat hij verdiende. Volgende keer zal ik *haar* straffen.'

'Misschien heeft Jory de doos laten vallen,' zei Joel schijnheilig. Ik staarde naar de oude man met zijn glinsterende ogen en wachtte mijn kans af om te zeggen wat ik te zeggen had als er niemand anders in de buurt was. 'Nee,' ontkende Bart. 'Het moet Cindy zijn geweest. Ik moet bekennen dat mijn broer me altijd eerlijk heeft behandeld, zelfs als ik het niet verdiende.'

Terwijl hij dat zei staarde ik naar Joel met zijn meesmuilende gezicht, zijn glinsterende, voldane ogen.

Vlak voordat we naar bed gingen kreeg ik mijn kans. We stonden in een gang op de eerste verdieping. 'Joel, Cindy zou nooit al Jory's werk hebben verwoest en Barts cadeau kapot hebben gemaakt. Maar jij wilt een wig slaan tussen de leden van ons gezin. Ik geloof dat *jij* het schip hebt vernield en toen weer ingepakt.'

Hij zei niets, maar er kwam nog meer haat in zijn onverbiddelijke ogen.

'Waarom ben je teruggekomen, Joel?' schreeuwde ik. 'Je beweert dat je je vader haatte en dat je gelukkig was in je Italiaanse klooster. Waarom ben je er dan niet gebleven? In al die jaren heb je toch zeker wel een paar vrienden gemaakt? Je wist dat je die hier niet zou vinden. Mijn moeder vertelde me dat je dit huis altijd gehaat hebt. En nu loop je hier rond of het van jou is.'

Nog steeds zei hij niets.

Ik volgde hem naar zijn kamer en keek voor het eerst om me heen. Bijbelse illustraties aan de muren. Citaten uit de bijbel in goedkope lijsten.

Hij bewoog zich, zodat hij achter me stond. Ik voelde zijn warme adem in mijn hals, hij rook oud en ziekelijk. Ik voelde, toen hij zijn armen bewoog, dat hij van plan was me te wurgen. Verschrikt draaide ik me om en zag dat hij vlak achter me stond.

Wat kon hij zich stil en snel bewegen. 'De moeder van mijn vader heette Corrine,' zei hij zo liefjes, dat ik aan mijn verstand begon te twijfelen. 'Mijn zuster had dezelfde naam, die haar als een soort straf werd gegeven, om hem steeds opnieuw eraan te herinneren dat geen enkele mooie vrouw te vertrouwen was. En gelijk had hij.'

Hij was een oude man van in de tachtig, maar toch sloeg ik hem, hard. Hij wankelde achteruit, verloor zijn evenwicht en viel op de grond.

'Die klap zul je berouwen, Catherine,' riep hij woedend uit. 'Net zoals Corrine al haar zonden berouwd heeft. Ook jij zult lang genoeg leven om de jouwe te berouwen.'

Ik vluchtte zijn kamer uit, bang dat het maar al te waar was wat hij zei.

HET TRADITIONELE FOXWORTH BAL

Op de avond van de eerste Kerstdag werd ons diner om vijf uur geserveerd, zodat we voldoende tijd hadden voor het grote feest dat om half tien begon. Bart straalde. Hij legde zijn hand op de mijne, wat me een schok van genoegen gaf, want hij toonde zo zelden zijn affectie door een aanraking. 'Als ik dan mijn vermogen nog niet kan krijgen, verlang ik in elk geval het prestige dat men de eigenaar van dit huis verschuldigd is.'

Ik glimlachte en legde mijn hand op de zijne. 'Ja, ik begrijp het, en we zullen al het mogelijke doen om ervoor te zorgen dat je party een groot succes wordt.'

Joel zat vlak bij ons en glimlachte cynisch. 'De Here sta de dommen bij die zichzelf bedriegen,' mompelde hij. Bart deed net of hij het niet hoorde, maar ik was bezorgd. Iemand had Jory's schip vernield dat bedoeld was als een verzoeningsgeschenk voor Bart. Het moest Joel geweest zijn die harteloos het schip kapot had gemaakt waar Jory maandenlang aan gezwoegd had. Wat zou hij nog meer doen?

Ik keek Joel in de ogen. Ik wist geen andere omschrijving voor zijn blik dan schijnheilig. Hij at weinig, sneed zijn vruchtencake in kleine stukjes die hij met zijn lange vingers oppakte. Hij kauwde met intense concentratie, alleen met zijn voortanden, ongeveer zoals een konijn een wortel eet.

'Ik ga naar bed,' kondigde Joel aan. 'Ik ben het niet eens met het feest van vanavond, Bart, dat mag je best weten. Denk eraan wat er op je verjaardag is gebeurd; je had beter moeten weten. Ik zeg je nog eens dat het zonde is van het geld om mensen te fêteren die je nauwelijks kent. Ik heb een hekel aan mensen die drinken, dansen en zich liederlijk gedragen op een dag die bedoeld is om te aanbidden. Deze dag behoort aan de Heer en Zijn zoon. We moeten knielen, en geknield blijven liggen, van de ochtend tot middernacht, zoals we in het klooster deden, in zwijgende dank voor ons leven.'

Omdat niemand van ons iets zei ging Joel verder. 'Ik weet dat dronken mannen en vrouwen uiteindelijk zullen proberen ontucht te plegen met een ander dan met wie ze gekomen zijn. Ik herinner me je verjaardag en wat daar gebeurd is. Het zondige moderne leven doet me beseffen hoe zuiver de wereld was toen ik jong was. Niets is meer zoals vroeger. Toen wisten de mensen in ieder geval hoe ze zich in het openbaar fatsoenlijk moesten gedragen, wat ze ook achter gesloten deuren deden. Nu kan het niemand meer schelen wie hen wat ziet doen. Vrouwen lieten hun boezems niet zien toen ik een kleine jongen was en trokken hun rokken niet op voor elke man die dat vroeg.'

Hij richtte zijn kille ogen eerst op mij en toen op Cindy. 'Degenen die zondigen zullen daar zwaar voor boeten, zoals sommigen hier al horen te weten.'

'De oude schoft,' mompelde Cindy, die hem de kamer uit zag sluipen, even stiekem als hij was binnengekomen.

'Cindy, laat ik je dat nooit meer horen zeggen!' viel Bart uit. 'Niemand gebruikt scheldwoorden onder *mijn* dak.'

'Wel, verdomme!' stoof Cindy op. 'Laatst heb ik jou nog hetzelfde horen zeggen over Joel. En ik noem de dingen bij hun naam, Bart Foxworth, zelfs onder jouw dak!'

'Ga naar je kamer en blijf daar!' brulde Bart.

'Ik gun iedereen verder zijn plezier,' zei Jory, die zijn stoel in de richting van de lift stuurde. 'Wat mij betreft, ik zeg mijn lidmaatschap van het christendom op.'

'Jij bent nooit een Christen geweest,' riep Bart. 'Niemand hier gaat naar de kerk. Maar er zal in de nabije toekomst een dag komen waarop *iedereen* hier naar de kerk zal gaan.'

Chris stond op, legde zorgvuldig zijn servet neer en keek met bevelende ogen naar Bart en Cindy. 'Ik heb genoeg van dit kinderachtige gedoe. Het verbaast me dat jullie, die je zelf allemaal zo volwassen vinden, op slag in kleine kinderen kunnen veranderen.'

Maar Jory was deze keer niet meer te houden. Hij draaide plotseling zijn stoel om en zijn gewoonlijk zo beheerste gezicht zag rood van woede, zijn neusgaten trilden. 'Paps, het spijt me, maar het moet me van het hart.' Hij wendde zich tot Bart, die was opgestaan. 'Nu moet je eens goed naar me luisteren, *klein* broertje.' Zijn sterke handen lieten de stuurknuppel los en balden zich tot vuisten. 'Ik geloof in God, maar ik geloof niet in de godsdienst. De godsdienst wordt gebruikt om te manipuleren en te straffen. En op duizend manieren gebruikt om winst te maken, want zelfs in de kerk is geld nog steeds die *ware* god.'

'Bart,' smeekte ik, doodsbenauwd dat hij Jory weer iets aan zou doen. 'Het wordt tijd dat we naar boven gaan.'

Bart verbleekte. 'Geen wonder dat je in die stoel zit als je gelooft wat je net zei. Jij wordt door God gestraft, net als Joel zegt!'

'Joel,' spotte Jory. 'Wie kan het wat schelen wat een oude gek als Joel zegt? Ik word gestraft omdat een of andere idioot het zand nat heeft gemaakt! God stuurde geen regen naar de aarde om dat te doen. Een tuinslang nam Gods plaats in, en dat is de reden waarom ik in deze stoel zit en niet op het toneel sta waar ik thuis hoor. Ik ga hier zo gauw mogelijk weg, Bart! Ik vergeet dat je mijn broer bent, die ik altijd heb geprobeerd lief te hebben en te helpen. Ik zal het niet nog eens proberen.'

'Goed zo, Jory!' riep Cindy, die opsprong en applaudisseerde.

'STOP!' gilde ik. Ik greep Cindy bij de arm, terwijl Chris haar andere arm greep en haar bij Bart vandaan sleurde. Ze draaide en wrong zich in allerlei bochten om los te komen. 'Verdomde huichelaar!' gilde ze tegen Bart. 'Ik heb over jou gehoord dat jij geen onbekende bent in het plaatselijke bordeel.'

God zij dank ging de lift achter ons dicht en waren we op weg naar boven vóór Bart Cindy kon bereiken.

'Jij moet je mond leren houden,' zei Jory. 'Jij maakt het alleen maar erger, Cindy. Het spijt me wat ik zojuist gezegd heb. Zag je zijn gezicht? Ik geloof niet dat hij huichelt over de godsdienst. Hij meent het doodernstig. Hij schijnt echt te geloven. Joel mag een huichelaar zijn, maar Bart niet.'

Chris keek naar hen voordat hij de lift uitliep. 'Jory, Cindy, luister goed. Ik wil dat jullie allebei je best doen om ervoor te zorgen dat Barts feest vanavond een succes wordt. Vergeet je vijandschap, al is het maar voor één avond. Hij was altijd al een moeilijk jongetje, en is opgegroeid tot een nog moeilijkere man. Hij heeft hulp nodig, en hard ook. Geen psychiatrische behandeling, maar hulp van degenen die van hem houden. En ik weet dat jullie ondanks alles van hem houden. Zoals je moeder en ik van hem houden en het ons aantrekken wat er met hem gebeurt. Wat Melodie betreft, ik ben vóór het eten bij haar geweest en ze voelt zich niet goed genoeg om het feest te kunnen bijwonen. Ze wilde niet dat ik haar onderzocht, al heb ik er wel op aangedrongen. Ze zegt dat ze zich te dik en te lomp voelt, en ze zich niet wil vertonen; ze wil niet dat de gasten naar haar enorme omvang staren. Ik denk dat het de beste oplossing is voor haar. Maar als je even bij haar binnen zou willen gaan en een paar vriendelijke bemoedigende woorden zeggen, zou dat heel fijn zijn, want het arme kind weet zich geen raad.'

Jory stuurde zijn stoel door de gang en ging regelrecht naar zijn kamer, negeerde Melodie's gesloten deur. Ik zuchtte, net als Chris.

Plichtsgetrouw probeerde Cindy een paar troostende woorden tegen Melodie te zeggen voor haar deur die op slot was. Toen kwam ze terug. 'Ik laat mijn pret niet door Melodie bederven. Ik vind dat ze zich als een verdomde egoïste gedraagt. In ieder geval ben ik van plan de avond van mijn leven te hebben,' zei Cindy ten afscheid. 'Bart en zijn feest kunnen me niets schelen, behalve het plezier dat ik eraan beleef.'

'Ik maak me bezorgd over Cindy,' zei Chris toen we op het bed lagen en probeerden een uurtje te slapen. 'Ik heb zo'n gevoel dat Cindy niet zuinig is met haar gunsten.'

'Chris, dat mag je niet zeggen! Omdat we haar betrapt hebben met die jongen, Lance, wil nog niet zeggen dat ze lichtzinnig is. Ze kijkt naar elke jongeman die ze tegenkomt, in de hoop dat hij de ware is. Als iemand tegen haar zegt dat hij van haar houdt gelooft ze het, omdat ze het zo graag wil geloven. Begrijp je niet dat Bart haar haar zelfvertrouwen heeft ontnomen? Ze is bang dat ze precies is wat Bart denkt dat ze is. Ze wordt heen en weer geslingerd tussen zo slecht zijn als hij denkt en zo aardig zijn als wij willen dat ze is. Cindy is een mooie jonge vrouw... en Bart behandelt haar als een stuk vuil.'

Het was een lange dag geweest voor Chris. Hij deed zijn ogen dicht en ging op zijn zij liggen om me te omhelzen. 'Bart zal uiteindelijk wel goed terecht komen,' mompelde hij. 'Voor het eerst heb ik in zijn ogen de behoefte aan een compromis gezien. Hij heeft een wanhopige behoefte aan iemand of iets waarin hij kan geloven. Op een goede dag zal hij vinden wat hij zoekt, en dan zal hij de fijne mens kunnen zijn die hij is onder dat onsympathieke uiterlijk.'

Slaap en droom van onmogelijke dingen, van harmonie in de familie, broers en een zuster die elkaar liefhebben. Droom maar verder, dromer...

Ik hoorde de staande klok in de gang zeven uur slaan, het uur waarop we geacht werden op te staan om een bad te nemen en ons aan te kleden. Ik schudde Chris wakker en zei dat hij moest opschieten en zich aankleden. Hij rekte zich uit, geeuwde, stond lui op om een douche te nemen, terwijl ik snel in bad ging. Toen schoor hij zich en trok zijn smoking aan. Chris staarde naar zijn spiegelbeeld. 'Cathy, ben ik dikker geworden?' vroeg hij bezorgd.

'Nee, schat, je ziet er fantastisch uit, zoals Cindy zou zeggen.'

'Wat zeg *jij*?'

'Dat je elk jaar knapper wordt.' Ik liep naar hem toe, sloeg mijn armen om zijn middel en liet mijn wang op zijn rug rusten. 'Ik hou elk jaar meer van je... en zelfs als je zo oud bent als Joel, zal ik je zien zoals je nu bent... vier meter lang, in je glanzende harnas, op het punt weg te rijden op je witte eenhoorn. In je hand houd je een vier meter lange speer met een groene drakekop op de punt gespietst.'

In de spiegel kon ik hem zien, tranen glinsterden in zijn ogen. 'Na al die tijd herinner je het je nog,' fluisterde hij hees. 'Na al die jaren...'

'Alsof ik het ooit zou kunnen vergeten...'

'Maar het is al zo lang geleden.'

'En vandaag scheen de maan om twaalf uur 's middags,' mompelde ik. Ik ging voor hem staan en sloeg mijn armen om zijn hals. 'En een sneeuwstorm blies over je eenhoorn... en ik heb altijd respect voor je gehad. Dat hoefde je niet te verdienen.'

Twee tranen rolden langzaam over zijn wangen. Ik kuste ze weg. 'Dus je vergeeft me, Catherine? Zeg me, nu we de kans hebben, dat je me vergeeft dat ik je zo'n hel heb laten doormaken. Want Bart zou anders zijn geworden als ik alleen zijn oom was gebleven en een andere vrouw had gezocht.'

Ik paste goed op dat ik zijn jasje niet vuil maakte met mijn make-up en legde mijn wang op zijn hart, dat ik kon horen kloppen. Net zoals ik het de eerste keer had gehoord, toen onze liefde veranderde en meer werd dan hij had moeten zijn. 'Als ik één keer met mijn ogen knipper ben ik weer twaalf jaar oud, en ben jij veertien. Ik kan je zien zoals je toen was... maar ik kan mezelf niet zien. Chris, waarom kan ik mijzelf niet zien?'

Zijn glimlach was bitterzoet. 'Omdat ik alle herinneringen aan wat jij was heb gestolen en opgesloten in mijn hart. Maar je hebt niet gezegd dat je me vergeeft.'

'Zou ik hier zijn als ik het niet zelf wilde?'

'Ik hoop en bid van niet.' Hij hield me zo stevig vast dat mijn ribben pijn deden.

Buiten begon het weer te sneeuwen. Binnen had mijn Christopher Doll de klok teruggedraaid, en al was er geen magie voor Melodie in dit huis, en had het vertrek van Lance Cindy haar romantiek ontnomen, voor mij was er meer dan genoeg magie, want Chris kon alles betoveren.

Om half tien zaten we te wachten, gereed om op te staan als Trevor de deur open zou doen. Hij stond onrustig op zijn horloge te kijken en wierp een trotse blik op ons. Bart, Chris, Jory en ik zaten in onze elegante, dure avondkleding met ons gezicht naar de ramen aan de voorkant, met de schitterende gordijnen. De grote kerstboom in de hal fonkelde met duizend kleine witte lichtjes. Vijf mensen waren urenlang bezig geweest om de boom te versieren.

Terwijl ik daar zat als een Assepoester van middelbare leeftijd, die haar prins al had gevonden en met hem was getrouwd en gevangen was in de ban van het lang-en-gelukkig dat niet helemaal zo gelukkig was, werd mijn aandacht getrokken door een beweging boven. In de schaduw van de rotonde, waar twee geharnaste ridders op een voetstuk tegenover elkaar stonden, zag ik een donkere schaduw, die ik meende te herkennen. Joel, die verondersteld werd in bed te liggen en te slapen, of op zijn knieen te bidden voor al onze zondige onchristelijke zielen.

'Bart,' fluisterde ik tegen mijn jongste zoon die naast mijn stoel kwam staan, 'was het niet de bedoeling dat dit een speciale party zou zijn om Joel weer voor te stellen aan al zijn oude vrienden?'

'Ja,' fluisterde hij terug, terwijl hij zijn arm om mijn schouders legde. 'Maar dat was niet meer dan een excuus. Ik wist dat hij niet zou willen komen. De waarheid is dat nog maar weinig oude vrienden van hem in leven zijn, al leven er nog wel een hoop oude schoolvriendinnen van mijn grootmoeder.' Zijn sterke vingers persten zich in mijn schouder. 'Je ziet er beeldig uit, als een engel.'

Was dat een compliment of een suggestie?

Hij glimlachte plotseling cynisch, trok toen met een ruk zijn arm weg alsof die hem had verraden.

Ik lachte nerveus. 'O, op een dag als ik zo oud ben als Joel, zal ik waarschijnlijk gebogen en schuifelend gaan lopen, en als mijn zonden achter de rug zijn, zal ik het aureool opzetten dat ik in mijn puberteit heb verloren.'

Bart en Chris keken verontwaardigd toen ze me zo hoorden praten, maar ik voelde me voldaan toen ik de schaduw van Joel zag wegsluipen.

Bedienden in livrei maakten de buffettafels gereed, terwijl Bart opstond en heen en weer liep. Hij zag er opvallend knap uit in zijn zwarte smoking met het geplisseerde hemd.

Ik pakte Jory's hand en drukte die. 'Je ziet er net zo goed uit als Bart,' fluisterde ik.

'Mams, heb je hem een complimentje gemaakt? Hij ziet er fantastisch uit, werkelijk geweldig, precies de man die zijn vader moet zijn geweest.'

Ik bloosde en schaamde me. 'Nee, ik heb niets gezegd, omdat hij zo verschrikkelijk ingenomen leek met zichzelf dat ik bang was dat hij zou barsten van trots als ik hem een compliment zou maken.'

'Mams, je vergist je. Alsjeblieft, zeg tegen hem wat je tegen mij hebt gezegd. Je denkt misschien dat ik het harder nodig heb, maar ik geloof dat hij er meer behoefte aan heeft.'

Ik stond op en liep naar de plaats waar Bart naar buiten stond te staren.

'Ik zie nog geen enkele koplamp van een auto,' klaagde hij. 'Het sneeuwt niet meer. De wegen zijn schoongeveegd. Op die van ons is grint gestrooid. Waar blijven ze verdomme?'

'Je hebt er nog nooit zo knap uitgezien als vanavond, Bart.'

Hij draaide zich om en keek naar mij en Jory. 'Knapper dan Jory?'

'Even knap.'

Hij fronste zijn voorhoofd en draaide zich weer naar het raam. Buiten zag hij iets dat hem afleidde. 'Hé, kijk, daar komen ze.'

Ik zag de rij lichten in de verte die de heuvel op kwamen. 'Maak je gereed, allemaal,' riep Bart en gaf Trevor een opgewonden teken.

Chris ging naast Jory's stoel staan, die hij handig voortduwde, terwijl ik Barts arm pakte en een ontvangstlijn vormde. Trevor kwam haastig naar ons toe met een stralende glimlach.

'Ik ben dol op feesten, altijd geweest, en ik zal het altijd blijven. Je hart gaat sneller kloppen. Je voelt je weer jong. Ik weet zeker dat het een geweldige avond gaat worden.'

Twee of drie keer zei Trevor het, elke keer met minder overtuiging, toen nog geen enkel paar koplampen hoog genoeg was gekomen om onze oprijlaan te bereiken. Niemand belde, niemand klopte.

De musici zaten gereed onder de rotonde, op een podium dat speciaal voor hen was geconstrueerd, tussen de beide gebogen trappen. Ze stemden telkens opnieuw hun instrumenten en mijn voeten begonnen pijn te doen in de hooggehakte schoenen. Ik ging weer op een sierlijk stoeltje zitten en schopte stiekem mijn schoenen uit onder de wijde rok van mijn jurk, die met de minuut zwaarder en ongemakkelijker werd. Eindelijk kwam Chris naast me zitten en Bart nam plaats aan de andere kant. We zwegen, hielden bijna onze adem in. Jory reed in zijn rolstoel van raam tot raam, keek naar buiten en bracht verslag uit.

Ik wist dat Cindy geheel gekleed boven zat te wachten, om laat beneden te komen en op iedereen indruk te maken als ze eindelijk de trap afkwam. Ze moest wel erg ongeduldig worden.

'Ze moeten nu toch gauw komen,' zei Jory toen het half elf werd. 'Er ligt veel opgehoopte sneeuw aan de kant van de zijwegen, daardoor kunnen ze in de war zijn gebracht...'

Barts lippen waren grimmig op elkaar geklemd, zijn ogen waren ijskoud. Niemand zei iets. Ik durfde me zelfs niet af te vragen waarom er niemand was gekomen. Trevor keek ongerust als hij dacht dat we het niet zagen.

Om aan iets prettigs te denken staarde ik naar het buffet, dat me zo deed denken aan dat eerste bal dat ik in het originele Foxworth Hall had gezien.

Bijna net als wat ik nu zag.

Rood tafellinnen, zilveren schotels en schalen. Een fontein waaruit champagne spoot. Reusachtige, glimmende schalen die warm werden gehouden en waaruit verrukkelijke geuren opstegen. Stapels voedsel op schotels in lagen boven elkaar van kristal, porselein, goud en zilver. Tenslotte hield ik het niet langer uit en stond op om van een paar dingen te proeven terwijl Bart fronsend toekeek en klaagde dat ik de fraaie composities bedierf. Ik trok mijn neus tegen hem op en gaf Chris een bord vol met alle dingen waarvan ik wist dat hij hield. Even later bediende Jory zich ook.

De rode kaarsen brandden lager en lager. Hoge gelatine meesterwerken begonnen in te zakken. Gesmolten kazen begonnen taai te worden en de warm gehouden sauzen klonterden. Het beslag voor de crêpes suzette stond gereed en de koks keken elkaar bevreemd aan. Ik wendde mijn blik af van alles wat stond te bederven.

Vrolijke vuren brandden in alle kamers, maakten ze gezellig en uitzonderlijk mooi. Het extra personeel werd rusteloos en keek bezorgd terwijl ze nerveus stonden te schuifelen, heen en weer begonnen te lopen, tegen elkaar fluisterden, niet wisten wat ze moesten doen.

Cindy zweefde de trap af in een rode jurk met een hoepelrok, zo bewerkt dat mijn met kraaltjes geborduurde jurk erbij in het niet viel. Haar jurk had een strak lijfje, met een geplooide strook die iets van haar bovenarmen bedekte, waardoor haar schouders mooi uitkwamen, en een schitterende omlijsting vormde voor haar melkblanke borsten. De rode jurk was heel laag uitgesneden. De rok was een meesterwerk van plooien, opgenomen met witte zijden bloemen met flonkerende kristallen. Een paar van die witzijden bloemen waren in haar opgestoken haar bevestigd. Scarlett O'Hara had tevreden kunnen zijn.

'Waar is iedereen?' vroeg ze. Haar stralende uitdrukking verdween. 'Ik heb aldoor zitten wachten tot de muziek zou gaan spelen, en toen ben ik in slaap gevallen, en toen ik wakker werd was ik bang dat ik alle pret miste.'

Ze zweeg en keek om zich heen. Toen verscheen er een blik van ontsteltenis op haar gezicht. 'Zeg niet dat er niemand komt! Ik kan geen teleurstelling meer verdragen!' Dramatisch hief ze haar handen op.

'Niemand is nog gearriveerd, juffrouw,' zei Trevor tactvol. 'Misschien zijn ze verdwaald. Mag ik zeggen dat u er beeldschoon uitziet, evenals uw moeder trouwens.'

'Dank je,' zei ze. Ze zweefde naar hem toe en gaf hem een dochterlijke kus op zijn wang. 'Je ziet er zelf ook erg gedistingeerd uit.' Ze holde langs Barts verbaasde gezicht naar de piano. 'Alsjeblieft, mag ik?' vroeg ze aan een jonge, knappe musicus, die verrukt leek dat er eindelijk iets gebeurde. Cindy ging naast hem zitten, legde haar handen op de toetsen, gooide haar hoofd in haar nek en begon te zingen: 'O, heilige nacht'.

Ik staarde, zoals wij allemaal, naar het meisje dat we meenden zo goed te kennen. Het was geen gemakkelijk lied om te zingen, maar ze deed het zo goed, met zoveel emotie, dat zelfs Bart bleef staan en haar verbaasd aankeek.

De tranen stonden in mijn ogen. O, Cindy, hoe heb je die stem zo lang geheim kunnen houden? Haar pianospel was redelijk, maar die stem... dat gevoel dat ze erin wist te leggen... Alle musici vielen in, overstemden haar pianospel, maar niet haar stem.

Ik luisterde vol verbijstering, kon niet geloven dat mijn Cindy zo mooi kon zingen. Toen ze klaar was klapten we enthousiast. Toen riep Jory:

'Sensationeel! Fantastisch! Werkelijk schitterend, Cindy! Stiekemerd, je hebt ons nooit verteld dat je bent doorgegaan met je zanglessen.'

'Dat ben ik ook niet. Ik gaf alleen uitdrukking aan mijn gevoelens.'

Ze sloeg haar ogen neer en keek toen met een sluwe blik naar Barts gezicht, waarop niet alleen verbazing maar ook waardering te lezen stond. Voor het eerst had hij iets gevonden dat hij in Cindy kon bewonderen. In haar voldane blik lag ook iets droevigs, alsof ze wilde dat Bart haar ook om andere redenen aardig kon vinden.

'Ik hou van kerstliederen en religieuze liederen, ze doen me iets. Eén keer heb ik op school *Swing Low, Sweet Chariot* gezongen, en de leraar zei dat ik het soort emotionele gevoel heb dat een groot zangeres van me zou kunnen maken. Maar ik wil nog steeds het liefst actrice worden.'

Lachend, en weer gelukkig, vroeg ze ons om mee te zingen, dan zouden we er een echt feest van maken, zelfs al kwam er niemand. Ze begon een liedje op de piano te trommelen dat leek op *Joy to the World*. En toen *Jingle Bells*.

Deze keer was Bart niet ontroerd.

Hij liep weer naar het raam en staarde met een kaarsrechte rug naar buiten. 'Ze *kunnen* mijn uitnodigingen niet negeren, niet als ze erop gereageerd hebben,' mompelde hij bij zichzelf.

Ik kon niet begrijpen hoe zijn zakenvrienden het waagden hem te beledigen, terwijl hij toch hun belangrijkste cliënt was. Bovendien hield iedereen van een feest, vooral het soort feest waarvan ze wisten dat het fantastisch zou zijn.

Op de een of andere manier wist Bart wonderen te verrichten met zijn vijfhonderdduizend per jaar. Hij breidde zijn kapitaal uit op manieren die Chris te riskant zou hebben gevonden. Bart riskeerde alles... berekende risico's die een flinke winst afwierpen. En toen pas besefte ik dat dat misschien juist de bedoeling was geweest van mijn moeder. Als ze Bart dat hele vermogen in één keer had gegeven, zou hij niet zo hard hebben gewerkt om zijn eigen fortuin te maken, dat, als hij dit volhield, het vermogen dat Malcolm hem had nagelaten verre zou overtreffen. En op deze manier zou Bart ontdekken wat hij waard was.

Maar wat deed geld ertoe als hij zo teleurgesteld was dat hij geen hap kon eten van alles wat zo gul was uitgestald? De ontgoocheling dreef hem naar de drank, en een tijdje later had hij een stuk of zes glazen alcohol naar binnen gewerkt, terwijl hij liep te ijsberen en met de seconde kwader werd.

Ik kon het niet verdragen zijn teleurstelling te zien, en mijn wangen werden nat van de stille tranen.

Chris fluisterde: 'We kunnen niet naar bed gaan en hem hier alleen laten.

Cathy, hij trekt het zich zo verschrikkelijk aan. Moet je zien hoe hij loopt te ijsberen. Met elke stap die hij doet wordt hij kwader. Iemand zal moeten boeten voor deze vernedering.'

Het werd half twaalf en later.

Cindy was de enige die plezier had. De musici en het personeel adoreerden haar. Het orkest speelde en Cindy zong. Als ze niet zong, danste ze met elke man die aanwezig was, zelfs met Trevor en de andere mannelijke personeelsleden. Ze wenkte de dienstmeisjes en nodigde ze uit om te dansen; Cindy wist een feestelijke stemming om zich heen te scheppen. Iedereen deed zijn uiterste best om ervoor te zorgen dat zij althans plezier had.

'Laten we eten, drinken en vrolijk zijn!' riep Cindy uit. Ze glimlachte naar Bart. 'Het is niet het eind van de wereld, Bart. Wat kan het jou schelen? We zijn te rijk om aardig te worden gevonden. We zijn ook te rijk om medelijden te hebben met onszelf. En we hebben in ieder geval twintig gasten... laten we dansen, drinken, eten, plezier maken!'

Bart bleef staan en staarde haar aan. Cindy hief haar glas champagne op. 'Ik drink op jou, Bart. Voor alle lelijke dingen die je tegen me hebt gezegd geef ik je zegewensen terug van goede wil, goede gezondheid en veel liefde.' Ze tikte met haar champagneglas tegen zijn glas en nam een slok, keek glimlachend in zijn ogen en bracht toen nog een toast uit. 'Ik vind dat je er fantastisch uitziet, en de meisjes die vanavond komen missen de kans van hun leven. Dus toast ik op de meest verkiesbare vrijgezel ter wereld. Ik wens je vreugde, ik wens je geluk, ik wens je ook liefde. Ik zou je ook succes wensen, maar dat heb je niet nodig.'

Hij kon zijn blik niet van haar afwenden. 'Waarom heb ik geen succes nodig?' vroeg hij zacht.

'Omdat – wat zou je nog meer kunnen verlangen? Je hebt succes als je miljoenen hebt, en weldra zul je zoveel geld hebben dat je niet weet wat je ermee moet doen.'

Bart boog zijn donkere hoofd. 'Ik voel me niet erg succesvol. Niet als er zelfs niemand op mijn feest wil komen.' Zijn stem brak en hij keerde haar de rug toe.

Ik stond op en liep naar hem toe. 'Wil je met me dansen, Bart?'

'Nee!' snauwde hij en liep haastig naar een raam aan de andere kant van het vertrek waar hij weer naar buiten ging staren.

Cindy had een verrukkelijke tijd met de musici en de mannen en vrouwen die waren gekomen om Barts gasten te bedienen. Maar ik was verschrikkelijk somber, ik had medelijden met Bart, die zich zo hierop verheugd had. Uit medeleven gingen we allemaal behalve Cindy en het personeel naar de salon aan de voorkant, waar we in onze schitterende dure kleren zaten te wachten op gasten die blijkbaar hadden geaccepteerd, om Bart te bedotten en ons op deze manier duidelijk te maken wat ze dachten van de Foxworths op de heuvel.

De staande klok sloeg twaalf uur. Bart kwam bij het raam vandaan en liet zich op de bank vallen voor het knetterende houtvuur. 'Ik had moeten weten dat het zo zou lopen.' Hij keek verbitterd naar Jory. 'Misschien zijn ze alleen maar op mijn verjaardag gekomen om jou te zien dansen, en nu je dat niet meer kunt, kan ik naar de hel lopen! Ze hebben me genegeerd en vernederd, en ik zal het ze betaald zetten,' zei hij met harde, kille stem, luider en krachtiger dan die van Joel, maar even fanatiek. 'Voor ik klaar ben zal er in een omtrek van dertig kilometer geen huis zijn dat niet van mij is. Ik zal ze ruïneren. Allemaal. Met de macht van de Foxworth-trust achter me kan ik miljoenen lenen, en dan zal ik de banken overnemen en eisen dat ze hun hypotheken afbetalen. Ik zal de dorpswinkels opkopen en sluiten. Ik zal andere advocaten aannemen, degenen die ik nu heb ontslaan en ervoor zorgen dat ze geroyeerd worden. Ik zal nieuwe effectenmakelaars zoeken, nieuwe vastgoedmakelaars, ervoor zorgen dat de waarde van het onroerend goed wordt ondermijnd en als het goedkoop wordt verkocht zal ik het opkopen. Als ik klaar ben zal er geen enkele oude aristocratische familie in Virginia over zijn aan deze kant van Charlottesville! En niet een van mijn zakencollega's zal nog iets anders hebben dan schulden!'

'En voel je je dan tevreden?' vroeg Chris.

'NEE!' viel Bart uit, met een harde kwade stem. 'Ik zal niet tevreden zijn voordat er recht is geschied! Ik heb niets gedaan om deze avond te verdienen! Ik heb alleen geprobeerd te doen wat onze voorouders hebben gedaan, en ze hebben me genegeerd. Ze zullen ervoor boeten, en hoe!'

Het was of ik mezelf hoorde! Mijn eigen woorden te horen uit de mond van het kind dat ik verwachtte op het moment dat ik die woorden zei, deed al het bloed uit mijn gezicht wegtrekken. Huiverend probeerde ik zo normaal mogelijk te lijken. 'Het spijt me, Bart. Maar het was toch geen totale mislukking? We zijn allemaal samen onder één dak, voor één keer een verenigd gezin. En Cindy's muziek en gezang hebben er toch iets feestelijks van gemaakt.'

Hij luisterde niet.

Hij staarde naar al het ongegeten voedsel. De belletjes waren verdwenen uit de champagne. Al die wijn en drank, die menige tong zou hebben losgemaakt. Hij keek woedend naar de dienstmeisjes in hun mooie zwart met witte uniformen, dronken en zwaaiend, sommigen nog dansend, terwijl de muziek verder speelde. Hij keek woedend naar de paar kelners die nog bladen vasthielden met drankjes die warm waren geworden.

Sommigen stonden naar hem te kijken, wachtend op zijn teken dat de avond voorbij was. Het indrukwekkende middenstuk van een kribbe van ijs en kristal met drie herders, de wijze mannen en alle dieren, was gesmolten en uitgelopen op het rode tafellaken.

'Wat bofte jij toen je *De Notenkraker* danste, Jory,' zei Bart terwijl hij naar de trap liep. 'Jij was de lelijke notenkraker die veranderde in de knappe prins. En je kreeg altijd de mooiste en beste ballerina. In *Assepoester*, in *Romeo en Julia*. In *Doornroosje*, *Giselle*, *Het Zwanenmeer* – altijd – behalve de laatste keer. En de laatste keer telt, hè?'

Wat wreed! Wat ontzettend wreed! Ik zag Jory ineenkrimpen en deze ene keer toonde hij zijn verdriet, en mijn hart ging naar hem uit.

'Prettig Kerstfeest,' riep Bart terwijl hij de trap opliep. 'We zullen deze dag nooit meer vieren, noch enige andere dag in dit huis zolang ik hier de baas ben. Joel had gelijk. Hij heeft me gewaarschuwd dat ik niet moest proberen me aan anderen aan te passen. Hij zei dat ik niet moest proberen de mensen liefde of respect in te boezemen. Van nu af aan zal ik zijn als Malcolm. Ik zal respect veroveren door anderen mijn wil op te leggen, met ijzeren vuist, meedogenloos en vastberaden. Iedereen die me vanavond vernederd heeft zal mijn macht voelen.'

Toen hij weg was keek ik naar Chris. 'Hij klinkt of hij gek is!'

'Nee, schat, hij is niet gek. Hij is alleen maar Bart, jong en weer kwetsbaar en heel, heel erg verdrietig en beledigd. Hij brak vroeger als kind zijn botten om zichzelf te straffen, omdat hij maatschappelijk en op school een mislukkeling was. Nu zal hij het leven breken van anderen. Is het niet jammer, Cathy, dat alles altijd verkeerd loopt voor hem?'

Ik stond onderaan de trap en keek omhoog naar de plaats waar een oude man, die zich verborg in de schaduw, leek te schuddebuiken van het lachen.

'Chris, ga jij vast naar boven. Ik kom zo!' Chris wilde weten wat ik van plan was, dus loog ik en zei dat ik even met Trevor wilde spreken over het opruimen en schoonmaken morgen. Maar ik was iets heel anders van plan.

Zodra iedereen weg was dook ik Barts grote kantoor in en zocht in zijn bureau naar de R.S.V.P.-kaarten die weken geleden gearriveerd waren.

Ze moesten heel vaak bevingerd zijn, te oordelen naar de inktvegen op de enveloppes. Tweehonderdvijftig mensen hadden geaccepteerd. Ik beet op mijn onderlip. Niet één afwijzing, niet eentje zelfs. Zoiets deed je niet, zelfs niet tegenover iemand aan wie je een hekel had. Als ze niet hadden willen komen hadden ze de uitnodigingen in de prullemand gegooid, samen met de antwoordkaart, of ze hadden de kaart teruggestuurd met een afwijzing.

Zorgvuldig legde ik de kaarten terug en liep de achtertrap op naar Joels kamer.

Zonder te kloppen deed ik de deur open. Hij zat op de rand van zijn smalle bed, dubbelgevouwen in wat een verschrikkelijke maagkramp leek, of die afschuwelijke stille lach. Hij was verkrampt, trilde, rukte, sloeg zijn magere armen om zich heen.

Rustig stond ik te wachten tot de hysterie voorbij was en toen pas zag hij mijn lange schaduw. Hij hijgde, zijn mond was ingevallen omdat zijn tanden in een kopje naast het bed lagen, en staarde naar me op.

'Waarom ben je hier, nicht?' vroeg hij met die jammerende maar krassende stem, zijn magere haar verward in duivelshoorntjes die recht overeind stonden.

'Een tijdje geleden toen ik beneden zat keek ik omhoog en zag je in de schaduw van de rotonde staan. Je stond te lachen. Waarom lachte je, Joel? Je moet toch hebben gezien dat Bart verdriet had?'

'Ik weet het niet,' mompelde hij. Hij draaide zich om en stopte zijn tanden in zijn mond. Toen gleed hij met zijn hand over zijn haar, streek het glad. Alleen zijn spuuglok weigerde zich te laten bedwingen. Nu kon hij me weer aankijken. 'Je dochter maakte zo'n lawaai beneden dat ik niet kon slapen. Ik denk dat het op mijn gevoel voor humor werkte toen ik jullie zag zitten in je mooie kleren, wachtend op gasten die niet kwamen opdagen.'

'Je hebt een vreemd gevoel voor humor, Joel. Ik dacht dat je om Bart gaf.'

'Ik hou van die jongen.'

'O ja?' vroeg ik scherp. 'Dat geloof ik niet, anders zou je medelijden met hem hebben.' Ik keek om me heen in zijn schaars gemeubileerde kamer en dacht scherp na. 'Heb jij de uitnodigingen niet op de post gedaan?'

'Dat herinner ik me niet meer,' zei hij kalm. 'De tijd heeft niet veel te betekenen voor een oude man als ik. De tijd wordt zo kort. Wat jaren geleden is gebeurd staat me helderder voor de geest dan de gebeurtenissen van een maand geleden.'

'Mijn geheugen is heel wat beter dan het jouwe, Joel.'

Ik ging op de enige stoel zitten in de kamer. 'Bart had een belangrijke afspraak, en ik herinner me dat hij die stapels uitnodigingen aan jou heeft gegeven. Heb je ze wel gepost, Joel?'

'Natuurlijk heb ik ze gepost!' snauwde hij kwaad.

'Maar je zei net dat je je het niet kon herinneren.'

'Ik herinner me *die* dag wel. Het duurde erg lang, ik moest ze één voor één in de gleuf laten vallen.'

Al die tijd keek ik aandachtig naar zijn ogen. 'Je liegt, Joel.' Het was een schot in het duister. 'Je hebt die uitnodigingen niet gepost. Je hebt ze hier naar toe gebracht, naar je eigen kamer, je hebt ze één voor één opengemaakt, ze ingevuld op de plaats van "Ja, wij geven gaarne gehoor aan de uitnodiging", en die op de post gedaan in de bijgevoegde enveloppen, gericht aan Bart. Ik heb nog nooit zo'n verzameling merkwaardige handschriften gezien, in verschillende kleuren blauwe, paarse, groene, zwarte en bruine inkt. Joel, je hebt andere pennen en inkt genomen, om de indruk te wekken dat die kaarten ondertekend waren door verschillende gasten, terwijl jij ze allemaal zelf hebt getekend!'

Langzaam stond Joel op. Hij trok de onzichtbare bruine pij van een heilige monnik om zich heen, stak zijn knokige handen in zijn denkbeeldige mouwen. 'Ik geloof dat je je verstand hebt verloren, vrouw,' zei hij koud. 'Als je wilt kun je naar je zoon gaan en hem je barbaarse verdenkingen vertellen. Dan kun je zien of hij je gelooft.'

Ik sprong op en liep naar de deur. 'Dat is precies wat ik van plan ben!' Ik smeet de deur achter me dicht en liep haastig weg.

In zijn studeerkamer zat Bart achter zijn bureau. Hij droeg een pyjama en daaroverheen een zwarte wollen kamerjas, met rood afgezet. Dronken gooide hij één voor één de R.S.V.P.-kaarten in het laaiende vuur. Tot mijn ontsteltenis zag ik de laatste van de stapel in de vlammen verdwijnen, terwijl Bart weer een glas volschonk.

'Wat wil je?' vroeg hij onduidelijk. Hij kneep zijn ogen halfdicht en leek verbaasd me te zien.

'Bart, ik moet je wat vertellen, en je *moet* naar me luisteren. Ik geloof niet dat Joel die uitnodigingen op de post heeft gedaan, en dat dat de reden is waarom je gasten niet gekomen zijn.'

Hij probeerde zijn ogen en zijn hersens onder controle te houden. Hij was duidelijk onder de invloed van alcohol. 'Natuurlijk wel. Joel doet altijd wat ik hem opdraag.' Hij leunde achterover in zijn bureaustoel, waarvan de rugleuning automatisch meeveerde, en sloot zijn ogen. 'Ik ben moe. Ga weg. Staar me niet zo medelijdend aan. En ze hebben geaccepteerd... ik heb toch net hun antwoorden verbrand?'

'Bart, luister naar me. Val niet in slaap voor ik uitgesproken ben. Is het je niet opgevallen hoe vreemd ze getekend waren? Al die verschillende inktsoorten? Al die kleuren? Dat vreemde, onhandige handschrift? Joel heeft je uitnodigingen niet gepost, maar meegenomen naar zijn kamer, opengemaakt, en de R.S.V.P.-kaarten en de enveloppen eruit gehaald. Je had op alle enveloppen postzegels geplakt, dus hij hoefde alleen maar naar het postkantoor te gaan en er elke dag een paar aan je terug te sturen.'

Hij kneep zijn ogen tot spleetjes. 'Moeder, je moet naar bed. Mijn oud oom is de beste vriend die ik ooit heb gehad. Hij zou nooit iets doen dat me verdriet zou kunnen bezorgen.'

'Bart, alsjeblieft. Stel niet te veel vertrouwen in Joel.'

'ERUIT!' bulderde hij. 'Het is jouw schuld dat ze niet zijn gekomen! Jouw schuld, en van die vent waarmee je naar bed gaat!'

Ik struikelde toen ik me omdraaide. Ik voelde me verslagen en ik was bang dat het waar zou kunnen zijn, en dat Joel alleen maar was wat Bart en Chris dachten: een onschuldige oude man die zijn tijd wilde uitdienen in dit huis, bij de enige mens die hem respecteerde en van hem hield.

ONS IS GEBOREN...

Eerste Kerstdag was voorbij. Ik lag naast Chris in bed. Hij viel altijd gemakkelijk in een diepe slaap, terwijl ik lag te piekeren en te draaien en te woelen. Achter me was de grote ééogige zwaan waakzaam, en vaak keek ik om me heen om te weten wat hij kon zien. Ik hoorde de diepe tonen van de staande klok aan het eind van de gang die drie uur sloeg. Een paar minuten geleden was ik opgestaan en had ik Barts rode auto over de oprijlaan zien rijden, op weg naar de plaatselijke herberg, waar hij ongetwijfeld zijn verdriet in nog meer alcohol zou verdrinken, en zou eindigen in het bed van een of andere hoer. Meer dan eens was hij thuis gekomen ruikend naar alcohol en goedkope parfum.

Uur na uur ging voorbij terwijl ik wachtte tot Bart thuis zou komen. Ik stelde me allerlei rampen voor. Op een avond als deze, als er zoveel mensen dronken achter het stuur zaten – dodelijker dan arsenicum.

Waarom lag ik hier niets te doen? Ik stapte uit bed, trok de dekens netjes over Chris heen, gaf hem een zoen op zijn wang en legde zijn zware armen om een kussen waarvan ik aannam dat hij zou denken dat ik het was, en dat deed hij ook, te oordelen naar de manier waarop hij zich er tegenaan nestelde. Het was mijn bedoeling in zijn kamer op Bart te wachten.

Het was bijna vijf uur toen ik zijn auto hoorde aankomen. Ik zat in een dikke roze ochtendjas op een van zijn witte banken, met zijn zwarte en rode kussens in de rug.

Ik doezelde in, hoorde hem toen de trap opkomen en dronken van de ene kamer naar de andere lopen en tegen de meubels opbotsen, net als hij had gedaan toen hij nog een kind was. Hij controleerde altijd elke kamer om te zien of die keurig was opgeruimd voordat de bedienden naar bed gingen. En tot mijn schrik deed hij dat nu ook, te oordelen naar de lange tijd die hij erover deed om in zijn kamer te komen. Er mocht geen krant te zien zijn. Geen tijdschriften, als ze niet keurig op stapeltjes lagen. Geen kleren op de grond, of mantels aan deurknoppen of over de rug van een stoel.

Enkele minuten later was Bart in zijn kamer en draaide de lampen aan. Hij stond te zwaaien op zijn benen en staarde naar me in de schemerige kamer, waar ik een vuur had aangelegd dat vrolijk knetterde in het donker. Schaduwen dansten op de witte muren, kleurden ze oranje en rood, het zwarte leer van een andere muur ving de rode gloed op en schiep een soort namaakhel.

'Moeder, wat is er verdomme aan de hand? Heb ik je niet gezegd dat je niet in mijn vleugel moet komen?' Toch leek hij in zijn dronkenschap blij me te zien.

Hij wankelde naar een stoel, mikte zorgvuldig en plofte toen neer, sloot zijn ogen waaronder diepe kringen waren. Ik stond op om zijn hals te masseren. Hij liet zijn hoofd naar voren vallen, alsof hij verschrikkelijke pijn had. Hij sloeg zijn handen voor zijn gezicht, terwijl mijn handen de pijn wegnamen. 'Ik hoor beter te weten dan te drinken,' mompelde hij onduidelijk. Hij zuchtte toen ik een stap naar achteren deed en voor hem ging zitten. 'Dan doe ik altijd rare dingen en daarna voel ik me misselijk. Stom om het te blijven doen, terwijl drank mijn problemen alleen maar groter maakt. Moeder, wat mankeert me toch? Ik kan me niet eens zo bezatten dat ik alles vergeet. Ik ben altijd te overgevoelig geweest. Ik heb Jory eens een keer tegen jou horen zeggen dat hij dat mooie schip bouwde om aan mij te geven, en in mijn hart vond ik dat prachtig. Niemand is ooit maanden bezig geweest om een cadeau voor mij te maken. En toen was het gebroken. Hij had zulk fantastisch werk geleverd, zoveel moeite gedaan om ervoor te zorgen dat alles precies goed was. En nu ligt al dat werk op de vuilnishoop.'

Hij klonk kinderlijk, kwetsbaar, gemakkelijk te benaderen, en ik zou het proberen, proberen hem elk grammetje liefde te geven dat ik bezat. Hij was niet gemeen als hij dronken was, niet dom, maar beminnelijk, en ontroerend van menselijkheid. 'Schat, Jory zal graag een ander voor je maken,' bood ik aan, niet helemaal overtuigd of Jory er wel blij mee zou zijn als hij dat vervelende karwei een tweede keer moest doen.

'Nee, Moeder, ik wil het nu niet meer. Er zou vast weer iets mee gebeuren. Zo gaat het nu eenmaal in mijn leven. Het leven heeft een wrede manier om me te ontnemen wat me het liefst is. Er ligt geen geluk of liefde op me te wachten achter de bocht van morgen. Ik krijg niet wat ik wil – mijn hartsverlangen, zoals ik de onmogelijke dromen van mijn jeugd noemde. Was dat niet kinderlijk en mal? Geen wonder dat je medelijden met me had. Ik wilde zoveel. Te veel. Ik was nooit tevreden. Jij en die man van wie je houdt hebben me alles gegeven wat ik zei dat ik wilde hebben, en veel dingen die ik zelfs niet noemde, en toch heb je me nooit geluk kunnen geven. Dus besloot ik nooit meer ergens om te geven. Het kerstbal zou me geen plezier hebben gegeven, zelfs al waren de gasten wèl gekomen. Ik zou er toch niet in geslaagd zijn indruk op ze te maken.

In mijn hart wist ik dat mijn feest gedoemd was weer een mislukking te worden, net als alle andere feesten die jij vroeger voor me gaf. Maar toch zette ik door en dwong mezelf te geloven dat als ik vanavond succes had, het als 't ware een precedent zou scheppen en dat mijn hele leven beter zou worden.'

Mijn jongste zoon praatte tegen me zoals hij nog nooit had gedaan. De alcohol maakte zijn tong los.

'Stom hè?' ging hij verder. 'Cindy heeft gelijk als ze me een klootzak en een engerd noemt. Ik kijk in de spiegel en dan zie ik een knappe man, net als mijn vader, van wie je beweert meer te hebben gehouden dan van enige andere man. Maar ik heb niet het gevoel dat ik knap ben van binnen. Van binnen ben ik lelijker dan de nacht. En dan word ik wakker en voel de frisse ochtendlucht van de bergen, zie de dauw glinsteren op de rozen, zie de winterzon schijnen op de sneeuw, en dan weet ik dat het leven me misschien toch nog een kans geeft. Ik hoop dat ik op een dag mijn ware ik zal vinden, de man van wie ik kan houden. En daarom heb ik maanden geleden besloten dat dit het gelukkigste kerstfeest van ons leven zou worden, niet alleen voor Jory, die het verdient, maar ook voor jou en voor mezelf. Je denkt dat ik niet van Jory hou, maar dat doe ik wel.'

Hij boog zijn hoofd en zuchtte diep. 'Biechttijd, moeder. Ik haat Jory ook, dat ontken ik niet. Maar ik kan geen enkele liefde opbrengen voor Cindy. Zij heeft alleen maar van me gestolen, en ze is niet eens één van ons. Jory heeft altijd het grootste deel van je liefde gekregen, alles wat je overhield nadat je je broer het beste deel had gegeven. Ik heb nooit iemands grootste liefde gekregen. Ik dacht dat Melodie me die gaf. Nu weet ik dat ze elke man genomen zou hebben om Jory te vervangen. Elke man die beschikbaar was en bereid, en daarom haat ik haar nu, net zo erg als ik Cindy haat.'

Hij haalde zijn handen van zijn gezicht en ik zag hoe verbitterd zijn donkere ogen fonkelden; de weerkaatsing van het vuur deed ze op gloeiende rode kolen lijken. Zijn adem stonk naar drank. Mijn hart stond bijna stil, Wat zou hij willen? Ik stond op, ging achter zijn stoel staan en sloeg mijn armen om zijn hals en liet mijn hoofd op zijn haar rusten. 'Bart, toen je vannacht bent weggereden, kon ik niet slapen, en ik heb gewacht tot je thuiskwam. Zeg me wat ik moet doen om je te helpen. Niemand hier haat je, zoals je denkt. Zelfs Cindy niet. Je maakt ons vaak kwaad omdat je ons teleurstelt, maar niet omdat we je willen verstoten.'

'Stuur Chris weg,' zei hij toonloos, alsof hij geen enkele hoop had Chris ooit uit mijn leven te zien verdwijnen. 'Dan weet ik dat je van me houdt. Alleen als je met hem breekt kan ik goed over mezelf en over jou denken.'

Er ging een steek door mijn hart. 'Hij zou doodgaan zonder mij, Bart,' fluisterde ik. 'Ik weet dat je niet kunt begrijpen hoe het tussen ons is, en ik kan zelf niet verklaren waarom hij me nodig heeft, en waarom ik hem nodig heb, behalve dat we jong en eenzaam waren en in een afschuwelijke situatie verkeerden, en we alleen elkaar hadden. Toen we waren opgesloten hebben we een droomwereld gecreëerd, een fantasiewereld, en daardoor zijn we in de val gelopen. En nu we allebei van middelbare leeftijd zijn, leven we nog steeds in die fantasiewereld. Zonder dat kunnen we niet overleven. Als ik hem zou verliezen, zou dat niet alleen *zijn* ondergang betekenen, maar ook de mijne.'

'Maar, moeder!' riep hij hartstochtelijk uit. Hij keerde zich naar me toe, drukte zijn gezicht tussen mijn borsten. 'Je zou mij toch nog hebben!' Hij staarde me aan met zijn armen om mijn middel geslagen. 'Ik wil dat je je ziel zuivert voordat het te laat is. Wat jij doet met Chris is tegen de regels van God en de maatschappij. Laat hem gaan, moeder. *Laat hem alsjeblieft gaan*, voordat iemand iets verschrikkelijks doet. Vergeet de liefde van je broer.'

Ik trok me terug, streek een lok haar uit mijn gezicht. Ik voelde me verslagen en hopeloos, want hij verlangde het onmogelijke. 'Zou je mij kwaad willen doen, Bart?'

Hij beet op zijn lip, een kinderlijke gewoonte, die terugkwam als hij ongerust was. 'Ik weet het niet, soms wel. Meer dan hem. Je glimlacht zo lief naar me, en mijn hart gaat naar je uit, ik wil dat je nooit zou veranderen. En dan ga ik naar bed en hoor in mijn hoofd fluisteren dat je slecht bent en verdient te sterven. Als ik aan je denk, dood en begraven, krijg ik tranen in mijn ogen en mijn hart voelt leeg en gebroken, zwaarder dan lood, en ik ben niets meer waard. Ik voel me zo koud, zo alleen en zo bang. Moeder, ben ik gek? Waarom kan ik niet van iemand houden met de zekerheid dat het blijvend zal zijn? Waarom kan ik niet vergeten wat je doet?

Een tijdlang heb ik gedacht dat Melodie en ik het voor elkaar hadden. Ze leek me zo volmaakt, en toen werd ze dik en lelijk. Ze jammerde en zeurde en klaagde over mijn huis. Zelfs Cindy wist dat nog meer op prijs te stellen. Ik ben met haar naar de beste restaurants geweest, naar toneel en naar films, en ik heb geprobeerd haar gedachten af te leiden van Jory, maar het had geen zin. Ze bleef maar praten over het ballet en hoeveel dat voor haar betekende, en toen ontdekte ik dat ik alleen maar een vervanging was voor Jory en dat ze niet van me hield, nooit van me gehouden had. Ze gebruikte mij als een manier om haar verlies een tijdje te vergeten. Nu lijkt ze niet eens meer op het meisje waar ik op verliefd werd. Ze wil medelijden en sympathie, geen liefde. Ze heeft mijn liefde genomen en die verdraaid, en nu kan ik zelfs niet meer naar haar kijken.'

Hij zuchtte, sloeg zijn ogen neer en zei zo zachtjes dat ik hem nauwelijks kon verstaan: 'Als ik dat kind, Cindy, zie, besef ik dat zij er uitziet zoals jij er vroeger uit moet hebben gezien, en dan begrijp ik een beetje waarom Chris verliefd werd op jou. En dan haat ik haar nog meer. Ze plaagt me. Cindy zou in mijn huid willen kruipen en me iets slechts laten doen – wat Chris met jou doet. Ze loopt in haar slaapkamer rond in alleen maar een klein behaatje en een broekje. En ze weet dat ik haar kamers controleer voordat ik naar bed ga. Vannacht had ze een nachthemd aan dat zo dun was dat ik er doorheen kon zien. Ze stond daar maar en liet me staren. Joel zegt dat ze een doodgewone hoer is.'

'Ga dan niet naar haar slaapkamer,' zei ik beheerst. 'God weet dat we niemand hoeven te zien die hier woont, als we dat niet willen. En Joel is een kwezelachtige, bekrompen gek. Cindy's hele generatie draagt mini ondergoed. Maar je hebt gelijk, ze hoort er niet in te paraderen. Ik zal er morgenochtend met haar over spreken. Weet je zeker dat ze het met opzet deed?'

'Jij moet vroeger hetzelfde hebben gedaan,' zei hij met een doffe, beschuldigende klank in zijn stem. 'Al die jaren opgesloten met Chris – heb je hem met opzet je lichaam laten zien?'

Hoe kon ik hem vertellen hoe het geweest was, het hem laten begrijpen? Hij zou het nooit begrijpen. 'We hebben allemaal geprobeerd fatsoenlijk te blijven, Bart. Het is zo lang geleden en ik denk er niet graag aan terug. Ik probeer het te vergeten. Ik wil Chris als mijn echtgenoot zien en niet als mijn broer. We kunnen geen kinderen krijgen, hebben dat nooit gekund. Maakt dat het niet een heel klein beetje beter?'

Hij schudde zijn hoofd en zijn ogen werden donker. 'Ga weg. Je komt alleen met excuses, en je brengt het allemaal weer terug, de misselijkheid die ik voelde, toen ik het ontdekte van jou en hem. Ik was een kind dat zich rein en gezond wilde voelen. En dat wil ik nog steeds. Daarom douche ik me zo vaak, scheer me, beveel de bedienden om te boenen, stofzuigen, stof afnemen, elke dag opnieuw. Ik probeer het vuil te verwijderen dat jij en Chris in mijn leven brengen, en het *lukt me niet*!'

Ik vond geen troost in Chris' armen toen ik probeerde te slapen. Ik zakte weg in een onrustige droom. Toen werd ik met een schok wakker bij het horen van geschreeuw in de verte. Ik verliet mijn bed voor de tweede keer in dezelfde nacht en holde in de richting van het geschreeuw.

Verbijsterd staarde ik naar Melodie die in de gang op de grond lag. Ze scheen een wit nachthemd te dragen met rode strepen. Ze kroop kreunend over de grond, en ik dacht dat ik nog steeds droomde. Haar lange haar was vochtig en verward, haar voorhoofd was nat van het zweet. En achter haar was een spoor van bloed!

Blindelings staarde ze naar me op, smekend. 'Cathy, de baby komt…'

Ze gilde. Toen langzaam, heel langzaam, werden haar smekende ogen wezenloos en ze rolde bewusteloos om.

Ik holde naar Chris, schudde hem wakker. 'Het is Melodie!' riep ik, toen hij overeind kwam en slaperig in zijn ogen wreef. 'Ze heeft weeën. Ze is bewusteloos, ze ligt met haar gezicht op de grond in de gang, met een spoor van bloed achter zich aan…'

'Kalm,' zei hij sussend. Hij sprong uit bed en trok zijn badjas aan. 'Eerste baby's zijn berucht langzaam.' Toch lag er een ongeruste blik in zijn ogen, alsof hij in gedachten berekende wanneer Melodie's weeën begonnen waren. 'Ik heb alles wat ik nodig heb in mijn tas,' zei hij, heen en weer hollend, dekens pakkend, schone lakens, handdoeken. Hij had nog altijd dezelfde zwarte dokterstas die ze hem hadden gegeven toen hij aan de medische faculteit was afgestudeerd, alsof die tas hem heilig was. 'Geen tijd om haar naar het ziekenhuis te brengen als ze een bloeding heeft, zoals jij zegt. Het enige wat *jij* nu moet doen is gauw naar de keuken gaan en al dat hete water opzetten dat dokters in films altijd nodig schijnen te hebben.'

Ik schreeuwde ongeduldig, denkend dat hij me alleen maar uit de weg wilde hebben: 'We spelen niet in de film, Chris!'

We stonden in de gang en hij boog zich over Melodie. 'Dat weet ik. Het zou beter zijn als je wat deed, in plaats van naast me te blijven hollen en zo hysterisch te doen. Opzij, Catherine,' snauwde hij toen hij zich bukte om Melodie op te tillen. In zijn armen scheen ze maar een veertje te wegen, terwijl haar middel zo hoog als een berg leek.

In haar kamer stopte hij kussens onder haar heupen, verlangde meer witte handdoeken, lakens, kranten, terwijl hij kwaad naar mij keek. 'Schiet op, Catherine, schiet op! Te oordelen naar de positie van de baby ligt het kind met het hoofd naar beneden en is het al onderweg. HOLLEN! Ik moet mijn instrumenten steriliseren. Dat verdomde kind, om haar mond te houden, en niet tegen me te zeggen dat de weeën al zo vroeg begonnen waren. Terwijl wij onze pakjes openmaakten, bleef ze daar zonder iets te zeggen zitten. Wat mankeert iedereen in dit huis toch? Het enige wat ze hoefde te doen was haar mond open doen en iets zeggen!'

Voordat hij uitgemopperd was, meer tegen zichzelf dan tegen mij, rende ik al door de lange donkere gangen, sprong de achtertrap af, die het dichtst bij de keuken was. Ik tapte heet water uit de kraan, zette de ketel op om het te koken. Angstig wachtte ik, denkend dat Melodie medelijden verlangde en ons wilde straffen, en misschien zelfs wel wilde dat haar baby dood zou gaan, zodat ze terug kon naar New York, ongehinderd door een invalide echtgenoot en een vaderloos kind.

Het duurt zo lang als je staat te wachten tot iets gaat koken. Duizend gedachten gingen door me heen, lelijke gedachten, terwijl ik in het water staarde of het nog niet begon te rimpelen. Wat deed Chris? Moest ik Jory wakker maken en hem vertellen wat er gebeurde? Waarom had Melodie dit gedaan? Was ze, net als Bart, op een of andere manier bezig zichzelf te straffen voor haar zonden? Eindelijk, na wat een uur leek, begon het water te borrelen. Terwijl de stoom uit de tuit kwam rende ik de trap op, de eindeloze gang door tot ik bij Melodie's slaapkamer was.

Chris had Melodie in zittende houding gezet, gesteund door een hoop kussens. Haar knieën waren omhoog geschoven en wijd uiteengedrukt door de kussens die hij daarvoor had gebruikt. Ze was naakt vanaf haar middel en ik kon het bloed uit haar lichaam zien druppen. Het was een vreemde gewaarwording en ik richtte mijn blik op de stapel handdoeken en lakens die hij over kranten had gespreid, om het bloed op te vangen.

'Het bloeden wil niet ophouden,' zei hij bezorgd. 'Ik ben bang dat de baby iets naar binnen krijgt.' Hij keek even naar me. 'Cathy, trek dat extra paar rubber handschoenen aan en gebruik de pincet, die in mijn tas zit, om de instrumenten uit het kokende water te halen. Je moet me aangeven wat ik nodig heb, zodra ik erom vraag.'

Ik knikte, verschrikkelijk bang dat ik me de namen van de instrumenten niet zou kunnen herinneren; het was al zo lang geleden, toen Chris nog studeerde.

'Wakker worden, Melodie,' zei hij telkens weer. 'Ik heb je hulp nodig.'

Hij gaf haar een zachte klap in haar gezicht. 'Cathy, maak een washandje nat met koud water. Veeg haar gezicht daarmee af om haar bij te brengen, zodat ze kan helpen de baby naar buiten te duwen.'

Het koude washandje op haar gezicht bracht Melodie terug in de werkelijkheid vol pijn. Ze begon weer te schreeuwen, probeerde Chris weg te duwen en de dekens over zich heen te trekken. 'Verzet je niet,' zei Chris vaderlijk. 'Je baby is er bijna, Melodie, maar je moet persen en diep ademhalen, en ik kan niet zien wat ik doe als je jezelf bedekt.'

Nog steeds op een schokkerige, krampachtige manier schreeuwend, probeerde ze Chris' bevelen op te volgen, terwijl het zweet langs haar gezicht stroomde en haar haar en borst nat maakte. Haar nachthemd, dat tot haar middel omhoog geschoven was, droop na een tijdje van het zweet. 'Help haar, Cathy,' beval Chris, frutselend met iets dat op een verlostang leek. Ik legde mijn handen op de plaats die hij aanwees en perste.

'Schat, alsjeblieft,' fluisterde ik, toen ze lang genoeg ophield met gillen om me te kunnen horen. 'Je moet helpen. Je baby doet zijn best om naar buiten te komen.'

Haar verwilderde ogen waren vol angst en pijn. 'Ik ga dood!' gilde ze, voordat ze haar ogen sloot, diep ademhaalde, en toen, met mijn hulp, harder begon te persen.

'Je doet het uitstekend, Melodie,' moedigde Chris haar aan. 'Nog even flink persen en dan moet ik het hoofdje van de baby kunnen zien.' Melodie transpireerde, kneep in mijn handen, drukte haar ogen nog steviger dicht en spande voor het laatst al haar krachten in.

'Mooi zo... het gaat uitstekend! Ik kan het hoofdje van de baby al zien,' zei Chris wat opgewekter. Hij keek me vol trots aan. Op dat moment viel Melodie's hoofd slap opzij.

Ze was weer flauwgevallen. 'Geeft niet,' zei Chris, naar haar gezicht kijkend. 'Ze heeft goed werk gedaan, ik kan het nu verder alleen wel af. Ze heeft het ergste gehad en kan nu rusten. Ik dacht even dat ik de tang zou moeten gebruiken, maar dat zal niet nodig zijn.'

Met zelfverzekerde zachte handen liet hij zijn hand voorzichtig in het geboortekanaal glijden en haalde een heel kleine baby eruit die hij aan mij gaf. Ik hield de kleine, natte rode baby vast en staarde vol eerbied naar Jory's zoon. O, wat volmaakt was dit miniatuur jongetje, dat met zijn kleine vuistjes sloeg en met ongelooflijk kleine voetjes trapte, en zijn gezichtje, dat niet groter was dan een appel, vertrok. Chris bond de navelstreng af en knipte hem door. De koude rillingen liepen over mijn rug. Uit de gemeenschap van mijn zoon met zijn vrouw was dit perfecte kleinzoontje ontstaan, dat mijn hart nu al veroverd had. Met tranen in mijn ogen en een hart dat bonsde van vreugde voor Jory, die zo gelukkig zou zijn, keek ik op en zag dat Chris zich om Melodie bekommerde en blijkbaar de nageboorte te voorschijn bracht.

Weer staarde ik neer op het huilende natte baby'tje dat niet groter was dan een pop en minder dan vier pond leek te wegen. Een kind, geboren uit de hartstocht en schoonheid van de balletwereld... geboren op de muziek die moest hebben gespeeld toen het verwekt werd. Ik drukte het jongetje tegen mijn hart, en dacht dat dit Gods mooiste wonder was, mooier dan een boom, duurzamer dan een roos, een mens naar Zijn evenbeeld. De tranen rolden over mijn wangen, want net als Gods zoon was dit kind bijna op kerstdag geboren. Mijn kleinzoon! 'Chris, hij is zo klein. Hij blijft toch wel leven?'

'Absoluut,' zei hij verstrooid, terwijl hij met een verbaasd gezicht met Melodie bezig bleef. 'Neem de weegschaal en weeg hem. En als je wilt baad hem dan in wat lauw warm water. Dan zal hij zich een stuk beter voelen. Gebruik de oplossing in een blauwe kom, om zijn ogen te wassen, en de oplossing in de rose kom voor zijn mond en oren. Er moeten hier ergens luiers en dekentjes liggen. Hij moet erg warm worden gehouden.'

'In haar koffer,' riep ik, terwijl ik haastig naar de aangrenzende badkamer liep, met de baby in mijn armen. Ik vulde een roze plastic badje met warm water. 'Alles ligt al wekenlang klaar voor de baby.'

Ik was opgewonden, voelde me opgetogen, en had nu spijt dat ik niet naar Jory was gegaan om hem de kans te geven zijn kind geboren te zien worden. Ik zuchtte toen ik bedacht dat het zijn enige kind zou zijn. De kans was heel klein dat hij nog een kind zou kunnen verwekken. Hij bofte dat hij gezegend was met deze kleine jongen.

De baby die ik vasthield was zo klein en tenger, met een beetje blond pluishaar op zijn hoofdje. Miniatuur handjes en ongelooflijk kleine voetjes trappelden in de kille lucht. Zijn mondje als een rozeknop maakte zuigende bewegingen, terwijl hij probeerde zijn ogen te openen, die op elkaar geplakt leken. Ondanks al het slijm van de geboorte op zijn rode huidje ging mijn hart naar hem uit.

Een mooie kleine baby. Een lieve, kleine jongen, die mijn Jory gelukkig zou maken. Ik wilde de kleur van zijn ogen zien, maar hij hield ze stevig gesloten.

Ik was nerveus, alsof ik nog nooit een pasgeboren baby had gezien, en in zekere zin had ik dat ook niet. Deze baby was zo klein, zo teer. Mijn twee baby's waren voldragen, en werden onmiddellijk na de geboorte verzorgd door ervaren verpleegsters.

'Pak hem goed in,' riep Chris in de andere kamer. 'Ga met je vinger in zijn mondje rond om al het bloedstolsel en slijm eruit te halen. Pasgeboren baby's kunnen stikken als ze iets in hun mondje hebben.'

De baby huilde wanhopig over het verlies van het warme, vertrouwde vocht van de schoot, maar zodra ik hem in het warme water dompelde hield hij op met huilen en scheen hij in slaap te vallen. De kleine baby was nog zo nieuw, dat ik bijna medelijden met hem had terwijl ik deed wat ik moest doen. Zelfs slapend tastten zijn kleine poppehandjes naar zijn moeder en haar borsten. Zijn kleine penisje stond rechtop toen ik warm water goot over zijn genitaliën. Toen hoorde ik tot mijn verbazing nog een baby huilen!

Snel wikkelde ik mijn schone kleinzoon in een dikke witte handdoek en liep haastig de slaapkamer binnen, waar Chris neerkeek op een tweede kind.

Met een vreemde uitdrukking op zijn gezicht keek Chris op. 'Een meisje,' zei hij. 'Blond haar, blauwe ogen. Ik heb zelf met haar gynaecoloog gesproken, en hij heeft nooit gezegd dat hij twee hartjes hoorde kloppen. Het kan soms gebeuren omdat het ene kind achter het andere ligt, maar wat vreemd dat niet één keer…' Hij brak zijn zin af en veranderde van onderwerp. 'Tweelingen zijn meestal kleiner dan andere baby's en omdat ze zo klein zijn en omdat de tweede baby omlaag perst, komt de eerste meestal vlugger dan in het geval van één baby. Melodie boft deze keer…'

'O,' zei ik ademloos, terwijl ik het kleine meisje in mijn arm nam en op haar neerkeek. Ik wist onmiddellijk wie ze waren. Carrie en Cory opnieuw geboren!

'Chris, wat ongelooflijk! Fantastisch!' Ik lachte, maar voelde me even bedroefd toen ik dacht aan mijn broertje en zusje, die nu al zo lang dood waren. Ik kon ze nog voor me zien, hollend door de achtertuin in Gladstone; hollend door de armzalige zoldertuin van papieren flora en fauna. 'Dezelfde tweeling.'

Chris keek op, zijn rubber handschoenen waren bebloed. 'Nee, Cathy,' zei hij vastberaden. 'Dit is niet dezelfde tweeling die opnieuw geboren is. Denk daaraan. Carrie kwam toen als eerste; deze keer kwam de jongen eerst. Dit is geen ongelukkig, gedoemd stel kinderen. Deze twee zullen alleen het beste van het beste krijgen. En wil je nu alsjeblieft ophouden met staren en aan het werk gaan? Zij moet ook worden gebaad. En doe die jongen een luier om voor hij alles nat maakt.'

Het hanteren van die glibberige kleine baby's was allesbehalve gemakkelijk. Maar het lukte me, en ik voelde me intens gelukkig. Ondanks alles wat Chris had gezegd, wist ik wie deze tweeling was – Cory en Carrie, opnieuw geboren om het leven te leiden waar ze recht op hadden, het gelukkige leven dat hun ontstolen was door hebzucht en egoïsme.

'Maak je maar geen zorgen,' fluisterde ik, terwijl ik hun rode wangetjes en hun kleine handjes en voetjes zoende. 'Jullie grootmoeder zal ervoor zorgen dat jullie gelukkig worden. Wat er ook gebeurt, jullie zullen alles hebben wat Cory en Carrie niet hebben gehad.'

Ik keek even naar de slaapkamer, waar Melodie uitgeput op bed lag, net bijgekomen uit haar bewusteloosheid.

Chris kwam zeggen dat Melodie nu afgesponst kon worden en liep toen de badkamer in om de baby's van me over te nemen. Hij stuurde me naar de jonge moeder, terwijl hij zelf de tweeling grondig onderzocht.

Ik waste Melodie, trok haar een schoon roze nachthemd aan. Ze werd wakker en staarde me met wezenloze, ongeïnteresseerde ogen aan. 'Is het voorbij?' vroeg ze zwak en vermoeid. Ik pakte een borstel en probeerde haar vochtige, verwarde haar te fatsoeneren.

'Ja, schat, het is voorbij. De bevalling is achter de rug.'

'Wat is het? Een jongen?' Voor het eerst verscheen er een hoopvolle blik in haar ogen.

'Ja, schat, een jongen en een meisje. Je hebt een mooie, perfecte tweeling ter wereld gebracht.'

Haar ogen werden enorm groot en donker, zo vol angst, dat ze op het punt leek weer flauw te vallen.

'Ze *zijn* perfect, alles zit op zijn plaats.'

Haastig ging ik de tweeling halen. Ze staarde verbijsterd naar de baby's en glimlachte toen flauwtjes. 'O, wat lief zijn ze... maar ik dacht dat ze donker zouden zijn, net als Jory.'

Ik legde de twee baby's in haar armen. Ze staarde naar hen of het allemaal niet echt was, maar een droom. 'Twee,' fluisterde ze telkens opnieuw. 'Twee!' Ze richtte haar blik op een punt in de verte. '*Twee*. Ik zei altijd tegen Jory dat we geen kinderen meer zouden nemen als we er twee hadden. Ik wilde een jongen en een meisje – geen tweeling. Nu moet ik vader en moeder tegelijk zijn voor twee! Een tweeling! Het is niet eerlijk, niet eerlijk!'

Zachtjes streek ik haar haar glad. 'Schat, dit is Gods manier om jou en Jory te zegenen. Hij heeft je het volledige gezin gegeven dat je verlangde, en je hoeft dit niet nog eens door te maken. En je staat niet alleen, we zullen alles doen wat we kunnen om je te helpen. We zullen verpleegsters aannemen, kindermeisjes, alles. Jij en je kinderen zullen aan niets gebrek hebben.'

De hoopvolle blik kwam weer terug. 'Ik ben moe, Cathy, zo moe. Natuurlijk is het fijn dat we een jongen en een meisje hebben, nu Jory geen kinderen meer kan verwekken. Ik hoop alleen maar dat het iets zal goedmaken van alles wat hij verloren heeft... en dat hij blij zal zijn.'

Met die woorden viel ze in een diepe slaap, terwijl ik nog bezig was haar haar te borstelen. Vroeger was haar haar zo mooi geweest, nu was het dof, levenloos. Ik moest het wassen voordat Jory haar zag. Als Jory zijn vrouw terugzag zou ze weer het beeldige meisje zijn waarmee hij getrouwd was.

Want ik zou dit paar weer bij elkaar brengen, al was het het laatste wat ik deed.

Chris kwam naast me staan en nam de tweeling van haar over. 'Ga nu weg, Cathy. Ze is uitgeput en ze moet rust hebben. Morgen heb je tijd genoeg om haar haar te wassen.'

'Heb ik dat hardop gezegd? Ik dacht het toch alleen maar?'

Hij lachte. 'Ja, je dacht het alleen maar, maar je betastte haar haar, en je gedachten stonden duidelijk te lezen in je ogen. Ik weet hoe je denkt over schoon haar – de remedie tegen alle depressies.'

Ik kuste hem en drukte hem stevig tegen me aan. Toen liet ik hem achter bij Melodie en ging Jory wakker maken. Hij ontwaakte uit zijn dromen, wreef in zijn ogen, staarde me knipperend aan. 'Wat is er nu weer? Nog meer moeilijkheden?'

'Geen moeilijkheden deze keer, schat.' Ik stond op en grijnsde naar hem, tot hij gedacht moest hebben dat ik gek was geworden. Hij keek verbijsterd en leunde op zijn ellebogen. 'Ik heb een paar verlate kerstcadeautjes voor je, liefste Jory.' Hij schudde verbaasd het hoofd.

'Mams, had dat niet kunnen wachten tot morgenochtend?'

'Nee, dit niet. Je bent vader, Jory!' Ik lachte en omhelsde hem weer. 'O, Jory, God is goed voor ons. Weet je nog toen jij en Melodie jullie gezin planden, dat je zei dat je twee kinderen wilde, eerst een jongen en dan een meisje? Nou, als een speciaal cadeau, regelrecht uit de Hemel, heb je een tweeling gekregen! Een jongen en een meisje!'

De tranen sprongen in zijn ogen. Zijn eerste bezorgdheid was: 'Hoe is het met Melodie?'

'Chris is bij haar en zorgt voor haar. De weeën waren gisteravond al begonnen, maar ze heeft niets gezegd.'

'Waarom niet?' kreunde hij. Hij sloeg zijn handen voor zijn gezicht. 'Waarom niet? Paps was er toch, hij had kunnen helpen.'

'Ik weet het niet, jongen, maar laten we daar nu niet over piekeren. Alles gaat goed met haar. Hij zegt dat ze eigenlijk niet eens naar het ziekenhuis hoeft, al wil hij er wel met de tweeling naar toe, om ze te laten onderzoeken. Die heel kleine baby's hebben meer zorg en aandacht nodig dan grotere voldragen kinderen. En hij zei dat het misschien ook beter was als de gynaecoloog even naar Melodie keek. Hij moest een insnijding maken, een episiotomie noemde hij het. Anders zou ze ingescheurd zijn. Hij heeft het keurig gehecht, maar het doet pijn, Jory, tot de hechtingen eruit gaan. Hij komt ongetwijfeld dezelfde dag nog terug met haar en de tweeling.'

'God *is* goed, mams,' fluisterde hij hees. Hij veegde zijn tranen weg en probeerde te glimlachen. 'Ik brand van ongeduld om ze te zien. Het duurt te lang om op te staan en naar ze toe te gaan. Wil je ze bij me brengen?'

Eerst moest hij overeind gaan zitten om de tweeling in zijn armen te kunnen houden. Op de drempel keerde ik me om. Ik had nooit een gelukkiger mens gezien.

In mijn afwezigheid had Chris twee wiegjes gemaakt van twee laden, die hij met zachte dekentjes had bekleed. Hij wilde onmiddellijk weten hoe Jory had gereageerd op het nieuws en glimlachte toen hij hoorde hoe verrukt hij was. Teder legde hij de baby's in mijn armen. 'Loop voorzichtig, liefste,' fluisterde hij, en kuste me. Snel liep ik naar mijn oudste zoon. Hij nam zijn kinderen voorzichtig van me aan, als een geschenk dat hij eeuwig zou koesteren, en staarde vol trots en liefde naar de kinderen die hij had gecreëerd.

'Ze lijken zoveel op Cory en Carrie,' zei ik zachtjes in de warme gloed van de schemerig verlichte kamer. 'Zo mooi, ook al zijn ze nog heel klein. Heb je al namen?'

Hij bleef bewonderend kijken naar de baby's in zijn armen. 'O ja, ik heb al allerlei namen, maar Mel had me niet verteld dat er kans bestond op een tweeling. Dit maakt zoveel goed.' Hij keek op. Zijn ogen glinsterden hoopvol. 'Mams, je hebt steeds gezegd dat Mel zou veranderen als de baby er eenmaal was. Ik wil haar zo graag zien, haar weer in mijn armen houden.' Toen zweeg hij en bloosde. 'Nou ja, we kunnen in ieder geval bij elkaar slapen, al is dat alles.'

'Jory, je zult een manier vinden...'

Hij ging verder of hij me niet gehoord had. 'We hebben ons leven opgebouwd rond een plan. We dachten dat we zouden blijven dansen tot ik veertig was, en dan zouden we allebei les gaan geven en choreografie doen. We hebben geen rekening gehouden met ongelukken, of plotselinge tragedies, evenmin als jouw ouders, en ik moet zeggen dat ik, over het geheel genomen, vind dat Melodie zich erg goed eronder gehouden heeft.'

Hij was zo lief, al te edelmoedig! Melodie was de minnares geweest van zijn broer, maar misschien wilde hij dat niet geloven.

Of beter gezegd, hij begreep haar behoefte en had niet alleen Melodie, maar ook Bart al vergeven. Met tegenzin stond Jory toe dat ik de tweeling bij hem weghaalde.

In Melodie's kamer zei Chris: 'Ik ga met Melodie en de tweeling naar het ziekenhuis. Ik kom zo gauw mogelijk terug. Ik wil graag dat een andere arts Melodie nog even onderzoekt, en natuurlijk moet de tweeling in een couveuse tot ze vijf pond wegen. De jongen weegt drie pond en dertien ons en het meisje drie pond en zeven ons... maar het zijn gezonde, mooie baby's.

Je zult de nieuwe tweeling in je hart koesteren en evenveel van ze houden als je van Cory en Carrie hebt gehouden.' Hoe wist hij dat, telkens als ik naar die kleine baby's keek, ik visioenen had van 'onze' tweeling?

Jory zat stralend aan de ontbijttafel naast Bart toen ik onze zonnige kamer binnenliep, die gereserveerd was voor bijzondere gelegenheden. De borden waren helderrood op een wit tafellaken en een vaas met verse hulst stond in het midden. Overal stonden rode en witte kerststerren.

'Goeie morgen, mams,' zei Jory toen ik binnenkwam. 'Ik ben een gelukkig mens vandaag... maar ik heb gewacht met Bart het nieuws te vertellen tot jij en Cindy en paps erbij waren.'

Een gelukkige glimlach speelde om Jory's lippen. Zijn stralende ogen smeekten me niet boos te zijn toen Cindy binnengestrompeld kwam, slaperig en slordig gekleed, en Jory trots aankondigde dat hij de vader was van een tweeling, een jongen en een meisje, die hij en Melodie besloten hadden Darren en Deirdre te noemen. 'Vroeger begonnen de namen van de tweeling allebei met een C. We hebben het voorbeeld in zekere zin gevolgd, maar zijn wat verder opgeschoven in het alfabet.'

De frons op Barts voorhoofd was afgunstig en minachtend tegelijk. 'Een tweeling, twee keer zoveel last als één. Arme Melodie, geen wonder dat ze zo dik was. Wat een pijn. Alsof ze niet al genoeg problemen had.'

Cindy krijste van verrukking. 'Een tweeling? Heus? Wat fantastisch! Mag ik ze zien? Mag ik ze vasthouden?'

Maar Jory ergerde zich nog over Barts opmerking. 'Ik ben nog niet uitgeschakeld, broer. Mel en ik hebben geen problemen die we niet kunnen overwinnen, als we hier eenmaal weg zijn.'

Bart stond op en liet zijn ontbijt onaangeroerd staan.

Jory en Melodie zouden weggaan en de tweeling meenemen! Mijn hart zonk me in de schoenen. Zenuwachtig strengelde ik mijn handen in elkaar.

Ik zag de hand niet die de mijne vastpakte en mijn vingers drukte. 'Mams, kijk niet zo bedroefd. We zouden jou of paps nooit uit ons leven weren. Waar jij gaat, gaan wij. Maar we kunnen niet hier blijven als Bart niet verandert. Als je je kleinkinderen wilt zien hoef je maar een kik te geven.'

Om een uur of tien kwam Chris thuis met Melodie, die onmiddellijk in bed werd gestopt. 'Het gaat goed met haar, Jory. Ze hadden haar graag een paar dagen in het ziekenhuis gehouden, maar ze stribbelde zo verschrikkelijk tegen dat ik haar mee terug heb genomen. We hebben de tweeling achtergelaten op de kraamafdeling, in gescheiden couveuses, tot ze op gewicht zijn gekomen.'

Chris gaf me een zoen op mijn wang en ging toen stralend verder. 'Zie je wel, Cathy, ik zei je toch dat alles op z'n pootjes terecht zou komen? En ik vind het mooie namen die jij en Melodie hebben uitgekozen, Jory. Heel mooie namen.'

Even later bracht ik een blad naar Melodie, die was opgestaan en voor het raam naar de sneeuw zat te staren. Ze begon te praten, zodra ik binnenkwam.

'Ik dacht aan de tijd toen ik nog een kind was. Toen was ik dol op sneeuw,' zei ze dromerig. 'Ik verlangde altijd naar een witte Kerst buiten New York. Nu heb ik een witte Kerst, en er is niets veranderd. Geen toverkracht om Jory het gebruik van zijn benen terug te geven.'

Ze ging verder, op een vreemde dromerige manier die me angst aanjoeg. 'Hoe moet ik het redden met twee baby's? Hoe? Mijn bedoeling was één tegelijk. En Jory zal niet veel kunnen helpen...'

'Ik heb toch gezegd dat wij zullen helpen?' zei ik een beetje geïrriteerd. Ik kreeg de indruk dat Melodie vastbesloten was medelijden te hebben met zichzelf, wat er ook gebeurde. Toen begreep ik het, want Bart stond in de deuropening.

Op zijn strakke gezicht stond niets te lezen. 'Gefeliciteerd, Melodie,' zei hij kalm. 'Cindy wilde met alle geweld dat ik haar naar het ziekenhuis bracht om je tweeling te zien. Ze zijn erg... erg...' Hij aarzelde en eindigde toen: 'klein.'

Hij ging weg.

Melodie staarde nietsziend naar de plaats waar hij had gestaan.

Later reed Chris Jory, Cindy en mij weer naar het ziekenhuis om de tweeling te zien. Melodie lag in bed, in diepe slaap. Ze zag er uitgeput uit. Cindy keek nog eens naar de kleine baby'tjes in hun glazen kooien. 'Zijn ze niet schattig? Jory, wat moet je verschrikkelijk trots zijn! Ik word de beste tante die er bestaat, wacht maar. Ik kan gewoon niet wachten tot ik ze in mijn armen kan houden.' Ze stond achter zijn stoel, boog zich voorover en kuste hem en omhelsde hem. 'Je bent zo'n bijzondere broer geweest voor me. Welbedankt.'

Toen we weer thuis waren informeerde Melodie zwakjes naar haar kinderen en viel weer in slaap zodra ze wist dat alles goed ging. De dag ging voorbij zonder dat er gasten langs kwamen, zonder dat de telefoon ging en vrienden ons gelukwensten omdat Jory vader was geworden. Wat was het eenzaam op de heuvel.

SCHADUWEN VERDWIJNEN

De sombere winterdagen gingen voorbij, gevuld met talloze onbelangrijke bijzonderheden. We waren naar een nieuwjaarsfeest geweest en hadden Cindy en Jory meegenomen. Cindy kreeg eindelijk haar kans alle jongemannen in de buurt te ontmoeten. Ze was een overweldigend succes geweest. Bart was niet meegegaan, hij dacht dat hij zich beter zou amuseren in de exclusieve mannenclub waarvan hij lid was.

'Het is geen club voor alleen maar mannen,' fluisterde Cindy, die dacht dat ze alles wist. 'Hij gaat naar een of andere hoerentent.'

'Waag het niet ooit nóg eens zoiets te zeggen!' berispte ik haar. 'Wat Bart doet moet hij zelf weten. Waar hoor je toch al die roddels?'

Op het nieuwjaarsfeest waren een paar van de gasten die Bart op zijn feest had uitgenodigd, en ik had de kans om er op tactische wijze achter te komen of ze Barts uitnodiging hadden ontvangen. Nee, zei iedereen, al staarden ze naar Chris en mij en toen naar Jory in zijn rolstoel, of ze geheime gedachten koesterden die ze nooit hardop zouden uitspreken.

'Moeder, ik geloof je niet,' zei Bart kil, toen ik hem vertelde dat de gasten die ik had gesproken geen uitnodiging hadden ontvangen. 'Je haat Joel, je ziet alleen maar Malcolm in hem, en daarom wil je mijn vertrouwen ondermijnen in een goede en vrome oude man. Hij heeft me gezworen dat hij die uitnodigingen verstuurd heeft, en ik geloof hem.'

'En mij geloof je niet?'

Hij haalde zijn schouders op. 'De mensen zijn sluw. Misschien wilden degenen die je gesproken hebt alleen maar beleefd lijken.'

Twee januari ging Cindy naar school, vol verlangen om te ontsnappen aan de verveling van wat ze de Hel op aarde noemde. Ze zou dit voorjaar eindexamen doen van de Middelbare school, maar ze was niet van plan naar de universiteit te gaan, waartoe Chris had geprobeerd haar over te halen.

'Zelfs een actrice heeft ontwikkeling nodig.' Maar het had niet geholpen. Onze Cindy was op haar eigen manier even koppig als Carrie was geweest.

Melodie was rustig, geprikkeld en melancholiek, en zulk saai en vervelend gezelschap dat iedereen haar vermeed. Ze had er een hekel aan om voor de baby's te moeten zorgen, terwijl ik juist gedacht had dat ze het leuk zou vinden en het haar iets te doen zou geven. We moesten een kindermeisje hebben. Melodie deed ook heel weinig om Jory te helpen, dus deed ik voor hem wat hij zelf niet kon.

Chris had zijn werk waarmee hij gelukkig was en dat hem bezig hield. Tot vrijdag vier uur. Dan kwam hij thuis zoals papa vroeger thuiskwam op vrijdag. De tijd herhaalde zichzelf. Chris leefde in zijn eigen drukke wereld, wij op de heuvel in de onze. Chris kwam en ging; hij zag er fris, opgewekt en zelfverzekerd uit, en dolblij als hij de weekends bij ons was.

Hij schoof alle problemen achteloos van zich af.

Wij bleven in Foxworth Hall. We gingen nergens heen, want Jory wilde de bescherming van zijn mooie kamers niet opgeven.

Binnenkort werd Jory dertig. We moesten iets speciaals voor hem doen, en ik kreeg een goed idee. Ik zou alle leden van zijn New Yorkse balletgezelschap op zijn verjaardag uitnodigen. Maar natuurlijk moest ik dat eerst met Bart bespreken.

Hij draaide zijn bureaustoel van de computer af. 'Nee! Ik wil geen troep dansers in mijn huis! Ik zal nooit meer een feest geven en mijn goeie geld verspillen aan mensen die ik niet eens wil kennen. Doe wat anders voor hem, maar nodig die mensen niet uit.'

'Maar Bart, ik heb je eens horen zeggen dat je het leuk zou vinden als zijn balletgezelschap een voorstelling gaf op je parties.'

'Nu niet meer. Ik ben veranderd. Bovendien keur ik dansers af. Heb ik altijd gedaan, en zal ik blijven doen. Dit is het huis van de Heer... en in het voorjaar zal een tempel worden opgericht om Zijn heerschappij over ons allen te verheerlijken.'

'Wat bedoel je, een tempel opgericht?'

Hij grinnikte en wijdde zijn aandacht weer aan de computer. 'Een kapel, zo dichtbij dat je er niet omheen kunt, moeder. Vind je dat niet fijn? Elke zondag staan we vroeg op om de dienst bij te wonen. *Allemaal*.'

'En wie zal op de kansel staan en de preek houden? JIJ?'

'Nee, moeder, ik niet. Ik ben nog niet schoongewassen van mijn zonden. Mijn oom zal de dominee zijn. Hij is een heel vrome, rechtvaardige man.'

'Chris slaapt graag uit op zondag, en ik ook,' zei ik, ondanks mijn voornemen hem nooit tegen te spreken. 'We ontbijten graag in bed en in de zomer is het balkon van de slaapkamer een perfecte plaats om de dag gelukkig te beginnen. En wat Jory en Melodie betreft, zul je het met hen zelf moeten bespreken.'

'Dat heb ik al gedaan. Zij doen wat ik zeg.'

'Bart... Jory's verjaardag is op de veertiende. Weet je nog wel? Hij werd geboren op Valentijnsdag.'

Hij keek me aan. 'Vind je het niet griezelig dat in onze familie baby's zo vaak op feestdagen worden geboren, of vlak erbij? Oom Joel zegt dat het iets betekent. Iets bijzonders.'

'Ongetwijfeld!' vloog ik op. Joel vindt *alles* veelbetekenend, en een zonde in de ogen van *zijn* God. Het lijkt wel of hij God niet alleen bezit maar ook nog manipuleert!' Ik keerde me met een ruk naar Joel, die nooit meer dan drie meter van Bart verwijderd was. Ik schreeuwde omdat hij me op een of andere manier angst aanjoeg. 'Hou op met de geest van mijn zoon te verzieken met al die krankzinnige denkbeelden, Joel!'

'Ik hoef zijn geest niet te vullen met die denkbeelden, beste nicht. Jij hebt zijn hersenpatronen vastgesteld lang voordat hij geboren werd. Het kind is voortgekomen uit haat. En de engel van de verlossing komt uit behoefte. Denk daaraan voordat je mij veroordeelt.'

Op een ochtend stond in de plaatselijke krant dat een familie failliet was gegaan. Een vooraanstaande familie, waar mijn moeder vaak over had gesproken. Ik las de details, vouwde de krant op en staarde peinzend voor me uit. Had Bart iets te maken met het plotselinge verdwijnen van het vermogen van die man? Hij was een van de gasten geweest die niet gekomen waren.

Een andere dag stond het verhaal in de krant van een vader die zijn vrouw en twee kinderen had gedood omdat hij het grootste deel van zijn spaargeld in tarwe had belegd, en de prijs drastisch gedaald was. Weer een van Barts vijanden verdwenen – een gast die was uitgenodigd op dat ongelukkige kerstbal. Maar als dat zo was, hoe manipuleerde Bart de markt dan, het faillissement?

'Ik weet er niets van!' zei Bart woedend toen ik hem ernaar vroeg. 'Die mensen graven hun eigen graf met hun hebzucht. Wie denk je dat ik ben? God? Ik heb een hoop dingen gezegd die kerstavond, maar ik ben niet zo gek als je denkt. Ik ben niet van plan mijn ziel in gevaar te brengen. Idioten slagen er altijd in zichzelf ten val te brengen.'

We vierden Jory's verjaardag met een familiefeest; Cindy kwam thuis en bleef twee dagen. Haar koffers waren vol cadeaus die bestemd waren om hem bezig te houden. 'Als ik ooit een man ontmoet als jij, Jory, grijp ik hem zo gauw ik kan! Ik wacht tot ik een man vind die maar half zo geweldig is als jij. Tot dusver heeft Lance Spalding bewezen niet half de man te zijn die jij bent.'

'En hoe moet jij dat weten?' schertste Jory, die de details van Lance's plotselinge vertrek niet kende. Hij keek scherp naar zijn vrouw, die Darren in haar armen hield, terwijl ik Deirdre bij me had. We hadden allebei een zuigfles in de hand, terwijl we bij het gezellige houtvuur zaten. De baby's gaven ons een reden om te geloven dat de toekomst vol beloften was. Ik geloof dat zelfs Bart erdoor gefascineerd was hoe snel ze groeiden, hoe lief ze waren als hij ze bij zeldzame gelegenheden even vasthield. Dan keek hij met een zekere trots naar me.

Melodie legde Darren in de grote wieg die Chris had ontdekt bij een antiquair en had opgeknapt tot hij er als nieuw uitzag. Met één voet schommelde ze de baby, terwijl ze even onderzoekend naar Bart keek, voor ze opnieuw peinzend in het laaiende vuur staarde. Ze zei zelden iets en ze toonde ook geen echte belangstelling voor haar kinderen. Achteloos tilde zij ze op, meer voor de show dan uit werkelijke belangstelling, zoals ze ook geen enkele interesse toonde voor één van ons.

Jory bestelde per post geschenken die bijna dagelijks werden bezorgd, om haar te verrassen. Ze maakte ze open, glimlachte flauwtjes, zei dank je wel, en soms legde ze het pakje zelfs ongeopend neer, bedankte Jory zonder naar hem te kijken. Het deed me zo'n verdriet als ik hem ineen zag krimpen of zijn hoofd zag buigen om zijn uitdrukking te verbergen. Hij deed zijn best – waarom zij niet?

Elke dag die voorbijging trok Melodie zich meer terug, niet alleen van haar man, maar tot mijn verbazing ook van haar kinderen, met wie ze geen sterke band had. Ik was degene die midden in de nacht opstond om ze te voeden. Ik was degene die probeerde twee luiers tegelijk te verschonen, en die naar de keuken holde om hun fles klaar te maken en ze op mijn schouder hield voor het boertje, en ik was degene die de tijd en de moeite nam ze in slaap te wiegen en slaapliedjes voor ze te zingen, terwijl hun grote blauwe ogen gefascineerd naar me opkeken, tot ze slaperig werden en met tegenzin hun ogen sloten. Vaak merkte ik aan hun tevreden glimlach dat ze nog luisterden. Ik was blij dat ze steeds meer op Cory en Carrie gingen lijken.

We woonden geïsoleerd van de mensen, maar niet geïsoleerd van de boosaardige roddels die de bedienden meebrachten uit de plaatselijke winkels. Vaak hoorde ik hun gefluister als ze uien en paprika's hakten, of taarten en cakes bakten. Ik wist dat onze dienstmeisjes te lang in de gangen bleven hangen en met opzet de bedden opmaakten als we nog boven waren. Denkend dat we alleen waren verrieden we op die manier heel wat geheimen.

Bart was zelden thuis, en soms was ik daar dankbaar voor. Als hij weg was, was er niemand die ruzie kon maken; Joel bleef in zijn kamer om te bidden, dat veronderstelde ik tenminste.

Op een ochtend kwam het bij me op dat ik zelf de trucjes van de bedienden kon toepassen en in de buurt van de keuken blijven... en toen hoorde ik van de kokkin en de meisjes wat er in het dorp werd verteld. Volgens hen had Bart veel verhoudingen met de mooiste en rijkste dames van de society, zowel getrouwde als ongetrouwde.

Hij had al een huwelijk verwoest – toevallig een van de echtparen die op zijn gastenlijst voor het kerstbal hadden gestaan. Ook scheen Bart vaak een bordeel te bezoeken op vijftien kilometer afstand, niet binnen de grenzen van de stad.

Ik had de bewijzen dat een paar van die verhalen waar konden zijn. Ik zag hem vaak dronken thuiskomen, in een vriendelijke, welwillende stemming, wat me spijtig bijna deed wensen dat hij dronken zou blijven. Alleen dan kon hij glimlachen en zelfs lachen.

Op een dag moest ik het hem vragen. 'Wat doe je toch al die avonden dat je zo laat thuiskomt?'

Hij giechelde gauw als hij te veel gedronken had; hij giechelde nu ook. 'Oom Joel zegt dat de beste evangelisten de grootste zondaars zijn geweest; hij zegt dat je in de goot gelegen moet hebben om te weten hoe het is om rein en verlost te zijn.'

'En dat doe je al die avonden? In de goot liggen en je in het vuil wentelen?'

'Ja, moedertjelief, want ik heb geen idee wat het is om me rein te voelen of verlost.'

Het voorjaar kwam voorzichtig naderbij als een schuwe vogel. Koude stormachtige winden gingen over in warme zuidelijke briesjes. De lucht kreeg een tint blauw die me een jong en hoopvol gevoel gaf. Ik was vaak in de tuin bezig onkruid te wieden en dorre bladeren te harken die de tuinlieden over het hoofd hadden gezien.

Vol ongeduld wachtte ik tot de krokussen hun kopjes boven de grond in het bos zouden steken, tot de tulpen en narcissen en de roze en witte bloesems aan de heesters begonnen te bloeien. Ik wachtte vol ongeduld op de azalea's die van mijn leven en van ons aller leven een sprookje zouden maken. Ik staarde omhoog naar de mooie bomen die nooit gedeprimeerd of eenzaam leken. De natuur – wat konden we veel van haar leren, als we maar wilden.

Ik nam Jory mee in zijn rolstoel met de stevige rubberbanden, die de meeste niet al te steile hellingen kon nemen. 'We moeten een manier vinden om dieper het bos in te kunnen,' zei ik peinzend. 'We kunnen natuurlijk overal tegels neerleggen, maar als ze 's winters bevriezen wippen ze omhoog en dan zou je stoel erin kunnen blijven steken en zou je omvallen. Ik heb een hekel aan beton, maar dat zullen we toch moeten gebruiken, of asfalt. Asfalt lijkt me beter, wat vind jij?'

Hij lachte me uit. 'Rode baksteen, mams. Paden van rode baksteen zijn mooi en kleurig. En die stoel van me is een wonder.' Hij keek om zich heen, straalde van plezier en hief zijn gezicht op naar de zon. 'Ik wou alleen dat Mel kon accepteren wat er met me gebeurd is en dat ze wat meer belangstelling toonde voor de tweeling.'

Wat kon ik daarop zeggen? Ik had het er zeker al tien keer met Mel over gehad, maar hoe meer ik zei, hoe geprikkelder ze werd. 'Het is MIJN leven, Cathy!' had ze geschreeuwd. 'MIJN LEVEN, niet het jouwe!' Ze schreeuwde naar me en haar gezicht was een rood masker van woede.

Jory's fysiotherapeut leerde Jory hoe hij zich zonder inspanning op de grond kon neerlaten, en hoe hij zonder hulp weer kon terugkomen in zijn stoel. En dat allemaal omdat Jory me wilde helpen meer rozen te planten. Zijn sterke handen konden heel wat beter omgaan met een schopje dan de mijne.

De tuinlieden leerden Jory enthousiast hoe hij het struikgewas moest snoeien, hoe hij de grond moest bemesten, wanneer en waarmee. Hij en ik maakten van het tuinieren niet alleen een hobby maar ook een levensstijl, om te voorkomen dat we allebei gek werden. De kassen werden uitgebreid, zodat we exotische bloemen konden kweken. Daar hadden we onze eigen wereld, met een eigen soort rustige opwinding. Maar het was niet voldoende voor Jory, die besloten had op welke manier dan ook in de wereld van de kunst te blijven.

'Paps is niet de enige in onze familie die een mistige lucht kan schilderen en je het vocht laten voelen, of die een dauwdruppel kan leggen op een geschilderde roos die zo echt is dat je hem kunt ruiken,' zei hij met een brede glimlach. 'Ik ga vooruit met schilderen, mams.'

Melodie woonde in hetzelfde huis, maar Jory was bezig een leven te creëren zonder haar. Hij maakte draagzakken aan zijn stoel, die over zijn schouders hingen, zodat hij de tweeling kon meenemen. Zijn blijdschap als ze lachten bij zijn binnenkomst ontroerde mij, maar joeg Melodie de kinderkamer uit. 'Ze houden van me, mams! Ik zie het in hun ogen!'

Ze kenden Jory beter dan hun moeder. Ze glimlachten aarzelend en hoopvol naar haar, misschien omdat haar gezicht zo peinzend stond als ze naar hen keek.

Ja, de tweeling hield niet alleen van hun vader en kende hem, maar ze vertrouwden hem ook volledig. Als hij zich bukte om hen op te pakken krompen ze niet ineen of waren ze bang dat hij hen zou laten vallen. Ze lachten of ze wisten dat dat nooit zou gebeuren.

Ik vond Melodie pruilend in haar kamer. Ze was mager en haar eens zo mooie haar was dof en piekerig. 'Er is tijd voor nodig, Melodie, om een moederinstinct te ontwikkelen,' zei ik, toen ik ongevraagd – en schijnbaar ongewenst – naast haar ging zitten. 'Je laat ze te vaak door anderen verzorgen. Ze herkennen je niet als hun moeder als je wegblijft. Op de dag dat je hun gezichtjes ziet stralen als je binnenkomt, en als ze lachen van geluk omdat ze jou, hun moeder, zien, zul je de liefde vinden die je zoekt. Je hart zal opengaan. Ze zullen je iets geven dat geen ander je kan schenken. Je liefde voor je kinderen zal het belangrijkste in je leven zijn.'

Haar vage glimlach was in een oogwenk weer verdwenen. 'Wanneer geef je me de kans mijn kinderen te bemoederen, Cathy? Als ik 's nachts opsta ben jij er al. Als ik vroeg opsta, heb jij ze al gebaad en aangekleed. Ze hebben geen moeder nodig als ze een grootmoeder hebben als jij.'

Ik voelde me gekwetst door haar onrechtvaardige aanval. Ik lag vaak in bed te luisteren naar de tweeling als ze huilden, tot ik eindelijk opstond om ze te verzorgen. Angstig en ongerust, terwijl ik lag te wachten en te wachten tot Melodie naar ze toe zou gaan. Wat moest ik dan doen, hun gehuil negeren? Ik gaf haar tijd genoeg. Haar kamer was in de gang tegenover de kinderkamer, en die van mij lag in een andere vleugel.

Blijkbaar raadde ze mijn gedachten, want haar stem klonk als het gesis van een giftige slang. 'Jij trekt altijd aan het langste eind, hè, schoonmoeder? Jij krijgt altijd je zin, maar er is één ding dat je nooit zal krijgen, en dat is Barts liefde en respect. Toen hij van me hield – *en hij heeft van me gehouden* – vertelde hij me dat hij je haatte, verachtte. Ik had toen medelijden met hem, en nog meer met jou. Nu begrijp ik waarom hij zich zo voelt. Want met een moeder als jij, heeft Jory geen vrouw nodig als ik.'

De volgende dag was het donderdag. Met een bezwaard hart dacht ik aan alle lelijke woorden die Melodie gisteren tegen me had gezegd.

Ik zuchtte, ging overeind zitten en zwaaide mijn benen uit bed, schoof mijn voeten in een paar satijnen muiltjes. Ik had een drukke dag voor de boeg, want het was de vrije dag van al het personeel, behalve Trevor. Op donderdag was ik net als mama vroeger; ik bereidde me voor op de vrijdag, en kwam pas volledig tot leven als de man van wie ik hield binnenkwam.

Jory zat zachtjes te snikken toen ik in zijn kamer kwam met de fris gewassen tweeling in mijn armen. In zijn handen hield hij een crèmekleurig vel briefpapier.

'Lees maar,' zei hij met verstikte stem, en legde het papier op de tafel naast zijn stoel, voordat hij zijn armen uitstrekte naar zijn kinderen.

Toen hij hen allebei in zijn armen had boog hij zijn hoofd en verborg het in hun zachte haar.

Ik pakte het vel papier op.

Mijn liefste, liefste Jory.

Ik ben een lafaard. Dat heb ik altijd geweten, maar ik hoopte dat je er nooit achter zou komen. Jij was altijd de sterke van ons beiden. Ik hou van je, en ik zal altijd van je blijven houden, maar ik kan niet leven met een man die nooit meer met me kan vrijen.

Jij hebt geleerd die afschuwelijke rolstoel te accepteren; ik kan dat niet. Je ouders zijn naar mijn kamer gekomen en hebben erop aangedrongen dat ik eerlijk alles tegen je zou zeggen wat ik voel. Dat kan ik niet, want als ik dat zou doen, zou je iets kunnen zeggen of doen dat me op andere gedachten zou brengen, en ik moet weg, anders word ik gek.

Zie je, liefste, ik voel me al half gek in dit huis, dit afschuwelijke huis, met al zijn bedrieglijke schoonheid. Ik lig in mijn eenzame bed en droom van ballet. Ik hoor de muziek spelen, al is er geen muziek. Ik moet terug naar de plaats waar ik de muziek kan horen, en als dat lelijk en zelfzuchtig van me is – en ik weet dat het dat is – vergeef me dan, als je kunt.

Zeg vriendelijke dingen over me tegen onze kinderen als ze oud genoeg zijn om vragen te stellen over hun moeder. Zeg die vriendelijke woorden, ook al zijn ze niet waar, want ik weet dat ik tegenover jou en tegenover hen tekort ben geschoten. Ik heb je alle reden gegeven om me te haten, maar denk alsjeblieft niet aan me met haatgevoelens. Denk aan me zoals ik was toen we jonger waren en ons leven nog in de hand hadden.

Geef jezelf of iemand anders nooit de schuld van wat ik nu doe. Het is allemaal mijn eigen schuld. Weet je, ik ben niet écht, dat ben ik nooit geweest, en ik zal het ook nooit zijn. Ik kan de wrede realiteit niet onder ogen zien, die levens en dromen verwoest. En vergeet ook één ding niet: Ik ben de fantasie die je geholpen hebt te creëren met jouw verlangen en het mijne.

Vaarwel, mijn liefste, mijn eerste en grootste liefde, en helaas misschien ook mijn enige ware liefde. Vind iemand die zo zeldzaam is als je moeder om mijn plaats in te nemen. Zij is degene die jou het vermogen heeft geschonken opgewassen te zijn tegen de werkelijkheid, hoe hard die ook is.

God zou goed voor me zijn geweest als Hij me een moeder had gegeven als de jouwe.

Met spijt en droefheid,
Mel

Het briefje viel uit mijn hand, fladderde aarzelend op de grond. Jory en ik staarden ernaar, het was zo droevig, zo definitief.

'Het is voorbij, mams,' zei hij toonloos. Zijn stem klonk schor. 'Wat begonnen is toen ik twaalf was en zij elf. Allemaal voorbij. Ik heb mijn leven rond haar opgebouwd, en dacht dat het zou duren tot we oud waren. Ik heb haar het beste gegeven dat ik te bieden had, en toch was het niet genoeg toen de glamour verdwenen was.'

Hoe kon ik hem zeggen dat het toch niet geduurd zou hebben, ook al zou hij nog kunnen dansen. Iets in haar verzette zich tegen zijn kracht, zijn aangeboren vermogen om situaties onder ogen te zien die zij niet kon begrijpen.

Ik schudde het hoofd. Nee. Ik was niet eerlijk. 'Het spijt me, Jory, het spijt me zo verschrikkelijk.' Ik zei niet: *misschien ben je beter af zonder haar*.

'Het spijt mij ook,' fluisterde hij. Hij weigerde me aan te kijken. 'Welke vrouw wil mij nog?'

Misschien zou hij seksueel nooit meer normaal kunnen functioneren, maar ik wist dat hij in al die lange, eenzame nachten iemand nodig had in zijn bed. Ik zag 's ochtends aan zijn gezicht dat de nachten het ergste waren, dat ze hem het gevoel gaven dat hij geïsoleerd was, emotioneel kwetsbaar en lichamelijk hulpeloos. Hij leek op mij, ik had ook een paar armen nodig om me veilig te kunnen voelen als het donker was, ik wilde een zoen om me in slaap te sussen en om me wakker te maken.

'Gisteravond hoorde ik de wind huilen,' vertelde hij toen Darren en Deirdre in hun kinderstoelen zaten en hun gezichtjes onder de pap smeerden. 'Ik werd wakker. Ik dacht dat ik Mel naast me hoorde ademen, maar ze was er niet. Ik zag de vogels hun nesten bouwen, ik hoorde ze sjilpend de nieuwe dag begroeten, en toen zag ik haar briefje. Ik wist zonder het te lezen wat er in stond, en ik bleef maar denken aan de vogels, en al hun liefdesliedjes veranderden plotseling in territoriale rechten.' Zijn stem brak en hij boog zijn hoofd om zijn gezicht te verbergen. 'Ik heb gehoord dat ganzen als ze eenmaal gepaard hebben, nooit meer paren, en ik blijf Melodie zien als de zwaan, eeuwig trouw, wat er ook gebeurt.'

'Lieveling, ik weet het, ik weet het,' suste ik hem. Ik streek over zijn donkere krullen. 'Maar de liefde kan terugkomen, hou je daaraan vast. En je bent niet alleen.'

Hij knikte en zei: 'Ik ben je zo dankbaar dat je er altijd bent als ik je nodig heb. En paps ook.'

Uit angst dat ik zelf ook zou gaan huilen sloeg ik mijn armen om hem heen. 'Jory, Melodie is weg, maar ze heeft een zoon en een dochter bij je achtergelaten, wees daar blij om. Omdat zij ze bij je heeft achtergelaten, zijn ze nu helemaal van jou. Ze heeft niet alleen jou in de steek gelaten, maar ook haar eigen kinderen. Je kunt van haar scheiden en je kracht gebruiken om je kinderen te helpen jouw soort moed en vastberadenheid te ontwikkelen. Je zult het ook zonder haar klaarspelen, Jory, en zolang je ons nodig hebt, heb je al onze hulp en liefde.'

Ik was ervan overtuigd dat Melodie zich opzettelijk had teruggetrokken van haar eigen kinderen, om de breuk gemakkelijker te maken; ze had zichzelf niet toegestaan van ze te houden, of de kinderen om van haar te houden. Haar afscheidsgeschenk aan haar jeugdliefde waren zijn kinderen.

Jory veegde de tranen uit zijn ogen en probeerde te grinniken. Het werd een grijns vol ironie.

Boek drie

DE ZOMER VAN CINDY

Plotseling ging Bart zakenreizen maken. Hij bleef nooit langer dan twee of drie dagen weg, alsof hij bang was dat wij er tijdens zijn afwezigheid met zijn vermogen vandoor zouden gaan. Zoals hij het uitdrukte: 'Ik moet de dingen in eigen hand houden. Ik kan niemand meer vertrouwen dan mijzelf.'

Hij was toevallig net weg op de dag dat Melodie Foxworth Hall verliet. Barts gezicht veranderde niet toen hij thuiskwam en Melodie's stoel aan de eettafel leeg bleef. 'Zit ze boven weer te mokken?' vroeg hij onverschillig, wijzend op haar stoel die een voortdurende herinnering was aan haar afwezigheid.

'Nee, Bart,' antwoordde ik toen Jory weigerde naar hem te kijken of antwoord te geven. 'Melodie heeft besloten haar carrière voort te zetten. Ze is weg; ze heeft een briefje voor Jory achtergelaten.'

Hij trok cynisch zijn linkerwenkbrauw op, toen keek hij even naar Jory, maar zonder één woord van spijt dat ze weg was, of één woord van troost voor zijn broer.

Later, toen Jory boven was en ik bezig was luiers te verschonen, kwam Bart binnen en ging naast me staan. 'Jammer, dat ik net in New York was. Ik had dolgraag Jory's gezicht willen zien toen hij dat briefje las. Tussen haakjes, waar is het? Ik wil graag weten wat ze geschreven heeft.'

Ik draaide me om en staarde hem aan. Voor het eerst kwam het bij me op dat Melodie wel eens met hem in New York kon hebben afgesproken. 'Nee, Bart, je zult dat briefje nooit lezen... en ik hoop bij God dat jij niets te maken hebt met haar besluit om weg te gaan.'

Hij werd rood van kwaadheid. 'Ik was op zakenreis! Ik heb geen twee woorden met Melodie gesproken sinds Kerstmis. En wat mij betreft: opgeruimd staat netjes.'

In zekere zin was het beter zonder Melodie voortdurend om ons heen met haar sombere gezicht en haar slechte humeur. Ik maakte er een gewoonte van Jory even op te zoeken voor ik naar bed ging, om hem in te stoppen, zijn raam open te doen, het grote licht uit te doen en ervoor te zorgen dat er water naast hem stond. Met een zoen op zijn wang probeerde ik de kus van een vrouw te vervangen.

Nu Melodie weg was kwam ik er al gauw achter dat ze toch een beetje geholpen had door nu en dan 's morgens vroeg op te staan en de baby's te wassen en te verschonen en te voeden. Ze had zelfs de moeite genomen ze een paar keer per dag een schone luier om te doen.

Vaak kwam Bart de kinderkamer binnen als door een onzichtbare kracht getrokken. Hij staarde naar de kleine kinderen, die al konden lachen, en tot hun verrukking hadden ontdekt dat die wuivende schaduwachtige dingen hun eigen voeten en handjes waren. Ze grepen naar de mobiles van mooie kleurige vogels, probeerden ze omlaag te trekken en in hun mond te stoppen.

'Ze zijn wel grappig,' zei Bart op een peinzende manier, die me goed deed. Hij hielp zelfs een beetje door me de babyolie en de talkpoeder aan te geven. Helaas, juist toen de tweeling bijna zijn hart had veroverd, kwam Joel de kinderkamer binnen en keek met een kwaad gezicht naar de mooie baby's, en al Barts vriendelijkheid en sympathie verdwenen. Hij bleef met een schuldig gezicht naast me staan.

Joel keek met een harde blik naar de tweeling en draaide toen zijn hoofd om. 'Net als de eerste tweeling, de boosaardige kinderen,' mompelde Joel. 'Hetzelfde blonde haar en die blauwe ogen... het zal dit stel ook slecht vergaan.'

'Wat bedoel je daarmee?' viel ik woedend uit. 'Cory en Carrie hebben nooit iemand kwaad gedaan! *Zij* hebben geleden door de schuld van anderen. Door jouw eigen zuster, moeder en vader, Joel. Waag het niet dat ooit te vergeten.'

Joel antwoordde met stilzwijgen, en liep met Bart de kamer uit.

Half juni vloog Cindy naar huis om de zomer bij ons door te brengen. Ze deed haar best haar kamers netter te houden, hing haar eigen kleren op, die ze vroeger altijd op de grond gooide. Ze hielp me met het wassen en verschonen van de tweeling en hield hun flesjes vast terwijl ze hen in slaap wiegde. Het was een lief gezicht haar in de schommelstoel te zien zitten, in haar baby doll-pyjama, haar mooie lange benen bloot en onder zich gestoken, met een baby in elke arm, terwijl ze trachtte twee flessen tegelijk vast te houden. Ze leek zelf nog zo'n kind. Ze nam zo vaak een bad en een douche dat ik bang was dat ze zou verschrompelen tot een gedroogde pruim.

Op een avond kwam ze uit haar bad- en kleedkamer. Ze zag er stralend fris en jong uit en rook als een exotische bloementuin. 'Ik hou van de schemering,' dweepte ze, ronddraaiend. 'Ik vind het zalig om door het bos te wandelen als de maan opkomt.'

We zaten op ons geliefde terras met een cocktail voor ons. Bart spitste zijn oren en keek haar kwaad aan. 'Wie wacht er op je in het bos?'

'Niet wie, broertjelief, maar wat.' Ze draaide haar hoofd om en glimlachte naar hem op een onschuldige, charmante manier. 'Ik zal aardig tegen je zijn, Bart, hoe onaangenaam je ook tegen me bent. Ik ben tot de conclusie gekomen dat ik geen vrienden kan maken met rotopmerkingen.'

Hij keek achterdochtig. 'Ik geloof toch dat je een jongen ontmoet in het bos.'

'Dank je, broeder Bart, dat je me alleen maar straft met valse verdachtmakingen. Ik had meer en erger verwacht. Er is een jongen in Zuid-

Carolina waar ik stapelverliefd op ben, en hij houdt van de natuur. Hij heeft me geleerd van alles te houden dat niet met geld te koop is. Ik ben dol op zonsopgang en -ondergang. Als een konijntje wegholt, volg ik het. Samen vangen we zeldzame vlinders, en hij zet ze op. We picknicken in het bos, zwemmen in het meer. Omdat ik hier geen vriendje mag hebben, sta ik alleen op de top van een heuvel en probeer langzaam naar beneden te wandelen. Het is leuk om de zwaartekracht uit te dagen en niet hard te hollen tot je buiten adem bent.'

'Hoe noem je die zwaartekracht? Bill, John, Mark of Lance?'

'Ik laat me deze keer niet door jou op stang jagen,' zei ze arrogant. 'Ik kijk graag omhoog naar de lucht, tel de sterren, zoek de sterrenbeelden, kijk naar de maan die verstoppertje speelt achter de wolken. Soms knipoogt het mannetje in de maan naar me, en ik knipoog terug. Dennis heeft me geleerd hoe ik doodstil moet staan om het gevoel van de avond in me op te nemen. Ik zie wonderen waarvan ik het bestaan niet kende, omdat ik verliefd ben, dol, hartstochtelijk, belachelijk, krankzinnig verliefd!'

Er verscheen even een jaloerse blik in zijn ogen, en toen bromde hij: 'En Lance Spalding? Ik dacht dat je over hem ook zo dacht? Of heb ik zijn knappe gezicht blijvend verwoest, zodat je het niet kunt verdragen naar hem te kijken?'

Cindy verbleekte. 'In tegenstelling tot jou, Bart Foxworth, is Lance van binnen en van buiten mooi, net als papa, en ik hou nog steeds van hem, en van Dennis ook.'

Bart keek nog nijdiger. 'Ik ken die liefde van jou voor de natuur. Je wilt op je rug liggen en je benen spreiden voor een of andere dorpsidioot – en ik duld het niet!'

'Wat is hier aan de hand?' vroeg Chris verbaasd, toen hij terugkwam van de telefoon en alle rust en vrede verstoord vond.

Cindy sprong overeind, nam een uitdagende houding aan en zette haar handen op haar heupen. Ze keek woedend naar Bart, deed haar uiterste best de volwassen zelfbeheersing te bewaren, die ze hem wilde tonen. 'Waarom geloof je toch altijd het ergste van me? Ik wil alleen maar een wandeling maken in het maanlicht, en het dorp ligt op vijftien kilometer afstand. Wat jammer dat jij niet begrijpt wat het is om menselijk te zijn.'

Haar antwoord en haar kwade blik maakten hem nog woedender. 'Je bent mijn zuster niet, je bent een sluwe loopse teef, net als je moeder!'

Deze keer was het Chris die overeind sprong en Bart een harde klap gaf. Bart deed een stap achteruit en hief zijn vuisten op, of hij op het punt stond Chris een stomp op zijn kaak te geven, toen ik overeind sprong en voor Chris ging staan. 'O, nee, waag het niet de man te slaan die zo'n goede vader voor je is geweest! Als je dat doet, Bart, is alles tussen ons afgelopen!' Hij keek me aan met zijn felle, donkere ogen.

'Waarom zie je dat hoertje niet zoals ze is? Jullie zien alles wat verkeerd is aan mij, maar je sluit je ogen voor de zonden van de lievelingetjes! Ze is een doodgewone slet, verdomme!' Hij verstarde en sperde verschrikt zijn ogen open.

Hij had de naam van God ijdel gebruikt. Hij keek om zich heen of hij Joel zag, maar die was bij uitzondering niet aanwezig. 'Zie je nu, moeder, wat ze met me doet? Ze besmet me, en dat nog wel in mijn eigen huis.'

Chris keek met afkeurende blik naar Bart en ging weer zitten. Cindy verdween in huis. Ik staarde haar triest na, terwijl Chris op harde toon tegen Bart zei: 'Zie je dan niet dat Cindy haar best doet het je naar de zin te maken? Sinds ze thuis is gekomen heeft ze haar best gedaan vriendelijk tegen je te zijn, maar je geeft haar de kans niet. Hoe kun je anders dan in alle onschuld in dit eenzame bos gaan wandelen? Van nu af aan wil ik dat je haar met respect behandelt, want als je dat niet doet zou je haar wel eens tot onbesuisde dingen kunnen drijven. Het verlies van Melodie is meer dan genoeg voor één zomer.'

Het leek of Chris geen stem had en Bart geen oren, want zijn woorden hadden geen enkel effect. Chris keek Bart nog strenger aan en stond toen op en verdween in huis. Ik vermoedde dat hij naar Cindy ging om zijn best te doen haar te troosten.

Alleen achtergebleven met mijn jongste zoon, probeerde ik zoals altijd verstandelijk te redeneren. 'Bart, waarom doe je toch zo lelijk tegen Cindy?' begon ik. 'Ze is op een heel kwetsbare leeftijd, en ze is een fatsoenlijk menselijk wezen dat geapprecieerd wil worden. Ze is geen slet, geen hoer en geen teef. Ze is een mooi jong meisje dat het heerlijk vindt om mooi te zijn en de aandacht te trekken van de jongens. Dat betekent niet dat ze zich aan iedere jongen geeft. Ze heeft scrupules, eergevoel. Die ene episode met Lance Spalding heeft haar niet bedorven.'

'Moeder, ze is al lang geleden bedorven, alleen wil jij dat niet geloven. Lance Spalding was niet de eerste.'

'Hoe durf je dat te zeggen,' vroeg ik, nu echt kwaad. 'Wat ben je voor man? Je slaapt met wie je wilt, je doet wat je wilt, maar zij wordt verondersteld een engel te zijn met een aureool en vleugels op haar rug. En nu ga je naar boven en je biedt Cindy je excuses aan!'

'Een excuus zal ze nooit van me krijgen.' Hij ging zitten en at verder. 'Het personeel praat over Cindy. Jij hoort dat niet, want jij hebt het te druk met die twee baby's die je niet met rust kan laten. Maar ik hoor ze als ze schoonmaken en stof afnemen. Jouw Cindy is een heet nummer. De moeilijkheid is dat jij haar als een engel beschouwt. Dat denk je omdat ze er zo uitziet.'

Ik leunde met mijn ellebogen op het glazen blad van de witte smeedijzeren tafel. Ik voelde me doodmoe. Met Bart samen was het altijd uitputtend; de spanning dat je iets verkeerd zei, het voortdurend op je hoede moeten zijn, maakten het zo vermoeiend.

Ik keek strak naar de rode rozen die midden op tafel stonden. 'Bart, is het wel eens bij je opgekomen dat Cindy zich misschien onrein voelt, en dat het haar daarom niet kan schelen? En jij geeft haar zeker geen steun voor haar gevoel van eigenwaarde.'

'Ze is een wellustige, lichtzinnige slet.' Hij zei het met absolute overtuiging.

Mijn stem klonk even onverbiddelijk als de zijne. 'Te oordelen naar het gefluister van de bedienden dat ik hoor, voel jij je erg tot het type vrouw aangetrokken dat je veroordeelt.'

Hij stond op, gooide zijn servet neer en liep doelbewust het huis binnen. 'Ik ontsla iedere verdomde bediende die over me roddelt.'

Ik zuchtte. Straks zouden we helemaal geen personeel meer kunnen krijgen als hij ze aan de lopende band bleef ontslaan.

'Mams, ik ga naar bed,' zei Jory. 'Dit prettige avondmaal op het terras is precies zo verlopen als ik had kunnen voorspellen.'

Diezelfde avond ontsloeg Bart alle bedienden, op Trevor na, die zelden iets zei, behalve tegen mij of Chris. Als Trevor was weggegaan elke keer dat Bart hem ontsloeg, zou hij al lang geleden verdwenen zijn. Trevor scheen precies te weten wanneer Bart iets ernstigs meende. Hij zei nooit, nooit iets om Bart te berispen en hij keek Bart nooit recht in de ogen. Daarom dacht Bart dat hij Trevor onder de duim had. Ik dacht dat Trevor Bart vergaf omdat hij hem begreep en in zijn hart medelijden met hem had.

Ik ging naar Cindy's kamer en kwam Chris tegen die de trap afkwam. 'Ze is erg van streek. Probeer haar te kalmeren, Cathy. Ze praat over weggaan en hier nooit meer willen terugkomen.'

Cindy lag met haar gezicht voorover op bed. Ze kreunde zachtjes. 'Hij verpest alles,' jammerde ze. 'Ik heb mijn eigen vader en moeder nooit gekend, en Bart wil me bij jou en paps vandaan jagen.' Ik ging op de rand van haar bed zitten. 'Nu is hij vastbesloten mijn hele zomer te verpesten; hij wil me wegjagen, net als hij Melodie heeft weggejaagd.'

Ik hield haar in mijn armen en troostte haar zo goed en zo kwaad als ik kon. Ik dacht bij mezelf dat ik haar zou moeten wegsturen, om te voorkomen dat Bart haar zou kwetsen. Waar kon ik Cindy naar toe sturen? Ik dacht erover na toen ik naar bed ging, terwijl Cindy uit huis ontsnapte om een jongen uit het dorp te ontmoeten. Maar dat hoorde ik later pas.

Zoals Bart goed had geraden, had Cindy's liefde voor de natuur een naam. Victor Wade. En terwijl ik in bed lag met een slapende Chris naast me, en me afvroeg wat ik met Cindy moest beginnen en toch haar liefde behouden, hoe ik Bart moest beletten de slechtste kant van zijn karakter te tonen, sloop Cindy het huis uit en ging met Victor Wade naar Charlottesville.

In Charlottesville had Cindy een geweldige tijd, ze danste met Victor Wade tot ze gaten had in de dunne zolen van haar tere glinsterende sandalen, met de tien centimeter hoge glazen hakken (plexiglas, niet zo zwaar als glas). Toen reed Victor, getrouw aan zijn woord, terug naar Foxworth Hall. Op een zijweg parkeerde hij en nam Cindy in zijn armen.

'Ik ben verliefd op je,' fluisterde hij hees en overdekte haar gezicht met kussen, ging van haar hals naar haar borst, maakte haar blouse open. 'Ik heb nog nooit een meisje gekend waarmee ik zoveel plezier heb gehad als met jou. En je had gelijk. Ze zijn in Texas niet beter...'

Halfdronken van de wijn en van het ervaren liefdesspel van de jongen, verzette Cindy zich nauwelijks. Het duurde niet lang of haar eigen hartstochtelijke natuur reageerde, en gretig stond ze toe dat hij haar jurk openritste en haar uitkleedde. Hij viel op haar naakte lichaam aan, en dat was het moment dat Bart uitkoos om te verschijnen.

Brullend als een woedende stier rende Bart naar de geparkeerde auto en betrapte Cindy en Victor op het moment van hun geslachtsgemeenschap.

Toen hij hun naakte lichamen met in elkaar gestrengelde armen en benen op de achterbank zag, werd al zijn achterdocht bevestigd. Razend rukte Bart het portier open en trok Victor aan zijn enkels naar buiten zodat hij met zijn gezicht op het harde grint van de weg viel.

Zonder de jongen de kans te geven zich te herstellen sloeg Bart erop los, wreed zijn vuisten gebruikend.

Schreeuwend van woede, zonder te letten op het feit dat ze naakt was, smeet Cindy haar jurk in Barts gezicht, waardoor hij even verblind werd. Daardoor kreeg Victor de gelegenheid overeind te springen en Bart zelf een klap te verkopen. Victors neus bloedde en hij had een blauw oog.

In het maanlicht schemerde zijn naakte lichaam met een blauwachtige glans. 'En Bart was meedogenloos, mams! Afschuwelijk! Hij leek wel gek, vooral toen Victor hem een stomp op zijn kaak gaf. Toen probeerde hij Bart in zijn lies te trappen. Hij raakte hem wel, maar niet hard genoeg. Bart sloeg dubbel, gaf een gil, en rende toen zo woest op Victor af dat ik bang was dat hij hem zou vermoorden! De pijn was zo gauw voorbij, mama, zo gauw – en ik had altijd gehoord dat een man dan tot niets meer in staat was.' Cindy snikte met haar hoofd in mijn schoot.

'Hij leek op de duivel uit de hel, hij schold Victor uit, gebruikte alle obscene woorden die ik nooit mag gebruiken. Hij sloeg Victor bewusteloos. En toen kwam hij op mij af! Ik was als de dood dat hij me in mijn gezicht zou slaan en mijn neus zou breken en me lelijk maken, zoals hij altijd dreigde te zullen doen. Ik had op een of andere manier mijn jurk weer aan weten te krijgen, maar de ritssluiting was nog open op mijn rug. Hij greep me bij mijn schouders en schudde me zo hard heen en weer dat de jurk op mijn enkels viel. Ik was naakt, maar hij zag niets. Hij hield zijn ogen op mijn gezicht gericht, terwijl hij me eerst op één wang sloeg en toen op de andere, en mijn hoofd ging heen en weer, tot ik duizelig werd. Hij pakte me op als een zak zand, gooide me over zijn schouder en nam me mee door het bos, terwijl hij Victor op de grond liet liggen.

Het was zo vreselijk, mama, zo vernederend! Zo te worden gedragen, of ik een stuk vee was! Ik huilde de hele weg en smeekte Bart een ziekenwagen te bellen voor het geval Victor ernstig gewond was... maar hij wilde niet naar me luisteren. Ik smeekte hem me neer te zetten, zodat ik iets kon omslaan, maar hij beval me stil te zijn want dat hij anders iets verschrikkelijks zou doen. Toen bracht hij me naar –'

Ze zweeg abrupt en staarde voor zich uit, alsof ze verstard was van angst.

'Waar heeft hij je naar toe gebracht, Cindy?' vroeg ik. Ik voelde me ziek en misselijk, voelde haar vernedering als de mijne, ik had medelijden met haar afschuwelijke toestand. En tegelijkertijd was ik woedend omdat ze zich dit zelf had aangedaan, omdat ze ongehoorzaam was aan alles wat ik zelf had geprobeerd haar te leren.

Met een klein, zwak stemmetje en haar hoofd zo diep gebogen dat haar lange haar haar gezicht verborg, eindigde ze. 'Naar huis, mams... alleen maar naar huis.'

Er was meer, maar ze weigerde me verder iets te vertellen. Ik wilde haar een standje geven, haar straffen, maar ze was veel te veel van streek om nog iets te kunnen verdragen.

Ik stond op. 'Ik ontneem je al je privileges, Cindy. Ik zal een van de bedienden naar boven sturen om je telefoon weg te nemen, zodat je niet een van je vriendjes kunt bellen om je te helpen ontsnappen. Ik heb nu jouw kant van het verhaal gehoord, en Bart heeft me vanmorgen zijn kant verteld. Ik ben het niet eens met zijn methode jou of die jongen te straffen. Hij was veel te wreed, en daarvoor bied ik je mijn excuses aan. Maar het schijnt dat je erg royaal bent met je seksuele gunsten. Dat kun je niet langer ontkennen, want ik heb het met mijn eigen ogen gezien toen die jongen Lance hier was. Het doet me verdriet dat je zo slecht geluisterd hebt naar wat ik heb geprobeerd je te leren. Ik begrijp dat het erg moeilijk is om jong te zijn en anders dan je leeftijdgenoten, maar toch hoopte ik dat je zou wachten tot je wist hoe je tegen intieme relaties opgewassen moest zijn. Ik zou het niet kunnen verdragen dat een onbekende man me aanraakte, laat staan dat ik met hem naar bed zou gaan. En je had die jongen net leren kennen, Cindy! Een volkomen vreemde die je kwaad had kunnen doen!'

Ze hief haar gezicht naar me op. 'Mama, help me!'

'Heb ik niet mijn hele leven mijn best gedaan je te helpen? Luister naar me, Cindy. Voor één keer moet je eens echt naar me luisteren. Het mooiste van de liefde is een man te leren kennen, hem toe te staan jou te leren kennen als mens, voordat je begint te denken aan seks. Je legt het niet aan met de eerste de beste man die je tegenkomt!'

Bitter sloeg ze terug. 'Mamma, alle boeken schrijven over seks. Ze noemen het woord liefde zelfs niet. De meeste psychiaters zeggen dat liefde niet bestaat. Je hebt me nooit precies uitgelegd wat liefde eigenlijk is. Ik weet niet of het bestaat. Ik geloof dat seks op mijn leeftijd even noodzakelijk is als water en voedsel, en liefde is niets anders dan opwinding; het is je bloed dat heet wordt; je bloed dat sneller door je aderen stroomt; je hart dat gaat bonzen, je ademhaling die sneller en hijgender wordt, en tenslotte is het alleen maar een natuurlijke behoefte die niet erger is dan de behoefte aan slaap. Dus ondanks jouw waarschuwingen en je ouderwetse opvattingen, geef ik toe, als een jongen die ik aardig vind met me naar bed wil. Victor Wade wilde me... en ik wilde hem. Kijk me niet zo aan! Hij heeft me niet gedwongen. Hij heeft me niet verkracht. Ik heb hem gewoon zijn gang laten gaan! Ik wilde dat hij deed wat hij deed!'

Haar blauwe ogen daagden me uit terwijl ze opsprong en me recht in de ogen keek. 'Vooruit, noem me maar een zondares, zoals Bart deed. Gil en schreeuw maar en zeg dat ik naar de hel ga, maar ik geloof jou niet méér dan hem! Als het waar was, zou negenennegentig procent van de wereldbevolking uit zondaars bestaan, inclusief jij en je broer!'

Verbijsterd, diep gekwetst, draaide ik me om en ging weg.

De mooie zomerdagen gingen voorbij, terwijl Cindy zat te mokken in haar kamer. Ze was kwaad op Bart, op mij, zelfs op Chris. Ze weigerde aan tafel te eten als Bart of Joel er waren. Ze douchte niet langer twee of drie keer per dag, en liet haar haar even piekerig en dof worden als dat van Melodie, alsof ze ons wilde bewijzen dat ze bezig was van ons te vervreemden zoals Melodie had gedaan. Het was Melodie's houding die ze zoveel mogelijk probeerde te imiteren. Maar zelfs in haar gemelijke en knorrige stemming fonkelden haar ogen nog, en zelfs al verzorgde ze zich niet, toch zag ze er nog knap uit.

'Het enige wat je ermee bereikt is dat je jezelf ellendig voelt,' zei ik, toen ik zag dat ze snel het TV-toestel afzette dat in haar kamer stond, alsof ze me in de waan wilde brengen dat er niets meer te genieten viel voor haar, terwijl haar kamer elke luxe bevatte, op de telefoon na, die ik had weggenomen zodat ze geen heimelijke afspraakjes kon maken met Victor Wade of iemand anders.

Ze zat op bed en staarde me nijdig aan. 'Laat me dan gaan, mama. Zeg tegen Bart dat hij me laat gaan en ik zal hem nooit meer lastig vallen. Ik kom nooit meer terug in dit huis! NOOIT!'

'Waar wil je dan naar toe en wat wil je doen, Cindy?' vroeg ik bezorgd. Ik was bang dat ze er op een nacht stiekem vandoor zou gaan en we nooit meer van haar zouden horen. En ik wist dat ze niet genoeg geld had gespaard om haar langer dan twee weken op de been te houden.

'IK ZAL DOEN WAT IK MOET DOEN!' schreeuwde ze. Tranen van zelfmedelijden rolden over haar bleke gezichtje, dat zijn roze tint begon te verliezen. 'Jij en paps hebben me royaal zakgeld gegeven, en ik zal mijn lichaam niet hoeven te verkopen, als je dat soms denkt. Tenzij ik het zelf wil. Op dit ogenblik heb ik zin om alles te zijn wat Bart niet wil dat ik ben, en dat zou zijn verdiende loon zijn.'

'Dan blijf je in je kamer tot je het gevoel hebt dat je alles wilt zijn wat *ik* wil dat je bent. Als je met respect tegen me kan praten, zonder te schreeuwen, en met een paar volwassen voorstellen komt wat je van plan bent met je leven aan te vangen, zal ik je helpen uit dit huis te ontsnappen.'

'Mama!' jammerde ze. 'Haat me niet! Ik kan het niet helpen dat ik de jongens aardig vind en zij mij! Ik zou mezelf willen bewaren voor die bijzondere Ware Liefde, maar ik heb nog nooit iemand ontmoet die zo bijzonder is. Als ik weiger, gaan ze naar een ander meisje dat niet weigert. Hoe is het jou toch gelukt, mama? Wat heb je gedaan dat al die mannen van je bleven houden, alleen van jou?'

Al die mannen? Ik wist niet hoe ik moest antwoorden.

Zoals alle ouders die het vuur aan de schenen wordt gelegd, vermeed ik het rechtstreekse antwoord, dat ik trouwens toch niet had. 'Cindy, je vader en ik houden heel erg veel van je, dat weet je toch? Jory houdt van je. En de tweeling begint al te lachen als je maar in hun buurt komt. Voor je een overhaast besluit neemt, moeten we erover praten met je vader, met Jory, en dan kun jij zeggen wat je op je hart hebt en ons laten weten wat jij voor jezelf wilt. En als het ook maar enigszins redelijk is, zullen we doen wat we kunnen om ervoor te zorgen dat je je doel bereikt.'

'Je vertelt het niet aan Bart?' vroeg ze achterdochtig.

'Nee, lieverd. Bart heeft bewezen dat hij niet nuchter kan redeneren als het om jou gaat. Sinds de dag waarop je bij ons bent gekomen heeft hij een hekel aan je gehad, en dat is nu al zo lang geleden dat ik niet geloof dat iemand daar nog iets aan kan doen. Wat Joel betreft, ik mag hem evenmin als jij, en hij heeft niets te maken met onze familiediscussie over je toekomst.'

Plotseling sloeg ze haar armen om mijn hals. 'O, mama, ik schaam me zo dat ik zoveel lelijke dingen heb gezegd. Ik wilde je laatst kwaad doen omdat Bart me zo te schande had gezet. Red me voor Bart, mama. Vind een manier, alsjeblieft, alsjeblieft.'

Toen Chris, Jory, Cindy en ik waren uitgepraat, hadden we een manier gevonden om Cindy niet alleen te beschermen tegen Bart, maar ook tegen zichzelf. Ik probeerde Bart te kalmeren, die haar drastischer wilde straffen.

'Ze wakkert alleen maar het vuur aan dat al brandt in het dorp,' schreeuwde hij toen ik zijn kantoor binnenkwam. 'Ik probeer een fatsoenlijk, godvrezend leven te leiden. En schreeuw nu maar niet naar me en zeg dat je andere verhalen hebt gehoord. Ik geef toe dat ik een tijd lang in de goot heb gelegen, maar de dingen zijn veranderd. Ik was niet gelukkig met die vrouwen. Melodie was de enige die me iets heeft gegeven dat de liefde benaderde.'

Ik probeerde niets te laten merken. Hij had zich immers zo gemakkelijk van haar afgekeerd toen hij eenmaal wist dat ze van hem hield...

Ik keek eens om me heen naar alle kostbare dingen in zijn kantoor en vroeg me voor de zoveelste keer af of Bart niet meer van dingen hield dan van mensen; ik staarde naar de dure antieke Oosterse kleden, die hij op veilingen had gekocht. Zijn meubels waren mooier dan die in het Witte Huis. Hij *zou* de rijkste man ter wereld worden, als hij die vijfhonderdduizend per jaar om de paar maanden bleef verdubbelen, zoals hij nu op de een of andere manier klaarspeelde. Zelfs voordat hij alles kreeg 'waar hij recht op had' zou hij zijn miljard al bezitten. Hij was slim, snel van geest, briljant. Jammer dat hij niet meer kon zijn voor de mensheid dan een hebzuchtige zelfzuchtige miljonair.

'Ga nu, moeder. Je verspilt mijn tijd.' Hij draaide zijn stoel rond en staarde naar de mooie tuin die nu in volle bloei stond. 'Stuur Cindy weg. Waarheen je maar wilt. Maar zorg dat ze mij niet langer lastig valt.'

'Cindy vertelde ons gisteravond dat ze de rest van de zomer in New England wil blijven aan een toneelschool. Ze heeft de naam en het adres gegeven van de school waar ze het liefst naar toe gaat. Chris heeft het nagevraagd en ze lijken betrouwbaar en hebben een goede reputatie. Ze gaat over drie dagen weg.'

'Opgeruimd vuil staat netjes,' zei hij onverschillig.

Ik stond op en keek hem vol medelijden aan. 'Denk eens aan jezelf, Bart, voordat je Cindy zo hard veroordeelt. Heeft zij iets gedaan dat er-ger is dan wat jij hebt gedaan?'

Hij ging aan het werk met zijn computer zonder antwoord te geven.

Ik sloeg de deur met een klap achter me dicht.

Drie dagen later hielp ik Cindy haar koffers pakken. We hadden samen gewinkeld, en ze had meer dan voldoende vrijetijdskleding, zes paar nieu-we schoenen en twee nieuwe badpakken. Ze gaf Jory een afscheidszoen, bleef even zitten met de tweeling in haar armen. 'Lieve kleine baby's,' zong ze. 'Ik kom terug. Ik sluip stiekem naar binnen en naar buiten, zonder dat Bart me ziet. Jory, jij moet hier ook weg. Mama, jij en paps moeten met hem meegaan.' Met tegenzin zette ze de tweeling terug in de box, en kwam toen naar me toe om me te omhelzen. Ik huilde. Ik verloor mijn dochter. Ik wist door de manier waarop ze naar me keek dat het nooit meer zo tussen ons zou zijn als vroeger.

Toch kwam ze naar me toe en omhelsde me. 'Paps rijdt me naar het vliegveld,' zei ze, terwijl ze haar hoofd op mijn schouder liet rusten. 'Jij mag ook mee, als je niet huilt en medelijden met me hebt, want ik ben zo gelukkig als ik maar kan zijn nu ik uit dit vervloekte huis weg kan. En neem me eens voor één keer serieus. Ga met Jory weg uit dit huis. Het is een slecht huis, en ik haat de geest ervan nu even erg als ik vroeger van de schoonheid ervan hield.'

We reden naar het vliegveld, zonder dat Cindy afscheid had genomen van Bart en Joel.

Zonder nog iets tegen me te zeggen was haar gereserveerde uitdruk-king overduidelijk en zei me alles wat ik weten wilde. Ze was hartelijker tegen Chris, kuste hem ten afscheid. Naar mij wuifde ze alleen maar. 'Blijf toch niet wachten tot mijn vliegtuig vertrekt. Ik ga met een op-gelucht hart aan boord.'

'Zul je schrijven?' vroeg Chris.

'Natuurlijk, als ik tijd heb.'

'Cindy,' riep ik ondanks mezelf. 'Schrijf minstens één keer per week. We willen graag weten wat er met je gebeurt. Wij zullen hier zijn en voor je doen wat we kunnen als je ons nodig hebt. Vroeg of laat zal Bart vin-den wat hij zoekt. Hij zal veranderen. Ik zal ervoor zorgen dat hij veran-dert. Ik zal alles doen wat ik moet doen zodat we weer een gezin kunnen zijn.'

'Hij zal zijn ziel niet vinden, mama,' riep ze koel terug. Ze liep nog verder achteruit. 'Hij is zonder ziel geboren.'

Voordat haar vliegtuig opsteeg droogden mijn tranen en ik nam een koppig besluit. *Voordat ik stierf zou ik ervoor zorgen dat mijn gezin ver-enigd was*, gezond en gelukkig. Al zou het me de rest van mijn leven kos-ten.

Chris probeerde me over mijn depressie heen te helpen toen hij terug-reed naar wat we 'thuis' noemden. 'Hoe gaat het met de verpleegster?'

Mijn bezorgdheid voor Cindy had me zo bezig gehouden dat ik weinig aandacht had besteed aan de mooie, donkerharige verpleegster die Chris onlangs had aangenomen als interne hulp voor de tweeling en voor Jory. Ze was een paar dagen in huis en ik had nauwelijks meer dan zes woorden tegen haar gezegd.

'Wat vindt Jory van Toni?' vroeg hij. 'Ik heb erg mijn best gedaan de juiste vrouw te kiezen. Volgens mij is ze een vondst.'

'Ik geloof dat hij zelfs niet naar haar heeft gekeken, Chris. Hij heeft het zo druk met zijn schilderen en de baby's. Ze beginnen net zonder moeite te kruipen. Gisteren zag ik Cory, ik bedoel Darren, een kever uit het gras oppakken en proberen in zijn mond te stoppen. Toni was er onmiddellijk bij om het te verhinderen. Ik kan me niet herinneren dat Jory zelfs maar naar haar keek.'

'Dat zal hij heus wel doen, vroeg of laat. En, Cathy, je moet ophouden met aan de tweeling te denken als Cory en Carrie. Als Jory hoort dat je ze Cory of Carrie noemt, wordt hij kwaad. Het is niet *onze* tweeling, maar van Jory.'

Chris zei verder niets meer tijdens de lange rit terug naar Foxworth Hall, zelfs niet toen hij de oprijlaan insloeg en langzaam naar de garage reed.

'Wat gebeurt er toch in dit krankzinnige huis?' vroeg Jory, zodra ik op het terras kwam, waar hij op een gymnastiekmat zat die op de tegels was gelegd. De tweeling was bij hem; de kinderen speelden in de zon. 'Vlak nadat je wegging om Cindy naar het vliegveld te brengen kwam er een ploeg bouwvakkers die aan het hakken en dreunen zijn gegaan in die kamer beneden, waar Joel zo graag bidt. Ik zag Bart niet, en ik had geen zin om met Joel te praten. En dan is er nog iets.'

'Ik begrijp het niet...'

'Het is die verdomde verpleegster die jij en paps hebben aangenomen, mams. Ze is een mooie meid en goed voor haar werk, als ik haar te pakken kan krijgen. Ik heb tien minuten geroepen en ze reageerde niet. De tweeling was kletsnat, en ze heeft niet genoeg luiers meegebracht zodat ik ze weer kon verschonen. Ik kan niet naar binnen om meer te halen zonder ze alleen te laten. Ze gaan nu gillen als ik probeer ze in de draagriemen te zetten. Ze willen op hun eigen benen staan. Vooral Deirdre.'

Ik deed de tweeling zelf schone luiers om en bracht de kinderen toen naar bed voor hun middagslaapje. Daarna ging ik op zoek naar het nieuwste lid van het huishouden.

Tot mijn verbazing vond ik haar in het nieuwe zwembad met Bart. Ze waren allebei aan het lachen en spatten water naar elkaar.

'Hallo, moeder!' riep Bart. Hij zag er bruin en gezond uit, gelukkiger dan ik hem gezien had sinds de tijd dat hij zich verbeeldde verliefd te zijn op Melodie. Toni speelt fantastisch tennis. Het is geweldig dat ze hier is. We hadden het allebei zo warm na alle lichaamsinspanning, dat we besloten wat af te koelen in het zwembad.'

De blik in mijn ogen was zeer duidelijk voor Antonia Winters. Onmiddellijk kwam ze uit het zwembad en begon zich af te drogen. Ze droogde haar donkere krulhaar, wreef toen haar rode bikini droog met dezelfde witte handdoek. 'Bart heeft me gevraagd of ik hem bij zijn voornaam wil noemen. U vindt het toch niet erg als ik dat doe, mevrouw Sheffield?'

Ik nam haar onderzoekend op, vroeg me af of ze werkelijk genoeg verantwoordelijkheidsgevoel had om voor Jory en de tweeling te zorgen. Ik hield van haar donkere haar dat in zachte krullen en golven viel om haar onopgemaakte gezicht. Ze was ongeveer één meter zeventig lang en had net zulke weelderige vormen als Cindy, de vormen die Bart zo had veracht bij zijn zuster. Maar te oordelen naar de manier waarop hij naar de verpleegster keek, beviel haar figuur hem heel erg.

'Toni,' begon ik beheerst. 'Jory, voor wie ik je heb aangenomen om hem te helpen, heeft geprobeerd je te roepen om hem nog een paar luiers te brengen voor de tweeling. Hij was op het terras met zijn kinderen, en je had bij *hem* moeten zijn, niet bij Bart. We hebben je aangenomen in de verwachting dat je ervoor zou zorgen dat Jory en zijn kinderen niet verwaarloosd worden.'

Ze bloosde verlegen. 'Het spijt me, maar Bart...' Ze aarzelde en keek even naar hem.

'Het is goed, Toni. Ik neem de schuld op me,' zei Bart. 'Ik zei tegen haar dat het met Jory uitstekend ging en dat hij heel goed voor zichzelf en de tweeling kon zorgen. Hij wil toch altijd zo graag zelfstandig zijn?'

'Zorg ervoor dat het niet nog eens gebeurt, Toni,' zei ik, Bart negerend.

Die verdomde kerel maakte ons allemaal gek! Toen kreeg ik een briljant idee. 'Bart, jij en Toni zouden Jory een groot plezier hebben gedaan als je hem erbij had gehaald in het zwembad. Hij kan zijn armen uitstekend gebruiken. Hij heeft zelfs heel krachtige armen. En je moet eraan denken, Bart, dat het nogal gevaarlijk is een zwembad te hebben zonder hek eromheen, met twee kleine kinderen in de buurt. Dus, Toni, ik zou graag willen dat je met Jory's hulp de tweeling leert zwemmen... voor het geval dat.'

Bart staarde me peinzend aan. Hij leek mijn gedachten te kunnen lezen. Hij keek even naar Antonia, die naar het huis liep. 'Dus je blijft. Waarom?'

'Wil je niet dat we blijven?'

Hij keek naar me met de stralende glimlach van zijn vader. 'Ja, natuurlijk. Nu Toni er is om mijn eenzame uren op te vrolijken.'

'Laat haar met rust, Bart!'

Hij grijnsde ondeugend naar me en ging op zijn rug zwemmen, maakte een achterwaartse salto die hem vlak bij mijn voeten bracht en greep mijn enkels zo hard beet dat het pijn deed. Even was ik bang dat hij me in het water zou trekken en mijn zijden jurk bederven.

Ik staarde zonder krimp te geven in zijn donkere, plotseling dreigende ogen. 'Laat mijn enkels los. Ik heb al gezwommen vanochtend.'

'Waarom zwem je niet eens een keer met mij?'

Wát zag hij dat de dreiging deed verdwijnen en plaats maken voor droefheid   weemoedigheid? Hij boog zich en kuste mijn tenen met de roze nagels die uit mijn sandalen staken. Nu brak *hij* mijn hart. Sprekend op exact dezelfde toon als zijn overleden vader: 'Ik ken vele vrouwen, doch geen vrouw zo schoon als gij... Vind je niet dat ik een dichterlijk talent heb?'

Dit was het moment. Hij was kwetsbaar, geroerd door iets dat hij in mijn gezicht zag. 'Ja, natuurlijk, Bart. Maar heb je niet een heel klein beetje spijt dat Cindy weg is?'

Zijn donkere ogen werden hard, gereserveerd. 'Nee. Ik ben blij dat ze weg is. Ik heb je toch bewezen wat ze in werkelijkheid was?'

'Je hebt bewezen hoe afschuwelijk je kan zijn.'

Zijn ogen werden nog donkerder. Zijn felle, vastberaden blik maakte me bang. Hij keek naar het huis toen hij een zacht schuifelend geluid hoorde. Ik keek in dezelfde richting. Joel stond op het grasveld rond het zwembad.

Zwijgend veroordeelde Joel ons met zijn lichtblauwe ogen. Zijn knokige handen met de lange vingers waren onder zijn kin gevouwen. Hij hief zijn hoofd achterover en staarde naar de hemel. Zijn zwakke stem bereikte haperend onze oren. 'Je laat de Heer wachten, Bart, terwijl je je tijd verdoet.'

Hulpeloos zag ik hoe Barts ogen zich vulden met schuldbesef voor hij uit het zwembad klauterde. Even bleef hij staan in al zijn jeugdige mannelijke glorie, zijn lange, sterke, gebruinde benen, zijn harde, platte buik, zijn brede schouders, zijn stevige spieren, het krullende haar op zijn borst. Een seconde lang dacht ik dat hij zijn sterke spieren spande, zich gereed maakte voor een sprong naar Joels keel. Ik verstarde, vroeg me af of hij ooit erover zou peinzen zijn oom te slaan.

Een wolk dreef voor de zon. De schaduwen van de lampen langs het zwembad wierpen een grillige kruisvormige schaduw op de grond. Bart staarde omlaag.

'Zie je, Bart,' zei Joel met een dwingende stem die ik nooit eerder had gehoord. 'Je verwaarloost je plichten en de zon verdwijnt. God geeft je het teken van het kruis. Hij ziet alles. Hij hoort. Hij kent je. Want jij bent uitverkoren.'

Uitverkoren waarvoor?

Bijna of Joel hem gehypnotiseerd had volgde Bart zijn oudoom het huis in en liet mij achter bij het zwembad. Ik liep haastig naar Chris om hem over Joel te vertellen. 'Wat kan hij bedoelen, Chris, als hij zegt dat Bart is uitverkoren?'

Chris kwam net terug van een bezoek aan Jory en de tweeling. Hij dwong me te gaan zitten, me te ontspannen. Hij maakte een cocktail voor me klaar en ging toen naast me zitten op ons smalle balkon dat over de tuin uitkeek en op de bergen er omheen. 'Ik heb een paar minuten geleden met Joel gesproken. Het schijnt dat Bart arbeiders heeft aangenomen om een kleine kapel te bouwen in dat kleine kamertje waar Joel altijd bidt.'

'Een kapel?' vroeg ik verbaasd. 'Waarom hebben we een kapel nodig?'

'Ik geloof niet dat hij voor ons bestemd is. Hij is voor Bart en Joel. Een plaats waar ze kunnen bidden zonder naar het dorp te hoeven gaan en alle dorpelingen tegen te komen die de Foxworths verachten. En als Bart denkt dat het hem zal helpen zichzelf te vinden, zeg dan in godsnaam geen woord van kritiek over hem en Joel. Cathy, ik geloof niet dat Joel een slecht mens is. Ik geloof dat hij veel eerder probeert zich kandidaat te stellen voor een heiligverklaring.'

'Een heilige? Dat zou zijn of je een aureool plaatste op het hoofd van Malcolm.'

Chris werd ongeduldig. 'Laat Bart doen wat hij wil. Ik heb besloten dat het tijd voor ons wordt om hier weg te gaan. Ik kan in dit huis niet met je praten en een normaal antwoord verwachten. We verhuizen naar Charlottesville en nemen Jory, de tweeling en Toni mee, zodra ik een geschikt huis heb gevonden.'

Zonder dat ik het wist was Jory naar onze suite gekomen en ik schrok toen hij zich in het gesprek mengde. 'Mams, ik denk dat paps gelijk heeft. Joel zou best de vriendelijke, welwillende heilige kunnen zijn die hij vaak lijkt. Soms denk ik wel eens dat we allebei te achterdochtig zijn, maar aan de andere kant heb je zo vaak gelijk... Ik bestudeer Joel als hij niet op me let. Ik geloof dat hij in veel opzichten probeert niet te zijn wat we het meeste vrezen, een duplicaat van de grootvader die jullie allebei haatten.'

'Dit gaat belachelijk worden! Natuurlijk lijkt Joel niet op zijn vader, anders zou hij hem niet zo gehaat hebben,' stoof Chris plotseling op, met een ongewone woede. Zijn gezicht stond hard en ongeduldig, hij verloor zijn geduld, niet alleen met mij, maar ook met Jory. 'Al dat gepraat over zielen die herboren worden in een latere generatie is volkomen waanzin. We hoeven ons leven niet nog gecompliceerder te maken. Het is al ingewikkeld genoeg.'

De volgende maandag ging Chris weer weg, terug naar het werk waarvan hij nu evenveel hield als vroeger van zijn praktijk als arts. Ik staarde de auto na. Ik had het gevoel dat ik een rivaal had gevonden in de biochemie.

De eettafel leek eenzaam zonder Chris of Cindy. Toni was boven om de tweeling naar bed te brengen, wat Bart hevig ergerde. Hij zei een paar dingen tegen Jory over Toni, liet doorschemeren dat ze wild verliefd op hem was. Die informatie liet Jory volkomen koud; hij was te veel verdiept in zijn eigen gedachten. We zeiden geen twee woorden tijdens de hele maaltijd, zelfs niet toen Toni eindelijk aan tafel kwam.

Er kwam weer een vrijdagavond, en Chris kwam weer thuis, zoals pappa vroeger elke vrijdag thuis kwam. Ik was een beetje ongerust over de overeenkomsten tussen ons leven en dat van onze ouders. Zaterdag brachten we het grootste deel van de dag door in het zwembad met Jory en de tweeling, terwijl Toni en ik de baby's ondersteunden en Chris Jory hielp, die eigenlijk niet veel hulp nodig had. Hij schoot door het water, zwom voortreffelijk. Zijn sterke armen maakten het verlies van zijn benen goed, die slap in het water dreven. In het zwembad, met zijn benen onder water, leek hij zozeer de oude Jory, dat het op zijn gezicht te zien was.

'Hé, dit is geweldig! Laten we nog niet weggaan. Er zijn niet veel huizen in Charlottesville met zo'n zwembad. En ik heb de brede gangen nodig en de lift. En ik ben gewend geraakt aan Bart, en zelfs aan Joel.'

'Ik kom het volgend weekend misschien niet thuis.' Chris keek me niet aan toen hij de volgende zondag aan de ontbijttafel die verrassende mededeling deed. Hij ging verder, hardnekkig weigerend mijn richting uit te kijken, of iemand in de ogen te zien. 'Er is een congres van biochemici in Chicago, waar ik graag naar toe wil. Ik blijf twee weken weg. Ik zou erg graag willen dat je met me meeging, Cathy.'

Bart spitste zijn oren en zette zijn lepel in een rijpe meloen. In zijn donkere ogen lag een kalme, afwachtende blik, alsof zijn leven afhing van mijn antwoord. Ik wilde met Chris mee. Ik hunkerde ernaar uit dit huis met zijn problemen te ontsnappen, alleen te zijn met de man van wie ik hield. Ik wilde bij hem zijn, maar ik moest weigeren en een laatste poging doen om Bart te redden. 'Ik zou dolgraag met je meegaan, Chris. Maar Jory vindt het vervelend Toni bepaalde intieme dingen te laten doen. Hij heeft me nog nodig.'

'In godsnaam! Daarom hebben we haar aangenomen! Ze is verpleegster!'

'Chris, onder mijn dak mag je de naam van God niet ijdel gebruiken.'

Met een woedende blik op Bart stond Chris op. 'Ik heb plotseling geen eetlust meer. Ik ontbijt wel in de stad, als ik ooit nog ergens trek in zal hebben.'

Hij keek me beschuldigend aan, wierp een woedende blik op Bart, legde even zijn hand op Jory's schouder, en was toen verdwenen.

Het was maar goed dat ik hem gevraagd had een verpleegster te zoeken voordat dit gebeurde. Nu zou hij hoogstwaarschijnlijk niet willen luisteren, als ik hem vroeg iets te doen voor mijn twee zoons die op de een of andere manier een wig tussen ons dreven. Maar ik kon Jory niet in de steek laten nu ik nog niet echt zeker wist of Toni goed voor hem zou zorgen, nog niet.

Toni kwam tijdens de lunch aan tafel in een fris wit uniform. We praatten over het weer en andere onbelangrijke dingen, terwijl zij haar blik strak gevestigd hield op Bart. Mooie, glanzende grijze verliefde ogen. Ze was zo duidelijk verliefd op Bart, dat ik haar had willen waarschuwen dat ze beter naar Jory kon kijken, en niet naar de man die waarschijnlijk haar ondergang zou betekenen.

Bart voelde haar bewondering en was een en al charme; hij lachte en vertelde malle spottende verhalen over de kleine jongen die hij was geweest. Elk woord dat hij zei verrukte haar meer, terwijl Jory onopgemerkt in zijn verafschuwde rolstoel zat en net deed of hij de ochtendkrant las.

Elke dag zag ik Toni verliefder worden op Bart, ook al zorgde ze goed voor de tweeling en deed ze geduldig haar best voor Jory. Mijn oudste zoon bleef somber gestemd, wachtte voortdurend op telefoontjes van

Melodie, wachtte op brieven die niet kwamen, wachtte op iemand die dingen voor hem deed die hij vroeger zelf deed en nu niet langer kon doen. Ik voelde zijn ongeduld, als de bedienden er te lang naar zijn zin over deden om zijn bed op te maken, zijn kamers op te ruimen, en weg te gaan en hem met rust te laten.

Hij joeg zichzelf voortdurend op, nam een tekenleraar in dienst om drie keer per week te komen en hem verschillende technieken bij te brengen. Werk, werk, werk... hij joeg zich op om de beste schilder te worden, zoals hij zich vroeger had toegelegd op zijn balletoefeningen, ochtend, avond en middag.

De vier V's van de balletwereld bleven sommigen van ons eeuwig bij: Voortvarendheid, Volharding, Verlangen, Vastberadenheid.

'Vind je Toni goed genoeg als kindermeisje voor de tweeling?' vroeg ik op een avond, toen ze de weg afliep en de tweeling voor zich uit duwde in een dubbele kinderwagen. Ze vonden het heerlijk om buiten te zijn. Als ze hun wandelwagen maar zagen begonnen ze al te krijsen van plezier en opwinding. De woorden waren nog niet uit mijn mond, toen Jory en ik Bart achter haar aan zagen hollen om haar in te halen. Toen duwden ze allebei Jory's kinderen.

Onrustig wachtte ik tot Jory iets zou zeggen. Hij zei niets. Ik keek naar hem en zag de verbitterde uitdrukking toen hij Bart nastaarde, die nu de leiding nam over zijn kinderen en de verpleegster die ik voor hem had aangenomen. Het was of ik zijn gedachten kon lezen. Hij had geen schijn van kans bij een vrouw nu hij in die rolstoel zat. Nu zijn benen niet meer konden dansen en zelfs niet konden lopen. Toch hadden zijn artsen Chris en mij verteld dat veel invaliden waren getrouwd en een min of meer normaal leven leidden. Het percentage lag voor gehandicapte mannen veel hoger dan voor gehandicapte vrouwen. 'Vrouwen hebben meer medelijden dan mannen. De meeste normale mannen denken meer aan hun eigen behoeften. Er is een uitzonderlijk begripvolle en medelijdende man voor nodig om met een vrouw te trouwen die fysiek niet normaal is.'

'Jory, mis je Melodie nog steeds?'

Hij staarde somber voor zich uit, wendde met opzet zijn ogen af van Toni en Bart, die op een omgevallen boomstam waren gaan zitten en blijkbaar met elkaar zaten te praten.

'Ik probeer zo min mogelijk te denken. Dat is een goede manier om me geen zorgen te maken over de komende jaren en hoe ik het zal moeten redden. Uiteindelijk zal ik alleen zijn, en ik ben bang voor die dag, ben bang dat het meer is dan ik aan zal kunnen.'

'Chris en ik zullen altijd bij je blijven, zolang je ons nodig hebt, en zolang we leven; maar lang voordat één van ons sterft, zul je een ander gevonden hebben. Ik weet dat dat zal gebeuren.'

'Hoe weet je dat? Ik weet niet eens zeker of ik wel iemand wil. Ik zou me nu verlegen voelen als ik een vrouw had. Ik probeer iets te vinden dat de lege plaats opvult die het dansen heeft achtergelaten, en dat is me nog niet gelukt. Het beste in mijn leven is nu de tweeling en mijn ouders.'

Ik keek weer naar het paar op de boomstam, net op tijd om Bart te zien opspringen en de tweeling uit hun wandelwagen te tillen, waarna hij met hen speelde op het gras aan de kant van de weg. Ze vonden iedereen aardig en probeerden zelfs Joel in te palmen, die hen nooit aanraakte, nooit tegen hen sprak zoals wij. Vaag hoorde ik het gelach van het jongetje en het meisje, die elke dag aardiger en liever werden. Bart zag er gelukkig uit en gedroeg zich ook zo. Ik bedacht dat Bart ook iemand nodig had, net als Jory. In zekere zin nog meer dan Jory. Jory zou zijn weg wel vinden, met of zonder vrouw.

We bleven zitten en keken naar het paar dat speelde met de tweeling. Een volle maan kwam op, groot en goudkleurig in de schemering. Een vogel boven het meer, dat niet zo ver hier vandaan lag, uitte een eenzame kreet. 'Wat is dat?' vroeg ik, terwijl ik rechtop ging zitten. 'Ik heb hier nog nooit zo'n vogel gehoord.'

'Het is een fuut,' zei Jory, in de richting van het meer kijkend. 'Soms worden ze door een storm hierheen gejaagd. Mel en ik huurden vroeger een bungalow op Mount Desert Isle, en we hoorden de kreten van de fuut en vonden ze romantisch. Ik vraag me af waarom. Nu klinkt het alleen maar somber, griezelig zelfs.'

Uit het duister bij het struikgewas klonk Joels stem. 'Er zijn mensen die zeggen dat verloren zielen de lichamen van futen bewonen.'

Scherp vroeg ik hem: 'Wat is een *verloren* ziel, Joel?'

Zijn zalvende stem zei zachtjes: 'Degenen die geen rust kunnen vinden in hun graf, Catherine. Degenen die aarzelen tussen de Hemel en de Hel, terugkijken op hun tijd op aarde om te zien wat ze onafgemaakt hebben gelaten. Door achterom te kijken zijn ze voor eeuwig gevangen, of althans tot hun levenswerk is gedaan.'

Ik huiverde, alsof er een ijzige wind woei uit het kerkhof.

'Probeer niet dat te verwerken, mams,' zei Jory ongeduldig. 'Ik wou dat ik een paar van die kernachtige uitdrukkingen kon gebruiken, die Cindy's leeftijdsgroep er met het grootste gemak uitgooit. Gek,' ging hij peinzend verder, toen Joel weer in het duister was verdwenen, 'toen ik in New York was gebruikte ik ook krachtige taal als ik de pest in had of kwaad en ongeduldig was. Maar nu, zelfs al denk ik over die woorden, is er iets dat me weerhoudt ze te zeggen.'

Hij hoefde het niet uit te leggen. Ik wist precies wat hij bedoelde. Het was overal om ons heen, in de atmosfeer, in de heldere berglucht, de nabijheid van de sterren... de aanwezigheid van een strenge, veeleisende God. Overal.

DE NIEUWE MINNAARS

Ze ontmoetten elkaar in de schaduw. Ze kusten elkaar in de gangen. Ze spookten rond in de zonnige ruime tuin, zwierven in het maanlicht. Ze zwommen samen, tennisten samen, liepen hand in hand langs het meer, ze liepen en trimden in het bos, picknickten bij het zwembad, bij het meer, in het bos; ze gingen dansen, naar restaurants, het theater, de bioscoop.

Ze leefden in hun eigen wereld, terwijl wij onzichtbaar leken, ongehoord en ongezien, als ze elkaar met stralende ogen aankeken aan de eettafel, alsof ze de wereld veroverd hadden en die nooit meer zouden laten gaan.

Ondanks alles voelde ik me meegesleurd door hun romance, ik voelde me opgewonden naast die stralende, mooie jonge minnaars, een paar dat bij elkaar paste met hun donkere haar dat bijna dezelfde kleur had. Ik voelde me gelukkig en ongelukkig, opgetogen en toch zo bedroefd dat het niet Jory was geweest die een andere vrouw had gevonden om lief te hebben. Ik wilde Toni waarschuwen dat ze zich op verraderlijk terrein bevond, dat ze Bart niet kon vertrouwen, maar dan keek ik naar Barts stralende gezicht, vrij van schuld of schaamte. Deze keer stal hij niets van zijn broer. Mijn kritische woorden bleven onuitgesproken. Moest ik hem vertellen van wie hij kon houden? Ik zeker moest mijn mond houden en hem zijn kans gunnen. Dit was anders dan met Melodie; Toni was niet van Jory.

Bart toonde zijn geluk door meer vertrouwen te krijgen, en met het zelfvertrouwen dat zijn pas gevonden liefde hem gaf vergat hij al zijn merkwaardige gewoontes en zijn obsessie voor netheid en ontspande hij zich in sportieve kleren. Vroeger was een pak van duizend dollar met dure zijden hemden en dassen een statussymbool geweest; nu kon het hem niet schelen, want Toni gaf hem zijn gevoel van eigenwaarde. Ik kon zien dat hij voor het eerst in zijn leven vaste grond onder zijn voeten scheen te hebben gevonden.

Hij glimlachte en zoende me een paar keer op mijn wang. 'Ik weet wat je wilde dat er zou gebeuren, ik weet het! ik weet het! Maar ze houdt van mij, moeder! Van mij! Toni ziet iets geweldigs en nobels in *mij*! Besef je wel hoe ik me nu voel? Melodie zei altijd dat ze die eigenschappen ook in me zag, maar ik voelde me niet nobel of geweldig als ik eraan dacht wat ik Jory aandeed. Nu is het iets anders. Toni is nog nooit getrouwd geweest, heeft nog nooit een minnaar gehad, al heeft ze wel een hoop vriendjes versleten. Moeder, denk je eens in! Ik ben haar eerste minnaar! Het is zoiets bijzonders, de eerste te zijn, op wie ze gewacht heeft. Moeder, we hebben iets heel bijzonders en moois samen. Ze ziet in mij dezelfde dingen die *jij* in Jory ziet.'

'Ik vind het prachtig, Bart. Ik ben zo blij voor jullie beiden.'

'Ben je dat heus?' Zijn donkere ogen werden serieus alsof ze de waarheid van mijn bewering probeerden vast te stellen. Voor ik antwoord kon geven, klonk Joels stem in de open deur van Barts studeerkamer.

'Stomme idioot! Denk je dat die verpleegster werkelijk *jou* wil? Die vrouw ziet alleen het nobele van je geld! Het is je bankrekening waar ze achteraan zit, Bart Foxworth! Heb je niet gezien hoe ze door dit huis loopt, met half gesloten ogen, of ze de meesteres is hier! Ze houdt niet van je. Ze gebruikt je om te krijgen wat elke vrouw wil – geld, macht en nog meer geld. En als jij met haar trouwt is ze voor haar leven onder de pannen, zelfs al zou je later van haar scheiden.'

'Hou je mond!' bulderde Bart en draaide zich woedend om naar de oude man. 'Je bent jaloers omdat ik geen tijd meer voor je heb. Dit is de reinste, zuiverste liefde van mijn leven, en die laat ik niet door jou bederven!'

Joel boog gedwee zijn hoofd, schijnbaar ootmoedig, terwijl hij zijn handen onder zijn kin vouwde en door de gang schuifelde, blijkbaar op weg naar die kleine kamer die Bart had laten inrichten als kapel, al waren Joel en Bart de enigen die daar ooit baden. Ik had zelfs nooit de moeite genomen naar binnen te kijken.

Ik stond op mijn tenen om Barts wang te kussen, hem te omhelzen en hem succes te wensen. 'Ik ben blij voor je, Bart. Oprecht blij. Ik geef eerlijk toe dat ik had gehoopt dat Toni verliefd zou worden op Jory en het verlies van Melodie goedmaken. Ik wilde dat de tweeling een moeder had zolang ze nog baby's zijn. *Zij* zou de kans hebben gehad van hen te leren houden of ze van haarzelf waren, en ze zouden zich geen andere moeder herinneren dan haar. Maar het is anders gelopen en ik voel me zo goed en warm van binnen als ik zie hoe gelukkig jullie zijn.'

Onderzoekend keken de donkere ogen in mijn ziel. Ik moest het vragen: 'Trouw je met haar?'

Zijn handen rustten luchtig op mijn schouders. 'Ja, ik zal het haar gauw vragen, als ik zeker weet dat ze me niet bedriegt. Ik heb een methode gepland om haar op de proef te stellen.'

'Bart, dat is niet eerlijk. Als je iemand liefhebt moet je ook vertrouwen hebben.'

'Om blind vertrouwen te hebben in iemand behalve God is idioot.'

Ik herinnerde me maar al te goed wat Chris me altijd vertelde. *Zoekt en gij zult vinden.* Ik wist het maar al te goed. Ik had altijd achterdochtig gestaan tegenover het beste dat het leven me had gegeven, en dat was dan ook altijd snel verdwenen.

'Moeder...' begon hij met verrassende openhartigheid, 'als Jory het gebruik van zijn benen had behouden, weet ik dat Melodie nooit had goedgevonden dat ik haar aanraakte. Ze hield van hem, niet van mij. Misschien heeft ze zelfs wel net gedaan of ik hem was, want soms zie ik een zekere gelijkenis tussen ons. Ik denk ook dat Melodie zag wat ze wilde zien, en ze wendde zich tot mij omdat hij haar lichamelijke behoeften niet langer kon bevredigen. Ik was een substituut-minnaar voor mijn broer, zoals ik altijd op de tweede plaats ben gekomen na Jory. Alleen bij Toni kom ik op de eerste plaats.'

'Je hebt gelijk, Bart. Jory is hier en Toni ziet hem niet. Ze ziet jou, alleen jou.'

Zijn lippen vertrokken ironisch. 'Ja... maar je vergeet erbij te zeggen dat ik op mijn benen sta en hij niet. Ik heb het meeste geld, en hij heeft maar een schijntje in vergelijking daarmee. En hij heeft al twee kinderen die niet van haar zijn. Drie punten in Jory's nadeel... dus ik win.'

Nu wilde ik dat hij zou winnen; hij had Toni tien keer harder nodig dan Jory. Mijn Jory was sterk, ook al was hij geslagen, en Bart was zo kwetsbaar en onzeker terwijl hij volmaakt gezond was. 'Bart, als je niet van jezelf kunt houden zoals je bent, hoe verwacht je dan dat een ander dat doet? Je moet beginnen met te geloven dat Toni ook zonder geld nog steeds van je zou houden.'

'We zullen er gauw genoeg achter komen,' zei hij toonloos. Er lag een blik in zijn ogen die me aan Joel deed denken. Hij draaide zich om. 'Ik heb werk te doen, moeder. Tot straks.' Hij glimlachte naar me met meer liefde dan hij me had getoond sinds hij negen was.

Koppig, gecompliceerd, verbijsterend, uitdagend, de man die mijn kleine moeilijke Bart was geworden.

Cindy had ons geschreven om te vertellen hoe fantastisch haar zomer was op de toneelschool in New England. 'We acteren in echte produkties, mama, in schuren, die tijdelijk worden verbouwd tot theaters. Ik vind het heerlijk, ik hou van elk aspect van de show-biz.'

Ik miste Cindy vaak in de zomer. We zwommen in het meer of het zwembad en brachten de snel groeiende tweeling alle wonderen van de natuur bij. Ze hadden nu kleine tandjes en konden heel snel kruipen. Niets was veilig voor hun kleine grijpende handjes, die elk voorwerp aanzagen voor iets eetbaars. Het blonde haar draaide in krulletjes op hun hoofd, de roze lippen werden rood van de zon en hun wangetjes zagen rood, terwijl hun grote onschuldige ogen alle indrukken opnamen.

We veegden de prachtige hete zomerdagen weg als iriserend stof, dat tot rust komt in fotoalbums, waarin de dagen en gelukkige momenten nooit echt tot hun recht komen. Snap snap snap gingen drie verschillende soorten camera's, als Chris, Jory en ik de ene foto na de andere maakten van onze geweldige tweeling. Ze vonden het zalig om buiten te zijn, roken aan de bloemen, betastten de boomschors, keken naar de vogels, eekhoorntjes, konijntjes, wasbeertjes, de eenden en ganzen die neerdaalden in ons zwembad.

Voor ik het wist was de zomer voorbij en was het weer herfst. Dit jaar kon Jory genieten van het prachtige seizoen in de bergen. De bomen op de berghelling vlamden in de schitterendste kleuren.

'Een jaar geleden was ik in de hel,' zei Jory, starend naar de bomen en de bergen en naar zijn linkerhand, waaraan de gouden trouwring ontbrak. 'Mijn scheidingspapieren zijn gekomen en, weet je, ik voelde helemaal niets, het was net of ik verdoofd was. Ik heb mijn vrouw verloren op de dag dat ik het gebruik van mijn benen verloor. En toch heb ik het overleefd. Het leven gaat verder en ik heb ontdekt dat het leven toch nog goed kan zijn, ook al maak je het mee in een rolstoel.'

Ik sloeg mijn armen om hem heen. 'Omdat je kracht hebt, Jory, en vastberadenheid en doorzettingsvermogen. Je hebt je kinderen, dus je huwelijk is niet voor niets geweest. Je bent nog steeds een beroemdheid, vergeet dat niet, en als je wilt kun je een balletschool beginnen.'

'Nee. Ik kan mijn zoon en dochter niet verwaarlozen, niet nu ze geen moeder hebben.' Hij glimlachte. 'Niet dat jij geen super moederfiguur bent, maar ik wil dat jij en paps je eigen leven leiden, niet gehinderd door kleine kinderen die je levensstijl kunnen belasten.'

Lachend woelde ik door zijn donkere krullen. 'Wat voor levensstijl, Jory? Chris en ik zijn gelukkig waar we zijn, bij onze zoons en kleinkinderen.'

De herfstdagen werden langzamerhand killer en we roken de scherpe geur van de vuren die in het bos werden gestookt. Ik ging elke dag vroeg naar buiten en nam Jory en de tweeling mee. De tweeling trok zich staande op aan onze handen of aan de meubels. Deirdre had zelfs een paar aarzelende stappen gedaan. Haar gatje was dik van de luiers en het plastic broekje en daaroverheen nog eens een mooi broekje, dat ze prachtig scheen te vinden. Darren scheen meer dan tevreden met zijn snelle kruipen dat hem overal bracht waar hij naar toe wilde – en dat was *overal*. Ik had hem zelfs een keer betrapt toen hij achteruit de hoge trap afkroop, met Deirdre vlak achter zich aan.

Het was een mooie oktoberdag, en Deirdre was aan het paardjerijden op Jory's schoot, opgewekt brabbelend bij zichzelf, terwijl ik een rustigere Darren droeg. We wandelden over de nieuwe onverharde paden die Bart had laten egaliseren, zodat Jory met zijn rolstoel door het bos kon rijden. De boomwortels, waarover Jory met zijn rolstoel had kunnen vallen, waren tegen hoge kosten overal weggehaald. Nu Bart zijn eigen geliefde had, behandelde hij zijn broer met veel meer consideratie en respect.

'Moeder, Bart en Toni hebben een verhouding, hè?' vroeg Jory onverwacht.

'Ja,' gaf ik onwillig toe.

Hij zei toen iets dat me verbaasde. 'Is het niet merkwaardig dat we geboren worden in families en moeten accepteren wat we krijgen? We hebben niet om elkaar gevraagd, maar we zijn ons leven lang vastgeplakt aan mensen die we geen tweede blik waardig zouden keuren als ze geen familie van ons waren.'

'Jory, je hebt toch niet zó'n hekel aan Bart?'

'Ik heb het niet over Bart, mams. Hij heeft zich fatsoenlijk gedragen de laatste tijd. Het is die oude man, die beweert dat hij je oom is, aan wie ik zo'n hekel heb. Hoe vaker ik hem zie, hoe groter mijn afkeer wordt. In het begin had ik medelijden met hem. Als ik nu naar Joel kijk zie ik iets boosaardigs achter die vale blauwe ogen. Op de een of andere manier doet hij me denken aan John Amos Jackson. Ik geloof dat hij ons gebruikt, mams. Niet alleen om praktische redenen, om een dak boven zijn hoofd te hebben en eten... hij heeft iets anders in zijn hoofd. Vandaag hoorde ik toevallig Joel met Bart fluisteren in een van de gangen. Naar wat ik ervan gehoord heb, wil Bart Toni de volledige waarheid vertellen over zijn verleden – zijn psychologische problemen – en het feit dat als hij ooit in een inrichting komt, hij zijn hele erfenis kwijt zal raken. Joel dringt erop aan. Mams, hij moet het haar niet vertellen! Als Toni werkelijk van hem houdt, zal ze het feit accepteren dat hij zijn problemen heeft gehad. Voor zover ik kan zien is hij nu normaal en weet hij op briljante manier geld te verdienen.'

Ik boog het hoofd. 'Ja, Jory. Bart heeft het me verteld, maar hij blijft die onthullingen uitstellen, alsof hij zelf gelooft dat het haar om zijn geld te doen is.'

Jory knikte, hield Deirdre stevig vast, die probeerde van zijn schoot te klimmen om zelf op onderzoek uit te gaan. En zodra Darren zijn zusje dat zag doen wilde hij zelf ook los.

'Heeft Joel wel eens gezegd dat hij wil proberen het testament van zijn zuster te betwisten en het geld in te pikken dat Bart zal erven als hij vijfendertig is?'

Jory lachte kort. 'Mams, die oude man zegt nooit iets dat geen *double entendre* is. Hij mag me niet en vermijdt me zoveel mogelijk. Hij keurt het feit af dat ik vroeger danser ben geweest en in een tricot op het toneel heb gestaan. Hij veroordeelt jou. Ik zie hoe hij naar je kijkt, met half dichtgeknepen ogen, mompelend bij zichzelf: "Net haar moeder... alleen erger, veel erger." Het spijt me dat ik het moet zeggen, maar hij is angstaanjagend, mams. En hij zwerft 's nachts door het huis. Sinds ik invalide ben is mijn gehoor erg scherp geworden. Ik hoor de vloer van de gang voor mijn deur kraken, en soms gaat mijn deur een heel klein eindje open. Het is Joel, ik weet, dat hij het is.'

'Maar waarom zou hij bij jou binnengluren?'

'Dat weet ik niet.'

Ik beet op mijn onderlip, Barts zenuwachtige gewoonte imiterend. 'Je jaagt me angst aan, Jory. Ik heb redenen om te geloven dat hij ons allemaal kwaad wil doen. Ik geloof dat het Joel is geweest die het schip heeft vernield dat jij voor Bart had gemaakt, en ik geloof ook dat Joel die uitnodigingen voor het kerstbal nooit heeft verstuurd. Hij wilde dat Bart verdriet zou hebben, daarom heeft hij ze meegenomen naar zijn kamer, de R.S.V.P.-kaarten eruit gehaald, die getekend alsof de uitnodigingen waren geaccepteerd en ze toen teruggestuurd naar Bart. Het is de enige verklaring waarom er niemand is komen opdagen.'

'Mams... waarom heb je me dat niet eerder verteld?'

Hoe kon ik hem over al mijn argwaan vertellen tegen Joel – ik was bang dat hij net zo zou reageren als Chris. Chris had absoluut geweigerd mijn verhaal te geloven hoe Joel Bart had willen kwetsen. En soms dacht ik zelf ook dat ik te veel verbeeldingskracht had en Joel voor boosaardiger aanzag dan hij in werkelijkheid was.

'En, Jory, ik geloof ook dat Joel de bedienden in de keuken heeft afgeluisterd toen ze met elkaar erover praatten dat Cindy met die jongen, Victor Wade, had afgesproken. en het onmiddellijk aan Bart verteld heeft. Hoe kon Bart het anders weten? Bedienden zijn voor Bart iets als het patroontje op het behang, niet de moeite waard om naar te kijken. Joel is degene die ze afluistert, en alles aan Bart overbrengt.'

'Mams, je zou best gelijk kunnen hebben met dat schip, de uitnodigingen, en ook Cindy. Joel is iets met ons van plan, en ik ben bang dat het weinig goeds is.'

Ik was zo in gedachten verdiept dat Jory me twee keer moest zeggen dat ik Darren op zijn schoot moest zetten, op zijn andere knie, zodat we gemakkelijker door het bos konden rijden. Zelfs één kind was al een hele vracht als je het lang droeg, en met een zucht zette ik Darren op de schoot van zijn vader. Deirdre krijste van plezier en sloeg haar armpjes om haar kleine broertje. 'Mams, ik geloof dat als Toni genoeg van Bart houdt, ze zal blijven, ongeacht zijn achtergrond of zijn erfenis.'

'Jory, dat is precies wat hij wil bewijzen.'

Ongeveer middernacht, toen ik bijna sliep, werd er zachtjes op mijn deur geklopt. Het was Toni.

Ze kwam binnen in een aardige roze peignoir, haar lange donkere haar los. Ze liep naar het bed toe. 'Ik hoop dat u het niet erg vindt, mevrouw Sheffield. Ik heb gewacht op een nacht dat uw man er niet was.'

'Zeg maar Cathy,' zei ik. Ik ging overeind zitten en pakte mijn eigen ochtendjas. 'Ik sliep niet. Ik lag alleen maar te denken, en ik vind het prettig om met een andere vrouw te kunnen praten.'

Ze begon op en neer te lopen in de grote slaapkamer. 'Ik moet met een vrouw praten, iemand die het beter kan begrijpen dan een man. Daarom ben ik hier gekomen.'

'Ga zitten. Ik luister.' Aarzelend ging ze op een bankje zitten, draaide een lok van haar donkere haar rond tussen haar vingers.

'Ik ben volkomen van de kaart, Cathy. Bart heeft me vandaag een paar verontrustende feiten verteld. Hij heeft me verteld dat je het al weet van ons, dat hij van mij houdt en ik van hem. Ik geloof dat je ons een paar keer in een of andere kamer hebt betrapt op een nogal intiem moment. Ik ben je erg dankbaar dat je net deed of je niets zag, zodat ik niet in verlegenheid werd gebracht. Ik ben in een hoop opzichten nogal ouderwets.'

Ze glimlachte nerveus, zocht begrip. 'Zodra ik Bart zag werd ik verliefd op hem. Die donkere ogen van hem hebben iets hypnotiserends, ze zijn zo mysterieus, ze hebben een magnetische aantrekkingskracht. Maar vanavond nam hij me mee naar zijn kantoor, ging achter zijn bureau zitten, en als een koele, hooghartige vreemde vertelde hij me een lang verhaal over zichzelf. Het was alsof hij het over een ander had, iemand die ik niet mocht. Ik voelde me net een zakelijke cliënte, ik had het idee dat al mijn reacties scherp werden beoordeeld. Ik weet niet wat hij verwachtte, dat ik zou doen. Ik dacht even dat hij verwachtte dat ik geschokt zou zijn of vol afkeer, en tegelijkertijd waren zijn ogen zo smekend.

Hij houdt van je, Cathy… hij houdt zoveel van je dat het bijna een obsessie voor hem is,' zei ze. Ik ging plotseling rechtop zitten, verbijsterd door die belachelijke opmerking. 'Ik geloof dat hij niet eens beseft hoe hij je adoreert. Hij denkt dat hij je haat vanwege je relatie met je broer.' Ze bloosde en sloeg haar ogen neer… 'Het spijt me, maar ik probeer openhartig te zijn.'

'Ga door,' drong ik aan.

'Omdat Bart meent dat hij je daarom moet haten, probeert hij het ook. Maar iets in jou, in hem, belet hem tot een besluit te komen welke emotie moet overheersen, liefde of haat. Hij wil een vrouw die op jou lijkt, alleen weet hij dat niet.' Ze zweeg even, sloeg haar ogen op en keek in mijn opengesperde, geboeide ogen. 'Cathy, ik heb hem eerlijk verteld wat ik dacht, dat hij een vrouw zocht die op zijn moeder leek. Hij werd bleek, bijna spierwit. Hij leek erg geschokt door dat idee.'

Ze zweeg even om mijn reactie te zien. 'Toni, je moet je vergissen. Bart wil geen vrouw zoals ik, maar juist het tegendeel.'

'Cathy, ik heb psychologie gestudeerd, en Bart protesteert een beetje te luid, daarom heb ik geprobeerd objectief te blijven terwijl ik luisterde. Bart vertelde ook dat hij geestelijk nooit stabiel is geweest, en dat hij elk moment de controle over zijn geestelijke vermogens kon verliezen, en daarmee zijn erfenis. Het lijkt wel of hij wil dat ik hem haat, alle banden met hem verbreek en wegloop... dus loop ik weg,' snikte ze. Ze bedekte haar gezicht met haar handen en tranen drupten door haar vingers. 'Al hou ik nog zoveel van hem – en ik dacht dat hij ook van mij hield – ik kan niet een man blijven liefhebben en met hem naar bed gaan die zo weinig vertrouwen in me heeft, en erger nog, in zichzelf.'

Ik sprong snel overeind, liep naar haar toe en probeerde haar te troosten. 'Ga niet weg, Toni, alsjeblieft, blijf. Geef Bart nog een kans. Geef hem de tijd hierover na te denken. Bart is altijd geneigd geweest impulsief te handelen. En hij heeft ook die oud-oom die in zijn oor fluistert dat je alleen van hem houdt om zijn geld. Niet Bart is gek, maar Joel, die Bart wil vertellen wat hij in een vrouw moet zoeken.'

Hoopvol staarde ze me aan, probeerde haar tranen te bedwingen. Ik ging door, vastbesloten Bart te helpen ontsnappen aan dat gevoel uit zijn jeugd dat hij niets waard was, en aan de volwassen invloed van Joel.

'Toni, de tweeling is dol op je, en ik kan ook niet alles. Blijf, om Jory te helpen, en help mij hem bezig te houden. Hij heeft ook professionele hulp nodig om zijn lichamelijke toestand te verbeteren. En vergeet niet dat Bart onvoorspelbaar is, en soms onredelijk, maar dat hij van je houdt. Hij heeft me verschillende keren verteld hoeveel hij van je houdt en je bewondert. Hij *was* geestelijk instabiel als kind, maar er waren goede redenen voor zijn geestelijke stoornis. Klamp je vast aan je geloof in hem, en je kunt hem redden van zichzelf en van zijn oud-oom.'

Toni bleef.

Het leven ging zijn gewone gang.

Deirdre kon vóór haar eerste verjaardag lopen. Ze was klein en mooi, met goudblonde krullen, en ze betoverde ons allemaal met haar onophoudelijke gebabbel, dat weldra overging in eenvoudige woordjes. Ze effende de weg voor Darren. Als ze eenmaal begon te praten kon ze niet meer ophouden. Darren was langzamer met lopen, maar niet langzamer in het onderzoeken van allerlei donkere plaatsen waar zijn tweelingzusje bang voor was. Hij was de onvermoeibare onderzoeker, pakte alles en bekeek het, zodat ik gedwongen was alle dure en tere kunstvoorwerpen weg te zetten op planken waar hij niet bij kon.

Er kwam een brief van Cindy waarin ze schreef dat ze heimwee had naar haar familie en thuis kwam; ze zou van Thanksgiving tot en met Kerstmis blijven. Maar voor Oudejaar was ze uitgenodigd voor een fantastisch feest, en ze zou terugvliegen om dat bij te wonen.

Ik gaf de brief aan Jory. Hij keek glimlachend op. 'Heb je haar verteld van Bart en zijn verhouding met Toni?'

'Nee,' zei ik. 'Ik wilde dat ze daar zelf achter zou komen. Toen ze vorige zomer wegging was Toni twee dagen bij ons, maar Cindy was toen zo ontevreden geweest dat ze geen aandacht had geschonken aan wat ze als gewoon personeel beschouwde.

De dag brak aan waarop we Cindy verwachtten. Het was een bitter koude dag. Chris en ik stonden op het vliegveld toen ze arriveerde. Ze droeg iets felroods en was zo mooi, dat alle mensen op het vliegveld zich omdraaiden en naar haar keken. 'Mams! Paps!' riep ze blij. Ze wierp zich eerst in mijn armen en toen in die van Chris. 'Wat ben ik blij jullie te zien. En voor je me waarschuwt, ik beloof je dat ik niets zal zeggen en doen om Bart van streek te maken. Deze Kerstmis zal ik het volmaakte lieve engeltje zijn dat hij verlangt. En zelfs dan zal hij ongetwijfeld van alles op me weten aan te merken, maar ik zal het me niet aantrekken.' Toen informeerde ze naar Jory, naar de tweeling, en hadden we al iets gehoord van Melodie? En hoe ging het met de nieuwe verpleegster? En hadden we nog dezelfde kok? Was Trevor nog steeds zo aardig?

Op de een of andere manier gaf Cindy me het gevoel dat we toch een echt gezin vormden en dat was voldoende om me gelukkig te maken. Toen we thuis kwamen stonden Toni en Bart en Jory in zijn rolstoel met de tweeling op schoot, in de hal te wachten om haar te begroeten. Alleen Joel weigerde onze dochter welkom te heten. Bart gaf haar hartelijk een hand, en dat was een hele opluchting voor me. Cindy lachte. 'Op een goeie dag, broer Bart, zul je werkelijk blij zijn me te zien, en misschien kun je je kuise lippen dan toestaan mijn heilloze wang te kussen.'

Hij bloosde en keek onrustig naar Toni. 'Ik moet je een bekentenis doen, Toni. Vroeger konden Cindy en ik niet zo goed met elkaar opschieten.'

'En dat is zwak uitgedrukt,' zei Cindy. 'Maar wees maar gerust, Bart, ik ben niet gekomen om ruzie te maken. Ik heb geen vriendje meegebracht. Ik zal me netjes gedragen. Ik ben gekomen omdat ik van mijn familie hou en ze tijdens de vakantie wilde zien.'

De vakantie dat jaar had niet beter kunnen zijn, tenzij we de klok hadden kunnen terugdraaien en Jory weer gezond van lijf en leden maken, en hem Melodie teruggeven.

Binnen een paar dagen werden Cindy en Toni dikke vriendinnen. Toni ging met ons winkelen, terwijl Jory met behulp van een dienstmeisje voor de tweeling zorgde. Het leeftijdsverschil van vier jaar tussen haarzelf en Toni was niet belangrijk. Cindy leende Toni een van haar mooiste jurken voor het ritje naar Charlottesville op de avond voor Kerstmis, waar ze kon dansen met een van de artsenzonen die ze een jaar geleden had ontmoet. Jory ging ook, maar keek ongelukkig toen Bart met Toni danste.

'Mams,' fluisterde Cindy toen ze terugkwam naar ons tafeltje. 'Ik geloof dat Bart is veranderd. Hij is nu veel aardiger en hartelijker. Ik begin zelfs te geloven dat hij een menselijk wezen is.'

Ik knikte glimlachend, maar moest onwillekeurig denken aan Joel en aan al die tijd die hij en Bart in dat kleine kamertje doorbrachten dat ze verbouwd hadden tot een kapel. Waarom? Er waren kerken genoeg in de buurt.

Het werd Oudejaarsavond, en Bart en Toni besloten met Cindy naar New York te vliegen en het daar te vieren. Ze lieten Chris, Jory en mij achter om het zo goed mogelijk te vieren zonder hen. We maakten gebruik van de gelegenheid om een paar van Chris' collega's met hun echtgenotes bij ons thuis uit te nodigen, wetend dat Joel het aan Bart zou vertellen als hij terugkwam. Maar het kon me niet schelen.

Die avond botste ik tegen Joel op toen ik uit de kinderkamer kwam. Glimlachend keek ik hem aan. 'Zo, Joel, het ziet er naar uit dat mijn zoon niet meer zo afhankelijk van jou zal zijn als hij met Toni is getrouwd.'

'Hij zal nooit met haar trouwen,' zei Joel op zijn harde voorspellende manier. 'Hij is als alle verliefde jongemannen, een idioot die de waarheid niet ziet. Ze wil zijn geld, niet hem, en hij zal er gauw genoeg achterkomen!'

'Joel,' zei ik zachtjes. 'Bart is een heel knappe, hartstochtelijke jongeman, en zelfs al was hij een slootgraver dan zouden de meisjes nog voor hem vallen. Als hij vergeet de wereld te tonen hoe briljant hij is, is hij een heel aardige jongen. Laat hem met rust. Hou op met te proberen hem te vormen tot iets dat jou bevalt, maar dat hem niet past. Laat hem zijn eigen weg vinden... ook al is het niet wat je in gedachten hebt.'

Minachtend keek hij me aan. 'Wat weet jij van goed en slecht, nicht? Heb je niet bewezen dat je geen idee hebt van moraliteit? Bart zal zichzelf nooit vinden zonder mijn leiding. Heeft hij niet zijn hele leven vergeefs gezocht? Heb je hem toen geholpen? Help je hem nu? God zal voor Bart zorgen, Catherine, terwijl jij Bart blijft kwellen met je zonden.'

Hij draaide zich om en liep schuifelend de gang af.

Terwijl Bart in New York was met Toni en Cindy, maakte Jory zijn indrukwekkende aquarel af van Foxworth Hall. Hij had de roze stenen een sombere oud-roze kleur gegeven; de onberispelijke tuinen waren overwoekerd met onkruid; het kerkhof lag dichterbij, zodat de grafstenen aan de linkerkant te zien waren, die lange schaduwen wierpen. Foxworth Hall leek tweeduizend jaar oud en vol spoken.

'Leg dat weg, Jory, en neem een eens een vrolijker onderwerp,' zei ik met een vreemd gevoel. Ik geloof dat het het enige aquarel was die Jory had geschilderd die me niet beviel.

Bart en Toni kwamen thuis uit New York, en onmiddellijk viel het verschil me op. Ze keken niet naar elkaar, zeiden geen woord tegen elkaar, maar gingen kalm naar hun kamer, zonder vrolijke verhalen over hun tijd in New York. Toen ik probeerde het onderwerp aan te roeren weigerden ze allebei me enige bijzonderheden te geven. 'Laat me met rust!' snauwde Bart. 'Ze is toch een doodgewone vrouw.'

'Ik kan het je niet vertellen, Cathy,' huilde Toni. 'Hij houdt niet van me, dat is alles!'

Januari ging voorbij en het werd februari en we vierden Jory's eenendertigste verjaardag. We lieten een enorme taart voor hem bakken in de vorm van een hart, met rood glazuur, als het Valentijnsgeschenk dat hij was geweest, met zijn naam in witte letters, versierd met witte rozen. De tweeling was verrukt. Ze krijsten van opwinding toen Jory de kaarsjes uitblies. Ze zaten allebei in hoge kinderstoelen, één aan elke kant van hem, en voordat Jory de taart kon aansnijden, staken Deirdre en Darren tegelijk hun handjes uit, grepen in de taart en pakten handenvol van de zachte verse cake met room. We staarden naar de puinhopen van het fraaie kunstwerk, terwijl ze stralend de taart in hun mondjes stopten en hun gezichtjes besmeurden.

'Wat er over is, is nog eetbaar,' zei ik lachend.

Zwijgend stond Toni op om handjes en gezichten te wassen van twee vieze kleuters. Bart volgde haar bewegingen met droeve, weemoedige ogen.

We waren gevangen in de sneeuwstormen van de winter, in de vorst, en moesten met elkaars gezelschap genoegen nemen, terwijl dat van anderen meer dan welkom zou zijn geweest.

Toen kwam de dag dat het ophield met sneeuwen en Chris terug kon rijden naar zijn kankeronderzoek, waar steeds maar gewerkt werd zonder dat ze ooit tot een definitieve conclusie kwamen.

Een andere sneeuwstorm hield Chris vast in Charlottesville. Twee weken gingen langzaam voorbij, al telefoneerden we elke dag met elkaar, als de lijn tenminste intact was. Maar het waren geen prettige gesprekken; ik had altijd het gevoel dat er iemand meeluisterde aan een andere telefoon.

Chris belde de volgende donderdag om te zeggen dat hij thuis kwam, dat het houtvuur moest branden, de steak gegrild en de sla vers moest zijn... en draag het witte nachthemd dat ik je met Kerstmis heb gegeven.'

Hunkerend wachtte ik voor een raam op de bovenverdieping tot ik Chris' blauwe wagen zag aankomen en toen rende ik de trap af naar de garage, om er te zijn als hij zijn auto daar parkeerde. We ontmoetten elkaar als minnaars die lang gescheiden zijn geweest en die misschien nooit meer de kans zouden krijgen elkaar te kussen en te omhelzen.

Maar pas toen we in onze kamers waren en de deuren achter ons gesloten hadden, sloeg ik mijn armen om zijn hals. 'Je bent nog steeds koud. Dus om je te verwarmen zal ik je uitvoerig alle saaie dingen vertellen die hier gebeuren. Gisteravond heb ik Joel weer tegen Bart horen zeggen dat Toni alleen maar achter zijn geld aan zit.'

'Doet ze dat?' vroeg hij, aan mijn oor knabbelend.

'Ik geloof het niet, Chris. Ik geloof dat ze echt van hem houdt, maar ik weet niet zeker hoe lang haar of zijn liefde zal duren. Het schijnt dat toen ze met Cindy in New York waren met Oudejaar, Bart weer grof tegen Cindy tekeer is gegaan, en haar heeft vernederd in een nachtclub. En Cindy schreef in haar brief dat hij later vreselijk tegen Toni is uitgevallen omdat ze met een andere man danste. Hij heeft Toni zo geschokt met zijn brute beschuldigingen, dat ze sinds die tijd niet meer dezelfde is. Ik geloof dat ze bang is voor zijn jaloezie.'

Hij trok spottend zijn wenkbrauwen op, maar zei niets om me eraan te herinneren dat hij 'mijn Bart' was. 'En Jory, hoe gaat het met hem?'

'Hij past zich fantastisch aan, maar hij is eenzaam en melancholiek, hij wil zo graag dat Melodie schrijft. Hij wordt 's nachts wakker en dan roept hij haar. Soms noemt hij me per ongeluk Mel. Ik heb een klein artikel gevonden over Melodie in *Variety*. Melodie is weer terug bij haar oude balletgezelschap en heeft een nieuwe partner. Ik heb het vandaag aan Jory laten zien, ik vond dat hij het weten moest. Hij keek verslagen. Hij legde zijn verf weg, terwijl hij net een prachtige lucht had geschilderd, en weigerde verder te gaan. Ik heb de aquarel op een veilige plaats opgeborgen, zodat hij hem later kan afmaken.'

'Ja, alles komt goed.' En met die woorden gaven we ons aan elkaar over, vergaten onze problemen in onze extase.

De tijd vloog voorbij, met kleine, onbelangrijke dingen. Dagelijkse ruzies tussen Bart en Toni over zijn houding ten opzichte van Cindy, op wie Toni erg gesteld was, en over zijn achterdocht jegens haar. 'Je had niet moeten dansen met die man die je net ontmoet had!' enzovoort enzovoort. Er waren ook dagelijkse ruzies tussen hen over de tweeling, hoe ze daarmee om moest gaan, en het duurde niet lang of de smalle kloof tussen hen verbreedde zich tot een oceaan.

We werkten op elkaars zenuwen. Zo dicht op elkaars lip leven eist zijn tol.

Ik bemoeide me er niet mee als Bart en Toni ruzie hadden. Ik vond dat ze hun moeilijkheden samen moesten uitvechten; ik zou alleen maar hebben bijgedragen tot de moeilijkheden. Weer bezocht Bart de plaatselijke bars en bleef vaak de hele nacht weg. Ik vermoedde dat hij heel wat nachten doorbracht in een bordeel, of anders had hij een ander gevonden in de stad. Toni bracht steeds meer tijd door met de tweeling, en omdat Jory probeerde hen te leren dansen en duidelijker te spreken, bracht ze natuurlijk ook meer tijd met hem door.

Maart kwam eindelijk met zijn harde regens en stormen, maar ook met welkome tekenen van de naderende lente. Ik sloeg Toni zorgvuldig gade, om te weten of ze Jory ook zag als man en niet alleen als patiënt. Zijn ogen volgden haar overal. Ik lag dat jaar een paar weken in bed met een hevige kou, en zij nam alle taken op zich, waste Jory's rug, masseerde zijn lange benen die heel langzamerhand hun mooie vorm begonnen te verliezen. Ik vond het verschrikkelijk zijn mooie benen te zien veranderen in dunne stokjes. Ik vroeg Toni ze een paar keer per dag te masseren. 'Hij was altijd zo trots op zijn benen, Toni. Ze bewezen hem zulke goede diensten, en hij zag er zo fantastisch uit in een tricot. Maar zelfs al kunnen ze niet meer lopen of dansen of zelfs maar bewegen, zorg ervoor dat ze niet ook hun vorm verliezen. Dan kan hij nog een beetje trots behouden.'

'Cathy, zijn benen zijn nog steeds mooi; mager, maar goed gevormd. Hij is een fantastische man, zo vriendelijk en vol begrip en van nature zo opgewekt. Weet je, ik heb zo lang niemand anders gezien dan Bart.'

'Vind je Bart mooi?'

Haar gezicht veranderde en werd hard. 'Vroeger wel. Nu zie ik dat hij erg knap is, maar niet mooi als Jory. Vroeger dacht ik dat hij perfect was, maar tijdens ons verblijf in New York was hij zo grof tegen Cindy en mij dat ik hem in een ander licht begon te zien. Hij was gemeen en wreed tegen ons allebei. Voor ik wist wat er gebeurde, maakte hij een scène in een nachtclub over mijn jurk, en het is echt een heel mooie jurk. Misschien een beetje te laag uitgesneden, maar alle meisjes dragen zulke jurken. Toen ik thuiskwam van onze reis was ik een beetje bang voor hem. Elke dag wordt mijn angst voor hem groter; hij kan zo hard zijn over iets heel onschuldigs, en hij gelooft dat iedereen slecht is. Ik geloof dat hij zichzelf verpest met zijn gedachten en vergeet dat schoonheid uit de ziel komt. Gisteravond beschuldigde hij me dat ik probeerde zijn broer seksueel te prikkelen. Hij zou zo niet tegen me kunnen praten als hij werkelijk van me hield. Cathy, hij zal nooit van me houden zoals ik wil dat iemand van me houdt, zoals ik het nodig heb. Ik werd vanmorgen wakker met een enorme leegte in mijn hart, en ik besefte dat wat ik voor Bart gevoeld heb voorbij is. Hij heeft alles tussen ons verwoest, door me te laten weten wat me te wachten staat als ik met hem trouw,' ging ze met gebroken stem verder. 'Hij heeft een onzichtbaar model van de volmaakte vrouw, en ik ben niet volmaakt. Hij vindt jouw enige fout je liefde voor Chris. En als hij ooit een vrouw tegenkomt die hij in het begin volmaakt acht, weet ik zeker dat hij net zo lang zal blijven zoeken tot hij iets gevonden heeft dat hij in haar kan haten. Dus heb ik Bart opgegeven.'

Ik vond het pijnlijk om het haar te vragen, maar ik moest het weten. 'Maar... hebben jullie nog een verhouding, ondanks je meningsverschillen?'

Fel schudde ze het hoofd. 'NEE! Natuurlijk niet! Hij verandert elke dag meer in iemand die ik zelfs niet aardig kan vinden. Hij heeft de godsdienst gevonden, Cathy, en zoals hij zegt zal de godsdienst zijn redding worden. Elke dag vertelt hij me dat ik meer moet bidden, naar de kerk gaan en uit Jory's buurt blijven. Als hij zo blijft zal ik hem tenslotte nog gaan haten, en dat wil ik niet. Het was in het begin zo mooi tussen ons. Ik wil die tijd bewaren als een bloem die ik tussen de pagina's van mijn geheugen kan drogen.'

Ze stond op, veegde haar tranen af met haar zakdoek, trok haar strakke witte rok af en probeerde te glimlachen. 'Misschien wil je liever dat ik wegga, zodat je een andere verpleegster kunt aannemen voor Jory en zijn kinderen.'

'Nee, Toni, blijf,' antwoordde ik snel.

Ik wilde niet dat ze wegging nu ik zeker wist dat ze niet meer van Bart hield, en Jory eindelijk de hoop had opgegeven dat Melodie bij hem terug zou komen. En nu die laatste hoop gestorven was had Jory eindelijk zijn blik gericht op de vrouw die hij beschouwde als de vriendin van zijn broer.

Ik zou hem zo gauw mogelijk vertellen dat het niet waar was. Maar toen Toni de kamer uit was en ik bleef zitten, dacht ik aan Bart en hoe droevig het was dat hij geen liefde scheen te kunnen vasthouden. Verwoestte hij de liefde met opzet, bang dat die hem tot slaaf zou maken, zoals hij mij ervan had beschuldigd dat ik Chris tot slaaf had gemaakt, mijn eigen broer?

De eindeloze dagen kropen voorbij. Toni's ogen volgden Bart niet langer met een weemoedig verlangen, en een zwijgend smeken weer van haar te houden zoals hij in het begin had gedaan. Ik begon de manier te bewonderen waarop ze haar houding wist te bewaren als Bart tijdens maaltijden beledigende toespelingen maakte. Hij gebruikte haar vroegere liefde voor hem tegen haar, deed of ze lichtzinnig, verdorven, immoreel was, en hij door haar was verleid.

Maaltijd na maaltijd zat ik daar en keek toe hoe ze steeds verder uit elkaar dreven, door al die lelijke woorden die Bart zo gemakkelijk wist te vinden.

Toni nam mijn plaats in en deed nu de spelletjes met Jory die ik altijd met hem speelde, alleen kon zij zoveel beter zijn ogen doen oplichten en maken dat hij zich weer man voelde.

Langzamerhand werden de dagen milder, tussen het bruine gras verschenen sprieten heldergroen, de krokussen kwamen op in het bos, de narcissen bloeiden, de tulpen kwamen uit, en de anemonen die Jory en ik overal hadden gepoot waar geen gras groeide, veranderden de heuvels in bonte paletten. Chris en ik stonden weer op het balkon en zagen de ganzen terugkeren van het noorden, terwijl we omhoog staarden naar onze oude vriend en soms vijand, de maan. Ik kon mijn ogen niet afwenden van de wilde ganzen die achter de heuvels verdwenen.

Het leven werd beter met de komst van de zomer, toen de sneeuw niet langer verhinderde dat Chris de weekends thuiskwam. De spanningen werden minder nu we naar buiten konden.

In juni was de tweeling een jaar en zes maanden, en ze liepen overal vrij rond, tenminste, voor zover wij dat toestonden. We hadden schommels bevestigd aan stevige boomtakken, waar ze niet uit konden vallen. Ze waren zo blij als ze hoog de lucht in werden gezwaaid... of wat zij beschouwden als hoog genoeg om gevaarlijk te zijn. Ze plukten mijn mooiste bloemen af, maar het kon me niet schelen – er bloeiden duizenden bloemen, genoeg om alle kamers te vullen met dagelijks verse boeketten.

Bart stond er nu op dat niet alleen de tweeling de kerkdiensten bijwoonde, maar Chris en ik en Jory en Toni ook. Het leek een kleine gunst. Elke zondag zaten we in de voorste banken en staarden naar het mooie gebrandschilderde raam achter de kansel. De tweeling zat altijd tussen Jory en mij in. Joel sloeg een zwarte mantel om en preekte hel en verdoemenis. Bart zat naast me, en hield mijn hand zo stevig vast dat ik wel moest luisteren, anders brak hij mijn botten. Naast Toni, met opzet van mij gescheiden door mijn jongste zoon, zat Chris. Ik wist dat die preken voor ons bestemd waren, om ons te behoeden voor het eeuwige vuur van de hel. De tweeling was rusteloos, zoals alle kinderen van hun leeftijd. Ze hielden niet van de kansel, het opgesloten zijn, de saaiheid van de veel te lange diensten. Alleen als we opstonden om te zingen staarden ze verrukt naar ons op.

'Zing, zing,' moedigde Bart aan, en boog zich voorover om in de dunne armpjes te knijpen of aan de goudblonde lokken te trekken.

'Blijf met je handen van mijn kinderen!' snauwde Jory. 'Ze zingen of ze zingen niet, dat moeten ze zelf weten.'

De oorlog tussen de beide broers was weer aan de gang.

Het werd weer herfst, en Halloween, en Chris en ik gingen met de tweeling naar de enige buren die we 'veilig' genoeg achtten om ons of onze kinderen niet te beschuldigen. Onze kleine kabouters accepteerden verlegen hun eerste Halloween-snoepjes, en juichten de hele weg naar huis omdat ze twee chocoladerepen en twee pakjes kauwgum hadden gekregen, helemaal voor zichzelf.

Het werd winter en Kerstmis en het nieuwe jaar begon onopvallend, want dit jaar vloog Cindy niet naar huis. Ze had het te druk met haar ontluikende carrière om iets meer te doen dan te telefoneren en korte maar informatieve briefjes te schrijven.

Bart en Toni bewogen zich nu in een verschillend universum.

Misschien was ik niet de enige die vermoedde dat Jory van Toni was gaan houden, nu alle pogingen om een broederlijke relatie met Bart te herstellen waren mislukt. Ik kon het Jory niet kwalijk nemen, niet nadat Bart Melodie had genomen en haar had weggejaagd, en zelfs nu nog probeerde Bart Toni vast te houden, alleen omdat hij Jory's groeiende belangstelling had ontdekt. Hij gunde haar niet aan Jory en daarom keerde hij weer naar Toni terug.

Zijn liefde voor Toni gaf Jory nieuwe prikkels om te leven. Het stond in zijn ogen geschreven, het was te merken aan zijn nieuwe energie om vroeg op te staan en al die moeilijke oefeningen weer te beginnen. Voor het eerst ging hij staan en gebruikte hij de evenwijdige stangen die we in zijn kamer hadden aangebracht. Zodra het water warm genoeg was zwom hij 's morgens vroeg en 's avonds laat drie baantjes in het grote zwembad.

Misschien wachtte Toni toch nog of Bart met haar zou trouwen, al ontkende ze dat heftig. 'Nee, Cathy, ik hou niet meer van hem. Ik heb alleen medelijden met hem omdat hij niet weet wie of wat hij is, en wat belangrijker is, wat hij voor zichzelf verlangt, behalve geld, geld en nog eens geld.' Het kwam plotseling bij me op dat om een onverklaarbare reden Toni hier net zo vastgeroest was als wij.

De zondagse kerkdiensten maakten me nerveus en moe. De harde woorden die werden geschreeuwd uit de zwakke longen van een oude man wekten angstaanjagende herinneringen op aan een andere oude man die ik nooit had gezien. *Kinderen van de duivel. Zaad van de duivel.*

Slecht zaad geplant in de verkeerde aarde. Slechte gedachten werden even onvoorwaardelijk veroordeeld als slechte daden. En wat was niet zondig in de ogen van Joel? Niets. Helemaal niets.

'We gaan er niet meer heen,' zei ik vastberaden tegen Chris. 'We zijn gek geweest om zelfs maar te proberen het Bart naar de zin te maken. Ik hou niet van het soort ideeën dat Joel in de ontvankelijke geest van de tweeling plant.' Chris was het met me eens, en we weigerden de 'kerkdiensten bij te wonen of de tweeling bloot te stellen aan al dat geschreeuw over hel en verdoemenis.

Joel verscheen op het speelterrein in de tuin, onder de bomen, waar een zandbak, schommels, een glijbaan en een draaimolen waren. Het was een mooie zonnige dag in juli, en hij zag er nogal ontroerend en vriendelijk uit toen hij tussen de tweeling ging zitten en hun een spelletje leerde met een touw. Ze lieten de zandbak met het zonnescherm in de steek en gingen naast hem zitten, keken vol verwachting naar hem op, in de hoop een nieuwe vriend te maken van een oude vijand.

'Een oude man kent heel veel trucjes om kleine kinderen bezig te houden. Weten jullie dat ik vliegtuigen en boten kan maken van papier? En de boten varen op het water.'

Hun grote verbaasde ogen bevielen me niet. Ik fronste mijn wenkbrauwen. Dat kon iedereen.

'Spaar je energie voor het schrijven van nieuwe preken, Joel,' zei ik, in zijn waterige ogen kijkend. 'Ik kreeg genoeg van de oude. Waar blijft het Nieuwe Testament in je preken? *Dat* moet je Bart eens leren. Christus *is* geboren. Hij heeft Zijn Bergrede uitgesproken. Lees hem *die* preek eens voor, *Oom.* Spreek eens tegen ons over vergevingsgezindheid, anderen doen wat jij wilt dat jou geschiedt. Vertel ons over het brood dat over de wateren van de vergeving wordt gestrooid en tienvoudig terugkeert.'

'Vergeef me als ik de enige waarlijk geboren zoon van onze God heb verwaarloosd,' zei hij nederig.

'Kom, Cory, Carrie,' riep ik, opstaand. 'We gaan eens zien wat pappie doet.'

Joels gebogen hoofd kwam met een ruk overeind. Zijn vale blauwe ogen kregen een diepere blauwe tint. Ik beet op mijn tong toen ik de scheve glimlach zag om Joels lippen. Hij knikte wijs. 'Ja, ik weet het. Voor jou zijn ze de "andere tweeling". Die geboren zijn uit slecht zaad dat geplant was in de verkeerde aarde.'

'Hoe durf je dat tegen me te zeggen!' viel ik uit.

Ik besefte toen niet dat ik, door Jory's tweeling soms bij de naam te noemen van mijn lieve dode tweeling, olie op het vuur gooide – een vuur dat zonder dat ik het wist al kleine rode vonken van zwavel deed rondspatten.

OP EEN SOMBERE OCHTEND

Onweer dreigde een volmaakte zomerdag te verstoren. Donkere wolken dwongen me haastig naar buiten te gaan om mijn bloemen te plukken zolang ze nog fris waren van de dauw. Ik bleef plotseling staan toen ik Toni madeliefjes zag plukken die ze in een klein vaasje naar Jory bracht. Ze zette ze op de tafel waaraan Jory bezig was met een aquarel, van een mooie donkerharige vrouw die bloemen plukte en veel op Toni leek. Ik was verborgen door het dichte struikgewas en kon zo nu en dan iets zien zonder dat ze mij zagen. Mijn intuïtie waarschuwde me stil te zijn en niets te zeggen.

Jory dankte Toni beleefd, glimlachte even, maakte zijn penseel schoon in het heldere water, doopte het in de blauwe verf en gaf hier en daar een streekje. 'Ik schijn nooit de juiste kleur te krijgen voor de lucht,' mompelde hij. 'De lucht verandert zo vaak... O, ik zou er wat voor over hebben om Turner als leraar te hebben!'

Ze bleef kijken naar het spel van de zon op Jory's golvende blauwzwarte haar. Hij had zich niet geschoren en daardoor zag hij er extra mannelijk uit, zij het niet zo fris. Plotseling keek hij op en zag dat ze naar hem staarde. 'Het spijt me dat ik er zo uitzie, Toni,' zei hij verlegen. 'Ik wilde vroeg opstaan en gauw aan het werk, voordat het gaat regenen en er weer een dag bedorven wordt. Ik vind het vreselijk als ik niet buiten kan zijn.'

Nog steeds zei ze niets. Ze bleef staan terwijl het verstoppertje spelende zonnetje haar mooie gebruinde huid deed glanzen. Zijn blik ging even over haar schone, frisse gezicht, toen lager naar de rest van haar figuur. 'Bedankt voor de madeliefjes. Ze mogen niets verraden. Wat is het geheim?'

Ze bukte zich, raapte een paar schetsen op die hij naast de prullemand had gegooid. Ze bekeek ze even en bloosde. 'Je hebt mij geschetst,' zei ze zachtjes.

'Gooi ze weg!' zei hij scherp. 'Ze deugen niet. Ik kan bloemen en heuvels schilderen en vrij goede landschappen, maar portretten zijn zo verdomd moeilijk. Ik kan nooit je wezen vastleggen.'

'Ik vind deze erg goed,' protesteerde ze. Ze bestudeerde ze opnieuw. 'Je moet je schetsen niet weggooien. Mag ik ze houden?'

Voorzichtig probeerde ze de kreukels eruit te strijken, en toen legde zij ze op een tafel met een stapel zware boeken erop. 'Ik ben aangenomen om voor jou en de tweeling te zorgen. Maar je vraagt me nooit iets voor jou te doen. En je moeder speelt 's morgens altijd met de tweeling, zodat ik tijd over heb, genoeg tijd om dingen voor jou te doen. Wat kan ik voor je doen?'

Zijn penseel kleurde de onderkant van de wolken grijs, toen draaide hij zijn stoel om en keek haar aan. Een wrange glimlach speelde om zijn lippen. 'Vroeger zou ik wel iets geweten hebben. Nu kun je me beter met rust laten. Invalide mannen spelen geen opwindende spelletjes helaas.'

Verslagen en vermoeid liet ze zich op een stoel vallen. 'Nu zeg je precies hetzelfde tegen me wat Bart altijd zegt. "Ga weg," schreeuwde hij. "Laat me met rust," gilt hij. Ik dacht niet dat jij ook zo zou zijn.'

'Waarom niet?' vroeg hij verbitterd. 'We zijn broers, halfbroers. We hebben allebei onze onaangename momenten – en dan is het beter ons alleen te laten.'

'Ik dacht dat hij de meest fantastische man ter wereld was,' zei ze droevig. 'Maar ik denk dat ik mijn oordeel niet langer kan vertrouwen. Ik dacht dat Bart met me wilde trouwen, en nu gilt hij tegen me en jaagt me weg. En dan roept hij me weer terug en vraagt om vergeving. Ik wil weg uit dit huis en nooit meer terugkomen, maar iets houdt me hier vast, iets fluistert me in het oor dat het nog geen tijd is om te gaan...'

'Ja,' zei Jory, die weer met voorzichtige penseelstreken begon te schilderen. 'Zo is Foxworth Hall. Wie eenmaal door de poort naar binnen gaat, wordt zelden meer gezien.'

'Je vrouw is ontsnapt.'

'Ja. En dat is een grotere verdienste van haar dan ik kon appreciëren toen het gebeurde.'

'Je klinkt zo verbitterd.'

'Ik ben niet bitter. Ik ben verzuurd, als een zure augurk. Ik geniet van mijn leven. Ik zit gevangen tussen de Hemel en de Hel in een soort Vagevuur waar 's nachts de geesten uit het verleden door de gangen zwerven. Ik kan het gerammel horen van hun ketenen, en ik kan alleen maar dankbaar zijn dat ze zich nooit manifesteren. Of misschien worden ze verjaagd door het stille rollen van mijn rubberwielen.'

'Waarom blijf je als je er zo over denkt?'

Jory rolde zijn stoel weg van zijn schildertafel en richtte zijn donkere ogen op haar. 'Wat doe jij eigenlijk hier, bij mij? Ga naar je minnaar. Blijkbaar vind je het prettig zoals hij je behandelt, want *jij* zou gemakkelijk genoeg kunnen ontsnappen. Jij bent hier niet geketend door herinneringen, door dromen die nooit uitkomen. Jij bent geen Foxworth, en evenmin een Sheffield. Deze Hall kan jou niet binden.'

'Waarom haat je hem?'

'Waarom haat jij hem *niet*?'

'Dat doe ik soms.'

'Vertrouw dan op dat oordeel van soms, en verdwijn. Verdwijn voordat je door cosmose één van ons wordt.'

'En wat ben jij?'

Jory reed zijn stoel naar de rand van de tegels waar de bloemperken begonnen en staarde naar de bergen. 'Vroeger was ik een danser, en verder dacht ik nooit. Nu ik niet meer kan dansen ben ik niet belangrijk meer. Dus blijf ik, omdat ik denk dat ik hier méér thuis hoor dan ergens anders.'

'Hoe kun je zoiets zeggen? Geloof je niet dat je belangrijk bent voor je ouders, je zuster, en vooral voor je kinderen?'

'Die hebben me niet echt nodig, wel? En mijn ouders hebben elkaar. Mijn kinderen hebben hen. Bart heeft jou. Cindy heeft haar carrière. Dat maakt van mij de buitenstaander.'

Toni stond op, ging achter zijn stoel staan en begon zijn nek te masseren met ervaren vingers. 'Heb je 's nachts nog last van je rug?'

'Nee,' zei hij hees. Maar dat had hij wel, ik wist het. Verborgen achter het struikgewas ging ik door met het afknippen van de rozen. Ik besefte dat ze niet wisten dat ik er was.

'Als je rug pijn doet, bel me dan, dan zal ik je masseren.'

Jory draaide zijn stoel met een ruk om en keek haar fel aan. Ze moest opzij springen om niet door de stoel geraakt te worden. 'Zo, dus als je de ene broer niet kan krijgen wil je wel genoegen nemen met de andere, de invalide, die geen weerstand kan bieden aan je charmes? Dank je, nee, dank je wel. Mijn moeder zal mijn rug wel masseren.'

Langzaam liep ze weg; twee keer draaide ze zich om en keek naar hem. Ze wist niet hoe verlangend hij haar nakeek. Zachtjes deed ze de terrasdeuren achter zich dicht. Ik hield op met rozen plukken voor de ontbijttafel en ging op het gras zitten. Achter me speelde de tweeling 'kerkje'.

Op verzoek van Chris deden we ons best hun vocabulaire dagelijks uit te breiden, en onze instructies leken wonderen te verrichten.

En de Here God zei tegen Eva, gaat heen uit het paradijs.' Darrens kinderlijke stem giechelde.

Ik draaide me om en keek naar ze.

De kinderen hadden hun zonnepakjes en witte sandaaltjes uitgetrokken. Deirdre legde een blad op het kleine mannelijke lid van haar broertje en staarde toen naar haar eigen geheime plekje. Ze fronste haar wenkbrauwen. 'Dare... wat is zondigen?'

'Net als weglopen,' antwoordde haar broertje. 'Slecht als je op blote voeten loopt.'

Ze giechelden allebei, sprongen overeind en holden naar me toe. Ik ving ze op in mijn armen en hield hun zachte, warme, naakte lijfjes tegen me aan, overdekte hun gezichtjes met zoenen. 'Hebben jullie ontbeten?'

'Ja, oma. Toni heeft ons grapefruit gegeven en daar houden we niet van. We hebben alles opgegeten behalve de eieren. We houden niet van eieren.'

Deirdre deed meestal het woord voor Darren, zoals Carrie de spreekbuis was geweest van Cory.

'Mams, hoe lang ben je daar al?' riep Jory. Zijn stem klonk geprikkeld en een beetje verlegen.

Ik stond op met de tweeling in mijn armen en liep naar Jory. 'Ik zag Toni in het zwembad; ze leerde de tweeling zwemmen. Ik heb het van haar overgenomen en gevraagd of ze even naar jou wilde kijken. Ze weten zich al heel aardig te redden in het water, ze hebben al een hoop zelfvertrouwen als ze rondspartelen. Waarom ben je niet bij ons gekomen vanmorgen?'

'Waarom verstopte je jezelf?'

'Ik was rozen aan het plukken, Jory. Je weet dat ik dat elke dag doe. Het is het enige dat dit huis gezellig maakt – de snijbloemen die ik 's ochtends in de vazen zet.' Plagend stopte ik een roos achter zijn oor. Hij rukte hem weg en zette hem bij de madeliefjes die Toni hem had gebracht.

'Je hebt Toni en mij gehoord, hè?'

'Jory, als ik in augustus buiten ben, met de wetenschap dat september niet ver meer weg is, grijp ik elk moment aan om ervan te genieten. Ik ruik de rozen, die me de illusie geven dat ik in de Hemel ben of in Pauls tuin. Paul had zo'n prachtige tuin, verdeeld in een Engelse tuin, een Japanse, Italiaanse –'

'Ja, dat weet ik allemaal wel!' zei hij ongeduldig. 'Ik vroeg of je ons gehoord hebt.'

'Ja, om eerlijk te zijn heb ik het hele fascinerende gesprek gehoord, en als ik de kans kreeg keek ik naar jullie over de rozen heen.'

Hij keek even kwaad als Bart kon doen toen ik de tweeling neerzette, ze een tikje gaf op hun blote billen en zei dat ze naar Toni moesten gaan, die hen zou aankleden. Ze schuifelden weg, twee kleine naakte poppetjes. Ik ging zitten en glimlachte naar Jory, die me beschuldigend aankeek. Hij leek nog meer op Bart als hij kwaad was. 'Heus, Jory, het was niet mijn bedoeling jullie af te luisteren. Ik was er al voordat jij kwam.' Ik zweeg even en keek naar zijn kwade gezicht. 'Je houdt van Toni, hè?'

'Ik hou *niet* van haar! Ze is van Bart! Ik verdom het om weer genoegen te nemen met de afdankertjes van Bart.'

'Weer?'

'O, mams, hou op. Je weet net zo goed als ik wat de ware reden is waarom Mel is weggegaan. Hij maakte het duidelijk genoeg, en zij ook, op die kerstochtend toen het schip was vernield. Ze zou hier eeuwig zijn gebleven als Bart zijn positie als mijn vervanger had gehandhaafd. Ik geloof dat ze ongewild van hem is gaan houden, terwijl ze probeerde haar behoefte aan mij en onze sex te bevredigen. Ik kon haar 's nachts horen huilen. Ik lag in bed en wilde naar haar toe, maar ik kon me niet bewegen. En ik had medelijden met haar en nog meer met mezelf. Ik leefde toen in een hel. En nu ook. Een ander soort hel.'

'Jory, wat kan ik doen om te helpen?'

Hij boog zich naar voren, keek me zo intens in de ogen dat ik moest denken aan Julian en de vele manieren waarop ik hem had gedwarsboomd.

'Mams, ondanks alles wat dit huis voor jou vertegenwoordigt, is het voor mij een thuis geworden. De gangen en deuren zijn breed. Er is een lift om me naar boven en beneden te brengen. Er is een zwembad, er zijn terrassen, tuin en bos. Het is een paradijs op aarde – op een paar gebreken na. Ik dacht vroeger dat ik zo gauw mogelijk weg wilde. Nu wil ik niet meer weg, en ik wil je ook niet ongeruster maken dan je al bent, maar ik moet het je zeggen.'

Ik wachtte angstig op die paar 'gebreken'.

'Als kind dacht ik dat de wereld prachtig was en dat er nog wonderen gebeurden, dat blinden op een dag weer konden zien en kreupelen lopen, enzovoort. Het feit dat ik dat dacht maakte alle onrechtvaardigheid, alle lelijkheid om me heen minder erg. Ik geloof dat het ballet verhinderd heeft dat ik echt volwassen werd, dus bleef ik denken dat er nog wonderen konden gebeuren als je er maar intens in geloofde. En in het ballet gebeuren er voortdurend wonderen, dus bleef ik kinderlijk, ook toen ik al volwassen was. Ik geloofde nog steeds dat in de buitenwereld, de echte wereld, op den duur alles goed zou komen, als ik er maar vast in geloofde. Dat hadden Mel en ik met elkaar gemeen. Het ballet heeft iets dat je als 't ware maagdelijk houdt. Je ziet geen kwaad, je hoort geen kwaad, al wil ik niet zeggen dat er geen kwaad gesproken wordt. Je weet natuurlijk wat ik bedoel, want het is ook jouw wereld geweest.' Hij zweeg even en keek omhoog naar de dreigende lucht.

'In die wereld had ik een vrouw die van me hield. In de buitenwereld, de echte wereld, vond ze snel een andere minnaar om mij te vervangen. Ik haatte Bart omdat hij haar nam toen ik haar het hardst nodig had. En ik haatte Mel omdat ze zich door hem liet gebruiken als wapen tegen mij. Hij doet het nog steeds, mams. En ik zou jou niet lastig vallen met wat er gebeurt, als ik soms niet vreesde voor mijn leven. Vreesde voor het leven van mijn kinderen.'

Ik luisterde naar hem, terwijl ik probeerde niet te laten merken hoe ik schrok van al die dingen waarop hij vroeger zelfs nooit gezinspeeld had.

'Herinner je je die evenwijdige stangen waaraan ik oefen, om mijn rug- en beensteunen te kunnen gebruiken? Iemand heeft het metaal zo afgeschraapt dat als ik met mijn handen langs de rails glijd, ik metaalsplinters in mijn handen krijg. Paps heeft ze er voor me uitgehaald en me laten beloven dat ik het niet tegen jou zou zeggen.'

Ik huiverde, kromp ineen. 'Wat nog meer, Jory? Dat is niet alles, hè? Ik zie het aan je gezicht.'

'Niet veel, mams. Kleine dingen die me het leven zuur maken, zoals insekten in mijn koffie, thee en melk. Mijn suikerpot gevuld met zout en de zoutstrooier vol suiker... stomme dingen, kinderlijke streken die gevaarlijk kunnen zijn. Punaises in mijn bed, op de zitting van mijn stoel... het is voortdurend Halloween voor me in dit huis. Soms moet ik er haast om lachen, zo belachelijk is het. Maar als ik uitglijd over een schoen zit er een spijker in de teen die ik niet kan voelen, en dan krijg ik een infectie omdat mijn bloedcirculatie niet honderd procent is. Dat is minder leuk. Het zou me een been kunnen kosten. Ik ben zoveel tijd kwijt met alles zorgvuldig controleren voor ik het gebruik, zoals mijn scheermes met nieuwe mesjes die plotseling roestig zijn.'

Hij keek om zich heen, als om te controleren of Joel en Bart in de buurt waren, en ook al zag hij niets, toch liet hij zijn stem dalen tot een gefluister. 'Gisteren was het erg warm, herinner je je nog? Je hebt zelf drie ramen in mijn kamer geopend zodat er frisse koele lucht binnen kon komen. Toen draaide de wind naar het noorden en werd het plotseling koud. Jij kwam aangeheld om mijn ramen dicht te doen en nog een deken over me heen te leggen. Ik viel weer in slaap. Een halfuur later werd ik wakker omdat ik droomde dat ik aan de Noordpool was. De ramen – alle zes – stonden wagenwijd open. De regen joeg naar binnen en maakte mijn bed nat. Maar dat was nog het ergste niet. Mijn deken was er afgehaald. Ik draaide me om en wilde iemand bellen om me te komen helpen. Mijn bel was verdwenen. Ik richtte me op en wilde in mijn stoel gaan zitten. Die stond niet op de plaats waar ik hem altijd neerzet, vlak naast mijn bed. Even raakte ik in paniek. Toen, omdat ik nu veel sterker ben in mijn armen, liet ik me op de grond zakken en gebruikte mijn armen om me naar een gewone stoel te trekken die ik naar de ramen kon schuiven. Als ik eenmaal op de stoel zat kon ik gemakkelijk de ramen dichtdoen. Maar in het eerste was geen beweging te krijgen. Ik schoof de stoel naar een ander raam, en dat ging ook niet dicht. Vastgeplakt aan de nieuwe laag verf die een paar weken geleden was aangebracht. Ik wist toen dat het geen zin had de andere vier te proberen en die ijskoude regen en wind te trotseren, want ik kon niet voldoende kracht zetten, zelfs al heb ik sterke armen. Maar koppig als ik ben, zoals jij zo vaak zegt, hield ik vol. Geen succes. Ik liet me weer op de grond zakken en schoof naar de deur. Die was op slot. Ik sleepte me met behulp van de poten van de meubels de kast in, daar trok ik een winterjas omlaag, wikkelde die om me heen en viel in slaap.'

Wat was er gebeurd met mijn gezicht? Het voelde zo verdoofd dat ik mijn lippen niet kon bewegen en geen woord kon uitbrengen; ik kon zelfs geen schok tonen. Jory staarde me strak aan.

'Mams, luister je? Denk je? Nee, zeg niets voordat ik mijn verhaal heb uitverteld. Zoals ik net zei, viel ik in de kast in slaap, op de grond, doornat. Toen ik wakker werd lag ik weer in bed. Een *droog* bed, met lakens en dekens over me heen, en ik had een schone pyjama aan.' Hij zweeg dramatisch en keek in mijn verschrikte ogen.

'Mams, als iemand in huis wilde dat ik longontsteking kreeg en dood zou gaan, zou die me dan weer in bed hebben gelegd en toegedekt? Paps was niet thuis, dus die kon me niet naar bed hebben gedragen, en jij zou er de kracht niet voor hebben gehad.'

'Maar,' fluisterde ik, 'zo erg kan Bart je toch niet haten. Hij haat je helemaal niet...'

'Misschien was het Trevor die me heeft gevonden, en niet Bart. Maar eigenlijk geloof ik niet dat Trevor jong en sterk genoeg is om me op te tillen. Maar iemand hier haat me,' zei Jory overtuigd. 'Iemand wil me hier weg hebben. Ik heb er lang over nagedacht en ik ben tot de conclusie gekomen dat het Bart geweest moet zijn die me in de kast heeft gevonden en weer in bed heeft gelegd. Is het wel eens bij je opgekomen dat als jij, paps en ik, en de tweeling, er niet meer zouden zijn, Bart ook ons geld er nog bij zou krijgen?'

'Maar hij is al zo ongelooflijk rijk! Hij heeft niet meer nodig!'

Jory draaide zijn stoel om en staarde naar de ondergaande zon. 'Ik heb altijd medelijden met hem gehad en heb hem willen helpen. Het liefst zou ik met de tweeling en jou en paps weggaan, maar dat is de laffe uitweg. Als Bart werkelijk die ramen open heeft gedaan om de regen en wind binnen te laten, is hij later van gedachten veranderd en is hij teruggekomen om me te redden. En die vernielde klipper, dat kan Bart onmogelijk hebben gedaan, want hij wilde hem veel te graag hebben. En Joel – die jij daarvoor verantwoordelijk stelt – heeft meer invloed op Bart dan wie ook. Iemand is bezig Barts geest te verzieken en de klok terug te draaien, zodat hij weer dat gekwelde tienjarige kind wordt dat wilde dat jij en zijn grootmoeder omkwamen in het vuur en verlost zouden worden...'

'Jory, alsjeblieft, je hebt gezegd dat je die periode in ons leven nooit meer zou aanroeren.'

Er viel een stilte, een pijnlijke lange stilte. Toen ging hij verder. 'De vissen in mijn aquarium zijn gisteravond dood gegaan. Het luchtfilter was afgesloten. De thermostaat vernield.' Weer zweeg hij, terwijl hij me aandachtig opnam. 'Geloof je wat ik je net heb verteld?'

Ik richtte mijn blik op de bergen met hun ronde toppen, die me deden denken aan oude, gigantische, dode maagden die in grillige rijen waren neergelegd, hun naar boven gerichte, bemoste boezems het enige wat was overgebleven. Ik richtte mijn blik op de diepblauwe lucht, en de onweerswolken met de glanzend gouden randen die een betere tijd aankondigden.

Onder dergelijke luchten, omringd door dezelfde bergen, hadden Chris, Cory en Carrie verschrikkingen getrotseerd, terwijl God toekeek. Zenuwachtig veegde ik die onzichtbare spinnewebben opzij, zocht naar de juiste woorden.

'Mams, hoe erg ik het ook vind, Ik geloof dat we Bart moeten afschrijven. We kunnen zijn liefde bij-tijd-en-wijle niet vertrouwen. Hij heeft weer professionele hulp nodig. Eerlijk gezegd heb ik altijd geloofd dat hij een hoop liefde in zich had, maar niet wist hoe hij die moest uiten. En nu denk ik dat hij niet meer te redden is. We kunnen hem niet uit zijn eigen huis jagen – tenzij we hem krankzinnig laten verklaren en in een inrichting bergen. Dat wil ik niet, en ik weet dat jij dat ook niet wilt. Dus het enige wat ons nog rest is vertrekken. En vind je het niet gek – nu *wil* ik niet meer weg, zelfs niet nu mijn leven gevaar loopt. Ik ben gewend geraakt aan dit huis; ik vind het hier heerlijk, dus stel ik mijn leven in de waagschaal, ons alter leven. De spanning van wat er vandaag zou kunnen gebeuren voorkomt dat ik me ooit verveel. Mams, het ergste in mijn leven is verveling.'

Ik luisterde maar met een half oor naar Jory.

Ik sperde mijn ogen open toen ik Joel en Bart met Deirdre en Darren naar de kleine kapel zag lopen, die een deur had die op de tuin uitkwam. Ze gingen naar binnen en de deur viel achter hen dicht.

Ik vergat mijn mand met rozen en sprong overeind. Waar was Toni? Waarom beschermde ze de tweeling niet tegen Bart, tegen Joel? Toen voelde ik me dwaas, want waarom zou ze denken dat Bart of Joel een bedreiging vormde voor twee zulke kleine onschuldige kinderen? Toch nam ik haastig afscheid van Jory, zei dat hij zich geen zorgen moest maken, dat ik over een paar minuten terug zou zijn met Darren en Deirdre en dat we dan samen gingen lunchen. 'Jory, is het goed als ik je een paar ogenblikken alleen laat?'

'Natuurlijk, mams. Ga mijn kinderen maar halen. Trevor heeft me vanmorgen een intercom gegeven die op batterijen werkt. Trevor is door en door betrouwbaar.'

Met een volledig vertrouwen in de loyaliteit van onze butler holde ik naar de kapel.

Minuten later sloop ik door de kleine binnendeur in huis de kapel binnen, die Bart volgens Joel absoluut nodig had om zijn ziel van de zonde te verlossen. Het was een klein vertrek, een imitatie van de kapel die in veel oude kastelen en paleizen aanwezig was en waar de erediensten voor de familie werden gehouden. Bart knielde achter de eerste bank, met Darren aan de ene kant en Deirdre aan de andere. Joel stond achter de kansel, zijn grijze hoofd gebogen toen hij begon te bidden. Zachtjes sloop ik dichterbij en verborg me in de schaduw van een boog.

'We vinden het hier niet leuk,' klaagde Deirdre luid fluisterend tegen Bart.

'Stil. Dit is de plaats van God,' waarschuwde Bart.

'Ik hoor mijn poes mauwen,' zei Darren zwakjes, opzijschuivend.

'Je kunt je kat hier niet horen. Je kunt geen enkele kat horen op zo'n afstand. Bovendien is het jouw poes niet. Het is Trevors poes, en jij mag er alleen mee spelen van hem.'

De tweeling begon te snuffen en probeerde niet te huilen. Ze waren dol op poezen, jonge hondjes, vogels, alles wat klein en lief was. 'STILTE!' bulderde Bart. 'Ik hoor niets buiten, maar als je heel aandachtig luistert, zal God tegen je spreken en je vertellen hoe je moet overleven.'

'Wat is overleven?'

'Darren, waarom laat je je zusje alle vragen stellen?'

'Zij houdt meer van vragen.'

'Waarom is het hier zo donker, oom Bart?'

'Deirdre, net als alle vrouwen praat je te veel.'

Ze begon nog luider te jammeren. 'Nietwaar! Oma vindt het leuk als ik praat...'

'Je oma hoort iedereen graag praten behalve mij,' antwoordde Bart verbitterd, en kneep in Deirdre's armpje om haar het zwijgen op te leggen.

Tientallen kaarsen brandden op het podium waar Joel stond met opgeheven hoofd. De architecten hadden spots in de zoldering aangebracht die gericht waren op degene die op de kansel stond, zodat Joel in het midden van een mysterieus kunstmatig lichtkruis stond.

Met heldere, luide stem zei hij: 'We zullen gaan staan en de lof zingen van de Heer voordat we aan de preek van vandaag beginnen.' Zijn stem resoneerde, klonk zelfverzekerd en autoritair.

Ik was achter een pilaar gaan zitten waar ik kon zien zonder gezien te worden. De tweeling gedroeg zich als twee kleine robotten; ze waren hier blijkbaar vaak geweest zonder hun vader, Chris, mij of Toni. Ze waren schuw en gehoorzaam. Ze stonden op, één aan elke kant van Bart, die zijn handen op hun kleine schoudertjes hield, en samen met hem begonnen ze te zingen. Hun stemmetjes klonken zwak en aarzelend, en ze konden slecht wijs houden. Toch deden ze hun best met Bart mee te zingen, die me verbaasde met een verrassend goede bariton.

Waarom had Bart niet zo gezongen toen wij de diensten bijwoonden? Hadden Chris en ik, en Jory, Bart zo geïntimideerd dat hij had onderdrukt wat een van God gegeven natuurlijk talent moest zijn? Toen we Cindy hadden geprezen om haar mooie stem had hij alleen maar zijn wenkbrauwen gefronst en met geen woord gezegd dat hij ook zo'n mooie stem had. O, wat was Bart toch gecompliceerd, het was om gek van te worden.

Onder andere, minder sinistere omstandigheden zou ik genoten hebben vn Barts stem, die zo opgewekt en welluidend klonk, waar hij zijn hele hart in legde. Het zonlicht viel door het gebrandschilderde glas en kleurde zijn gezicht paars, roze en groen. Wat was hij mooi als hij zong, met stralende ogen, alsof hij werkelijk de macht bezat van de Heilige Geest.

Ik was ontroerd door zijn geloof in God. Tranen sprongen in mijn ogen en een gevoel van opluchting ging door me heen.

O, Bart, je kunt niet alleen maar slecht zijn als je zo kunt zingen en er zo kunt uitzien. Het is nog niet te laat om je te redden, het kàn niet te laat zijn.

Geen wonder dat Melodie van hem had gehouden. Geen wonder dat Toni niet in staat was een dergelijke man de rug toe te keren en in de steek te laten.

Zijn stem verhief zich, boven de zwakke stemmetjes van de tweeling uit. Ik werd boven mezelf uitgetild, bereid te geloven in de macht van God. Ik zonk op mijn knieën, boog mijn hoofd.

'Dank u, God,' fluisterde ik. 'Dank u voor de redding van mijn zoon.'

Toen staarde ik weer naar hem, ik ving de Heilige Geest op, en was bereid in alles te geloven waarin hij geloofde. Woorden uit het verleden kwamen bij me terug. Bart was toen bij ons. 'We moeten voorzichtig zijn met Jory,' waarschuwde Chris. 'Zijn immune stelsel is aangetast. We moeten zorgen dat hij geen kou vat; er mag geen vocht in zijn longen komen…'

Toch bleef ik geknield liggen, niet in staat me te bewegen. Ik kon nu niet anders geloven dan dat Bart een heel verontruste jongeman was die wanhopig trachtte te vinden wat goed voor hem was.

Barts krachtige zangstem kwam aan het eind van het gezang. O, als Cindy hem nu eens had kunnen horen. Als ze eens samen konden zingen, eindelijk vrienden, verenigd door hetzelfde talent. Er was niemand om te applaudisseren toen het lied uit was. Er heerste alleen maar een doodse stilte; ik kon het bonzen van mijn hart horen.

De tweeling staarde met grote onschuldige blauwe ogen naar Bart. 'Zing nog eens, oom Bart,' smeekte Deirdre. 'Zing eens over de rots…'

Nu wist ik waarom ze naar de kapel kwamen. Om hun oom te horen zingen en te voelen wat ik voelde, een onzichtbare aanwezigheid die warm en vertroostend was.

Zonder enige begeleiding zong Bart het gevraagde lied. Ik voelde me langzamerhand emotioneel uitgewrongen. Met een stem als de zijne kon hij de wereld aan zijn voeten hebben, en hij sloot zijn talent op in een kantoor.

'Zo is het genoeg, neef,' zei Joel, toen het tweede gezang uit was. 'Nu gaan we zitten, en beginnen aan de preek van vandaag.'

Gehoorzaam nam Bart plaats en trok de tweeling naast zich. Hij hield zijn armen zo beschermend om hen heen geslagen dat ik me ontroerd voelde. Hield hij van Jory's tweeling? Had hij al die tijd alleen maar gedaan of hij een hekel aan ze had omdat ze leken op de *slechte* tweeling van vroeger?

'Laten we het hoofd buigen en bidden,' beval Joel.

Ook ik boog het hoofd.

Ik luisterde ongelovig naar zijn gebed. Hij klonk zo professioneel, zo bezorgd voor degenen die nooit de vreugde hadden ervaren van het 'gered' zijn en het volledig aan Christus toebehoren.

'Als je je hart openstelt en Christus binnen laat komen, vervult Hij je met liefde. Als je de Heer en zijn zoon, die voor jou gestorven is, liefhebt en je gelooft in de rechtvaardigheid van God en Zijn zoon die zo gruwelijk gekruisigd is, zul je de vrede vinden van de vervulling die je altijd is ontgaan. Leg je zonden neer, je zwaarden, je schilden, je dorst naar macht en geld. Leg je aardse lusten terzijde die je doen hunkeren naar vleselijk genot. Leg al je aardse behoeften opzij die nooit bevredigd kunnen worden en geloof, geloof! Volg de voetstappen van Christus. Volg ze, laat je door Christus leiden, geloof in Zijn leer en je zult gered worden. Gered van het kwaad van deze wereld van zonde en dorst naar sex en macht. Red jezelf voor het te laat is!'

Zijn dwepende hartstocht was angstaanjagend. Waarom kon ik niet geloven in zijn vurige preek, zoals ik geloofde in Barts mooie zang? Waarom werd de evangelische welsprekendheid van Joel uitgewist door visioenen van wind en regen in Jory's kamer? Ik voelde dat ik Jory had verraden door één ogenblik te geloven dat zelfs Joel was wat hij nu leek.

Zijn preek was nog niet geëindigd. Ik schrok op door de plotselinge achteloze toon, alsof hij rechtstreeks tot Bart sprak. 'De stemmen in het dorp zijn tijdelijk tot zwijgen gebracht, omdat we in dit grote huis in de bergen een kleine tempel hebben gebouwd die gewijd is aan de verering van God. De arbeiders die dit goddelijke huis voor de eredienst hebben geconstrueerd hebben hun verteld wat we hebben gedaan, en anderen hebben het woord verspreid dat de Foxworths trachten hun ziel te redden. Ze spreken niet langer over wraak op de Foxworths, die meer dan tweehonderd jaar over hen hebben geheerst. Diep in hun hart koesteren ze nog hun grieven over de daden van onze egoïstische, egocentrische voorouders. Ze zijn de zonden niet vergeten van Corrine Foxworth, die getrouwd is met haar halfoom, en evenmin hebben ze de zonden vergeten van je moeder, Bart en de broer die ze liefheeft. Onder jouw eigen dak schenkt ze hem nog steeds het genot van haar lichaam, zoals zij haar genot beleeft met hem. Onder Gods blauwe hemel liggen ze naakt in de zon voor ze zich met elkaar verenigen. Ze zijn verslaafd aan elkaar, alsof ze verslaafd waren aan een van de vele drugs in de immorele, zelfzuchtige, onverschillige maatschappij van vandaag.

'Hij, de arts, haar eigen broer, doet enigszins boete door zijn pogingen de mensheid te dienen en zijn leven te wijden aan de geneeskunde en de wetenschap. Dus kan hij gemakkelijker vergeving vinden dan die zondige vrouw, je moeder, die de wereld niets anders biedt dan een perverse dochter die wellicht nog slechter zal worden dan zij zelf, en een eerstgeboren zoon die op indecente wijze danste voor geld! Om zijn lichaam te verheerlijken! En voor die zonde heeft hij geboet door het verlies van zijn benen, en met het verlies van zijn benen heeft hij zijn lichaam verloren, en met het verlies van zijn lichaam heeft hij zijn vrouw verloren. Het noodlot bepaalt in zijn oneindige wijsheid wie gestraft en wie geholpen moet worden.' Weer zweeg hij even, met een dramatisch effect, als wilde hij zijn woorden in de hersens van mijn zoon branden. 'Mijn zoon, ik weet dat je je moeder liefhebt en dat je haar soms alles zou willen vergeven – verkeerd, verkeerd, want zal God dat ook doen? Nee, dat geloof ik niet. Red haar, want hoe kan God haar vergeven, die haar eigen broer heeft verleid, hem in haar armen heeft gelokt?'

Hij zweeg, zijn fletse ogen fonkelden van een religieus vuur, en hij wachtte op Barts reactie.

'Ik heb honger!' jammerde Deirdre plotseling.

'Ik ook,' riep Darren.

'Jullie blijven hier en je doet wat je doen moet, anders zijn de gevolgen voor jullie!' schreeuwde Joel van de kansel.

Onmiddellijk kromp de tweeling ineen en staarde met grote angstige ogen naar Joel. Wat had Joel gedaan dat ze zo bang waren? O, God, had ik Joel of Bart de kans gegeven ze op een of andere manier kwaad te doen?

Lange minuten gingen voorbij, alsof Joel hen met opzet op de proef stelde.

Ik wilde overeind springen en het uitschreeuwen, om Joel te beletten slechte ideeën te planten in de hoofdjes van onschuldige kleuters. Maar Bart zat erbij of hij Joels woorden niet had gehoord. Zijn donkere ogen waren gericht op het prachtige gebrandschilderde raam vlak achter de kansel. Jezus stond afgebeeld met de kleine kinderen aan Zijn voeten, die tegen Zijn knieën leunden, vol aanbidding naar Hem omhoog staarden. Diezelfde aanbidding stond op Barts gezicht te lezen. Hij luisterde niet naar zijn oudoom. Hij vulde zich met de aanwezigheid die zelfs ik in deze plaats kon voelen.

God bestond, had altijd bestaan, ook al had ik Hem willen verloochenen.

De woorden van Christus hadden betekenis, ook in de wereld van vandaag. En op de een of andere manier had Zijn leer een plaats gevonden in Barts veront ruste geest.

'Bart, je neef en nicht vallen in slaap!' bulderde Joel kwaad. 'Je verzaakt je plicht! Maak ze wakker! Onmiddellijk!'

'Heb geduld met de kinderen, oom Joel,' zei Bart. 'Je preken duren te lang en ze vervelen zich en worden rusteloos. Ze zijn niet slecht. Ze zijn geboren binnen de heilige geloften van het huwelijk. Het is niet de eerste tweeling, oom – niet de *slechte* tweeling.'

Terwijl ik zag hoe Bart Darren en Deirdre optilde en beschermend in zijn armen hield, voelde ik angst en hoop tegelijk. Bart bewees dat hij even goed en nobel was als zijn vader. Maar ik had dat nog niet gedacht of de volgende woorden die ik hoorde deden me verkillen. Ik verstarde in de schaduw.

Bart was opgestaan met de tweeling in zijn armen. 'Zet ze neer,' beval Joel. Zijn preek was over en zijn krachtige stem ebde weg tot zijn gebruikelijke zachte gefluister. Had hij zijn energie uitgeput, zodat hij nu krachteloos was geworden? Ik hoopte het van harte.

'Zo! Kinderen, die niet geleerd hebt jullie lichamelijke behoeften in bedwang te houden, herhaal de lessen die ik getracht heb jullie te leren. Spreek op, Darren, Deirdre! Spreek de woorden die je voor eeuwig in je hoofd en hart moet bewaren. Spreek, en laat God je horen.'

Ze hadden zulke babyachtige stemmetjes, die zelden meer dan een paar woorden achter elkaar zeiden. Soms gebruikten ze de verkeerde syntaxis, maar deze keer spraken ze zo correct en ernstig als volwassenen.

Bart luisterde aandachtig, alsof hij had geholpen bij het leren.

'Wij zijn kinderen die geboren zijn uit slecht zaad. Wij zijn kinderen die geboren zijn uit slecht zaad. Wij zijn duivelsgebroed, het zaad van de duivel. We hebben alle slechte genen geërfd die leiden tot inces... incestueuze relaties.'

Tevreden over zichzelf grijnsden ze naar elkaar omdat ze het goed hadden gezegd, al begrepen ze niets van de woorden. Toen richtten ze hun ernstige blauwe ogen op de onverbiddelijke oude man op de kansel.

'Morgen gaan we verder met onze lessen.' Met die woorden klapte Joel zijn enorme zwarte bijbel dicht.

Bart pakte de tweeling op, gaf ze een zoen op hun wangetjes en zei dat ze nu een schoon broekje konden aantrekken, lunchen, een bad nemen en gaan slapen, vóór ze weer de kerkdienst zouden bijwonen.

Op dat moment stond ik op en liep naar voren. 'Bart, wat probeer je te doen met Jory's kinderen?'

Hij staarde me aan, zijn gebruinde huid werd plotseling bleek. 'Moeder, je hoort hier niet te komen behalve op zondag.'

'Waarom niet? Wil je me hier vandaan houden zodat je geestelijk gestoorde mensen kunt maken van de tweeling? Is dat je bedoeling?'

'Wie heeft van jou gemaakt wat je bent?' vroeg Joel kil, zijn ogen klein en hard.

In een wilde woede draaide ik me om en keek hem aan. 'Jouw ouders!' schreeuwde ik. 'Jouw zuster, Joel, die ons heeft opgesloten en hier gevangen heeft gehouden, jaar in, jaar uit levend van beloftes, terwijl Chris en ik volwassen werden zonder iemand om lief te hebben behalve elkaar. Je kunt degenen beschuldigen die van Chris en mij gemaakt hebben wat we zijn. Maar voordat je nog één woord zegt, heb *ik* wat te zeggen.

Ik hou van Chris, en *ik schaam me niet*. Jij vindt dat ik de wereld niets van belang heb gegeven, maar *daar* staat je achterneef, met mijn kleinkinderen, en op het terras zit nog een zoon van me. En ze zijn niet besmet! Ze zijn geen duivelsgebroed, geen zaad van de duivel. En waag het niet, zolang je leeft, die woorden ooit nog eens te zeggen tegen iemand die bij mij hoort. Anders zal ik ervoor zorgen dat je wordt opgeborgen en seniel verklaard!'

De kleur kwam weer terug in Barts gezicht, terwijl Joel verbleekte. Zijn wanhopige, fletse ogen zochten die van Bart, maar Bart staarde naar mij of hij me nooit eerder had gezien. 'Moeder,' zei hij zwak, en hij zou meer gezegd hebben, maar de tweeling wrong zich uit zijn armen en rende naar me toe.

'Honger, oma, honger!'

Ik keek Bart in de ogen. 'Je hebt de prachtigste zangstem die ik ooit heb gehoord,' zei ik, achteruitlopend en de tweeling meenemend. 'Wees jezelf, Bart. Je hebt Joel niet nodig. Je hebt je talent gevonden, gebruik het nu.'

Hij bleef als aan de grond genageld staan, alsof hij duizend dingen te zeggen had, maar Joel rukte smekend aan zijn arm, terwijl de tweeling jammerde dat ze honger hadden.

DE HEMEL KAN NIET WACHTEN

Jory werd een paar dagen later ziek – een kou die maar niet over wilde gaan. De koude regen en wind hadden hun werk gedaan. Hij lag met hoge koorts in bed, zijn voorhoofd glinsterde van het zweet, hij lag te woelen en draaide voortdurend zijn hoofd heen en weer, hij kreunde en riep voortdurend om Melodie. Ik zag Toni in elkaar krimpen als hij dat deed.

Ik sloeg haar aandachtig gade als ze bij hem was, en ik zag dat ze werkelijk om Jory gaf; het was duidelijk in alles wat ze vol liefde voor hem deed, in haar zachte medelijdende ogen en haar lippen die zijn gezicht beroerden als ze dacht dat ik niet keek.

Ze draaide haar hoofd om en glimlachte dapper naar me. 'Probeer wat minder ongerust te zijn, Cathy,' smeekte ze, terwijl ze Jory's blote borst bette met koel water. 'De meeste mensen beseffen niet dat koorts meestal helpt bij het opbranden van virussen. Als doktersvrouw weet je dat vast wel en maak je je alleen maar ongerust dat hij longontsteking zal krijgen. Dat krijgt hij niet. Ik weet zeker van niet.'

'Laten we het hopen…'

Ik maakte me nog steeds bezorgd; ze was per slot maar een verpleegster, zonder de medische kennis en ervaring van Chris. Ik belde hem om het uur, probeerde hem te vinden in dat enorme laboratorium van de universiteit. Waarom reageerde Chris niet op mijn dringende telefoontjes? Ik was niet alleen ongerust, maar ook kwaad dat ik Chris niet kon bereiken. Had hij niet beloofd dat hij altijd hier zou zijn als hij nodig was?

Twee dagen waren voorbij gegaan sinds Joel zijn preek had gehouden, en Chris had nog steeds niet gebeld.

Het drukkende, vochtige weer en de tussentijdse regen- en onweersbuien schiepen nog meer verwarring en narigheid in mijn hoofd. De donderslagen ratelden boven mijn hoofd. De bliksemstralen kliefden door de lucht en verlichtten even de donkere, onheilspellende lucht. Aan mijn voeten speelde de tweeling en fluisterde dat het tijd was voor de lessen in de kapel. 'Alsjeblieft, oma. Oom Joel zegt dat we moeten komen.'

'Deirdre, Darren, ik wil dat jullie naar mij luisteren en vergeten wat oom Joel en oom Bart jullie vertellen. Je vader wil dat jullie bij mij blijven en bij Toni, en dicht bij hem. Je weet dat papa ziek is, en het laatste wat hij wil is dat zijn zoon en dochter in die kapel komen, waar... waar...' Ik begon te stotteren. Wat moest ik zeggen over Joel? Hij leerde ze wat hij meende dat juist was. Als hij ze alleen maar niet die zinnetjes had geleerd... Duivelsgebroed. Zaad van de duivel.

Ogenblikkelijk begonnen ze allebei te jammeren, eensgezind. 'Gaat papa dood?' riepen ze tegelijk.

'Nee, natuurlijk gaat hij niet dood. Wat weten jullie nou van de dood?' Ik ging verder en legde hun uit dat hun grootvader een fantastische arts was en dat hij elk moment thuis kon komen.

Ze staarden me aan zonder me te begrijpen, en toen besefte ik dat ze vaak woorden nazeiden die ze uit hun hoofd hadden geleerd zonder te weten wat ze betekenden. De dood – wat wisten zij van de dood?

Toni draaide zich om. 'Als ik die twee in en uit hun kleren help en ze in bad doe, babbelen ze aan één stuk door. Het zijn werkelijk opvallend intelligente kinderen. Ik denk dat ze allerlei dingen veel sneller leren omdat ze zoveel met volwassenen omgaan, méér dan wanneer ze met andere kinderen zouden spelen. Het meeste wat ze zeggen als ze samen spelen is dwaas gebrabbel. Maar dan plotseling komen er ernstige woorden, volwassen woorden. Ze sperren hun ogen open. Ze fluisteren. Ze kijken om zich heen en lijken bang. Het is of ze verwachten iemand of iets te zien, en ze waarschuwen elkaar voor God en Zijn toorn. Het maakt me bang.'

Ze keek van mij naar Jory.

'Toni, luister goed. Laat de tweeling nooit uit het oog. Hou ze elk moment van de dag bij je, tenzij je heel zeker weet dat ze bij mij zijn of bij Jory of mijn man. Als je voor Jory zorgt en het te druk hebt om op ze te letten, roep me dan, dan neem ik ze van je over. En laat ze vooral niet met Joel meegaan,' en hoe erg ik het ook vond, ik moest Barts naam eraan toevoegen.

Ze keek me weer bezorgd aan. 'Cathy, ik geloof dat het niet alleen is wat er in New York gebeurd is met Cindy en met mij, maar ook wat Joel tegen hem zei toen we terugkwamen, dat maakte dat Bart me behandelde als een smerige zondares. Het is zo verdrietig als de man van wie je denkt te houden zulke afschuwelijke beschuldigingen naar je hoofd slingert.'

Ze was bezig Jory's armen en borst te betten. 'Jory zou nooit zulke afschuwelijke dingen zeggen, wat ik ook deed. Soms kijkt hij heel kwaad, maar zelfs dan is hij bedachtzaam genoeg om niets te zeggen dat me echt zou kunnen kwetsen. Ik heb nog nooit een man ontmoet die zo tactvol en begrijpend is.'

'Wil je daarmee zeggen dat je nu van Jory houdt?' vroeg ik. Ik wilde zo graag geloven dat het zo was, maar ik was bang dat het de reactie was op haar teleurstelling en dat ze Jory alleen gebruikte als vervanging.

Ze bloosde en boog haar hoofd. 'Ik ben bijna twee jaar hier in huis, en ik heb veel gezien en gehoord. In dit huis heb ik seksuele bevrediging gevonden bij Bart, maar het was niet romantisch, alleen maar opwindend. Nu pas ontdek ik de romantiek van een man die me begrijpt en me geeft wat ik nodig heb. Zijn ogen veroordelen nooit. Zijn mond zegt nooit verschrikkelijke dingen. Mijn liefde voor Bart was een vuur, dat hoog oplaaide toen we elkaar de eerste dag ontmoetten, terwijl mijn voeten in het drijfzand stonden. Ik wist nooit wat hij wilde of wat hij nodig had, behalve dat hij iemand wilde die op jou leek ...'

'Ik wou dat je eens ophield dat te zeggen, Toni,' protesteerde ik onrustig.

Bart was zo onzeker van zichzelf dat hij bang was dat een vrouw hem in de steek zou laten. Om dat te voorkomen had hij Melodie aan de kant gezet voordat ze de kans kreeg zich tegen hem te keren. Later richtte hij zijn zelfhaat tegen Toni, voordat ze hem kon gaan haten en in de steek laten. Ik zuchtte weer.

Toni beloofde nooit meer met me over Bart te praten, en daarna trok ze Jory met mijn hulp een schoon pyjamajasje aan. We werkten samen als een team, terwijl de tweeling op de grond met autootjes zat te spelen, net als Cory en Carrie vroeger deden.

'Je moet alleen heel zeker weten van welke broer je houdt voor je hun allebei verdriet doet. Ik zal nog eens met mijn man en Jory praten, en ik zal mijn uiterste best doen ervoor te zorgen dat we uit dit huis verdwijnen zodra Jory beter is. Jij kunt met ons meegaan als je dat wilt.'

Ze sperde haar mooie grijze ogen open. Ze keek van mij naar Jory, die op zijn zij was gerold en onsamenhangend praatte in zijn ijlkoortsen.

'Mel... moeten we op?' meende ik dat hij zei.

'Nee, het is Toni, je verpleegster,' zei ze zachtjes, zijn haar strelend en het wegstrijkend van zijn bezwete voorhoofd. 'Je hebt een ernstige kou, maar straks voel je je weer beter.'

Jory staarde verward en nietsziend naar haar op, alsof hij probeerde deze vrouw te onderscheiden van degene van wie hij elke nacht droomde. Overdag had hij alleen maar oog voor Toni, maar 's nachts kwam Melodie weer bij hem spoken. Wat bezielde een mens toch om zich zo hardnekkig vast te houden aan een tragedie en het geluk van de hand te wijzen dat voor het grijpen ligt?

Hij begon hevig te hoesten, stikte half en gaf grote vlokken slijm op. Teder hield Toni zijn hoofd vast en gooide de gebruikte tissues weg.

Alles wat ze voor hem deed, deed ze met liefde en tederheid, het opschudden van zijn kussens, het masseren van zijn rug, het bewegen van zijn benen om ze soepel en lenig te houden, zelfs al had hij er geen macht over. Ik moest wel onder de indruk komen van alles wat ze deed om het hem gemakkelijk en naar de zin te maken.

Ik liep naar de deur en voelde me een indringster toen Jory's ogen helder werden en hij haar hand pakte en haar aankeek. Zo ziek als hij was, iets in zijn ogen sprak haar aan. Stilletjes pakte ik Darrens handje en toen dat van Deirdre. 'We moeten nu gaan,' fluisterde ik, terwijl ik nog net zag hoe Toni beefde voor ze haar hoofd boog.

Tot mijn verbazing bracht ze vlak voordat ik de deur dichtdeed, zijn hand aan haar lippen en kuste elk van zijn vingers. 'Ik maak misbruik van je toestand,' fluisterde ze. 'Op een moment waarop je je niet kunt verzetten. Maar ik moet je vertellen hoe dom ik ben geweest. Jij was hier al die tijd en ik heb je nooit gezien. Ik heb je nooit gezien, omdat Bart in de weg stond.'

Zachtjes antwoordde Jory: 'Ik denk dat je een man in een rolstoel gemakkelijk over het hoofd ziet, en misschien was dat alleen al voldoende om je blind te maken. Maar ik was hier, ik wachtte, hoopte...'

'O, Jory, neem het me niet kwalijk dat ik me door Barts charme heb laten verblinden. Ik was overdonderd door het feit dat hij mij aantrekkelijk vond. Hij heeft me volkomen overrompeld. Ik geloof dat elke vrouw heimelijk verlangt naar een man die weigert nee als antwoord te aanvaarden, en haar net zo lang achtervolgt tot ze toegeeft. Vergeef me dat ik zo dom ben geweest en zo'n gemakkelijke prooi.'

'Het is goed, het is goed,' fluisterde hij en sloot zijn ogen. 'Zorg alleen dat het geen medelijden is wat je voor me voelt, want dat zou ik weten.'

'Jij bent wat ik gewild had dat Bart was!' riep ze uit en bracht haar lippen vlak bij de zijne.

Zachtjes deed ik de deur dicht.

In mijn kamer ging ik naast de telefoon zitten en wachtte tot Chris zou bellen in antwoord op mijn vele dringende boodschappen. De tweeling lag veilig in bed voor hun middagslaapje. De telefoon rinkelde, ik pakte hem op en zei hallo. Een zware, ruwe stem vroeg naar mevrouw Sheffield, en ik maakte mezelf bekend.

'We moeten jou en je soort hier niet,' zei die angstaanjagende ruwe stem. 'We weten wat daar boven gebeurt. We laten ons niet bedotten door die kleine kapel die jullie hebben gebouwd. Dat is iets om je achter te verschuilen terwijl je Gods wetten overtreedt. Ga weg, voor we Gods wil in eigen hand nemen en jullie allemaal verjagen uit *onze* bergen.'

Niet in staat om te antwoorden, bleef ik verbijsterd en ontdaan zitten toen hij ophing. Lange tijd zat ik met de hoorn in mijn hand. De zon brak door de wolken heen en verwarmde mijn gezicht. Toen pas hing ik op. Ik keek om me heen naar de kamers die ik zelf had ingericht, naar mijn eigen smaak, en merkte tot mijn verbazing dat de kamers me niet langer deden denken aan mijn moeder en haar tweede man. Hier waren alleen overblijfselen uit het verleden die ik me *wilde* herinneren.

Cory en Carrie's babyfoto's stonden in zilveren lijsten op mijn kast naast die van Darren en Deirdre. De tweelingen leken op elkaar, maar als je goed keek kon je zien dat ze niet hetzelfde waren. Mijn blik ging naar de volgende zilveren lijst, waarin Paul naar me glimlachte, en Henny in de lijst daarnaast. Julian keek pruilend, op een manier die hij sexy vond, in een gouden lijst, en ik had ook een paar foto's van zijn moeder, Madame Marisha, in een lijst naast haar zoon. Maar nergens stond een foto van Bartholomew Winslow. Ik staarde naar de foto van mijn eigen vader, die was gestorven toen ik twaalf was. Hij leek zoveel op Chris, alleen zag Chris er nu ouder uit. Even keer je je om, en de jongen die je zo goed kent is een man geworden. De jaren gingen zo snel voorbij; vroeger had een dag langer geleken dan nu een jaar.

Weer keek ik naar de twee lijsten met de tweelingen. Alleen iemand die ze allebei erg goed kende kon de geringe verschillen zien. In Jory's kinderen was iets van Melodie, een vage gelijkenis. Ik staarde naar een andere foto, van Chris en mijzelf, toen we nog in Gladstone woonden, in Pennsylvania. Ik was tien en hij was net dertien geworden. We stonden in een meter sneeuw naast de sneeuwpop die we hadden gemaakt en lachten naar papa, die nog een foto van ons maakte. Een foto die vergeeld was, één die onze moeder in haar blauwe album had geplakt. *Ons* blauwe album nu.

Kleine momenten van ons leven waren gevangen in al die kleine vierkantjes en rechthoekjes van glanzend papier. Voor eeuwig gevangen in de tijd, de Catherine Doll die op een vensterbank op zolder zat, in een dun nachthemd, terwijl Chris in de schaduw een tijdopname maakte. Hoe had ik zo lang stil kunnen zitten? Door het nachthemd kon ik de tere vormen zien van jonge borsten, en in dat meisjesachtige profiel alle weemoedige droefheid die ik toen voelde.

Wat mooi was ik toen. Ik staarde lang en aandachtig naar haar. Dat tere, tengere meisje was, lang geleden, verdwenen in de vrouw van middelbare leeftijd die ik nu was. Ik zuchtte om het verlies van dat bijzondere meisje met haar hoofd vol dromen. Ik wilde mijn blik afwenden, maar stond toen op en pakte de foto die Chris had meegenomen naar de universiteit, naar zijn medische colleges. Toen hij intern was, had hij die foto altijd bij zich gedragen. Was het dit stukje papier in mijn hand dat zijn liefde voor mij zo levend had gehouden? Dit gezicht van een meisje van vijftien, dat in het maanlicht zat? Verlangend, altijd verlangend naar een liefde die eeuwig zou duren? Ik leek niet langer op het meisje dat ik in mijn hand hield. Ik leek op mijn moeder op de avond dat ze de oorspronkelijke Foxworth Hall had verbrand.

Een schrille telefoonbel bracht me terug in het heden. 'Ik heb een lekke band gehad,' zei Chris, toen hij mijn benepen stem hoorde. 'Ik was naar een ander lab gereden, waar ik een paar uur geweest ben, en toen ik terugkwam zag ik al die berichten van jou over Jory. Het is toch niet erger met Jory, hè?'

'Nee, schat, het is niet erger geworden.'

'Cathy, wat is er?'

'Ik zal het je vertellen als je hier bent.'

Een uur later was Chris thuis en omhelsde me haastig voor hij naar Jory ging. 'Hoe gaat het met mijn zoon?' vroeg hij, terwijl hij op de rand van Jory's bed ging zitten en zijn pols voelde. 'Ik heb van je moeder gehoord dat iemand al je ramen open heeft gezet en dat je kletsnat bent geworden door de regen.'

'O!' riep Toni uit. 'Wie kan zoiets afschuwelijks hebben gedaan? Het spijt me, Doctor Sheffield. Het is mijn gewoonte om twee of drie keer 's nachts even bij Jory – ik bedoel meneer Marquet – te gaan kijken, ook al roept hij me niet.'

Jory grinnikte vrolijk. 'Ik geloof dat je nu wel kunt ophouden met me meneer Marquet te noemen, Toni.' Zijn stem klonk zwak en hees. 'En het was op jouw vrije dag.'

'O,' zei ze, 'dan moet het gebeurd zijn op die ochtend toen ik naar de stad ben gereden om mijn vriendin te bezoeken.'

'Het is maar een verkoudheid, Jory,' zei Chris, die Jory's longen had onderzocht. 'Er is geen spoor van vocht in je longen, en te oordelen naar de symptomen is het geen griep. Neem je medicijnen in, drink de drankjes die Toni je brengt en pieker niet meer over Melodie.'

Later, toen hij in zijn lievelingsstoel zat in onze zitkamer, luisterde Chris naar al mijn verhalen. 'Heb je de stem herkend?'

'Chris, ik ken niemand van de dorpelingen goed genoeg. Ik doe mijn uiterste best bij hen uit de buurt te blijven.'

'Hoe weet je dat het iemand uit het dorp was?'

Die gedachte was nog niet bij me opgekomen. Ik had het zonder meer aangenomen. Maar toch, zodra Jory beter was, besloten we allebei uit dit huis weg te gaan.

'Als jij het wilt,' zei Chris, met enige spijt om zich heen kijkend. 'Ik vind het hier prettig, dat moet ik eerlijk toegeven. Ik hou van alle ruimte om ons heen, de tuin, het personeel dat ons bedient, en ik zal het jammer vinden om weg te gaan. Maar laten we niet te ver weg vluchten. Ik wil mijn werk op de universiteit niet in de steek laten.'

'Wees niet bang, Chris. Dat zal ik je niet afnemen. Als we hier weggaan kunnen we naar Charlottesville gaan en God bidden dat niemand daar weet dat ik je zuster ben.'

'Cathy, mijn allerliefste, aanbiddelijke vrouw, ik geloof dat ook al wisten ze het, het ze geen moer zou kunnen schelen. Bovendien lijk je meer op mijn dochter dan op mijn vrouw.'

Hij was zo lief, hij zei het in alle oprechtheid. Ik besefte dat hij blind was als hij naar me keek. Hij zag wat hij wilde zien, en dat was het meisje dat ik vroeger was.

Hij lachte om mijn weifelende gezicht. 'Ik hou van de vrouw die je geworden bent. Zoek dus niet naar de doffe plekken als ik je een achttien-karaats gouden oprechtheid bied. Ik zou zeggen vierentwintig-karaats, maar dan zou jij zeggen dat dat te zacht is en daarom functioneel waardeloos. Dus geef ik je het allerbeste, mijn achttien-karaats liefde die eerlijk gelooft dat je van binnen en van buiten en daartussenin de mooiste vrouw op aarde bent.'

Cindy legde een van haar vliegensvlugge bezoekjes af, vertelde ademloos alle bijzonderheden van haar leven sinds ze ons de laatste keer had gezien. Het leek ongelooflijk dat een meisje van negentien zoveel kon meemaken.

Zodra we in de grote hal waren, rende ze de trap op en omhelsde Jory met zoveel hartstocht dat ik bang was dat ze zijn rolstoel zou omgooien. 'Hé,' zei hij lachend, 'je weegt meer dan een veertje, Cindy.' Hij kuste haar, bekeek haar en begon toen te lachen. 'Wauw! Wat is dat voor outfit?'

'Het soort dat de ogen van een zekere broer genaamd Bart met afschuw zal vervullen. Ik heb het speciaal uitgezocht om hem en onze lieve oom Joel te ergeren.'

Jory werd ernstig. 'Cindy, als ik jou was, zou ik ophouden Bart altijd zo uit te dagen. Hij is geen kleine jongen meer.'

Zonder dat Cindy het wist was Toni de kamer binnengekomen en stond geduldig te wachten om Jory's temperatuur op te nemen.

'O,' zei Cindy, zich omdraaiend. 'Na die afschuwelijke scène met Bart in New York dacht ik dat je hem zou zien zoals hij werkelijk is, en dat je weg zou zijn.' Maar toen ze de blik in Toni's ogen zag, keek Cindy naar Jory en toen weer naar Toni, en ze begon te lachen. 'Hè, eindelijk verstandig! Ik zie het in jullie ogen. Toni en Jory. Jullie houden van elkaar! Hoera!' Ze snelde naar Toni toe en kuste en omhelsde haar en ging toen naast Jory's stoel zitten en keek vol adoratie naar hem op. 'Ik heb Melodie ontmoet in New York. Ze huilde toen ik haar vertelde hoe schattig de tweeling is, maar de dag na jullie scheiding is ze met een andere danser getrouwd. Jory, hij lijkt veel op jou, alleen is hij lang zo knap niet, en hij danst ook niet zo goed.'

Jory bleef glimlachen, alsof Melodie had afgedaan. Hij draaide zijn hoofd om en grijnsde naar Toni. 'Wel, dat is dan het einde van mijn alimentatieplicht. Ze had het me tenminste kunnen laten weten.'

Weer staarde Cindy naar Toni. 'En Bart?'

'Wat is er met mij?' klonk een baritonstem in de deuropening.

Toen pas merkten we dat Bart op de drempel stond. Hij leunde nonchalant tegen de deurpost, nam alles wat we zeiden en deden in zich op en deed of we exemplaren waren in zijn speciale dierentuin van familie-afwijkingen.

'Wel, wel,' zei hij temend. 'Heb je van je leven! – onze ademloze kleine imitatie van Marilyn Monroe doet ons de eer aan van haar aanwezigheid. Wat opwindend.'

'Zo zou ik mijn reactie niet willen beschrijven als ik jou weer zie,' zei Cindy. 'Ik zou eerder zeggen verkild dan opgewonden.'

Bart nam haar van top tot teen op, haar strak gespannen goudleren broek, de goudleren knielaarzen, haar gebreide katoenen trui met witte en gouden strepen. De horizontale strepen deden haar borsten goed uitkomen, die op en neer wipten als ze zich bewoog.

'Wanneer ga je weg?' vroeg Bart terwijl hij naar Toni staarde, die op de rand van Jory's bed zat en zijn hand vasthield. Chris zat naast mij op een loveseat en keek de post door.

'Broertjelief, je kan zeggen wat je wilt, het kan me niets schelen. Ik kom om mijn ouders te zien en de rest van mijn familie. Ik ga gauw genoeg weer weg. Stalen kettingen kunnen me niet langer hier houden dan strikt noodzakelijk is.' Ze lachte en kwam een stap dichterbij, keek hem strak aan. 'Je hoeft me niet aardig te vinden of goed te keuren wat ik doe. En zelfs al doe je je mond open en zeg je iets beledigends, dan zal ik er alleen maar om lachen. Ik heb een man gevonden die van me houdt, bij wie vergeleken jij iets bent dat uit een smerige poel is opgedoken!'

'Cindy!' zei Chris scherp. Hij legde zijn ongeopende post neer. 'Zolang je hier bent zul je je fatsoenlijk kleden en zul je Bart met respect behandelen, en hij jou. Ik ben doodziek van die kinderachtige ruzies om niets.'

Cindy keek hem beledigd aan en ik zei verontschuldigend: 'Schat, het is Barts huis. En soms zou ik je wel eens in kleren willen zien die je niet te klein zijn.'

Haar blauwe ogen leken plotseling weer die van een kind. Ze jammerde: 'Jullie kiezen allebei zijn partij, terwijl je heel goed weet dat hij een griezel is die er op uit is ons allemaal ongelukkig te maken!'

Toni bleef verlegen zitten tot Jory zich naar haar toe boog en iets in haar oor fluisterde, en toen glimlachte ze weer. 'Het heeft niets te betekenen,' hoorde ik hem zachtjes zeggen. 'Ik geloof dat Bart en Cindy er een genoegen in scheppen elkaar te kwellen.'

Helaas werd Barts aandacht afgeleid van Cindy, toen hij zag dat Jory met zijn arm om Toni's schouders zat. Hij fronste zijn voorhoofd en wenkte Toni. 'Kom mee. Ik wil je de kapel laten zien met alle nieuwe aanwinsten.'

'Een kapel? Waar hebben wij een kapel voor nodig?' vroeg Cindy, die nog niet wist dat het kamertje verbouwd was.

'Cindy, Bart wilde een kapel in huis.'

'Nou, als iemand een kapel nodig heeft dan is het wel de grote griezel van de heuvel en de Hall.'

Mijn jongste zoon zei niets.

Toni weigerde met hem mee te gaan. Ze gaf als excuus op dat ze de tweeling in bad moest stoppen. Woede vlamde op in Barts ogen, en verdween toen weer. Hij bleef staan met een vreemd trieste blik. Ik stond op en pakte zijn hand. 'Lieverd, ik wil dolgraag zien wat er voor nieuws is in de kapel.'

'Een andere keer,' zei hij.

Ik nam Bart stiekem op tijdens het diner, toen Cindy hem plaagde op zo'n belachelijke manier dat wij er hartelijk om gelachen zouden hebben, als hij de humor ervan maar had kunnen inzien. Maar Bart had helaas nooit om zichzelf kunnen lachen. Hij nam alles veel te serieus. Ze grijnsde triomfantelijk. 'Zie je, Bart,' plaagde ze. 'Ik kan mijn kinderachtige zwakheden van me afzetten, zelfs mijn lichamelijke. Maar jij kan niets van je afzetten van alles wat je ingewanden verzuurt en aan je hersens knaagt. Je bent net een riool, je wilt alles vasthouden dat stinkt en rot, en je staat het nooit meer af.'

Nog steeds zei hij niets.

'Cindy,' zei Chris, die tijdens de hele maaltijd had gezwegen. 'Bied Bart je verontschuldigingen aan.'

'Nee.'

'Dan sta je op en gaat van tafel en eet in je eigen kamer tot je geleerd hebt je fatsoenlijk te gedragen.'

Woedend keek ze naar Chris. 'GOED DAN! Ik ga naar mijn kamer, maar morgen ga ik weg, en ik kom nooit meer terug. NOOIT!'

Eindelijk had Bart iets te zeggen. 'Dat is het beste nieuws dat ik in ja ren heb gehoord.'

Cindy barstte in tranen uit vóór ze de deur van de eetkamer uit was. Deze keer sprong ik niet op om haar achterna te gaan. Ik bleef zitten en deed net of er niets aan de hand was. Vroeger had ik Cindy altijd beschermd en Bart gestraft, maar ik zag hem nu met andere ogen. De zoon die ik nooit had gekend, had eigenschappen die niet allemaal zo somber en gevaarlijk waren.

'Waarom ga je niet naar Cindy toe, zoals je vroeger altijd deed, moeder?' vroeg Bart, of hij me wilde uitdagen.

'Ik ben nog niet klaar met eten, Bart. En Cindy moet leren de opvattingen van anderen te respecteren.'

Hij staarde me volkomen verbijsterd aan.

De volgende ochtend vroeg stormde Cindy zonder te kloppen onze kamer binnen. Ik kwam net uit bad en had een handdoek om me heen geslagen en Chris stond zich nog te scheren. 'Mams, paps, ik ga weg,' zei ze stijf. 'Ik heb hier toch geen plezier. Ik vraag me zelfs af waarom ik de moeite heb genomen om terug te komen. Het is duidelijk dat jullie besloten hebben elke keer Barts partij te kiezen, en als dat zo is, is het voor mij uit. In april word ik twintig, en dat is oud genoeg om geen familie meer nodig te hebben.'

Haar ogen vulden zich met ongewenste tranen. Haar stem klonk zwak en gebroken. 'Ik wil jullie allebei bedanken dat jullie zulke fantastische ouders zijn geweest toen ik nog klein was en jullie beiden nodig had. Ik zal jou en paps missen, en Jory en Darren en Deirdre, maar altijd als ik hier kom voel ik me ongelukkig. Als jullie ooit mochten besluiten ergens anders te gaan wonen dan bij Bart, zien jullie me misschien weer terug... misschien.'

'O, Cindy!' riep ik uit. Ik holde naar haar toe om haar te omhelzen. 'Ga niet weg!'

'Nee, mams,' zei ze koppig. 'Ik ga terug naar New York.'

Maar haar tranen kwamen sneller, overvloediger. Chris veegde de scheerzeep van zijn gezicht en sloeg zijn armen om haar heen. 'Ik kan begrijpen hoe je je voelt, Cindy. Bart kan ontzettend irriterend zijn, maar je ging te ver gisteravond. In zekere zin was je erg geestig, maar helaas kan hij dat niet zien. Je moet leren wie je kunt plagen en wie niet. Je bent boven Bart uitgegroeid, Cindy. En we zullen niet tegenstribbelen als je al zo gauw weer weg wilt. Maar voor je gaat, wil ik dat je weet dat je moeder en ik, en Jory en de kinderen, en Toni ook, naar Charlottesville verhuizen. We zullen daar een groot huis zoeken en midden tussen andere mensen gaan wonen, zodat het niet zo eenzaam voor je zal zijn als je terugkomt. En Bart blijft hier op zijn heuvel, ver van je vandaan.'

Snikkend klampte ze zich aan Chris vast. 'Het spijt me, papa. Ik was gemeen tegen hem, maar hij zegt altijd zulke rotdingen tegen me dat ik terug *moet* slaan, want anders voel ik me net een vloermat. Ik wil niet dat hij zijn voeten aan me afveegt. En hij is net een riool, *het is zo*.'

'Ik hoop dat je hem op een dag anders zult zien,' zei Chris zacht. Hij hief haar mooie betraande gezichtje op en kuste haar vluchtig. 'Goed, geef je moeder een zoen, neem afscheid van Jory, Toni, Darren en Deirdre, maar zeg niet dat je niet terug wilt komen. Dat zou ons allebei erg ongelukkig maken. Je geeft ons heel veel vreugde en geluk, en dat mag door niets bedorven worden.'

Ik hielp Cindy de kleren weer in te pakken die ze net had uitgepakt. Terwijl we bezig waren zag ik dat ze besluiteloos was en dat ze misschien zou blijven, als ik er erg op aandrong. Helaas hadden we de deur van haar kamer open gelaten en toen ik opkeek zag ik Joel op de drempel staan.

Joel keek met zijn fletse ogen naar Cindy. 'Waarom heb je rode ogen, klein meisje?'

'Ik ben geen klein meisje!' schreeuwde ze. Ze keek hem woedend aan. 'Jij staat te gniffelen omdat ik mijn koffers pak, hè? Blij dat ik wegga. Maar voordat ik wegga, zál ik jou ook eens wat vertellen, oude man. En het kan me niet schelen of mijn ouders me op mijn kop geven omdat ik geen respect toon voor de ouderdom.' Ze deed een stap achteruit en torende boven zijn gebogen gestalte uit. 'Ik haat je, ouwe! Ik haat je omdat je mijn broer belet een normaal mens te worden, wat hij zonder jou had kunnen zijn! IK HAAT JE!'

Chris, die bij het raam zat, hoorde het en werd woedend. 'Cindy, waarom? Je had weg kunnen gaan zonder iets te zeggen.' Joel was verdwenen en Cindy staarde naar Chris met een hopeloze blik in haar ogen. 'Cindy,' zei Chris zachtjes, terwijl hij over haar haar streek. 'Joel is een oude man die doodgaat aan kanker. Hij zal niet lang meer leven.'

'Wat bedoel je?' vroeg ze. 'Hij ziet er gezonder uit dan toen hij kwam.'

'Misschien heeft hij een tijdelijke opleving. Hij weigert een dokter te raadplegen en wil niet dat ik hem onderzoek. Hij zegt dat hij zich erbij neergelegd heeft en dat hij spoedig zal sterven. Ik geloof hem op zijn woord.'

'En nu verwacht je van me dat ik hem mijn excuses aanbied? Nou, dat doe ik niet! Ik meende elk woord! Die keer in New York, toen Bart zo gelukkig was met Toni en ze zoveel van elkaar leken te houden, waren we op een feest, toen er plotseling een oude man binnen kwam die op Joel leek. En op slag was Bart veranderd. Hij werd gemeen, hatelijk, het leek wel of hij betoverd was. Hij begon mijn kleren te bekritiseren, Toni's mooie jurk, die hij plotseling schaamteloos vond, terwijl hij haar een paar minuten daarvoor nog een complimentje had gegeven over diezelfde jurk. Vertel me dus niet dat Joel niet heel veel schuld heeft aan Barts idiote gedrag.'

Onmiddellijk was ik het met Cindy eens. 'Zie je wel, Chris. Cindy gelooft het ook, net als ik. Zonder Joels invloed zou Bart een normaal, aardig mens kunnen worden. Jaag Joel weg, Chris, vóór het te laat is.'

'Ja, papa, zorg dat die oude man weggaat. Betaal hem, maar zorg dat je hem kwijtraakt.'

'En wat zeg ik dan tegen Bart?' zei Chris, van de een naar de ander kijkend. 'Besef je dan niet dat *hij* Joel moet zien zoals hij is? Wij kunnen niet tegen hem zeggen dat Joel een ongezonde invloed op hem heeft. Dat moet Bart zelf ontdekken.'

Spoedig hierna reden we naar Richmond om Cindy naar het vliegveld te brengen. Een week later zou ze naar Hollywood vertrekken, waar ze een filmcarrière wilde opbouwen. 'Ik kom niet meer terug naar Foxworth Hall, mams,' herhaalde ze. 'Ik hou van jou en ik hou van paps, zelfs al is hij kwaad op me omdat ik zeg wat ik denk. Zeg tegen Jory dat ik erg veel van hem en zijn kinderen hou. Maar zodra ik in dat huis ben, komen er gemene en wraakzuchtige gedachten bij me op. Ga hier weg, mams, paps. Ga weg voordat het te laat is.'

Ik knikte zwijgend.

'Mams, herinner je je nog die avond toen Bart Victor Wade in elkaar heeft geslagen? Hij droeg me naakt naar huis, en bracht me toen naar boven, naar Joels kamer. Hij hield me omhoog zodat Joel me kon bekijken, en die ouwe man spuwde naar me, vervloekte me. Ik kon het je toen niet vertellen. Ik ben bang voor die twee als ze samen zijn. Als Bart alleen is kan hij tot inkeer komen. Met Joel erbij om hem te beïnvloeden kan hij gevaarlijk worden.'

Even later zat ze in het vliegtuig en we keken haar na toen ze wegvloog.

Zij vloog naar de ochtend. Wij reden naar huis naar de nacht.

Dit kon zo niet langer doorgaan. Om Jory, Chris, de tweeling en mijzelf te redden, moesten we weg, zelfs al zou dat betekenen dat we Bart nooit meer zouden zien

DE TUIN IN DE LUCHT

Arme Cindy, dacht ik, hoe zou het haar vergaan in Hollywood? Ik zuchtte en keek naar de tweeling. Ze zaten ernstig in hun zandbak onder het zonnescherm, al begon het steeds meer af te koelen in september. Ze schepten geen zand in hun mooie emmertjes, ze bouwden geen zandkastelen. Ze deden niets. 'We luisteren alleen maar naar de wind,' zei Deirdre.

'We houden niet van de wind,' voegde Darren eraan toe.

Voor ik iets kon zeggen kwam Chris naar ons toe, en ik vertelde hem: 'Cindy belde net uit Hollywood. Ze zegt dat ze daar al een hele hoop vrienden heeft. Ik weet niet of het waar is of niet. Maar ze heeft geld genoeg. Ik heb al een van mijn vriendinnen gebeld om eens een kijkje te nemen.'

'Het is beter zo,' zei hij met een vermoeide zucht. 'Het schijnt dat hier alles verkeerd gaat voor Cindy. Ze kan niet opschieten met Bart, en nu is ze ook al tegen Joel begonnen. Ze schijnt zelfs te denken dat Joel nog erger is dan Bart.'

'Dat is hij ook, Chris! Weet je dat dan nog niet?'

Hij werd ongeduldig, juist toen ik dacht dat ik hem overtuigd had. 'Je bent bevooroordeeld omdat hij de zoon van Malcolm is, dat is alles. Even, toen Cindy ook al zo op hem afgaf, hadden jullie me bijna overtuigd, maar Joel doet helemaal niets om Bart te beïnvloeden. Wat ik ervan hoor is Bart een volbloed hengst, die de tijd van zijn leven heeft, maar dat weet jij niet. En Joel kan niet veel langer te leven hebben. De kanker vreet elke dag aan hem, ook al blijft hij zijn gewicht behouden. Hij kan het onmogelijk langer uithouden dan nog een maand of twee.'

Ik was niet van streek. Ik voelde me zelfs niet schuldig, ik schaamde me niet, ik dacht alleen eerlijk dat Joel precies kreeg wat hij verdiende. 'Hoe weet je dat hij kanker heeft?' vroeg ik.

'Hij vertelde me dat hij daarom is terug gekomen, om op eigen grond te sterven, zo te zeggen. Hij wil begraven worden op het familiekerkhof.'

'Chris, het is zoals Cindy zei, hij ziet er nu beter uit dan toen hij kwam.'

'Omdat hij goed te eten en te drinken krijgt en goed onderdak heeft. In dat klooster leefde hij in armoede. Zij ziet hem anders dan ik. Hij neemt me in vertrouwen, Catherine, hij vertelt me hoe moeilijk het is jouw hart te veroveren. De tranen springen in zijn ogen. "En ze lijkt zoveel op haar lieve moeder, mijn lieve zuster," zegt hij steeds.'

Na Joel in de kapel te hebben meegemaakt, zou ik nooit meer in die gemene oude man geloven. Zelfs toen ik Chris uitvoerig vertelde over het incident in de kapel, vond hij het nog niet zo verschrikkelijk. Tot ik hem vertelde wat hij de tweeling had geleerd.

'Heb je het zelf gehoord? Heb je de kinderen echt horen zeggen dat ze duivelsgebroed waren?' Het ongeloof stond duidelijk in zijn ogen te lezen.

'Klinkt het je niet bekend in de oren? Zie je Cory en Carrie op hun knieën naast hun bed, God biddend om ze te vergeven dat ze geboren zijn uit het zaad van de duivel? Ook al wisten ze niet wat het betekende? Wie kan beter weten dan jij en ik hoeveel kwaad er kan voortkomen uit ideeën die in zulke jonge hoofdjes worden geplant? Chris, we moeten hier weg! Niet als Joel gestorven is, maar zo gauw mogelijk!'

Hij zei precies wat ik vreesde. We moesten aan Jory denken, die een speciale omgeving, speciale voorzieningen nodig had. 'Hij moet een lift hebben. De deuren moeten vergroot worden. De gangen moeten breed zijn. En er is nog een overweging. Jory trouwt misschien met Toni. Hij vroeg wat ik ervan dacht, hij wilde weten of ik geloofde dat hij de kans had Toni gelukkig te maken. Ik zei, ja, natuurlijk. Ik zie hun liefde elke dag groeien. Ik ben blij met de manier waarop ze hem behandelt, de rolstoel negeert, niet ziet wat hij *niet* kan, alleen maar wat hij *wel* kan.

En Cathy, het was geen liefde tussen Toni en Bart. Het was een verliefdheid, zuiver lichamelijk – hoe je het noemen wilt. Maar het was geen liefde. Niet ons soort eeuwigdurende liefde.'

'Nee...' fluisterde ik. 'Niet het soort dat eeuwig duurt...'

Twee dagen later belde Chris me op uit Charlottesville met de mededeling dat hij een huis had gevonden.

'Hoeveel kamers?'

'Elf. Het zal klein lijken na Foxworth Hall. Maar de kamers zijn groot, licht, vrolijk. Er zijn vier badkamers en een kleedkamer, vijf slaapkamers, een logeerkamer en nog een badkamer boven de garage. En op de eerste verdieping is een enorme kamer die we kunnen verbouwen tot een atelier voor Jory, en een van de extra slaapkamers kan ik als kantoor gebruiken. Je zult het een heerlijk huis vinden.'

Ik betwijfelde het, hij had het te snel gevonden, al was dat precies wat ik hem gevraagd had. Maar zijn stem klonk zo gelukkig, en dat schiep grote verwachtingen. Hij lachte, legde toen verder uit: 'Het is mooi, Cathy, echt het soort huis dat je altijd gewild hebt. Niet te groot, niet te klein, meer dan genoeg privacy. Drie hectaren en overal bloemperken.'

Het was afgesproken.

Zodra we onze koffers konden pakken en de vele persoonlijke bezittingen die we in de loop der jaren in Foxworth Hall hadden verzameld, zouden we gaan verhuizen.

Ik voelde me toch een beetje triest toen ik door de prachtige kamers liep die ik langzamerhand gezellig had gemaakt. Bart had meer dan eens geklaagd dat ik veranderde wat nooit hoorde te veranderen. Maar zelfs hij, toen hij eenmaal de verbeteringen had gezien die van Foxworth Hall meer een thuis maakten dan een museum, gaf me mijn zin.

Chris kwam op vrijdagavond en keek naar me met een tedere blik in zijn ogen. 'Liefste, hou het nog een paar dagen vol. Ik rij terug naar Charlottesville en inspecteer het huis nog wat grondiger voor we het contract tekenen. Ik heb een aardig appartement gevonden dat we kunnen huren tot we in het huis kunnen. En ik moet nog een paar dingen afwerken in het lab, zodat ik vrij kan nemen voor de verhuizing. Zoals ik aan de telefoon al zei, is het twee weken werk en dan is ons huis klaar, met opritten, lift en al.'

Hij was zo lief om niets te zeggen over al de jaren die hij met Bart had moeten leven – als met een verborgen explosief dat vroeg of laat zou afgaan. Geen woord van verwijt dat ik hem een opstandige, oneerbiedige zoon had gegeven, die weigerde te beseffen hoeveel liefde hij ontving.

Wat had hij veel geleden door Bart, en toch zei hij geen woord van veroordeling omdat ik met opzet de tweede man van mijn moeder had verleid. Ik legde mijn handen tegen mijn hoofd, voelde die intense pijn weer opkomen.

Mijn Christopher reed in de vroege ochtend weg, en ik werd geconfronteerd met weer een angstige, onrustige dag. In de loop der jaren was ik steeds afhankelijker van hem geworden, terwijl ik er vroeger juist prat op ging dat ik zo onafhankelijk was, mijn eigen weg ging, en niemand zo nodig had als zij mij. Wat had ik het leven zelfzuchtig bekeken toen ik jonger was. Mijn wensen en behoeften kwamen altijd eerst. Nu kwamen de wensen van anderen op de eerste plaats.

Rusteloos zwierf ik rond, ging even kijken bij iedereen van wie ik hield. Toen Bart thuis kwam staarde ik hem aan; het liefst had ik hem alle mogelijke beschuldigingen naar zijn hoofd gegooid, terwijl ik aan de andere kant toch ook veel medelijden met hem had. Hij zat achter zijn bureau, en zag eruit als de perfecte jonge directeur. Geen schuldbesef. Geen schaamte, terwijl hij onderhandelde, manipuleerde, steeds meer geld verdiende, alleen maar door in de telefoon te praten of achter zijn computer te zitten. Hij keek op en glimlachte. Een eerlijke glimlach van welkom.

'Toen Joel me vertelde dat Cindy besloten had weg te gaan, maakte dat mijn hele dag goed. En dat gevoel heb ik nog steeds.' Maar wat betekende dan die vreemde uitdrukking in zijn donkere ogen? Waarom keek hij me aan of hij ieder moment in huilen kon uitbarsten? 'Bart, als je me ooit in vertrouwen wilt nemen –'

'Ik heb niets om je toe te vertrouwen, moeder.'

Zijn stem klonk zacht. Te zacht, alsof hij sprak tegen iemand die weldra weg zou zijn – voorgoed verdwenen.

'Misschien weet je het niet, Bart, maar de man die je zo haat, mijn broer en jouw oom, heeft zijn uiterste best gedaan een goede vader voor je te zijn.'

Hij schudde ontkennend het hoofd. 'Als hij zijn best had gedaan, had hij zijn relatie met jou, zijn zuster, moeten opgeven, en dat heeft hij niet gedaan. Ik had van hem kunnen houden als hij gewoon mijn oom was gebleven. Je had beter moeten weten dan te proberen me te bedriegen. Je hoort nu te weten dat als kinderen opgroeien ze vragen gaan stellen. Ze herinneren zich dingen waarvan jij denkt dat zij ze gauw zullen vergeten, maar kinderen vergeten niet. Ze begraven de herinneringen diep in hun hersens, om ze later weer te voorschijn te halen, als zij ze kunnen begrijpen. En het enige dat ik me kan herinneren vertelt me dat jullie aan elkaar gebonden zijn op een manier die onverbreekbaar lijkt, behalve door de dood.'

Mijn hart begon sneller te kloppen. Op het dak van Foxworth Hall, onder de zon en de sterren, hadden Chris en ik bepaalde eden gezworen voor de eeuwigheid. Hoe jong en dwaas om je eigen valstrikken te creëren.

De tranen sprongen de laatste tijd zo snel in mijn ogen. 'Bart, hoe zou *ik* kunnen leven zonder *hem*?'

'O, moeder, dat zou je best kunnen! Dat weet je. *Laat hem gaan, moeder*. Geef me de fatsoenlijke, godvrezende moeder die ik altijd nodig heb gehad om geestelijk gezond te blijven.'

'En als ik geen afscheid kan nemen van Chris, wat dan, Bart?'

Hij boog zijn donkere hoofd. 'God helpe je, moeder. Ik zal het niet kunnen. God helpe mij ook. Maar ik moet denken aan mijn eigen eeuwige ziel.'

Ik ging weg.

De hele nacht droomde ik van brand, van zulke verschrikkelijke dingen dat ik wakker werd. Ik herinnerde me alleen maar de brand, maar er was nog iets anders geweest, iets afschuwelijks dat ik me herinnerde en dat ik steeds weer naar de achtergrond schoof. Wat? Wat? Ik kon niet over een onverklaarbare vermoeidheid heenkomen en viel weer in slaap. En weer was ik terug in een nachtmerrie, waarin Jory's tweeling als Cory en Carrie werden weggesleept om te worden verslonden. Voor de tweede keer dwong ik mezelf om wakker te worden. Ik dwong mezelf om op te staan, al had ik een verschrikkelijke hoofdpijn.

Ik voelde me suf en duizelig toen ik aan mijn dagelijkse bezigheden begon. De tweeling sjokte achter me aan, vroeg duizend en één dingen, vooral Deirdre. Ze deed me zo denken aan Carrie met haar voortdurende 'Waarom? Waar?' en 'Van wie is het?' En hoe kwam het dat het van hem of van haar of van het was? Ze brabbelde maar door, terwijl Darren in kasten snuffelde, laden opentrok, enveloppen inspecteerde, tijdschriften doorbladerde en ze daarbij zo vernielde dat ze niet meer te lezen waren, wat me deed zeggen: 'Cory, leg ze neer! Die zijn van je grootvader en hij wil de letters graag lezen, ook al vind jij alleen de plaatjes mooi. Carrie, wil je alsjeblieft vijf minuten je mond houden? Vijf minuten maar?' En dat lokte natuurlijk weer een andere vraag uit, omdat ze wilden weten wie Cory was en wie Carrie, en waarom ik ze altijd bij zo'n malle naam noemde.

Tenslotte kwam Toni me verlossen van de al te nieuwsgierige kinderen.

'Sorry, Cathy, maar Jory wilde dat ik voor hem poseerde in de tuin, voordat alle rozen verdorren...'

Voordat alle rozen verdorren? Ik staarde haar aan, schudde toen mijn hoofd en dacht dat ik te veel achter een paar gewone woorden zocht. De rozen bleven leven tot het ging vriezen, en het duurde nog maanden voor het winter werd.

Ongeveer twee uur 's middags ging de telefoon in mijn kamer. Ik was net gaan rusten. Het was Chris. 'Lieveling, ik heb geen rust als ik denk aan wat er zou kunnen gebeuren. Ik geloof dat je me hebt aangestoken met je angst. Ik zie je over een uur. Alles goed met je?'

'Waarom zou het niet goed met me zijn?'

'Ik vraag het maar. Ik had een akelig gevoel. Ik hou van je.'

'Ik hou ook van jou.'

De tweeling was rusteloos. Ze wilden niet in de zandbak spelen, ze wilden niets van alles wat ik voorstelde.

'Dee-dee wil niet touwtjespringen,' zei Deirdre, die haar naam niet goed kon uitspreken, en het eigenlijk ook niet wilde. Hoe meer we probeerden haar de juiste uitspraak bij te brengen, hoe hardnekkiger ze het verkeerd zei. Ze had Carrie's koppigheid. En omdat Darren altijd bereid was haar voorbeeld te volgen, lispelde hij even hard als zij. En wat maakte het voor verschil als een klein jongetje van zijn leeftijd vadertje en moedertje speelde?

Ik legde de tweeling in hun bedjes voor hun middagslaapje. Ze protesteerden luidkeels en hielden niet op voordat Toni binnenkwam en hun een verhaaltje voorlas dat ze beloofd had te zullen lezen – terwijl ik dat verdomde verhaal al drie keer had voorgelezen! Eindelijk sliepen ze in hun mooie kamer, waar de gordijnen waren dichtgetrokken. Wat zagen ze er schattig uit, op hun zij liggend met de gezichtjes naar elkaar toe, net als Cory en Carrie hadden gedaan.

Toen ik in mijn eigen kamer was, na even bij Jory te hebben gekeken die een boek aan het lezen was hoe hij bepaalde seksuele spieren kon versterken, werkte ik mijn verwaarloosde dagboek bij. Toen ik moe werd en afgeleid door de doodse stilte in huis, ging ik de tweeling wakker maken.

Ze waren niet in hun bedjes!

Jory en Toni zaten op het terras. Ze lagen allebei op hun zij op de gymnastiekmat. Ze omhelsden elkaar, kusten elkaar lang en hartstochtelijk.

'Het spijt me dat ik jullie stoor,' zei ik, beschaamd dat ik bedierf wat voor Jory en Toni een prachtige ervaring moest zijn. 'Waar is de tweeling?'

'We dachten dat ze bij jou waren,' zei Jory, die tegen me knipoogde voor hij zijn aandacht weer aan Toni wijdde. 'Ga ze gauw zoeken, mams... ik ben bezig met mijn les van vandaag.'

Ik nam de snelste weg naar de kapel. Ik holde door de tuin, keek ongerust naar het bos dat het kerkhof verborg. Drie schaduwen vielen op de grond en kruisten elkaar toen ik bij de deur van de kapel kwam. Een vreemde geur kwam me tegemoet. Wierook. Ik holde verder, was buiten adem toen ik bij de kapel kwam. Mijn hart bonsde. Sinds ik hier de laatste keer was geweest was er een orgel geïnstalleerd. Ik sloop zo zacht mogelijk de kapel binnen.

Joel zat achter het orgel en speelde prachtig. Het was duidelijk dat hij vroeger inderdaad een beroepsmusicus was geweest met een uitzonderlijk talent. Bart stond op om te zingen. Ik ontspande me toen ik de tweeling zag op de voorste bank. Ze zagen er tevreden uit en staarden omhoog naar hun oom, die zo mooi zong dat het bijna mijn angst wegnam en me vrede gaf.

Het gezang was ten einde. Automatisch ging de tweeling op hun knieën liggen en ze vouwden hun handjes onder hun kin. Ze leken engeltjes, of lammeren die naar de slachtbank werden geleid.

Waarom dacht ik dat? Dit was een heilige plaats.

'En al wandelen we door de vallei van de schaduw van de dood, we vrezen geen kwaad,' zei Bart, die ook op zijn knieën lag. 'Zeg het na, Darren, Deirdre.'

'En al wandelen we door de vallei van de schaduw van de dood, we vrezen geen kwaad,' zei Deirdre gehoorzaam. Darren volgde haar hoge stemmetje.

'Want gij zijt bij mij -' zei Bart.

'Want gij zijt bij mij.'

'Uw staf zal mij troosten.'

'Uw staf zal mij troosten.'

Ik deed een stap naar voren. 'Bart, wat doe je in godsnaam? Het is geen zondag, en er is niemand gestorven.'

Hij hief zijn hoofd op. Zijn donkere ogen keken verdrietig in de mijne.

'Ga weg, moeder, alsjeblieft.'

Ik holde naar de kinderen, die overeind sprongen. Ik nam ze in mijn armen. 'We vinden het hier niet leuk,' fluisterde Deirdre. 'Vinden het hier naar.'

Joel was opgestaan. Lang en mager stond hij in de schaduw, terwijl de kleuren van het gebrandschilderde glas op zijn lange ingevallen gezicht vielen. Hij zei geen woord, maar keek me vernietigend aan.

'Ga terug naar je kamer, moeder, alsjeblieft, alsjeblieft.'

'Je hebt niet het recht deze kinderen te leren bang te zijn voor God. Als je godsdienst onderwijst, Bart, spreek je over Gods liefde en niet over Gods toorn.'

'*Zij* zijn niet bang voor God, moeder. Je spreekt over je eigen angst.'

Ik liep achteruit, met de tweeling aan de hand. 'Op een goede dag zul je begrijpen wat liefde is, Bart. Je zult ontdekken dat die niet komt omdat je hem wilt of nodig hebt. Hij komt alleen als je hem verdient. Hij komt als je hem het minst verwacht; hij komt door de deur en doet die zachtjes achter zich dicht, en als het goed is, blijft hij. Je intrigeert of verleidt niet om hem te vinden. Je moet de liefde verdienen, anders krijg je nooit iemand die lang genoeg blijft.'

Zijn donkere ogen stonden somber. Hij bleef in zijn volle lengte staan, kwam toen naar voren, deed drie stappen naar beneden.

'We gaan allemaal weg, Bart. Dat moet je heerlijk vinden. Niemand van ons komt ooit nog terug om je lastig te vallen. Jory en Toni gaan met ons mee. Je zult alles hebben *waar je recht op hebt*. Elke kamer van dit reusachtige eenzame Foxworth Hall zal helemaal van jou zijn. Als je wilt zal Chris het trusteeschap overdragen aan Joel tot je vijfendertig bent.'

Even, een heel kort verhelderend moment, verscheen er een angstige uitdrukking op Barts gezicht, en een blik van triomf in Joels waterige ogen.

'Laat Chris het trusteeschap overdragen aan mijn advocaat,' zei Bart snel.

'Als je dat wilt.' Ik glimlachte naar Joel, wiens gezicht veranderde. Hij keek teleurgesteld naar Bart, wat mijn argwaan bevestigde. Hij was woedend omdat Bart zou krijgen wat van hem had kunnen zijn.

'Morgenochtend zijn we weg, allemaal,' fluisterde ik hees.

'Ja, moeder. Ik wens je goede reis en veel geluk.'

Ik staarde naar mijn jongste zoon, die op een meter afstand van me stond. Wanneer had ik dat voor het laatst gehoord? O, zo lang geleden. De lange conducteur van de nachttrein die ons hier had gebracht toen we nog kinderen waren. Hij had op de trap van de slaapwagen gestaan en naar ons geroepen, en de trein had een droevig gefluit laten horen ten afscheid.

Toen ik Barts sombere blik zag dacht ik dat ik nu afscheid moest nemen, in deze kapel, en niet morgen, als ik waarschijnlijk in tranen zou uitbarsten.

Hij sprak het eerst. 'Moeders schijnen altijd weg te lopen en hun zoons achter te laten. *Waarom laat je me in de steek?*'

Zijn hese verdrietige stem ging als een mes door me heen. Toch zei ik wat ik zeggen moest. 'Omdat je mij jaren geleden in de steek hebt gelaten,' antwoordde ik gebroken. 'Ik hou van je, Bart. Ik heb altijd van je gehouden, al wil je dat niet geloven. Chris houdt van je. Maar je wilt zijn liefde niet. Je houdt jezelf elke dag dat je leeft voor dat je eigen natuurlijke vader een betere vader zou zijn geweest. Maar dat weet je niet. Hij was zijn vrouw, mijn moeder, ook niet trouw – en ik was niet zijn eerste zijsprong. Ik wil niet onvriendelijk spreken over een man van wie ik toen erg veel heb gehouden, maar hij was niet hetzelfde soort man als Chris. Hij zou je niet zoveel van zichzelf hebben gegeven.'

De zon door de ramen kleurde Barts gezicht vuurrood. Zijn hoofd bewoog heen en weer. Opnieuw gekweld. Zijn handen langs zijn zij werden tot vuisten gebald. 'Zeg geen woord meer!' schreeuwde hij. 'Hij is de vader die ik wens, die ik altijd gewenst heb! Chris heeft me niets anders gegeven dan schaamte en schande. Ga weg! Ik ben blij dat jullie weggaan. Neem je vuil mee en vergeet dat ik besta.'

Uren gingen voorbij, en Chris kwam maar niet. Ik belde het laboratorium. Zijn secretaresse zei dat hij drie uur geleden was vertrokken. 'Hij had er al moeten zijn, mevrouw Sheffield.'

Onmiddellijk werd ik gefolterd door de gedachte aan mijn eigen vader. Een ongeluk op de weg. Herhaalden we de daad van mijn moeder in omgekeerde volgorde? Liepen we weg van Foxworth Hall in plaats van erheen? Tik-tak ging de klok: Bom-bom-bom ging mijn hart. Ik moest kinderrijmpjes voorlezen, zodat de tweeling zou gaan slapen en niets meer zou vragen.

'Moeder, hou alsjeblieft op met ijsberen,' beval Jory. 'Je werkt op mijn zenuwen. Waarom heb je zo'n haast om weg te gaan? Vertel me waarom, zeg iets.'

Joel en Bart kwamen bij ons.

'Je was niet aan tafel tijdens het diner, moeder. Ik zal in de keuken zeggen dat ze een blad voor je klaarmaken.' Hij keek even naar Toni. 'JIJ kunt blijven.'

'Nee, dank je, Bart. Jory heeft me ten huwelijk gevraagd.' Ze hief uitdagend haar kin op. 'Hij houdt van me op een manier zoals jij nooit zal kunnen.'

Bart keek naar zijn broer, gekweld, verraden. 'Je kunt niet trouwen. Wat voor man ben je?'

'De man die ik wil!' riep Toni uit. Ze ging naast Jory's stoel staan en legde luchtig haar hand op zijn schouder.

'Als het om geld gaat – hij heeft nog niet één procent van wat ik heb.'

'Het kan me niet schelen, al had hij niets,' antwoordde ze trots, hem recht in zijn donkere, sombere ogen kijkend. 'Ik hou van hem zoals ik nog nooit van iemand heb gehouden.'

'Je hebt medelijden met hem,' merkte Bart nuchter op.

Jory kromp ineen, maar zei niets. Hij scheen te weten dat Toni het moest uitvechten met Bart.

'In het begin had ik medelijden met hem,' bekende ze eerlijk. 'Ik vond het afschuwelijk dat zo'n geweldige man met zoveel talent invalide was. Maar nu zie ik hem niet meer als gehandicapt. Weet je, Bart, we zijn allemaal gehandicapt op de een of andere manier. Bij Jory is het heel openlijk, heel zichtbaar. Bij jou is het verborgen en ziek. Je bent zo ziek, en al het medelijden dat ik nu voel is VOOR JOU!'

Barts gezicht vertrok. Ik keek naar Joel en zag dat hij Bart aanstaarde, alsof hij hem beval te zwijgen.

Bart keerde zich met een ruk om en snauwde tegen mij: 'Waarom zitten jullie allemaal in deze kamer? Waarom gaan jullie niet naar bed?! Het is al laat.'

'We wachten tot Chris thuiskomt.'

'Er is een ongeluk gebeurd op de snelweg,' zei Joel. 'Ik heb het op de radio gehoord. Een man is dood.' Hij scheen het heerlijk te vinden dat nieuws te kunnen geven.

Mijn hart stond stil – nog een Foxworth om het leven gekomen door een ongeluk?

Niet Chris, niet mijn Christopher Doll. Nee, nog niet, nog niet.

Heel in de verte hoorde ik de keukendeur open- en dichtgaan. De kok die naar zijn kamers boven de garage gaat, dacht ik – of misschien Chris. Hoopvol keek ik naar de garage. Geen blauwe ogen, geen glimlach, geen armen die naar me werden uitgestrekt. Niemand kwam door de deur.

De minuten gingen voorbij en we staarden elkaar ongerust aan. Mijn hart begon pijnlijk te bonzen. Het werd tijd dat hij thuis kwam. Meer dan tijd.

Joel staarde naar me, zijn lippen vertrokken op een afschuwelijke manier, alsof hij meer wist dan hij had gezegd. Ik keek naar Jory, knielde naast zijn stoel, en hij hield me dicht tegen zich aan. 'Ik ben bang, Jory,' snikte ik. 'Hij had nu allang thuis moeten zijn. Het kan geen drie uur duren, zelfs niet in de winter als de wegen glad zijn.'

Niemand zei iets. Jory niet, die me dicht tegen zich aangedrukt hield. Toni niet. Bart niet en zelfs Joel niet. Alleen al het feit dat we allemaal bij elkaar zaten te wachten deed me weer denken aan het moment op mijn vaders zesendertigste verjaardag, toen de twee politiemannen kwamen vertellen dat hij dood was.

Ik voelde een schreeuw in mijn keel opkomen toen ik een witte auto zag op de oprijlaan met een rood zwaailicht op het dak.

De tijd werd teruggedraaid.

NEE! NEE! NEE! scheeuwden mijn hersens steeds opnieuw terwijl ze de feiten verwerkten van het ongeluk, de dokter die uit zijn auto was gesprongen om de gewonde en stervende slachtoffers te helpen die op de weg lagen, en terwijl hij de snelweg overstak was hij aangereden.

Zorgvuldig, eerbiedig legden ze zijn eigendommen op tafel, zoals ze in Gladstone de bezittingen van mijn vader op een andere tafel hadden gelegd. Deze keer staarde ik naar alle dingen die Chris in zijn zakken had. Het was allemaal zo onwezenlijk, een nachtmerrie waaruit ik wakker zou worden – niet mijn foto in zijn portefeuille, niet het polshorloge van Chris en de saffieren ring die ik hem voor Kerstmis had gegeven. Niet mijn Christopher Doll, nee, nee, nee!

De voorwerpen werden schemerig, vaag. Duisternis trok door mijn hele wezen, ik was nergens meer, nergens. De politiemannen krompen. Jory en Bart leken zo ver weg. Toni doemde enorm groot voor me op toen ze naar me toe kwam om me te steunen. 'Cathy, het spijt me zo verschrikkelijk... ik vind het zo afschuwelijk...'

Ik geloof dat ze nog meer zei. Maar ik rukte me los en holde, holde, alsof alle nachtmerries die ik ooit in mijn leven had gehad me achtervolgden. *Zoek de doffe plekken en je zult ze vinden.*

Ik holde, probeerde de waarheid te ontvluchten, holde naar de kapel waar ik me voor de kansel liet vallen en bad zoals ik nog nooit in mijn leven had gebeden.

'Alstublieft, God, u kunt mij dit niet aandoen, of Chris! Er is geen betere man dan Chris... dat weet u toch...' en toen begon ik te snikken. Want mijn vader was een fantastische man geweest, en dat was niet belangrijk geweest. Het lot koos niet de onbeminden, de nalatigen, de ongewensten of de zwervers. Het noodlot was een lichaamloze vorm met een wrede hand die zich op goed geluk, achteloos uitstrekte en meedogenloos een greep deed.

Ze begroeven het lichaam van mijn Christopher Doll niet in het familiegraf van de Foxworths, maar op het kerkhof waar Paul, mijn moeder, Barts vader en Julian onder de aarde lagen. Niet zo ver daar vandaan was het kleine grafje van Carrie.

Ik had al opdracht gegeven het lichaam van mijn vader uit de harde eenzame grond in Gladstone, Pennsylvania, te halen en bij de rest van ons ter aarde te bestellen. Ik dacht dat hij dat prettig zou vinden, als hij het wist.

Ik was de laatste van de vier porseleinen poppetjes. Alleen ik nog... en ik wilde hier niet meer zijn.

De zon was heet en helder. Een dag om te vissen, te zwemmen, te tennissen en plezier te maken, en ze legden mijn Christopher onder de grond.

Ik probeerde hem daar niet te zien, met zijn blauwe ogen voor eeuwig gesloten. Ik staarde naar Bart, die de grafrede uitsprak met tranen in zijn ogen. Ik hoorde zijn stem heel in de verte; hij zei alle woorden die hij had moeten zeggen toen Chris nog leefde; hij zou zo blij zijn geweest met die liefdevolle woorden.

'Er staat in de bijbel,' begon Bart met mooie klankvolle stem, 'dat het nooit te laat is om vergeving te vragen. Ik hoop en bid dat dit waar is, want ik wil deze man die voor mij ligt vragen of hij vanuit de Hemel wil neerzien en mij wil vergeven dat ik niet de liefhebbende, begrijpende zoon ben geweest die ik had moeten en kunnen zijn. Deze vader, die ik nooit heb geaccepteerd als mijn vader, heeft mijn leven zoveel keer gered, en ik sta hier, met in mijn hart alle schuld en schaamte van een verspilde jeugd die zijn leven gelukkiger had kunnen maken.'

Hij boog zijn donkere hoofd zodat de zon zijn haar en de tranen op zijn wangen deed glinsteren. 'Ik hou van je, Christopher Sheffield Foxworth. Ik hoop dat je me hoort. Ik hoop en bid dat je me vergeeft dat ik zo blind ben geweest om niet te zien wat je waard was.' De tranen rolden over zijn wangen. Zijn stem werd hees. Mensen begonnen te huilen.

Alleen ik had droge ogen, een droog hart.

'Doctor Christopher Sheffield verloochende zijn achternaam Foxworth,' ging hij verder, toen hij zijn stem weer had gevonden. 'Ik weet nu dat hij niet anders kon. Hij was arts tot het laatste ogenblik, hij had zich volledig gewijd aan het verzachten van het menselijk lijden, terwijl ik, zijn zoon, hem het recht ontzegde mijn vader te zijn. In vernedering, in berouw en in schaamte buig ik mijn hoofd en zeg dit gebed...'

Hij ging maar door terwijl ik mijn oren dichthield en mijn ogen afwendde, verdoofd door verdriet.

'Vond je het geen prachtige grafrede, mams?' vroeg Jory op een sombere dag. 'Ik heb gehuild, ik kon er niets aan doen. Bart vernederde zich, mams, voor al die mensen. Ik heb hem nog nooit zo nederig gezien. Dat moet je hem toch nageven.'

Zijn donkerblauwe ogen smeekten me.

'Mams, je kunnen huilen. Het is niet goed om zo maar te blijven zitten en in de ruimte te staren. Het is nu twee weken geleden. Je bent niet alleen. Je hebt ons. Joel is teruggevlogen naar dat klooster om daar dood te gaan aan die kanker die hij zegt dat hij heeft. We zullen hem nooit meer terugzien. Hij heeft geschreven dat hij niet begraven wil worden in de grond van de Foxworths. Je hebt mij, je hebt Toni, Bart, Cindy en je kleinkinderen. We houden van je en we hebben je nodig. De tweeling begrijpt niet waarom je niet met ze speelt. Sluit ons niet buiten. Je bent over elke tragedie heengekomen. Doe dat nu ook. Kom bij ons terug – vooral terwille van Bart, want als je jezelf laat sterven van verdriet, betekent dat zijn ondergang.'

Terwille van Bart bleef ik in Foxworth Hall en probeerde me aan te passen in een wereld die me niet echt meer nodig had.

Negen eenzame maanden gingen voorbij. In elke blauwe lucht zag ik Chris' blauwe ogen. In elk goud zag ik de kleur van zijn haar. Ik bleef staan op straat en staarde naar jonge jongens die eruitzagen zoals Chris op hun leeftijd; ik staarde naar jongemannen die me aan hem deden denken toen hij hun leeftijd had; ik staarde verlangend naar de rug van lange, krachtige mannen met blond haar dat grijs begon te worden, met de weemoedige hoop dat ze zich zouden omdraaien en Chris naar me zou lachen. Soms deden ze dat ook, of ze mijn vurige verlangen voelden, en ik wendde mijn blik af, want het was Chris niet, hij was het nooit.

Ik zwierf door de bossen en de heuvels, en voelde hem naast me, net buiten mijn bereik, maar toch naast me.

Terwijl ik rondzwierf, met alleen Chris' geest naast me, begon ik te beseffen dat onze levens een bepaald patroon hadden, dat niets wat gebeurde toeval was.

Op alle mogelijke manieren deed Bart zijn best me er overheen te helpen, en ik glimlachte, dwong mezelf te lachen, en gaf hem daardoor de rust en het zelfvertrouwen die hij nodig had voor zijn gevoel van eigenwaarde.

En toch, en toch, wie en wat was ik, nu Bart zichzelf had gevonden? Dat gevoel van het patroon te kennen werd sterker en sterker in de elegante omgeving van Foxworth Hall.

Na alle duisternis, angst, de tragedies en pathetische gebeurtenissen in ons leven, begreep ik het eindelijk. Waarom hadden niet al Barts psychiaters beseft toen hij jong was dat hij zocht, uitprobeerde, trachtte de rol te vinden die hem het beste paste? In al die ellende van zijn jeugd, had hij zich verzet tegen zijn gebreken, het kwaad geweerd dat hij dacht dat zijn ziel ontsierde, zich vastgeklampt aan zijn geloof dat het goede het uiteindelijk won van het kwaad. En in zijn ogen waren Chris en ik het kwaad.

Tenslotte vond Bart zijn eigen hoekje in het schema der dingen. Ik hoefde de TV maar aan te zetten op een zondagochtend en soms midden in de week om mijn jongste zoon te kunnen zien en horen prediken, erkend als de meest hypnotiserende en overtuigende evangelist ter wereld. Messcherp drongen zijn woorden in ieders ziel, en het geld stroomde met miljoenen in zijn schatkist. Hij gebruikte het geld om het evangelie te verspreiden.

Toen beleefde ik op een zondagochtend de verrassing dat Cindy opstond en naast Bart op het podium ging staan. Ze stak haar arm door de zijne. Bart glimlachte trots voor hij aankondigde: 'Mijn zuster en ik dragen dit lied op aan onze moeder. Moeder, als je kijkt dan weet je hoeveel dit lied betekent niet alleen voor ons beiden, maar ook voor jou.'

Samen, als broer en zuster, zongen ze mijn lievelingsgezang... Lang geleden had ik de godsdienst opgegeven, denkend dat het niets voor mij was, omdat zoveel mensen kwezelachtig, bekrompen en wreed waren.

En toch rolden de tranen over mijn gezicht... en ik huilde. Na al die maanden sinds Chris was verongelukt op de snelweg, huilde ik die bodemloze bron van tranen droog.

Bart had het laatste verrotte stuk van Malcolms genen afgehakt en alleen het goede overgelaten. Om hem te creëren hadden de papieren bloemen op zolder gebloeid.

Om hem te creëren waren huizen door het vuur verwoest, was onze moeder gestorven en onze vader... om hem te creëren, de leider, die de mensheid zou behoeden voor de ondergang.

Ik zette de TV uit toen Barts programma voorbij was. Zijn programma was het enige waar ik naar keek. Niet zo ver hier vandaan bouwden ze een enorm gedenkteken voor mijn Christopher.

HET CHRISTOPHER SHEFFIELD KANKER RESEARCH CENTRUM, zou het heten.

In Greenglenna, Zuid-Carolina, was Bart ook de stichter van een fonds voor arme jonge advocaten, en dat zou heten het BARTHOLOMEW WINSLOW FONDS VOOR JURISTEN.

Ik wist dat Bart probeerde goed te maken dat hij de man had verloochend die zijn best had gedaan zijn vader te zijn. Honderd keer verzekerde ik hem dat Chris blij zou zijn, erg blij.

Toni was met Jory getrouwd. De tweeling aanbad haar. Cindy had een filmcontract en maakte snel carrière. Het leek vreemd, na een leven lang te hebben gegeven, eerst aan de tweeling van mijn moeder, toen aan mijn echtgenoten, en mijn kinderen en kleinkinderen, dat niemand me meer nodig had, dat ik geen eigen plaats meer had. Nu was ik de buitenstaander.

'Mams!' zei Jory op een dag tegen me. 'Toni is zwanger! Je weet niet wat dat voor me betekent. Als het een jongen is noemen we hem Christopher. Als het een meisje is, noemen we haar Catherine. En zeg nou niet dat je dat niet wilt, want we doen het toch.'

Ik bad dat ze een jongen zouden krijgen als mijn Christopher, of mijn Jory, en ik bad dat Bart eens de juiste vrouw zou vinden die hem gelukkig zou maken. En toen pas realiseerde ik me dat Toni gelijk had gehad, dat hij zocht naar een vrouw als ik, zonder mijn zwakheden. Hij wilde dat ze alleen mijn kracht zou hebben en met mij als levend model zou hij haar misschien nooit vinden.

'En, mams,' had Jory in datzelfde gesprek gezegd, 'ik heb mijn eerste prijs gewonnen, in een aquarel-competitie... dus ik ben nu bezig een nieuwe succesvolle carrière op te bouwen.'

'Zoals je vader heeft voorspeld,' antwoordde ik.

Dit alles ging door me heen, en ik voelde me gelukkig voor Jory en Toni, gelukkig voor Bart en Cindy, toen ik naar de dubbele trap liep die me naar boven zou brengen, en nog verder naar boven.

Ik had gisteravond de wind uit de bergen horen roepen, die me vertelde dat het mijn tijd was om te gaan, en toen ik wakker werd, wist ik wat me te doen stond.

Toen ik in die koude schemerachtige kamer kwam, zonder meubels of vloerbedekking of kleden, alleen maar een poppenhuis dat niet zo mooi was als het origineel, deed ik de lange smalle kastdeur open en klom de smalle steile trap op. Op weg naar de zolder.

Op weg naar de plaats waar ik mijn Christopher weer terug zou vinden.

EPILOOG

Het was Trevor die mijn moeder boven vond, zittend in de vensterbank van wat het raam had kunnen zijn van het leslokaal, dat ze zo vaak had genoemd in de verhalen over haar gevangenschap in Foxworth Hall. Haar mooie lange haar was los en viel over haar schouders. Haar ogen waren open en staarden glazig naar de lucht.

Hij kwam bij me om me de bijzonderheden te vertellen, met droefheid in zijn stem, terwijl ik Toni dichterbij wenkte, zodat ze mee kon luisteren. Jammer dat Bart op een wereldtournee was, want hij zou onmiddellijk naar huis zijn gevlogen als hij zelfs maar vermoed had dat ze hem nodig kon hebben.

Trevor ging verder. 'Ik wist dat ze zich al dagen niet goed voelde. Ze was zo peinzend, alsof ze probeerde de zin van haar leven te ontdekken. Er lag een verschrikkelijke droefheid in haar ogen, een pathetisch verlangen dat me intens medelijden met haar deed hebben. Ik ging haar zoeken, en tenslotte liep ik de tweede smalle trap op naar de zolder. Ik keek om me heen. Tot mijn verbazing zag ik dat ze de zolder al een tijd lang versierd moest hebben met papieren bloemen...'

Hij zweeg even, terwijl ik mijn tranen probeerde te bedwingen. Het speet me zo dat ik niet meer had gedaan om haar het gevoel te geven dat we haar nodig hadden. Trevor ging verder met een vreemde klank in zijn stem. 'Ik moet u iets vreemds vertellen. Uw moeder zat in de vensterbank, en ze zag er zo jong uit, zo slank en tenger... zelfs in de dood lag er een blijde, gelukkige uitdrukking op haar gezicht.'

Trevor gaf me nog meer bijzonderheden. Alsof ze wist dat ze binnenkort zou sterven, had mijn moeder papieren bloemen op de muren van de zolder geplakt, en een vreemd uitziende oranje slak en een paarse worm. Ze had een briefje geschreven dat ze in haar hand geklemd hield.

Er is een tuin in de lucht die op me wacht. Het is een tuin die Chris en ik ons jaren geleden hebben verbeeld, terwijl we op een hard leien dak lagen en omhoog staarden naar de zon en de sterren.

Hij is daarboven, fluisterend in de wind, om me te vertellen dat het paarse gras daar groeit. Ze wachten daar boven allemaal op me.

Vergeef me dus dat ik moe ben, te moe om te blijven. Ik heb lang genoeg geleefd, en ik kan zeggen dat mijn leven vol geluk is geweest en vol droefheid. Al zullen sommigen dat misschien niet zo zien.

Ik hou van jullie allemaal, van allemaal evenveel. Ik hou van Darren en

Deirdre en wens hun veel geluk in hun leven, en ik wens jouw komende kind hetzelfde, Jory. De Dollanganger Sage is uit.

Jullie zullen mijn laatste manuscript in mijn privé kluis vinden. Doe er-mee wat je wilt.

Dit was voorbestemd. Ik heb geen andere plaats om heen te gaan. Nie-mand heeft me harder nodig dan Chris.

Maar zeg alsjeblieft nooit dat ik mijn belangrijkste doel niet heb bereikt. Misschien ben ik niet de prima ballerina geworden die ik had willen zijn. Evenmin ben ik de volmaakte echtgenote of moeder geweest – maar ik ben er in geslaagd één mens tenslotte ervan te overtuigen dat hij de juiste vader had.

En het was niet te laat, Bart.

Het is nooit te laat.

Lees ook van A.W. Bruna Uitgevers B.V.

Virginia Andrews

Bloemen op zolder

Vier gelukkige kinderen verliezen hun vader bij een
verkeersongeluk. Hun verwende moeder wendt zich in wanhoop tot
haar ouders die haar hebben onterfd toen zij vijftien jaar geleden
wegliep om met een halfoom te trouwen. De ouders zijn bereid hun
dochter te helpen en zo verhuizen de kinderen in het holst van de
nacht naar het riante landgoed van hun grootouders. Ze worden
verstopt op een donkere, muffe zolder en moeten daar blijven tot de
ongelooflijk rijke grootvader is gestorven. Dat is slechts een
kwestie van dagen, volgens de moeder. Maar dagen worden maanden
en uiteindelijk jaren en nog steeds gaat de zieke oude man niet dood.
De wegkwijnende kinderen worden 'verzorgd' door de grootmoeder
die hen kwelt en vernedert. De twee oudste kinderen naderen de
volwassenheid, worstelen met nieuwe verlangens en begeertes. En
dan ziet de oude grootmoeder haar kans schoon. Wrekend... en
moordzuchtig.

Het eerste deel van de macabere vijfdelige *Dollanganger*-serie.

ISBN 90 449 2474 5